Cyfres y Cymoedd

Llynfi ac Afan, Garw ac Ogwr

Golygydd
Hywel Teifi Edwards

Argraffiad cyntaf—1998

ISBN 1 85902 667 2

Dymuna'r cyhoeddwyr gydnabod cymorth
Adrannau Cyngor Llyfrau Cymru

Argraffwyd gan
Wasg Gomer, Llandysul, Ceredigion

Cynnwys

Cyflwyniad

Dyma'r chweched gyfrol yng Nghyfres y Cymoedd yn gweld golau dydd ac unwaith eto y mae'n bleser gennyf gydnabod fy nyled i bob un o'r cyfranwyr diwyd-barod a roes fod iddi, i Mrs Gaynor Miles am baratoi'r cynnwys ar gyfer y wasg mor ddeheuig ag arfer ac i'r cyfaill, Dyfed Elis-Gruffydd, sydd heb ffael na phall ar ei amynedd wedi sicrhau eto fod stamp graenusrwydd Gwasg Gomer ar gyfrol Llynfi ac Afan, Garw ac Ogwr.

Fe fyddwn i'n gobeithio erbyn hyn fod pwrpas y gyfres yn ddigon clir ond y mae dyn yn darllen ambell sylw digon od weithiau. Fe gafodd yr Athro John Rowlands, druan, y bai gan un adolygydd am ddiffygion y gyfrol ar Gwm Cynon y llynedd ac yntau'n gwbwl rydd o bob cyfrifoldeb golygyddol. Y mae'n dda gennyf gael cyfle i achub ei gam!

A gaf i nodi'n fyr eto fod y gyfres yn ceisio adlewyrchu'r cryfderau a fu i'r diwylliant Cymraeg yng nghymoedd y De. Gellir dal fod y diwylliant hwnnw 'rhywbeth yn debyg' ymhob cwm ac y mae hynny'n wir. Nid pwrpas y gyfres yw chwilio am yr 'eithriad' blaengar ei ddawn – er fod lle i ambell un felly fel y gwelir – yn gymaint â dangos sut yr oedd am gyfnod drwch o Gymry yn y cymoedd a oedd trwy gyfrwng y Gymraeg yn eisteddfota, yn llenydda ac yn cyngherdda'n rhyfeddol o egnïol. Yr oeddent yn chwarae drama hefyd ond gan nad oes sôn am fawr neb sy'n ei gweld hi'n werth adrodd hanes y ddrama Gymraeg nid oes modd gwneud cyfiawnder â chwmnïau drama'r cymoedd yn y gyfres hon. Buasai'n dda calon gennyf gael cynnwys erthygl, megis erthygl Menna Davies ar D. T. Davies yn y gyfrol ar Gwm Rhondda, ymhob un o'r cyfrolau. Y ffaith fod y ddrama yn cael y nesaf peth i ddim sylw yw'r diffyg sy'n fy mlino i fwyaf. Fe wêl eraill anghenion eraill ac y mae croeso iddynt eu nodi – a mwy fyth o groeso iddynt eu cyflenwi.

Nid oedd yn fwriad o'r cychwyn i olrhain dylanwad crefydd yn y cymoedd ond rwy'n ddigon bodlon fy meddwl fod rhan capel ac eglwys yn y diwylliant Cymraeg a ffynnai ynddynt yn dod i'r amlwg yn gyson mewn amrywiol benodau. Byddwn wrth fy modd yn ysgrifennu yn Gymraeg am bwysigrwydd chwaraeon yn y cymoedd – y mae'n faes astudiaeth ardderchog – ond stori arall yw dangos lle'r

Gymraeg yn y chwaraeon hynny. I ba unigolyn neu dîm y bu'r Gymraeg yn hanfod dawn, neu'n amod llwyddiant neu'n achos methiant? A oes a ŵyr?

Bwriedir dal at y patrwm bellach gan gadw mewn golwg 'ofynion' y math o gynulleidfa sydd – yn ôl a glywaf – yn hoffi'r newid cywair o ran mater ac arddull sy'n nodweddu'r gyfres. Fe fydd y cyfeiriad drachefn yn dal i fod yn gyfeiriad arweiniol ac os llwyddir i ddangos gymaint mwy sydd eisiau'i ddweud am ddiwylliant Cymraeg y cymoedd ni fydd y gwaith yn ofer.

A dyna ddigon o esbonio – esbonio, noder, nid cwyno. Nid oes gennyf ddim lle i gwyno o gwbwl. I'r gwrthwyneb, y mae gennyf bob achos i ddiolch am gefnogaeth cyfranwyr a diddordeb darllenwyr yn eu cyfraniadau.

Hywel Teifi Edwards
Mehefin 1998

Norah Isaac: Merch o'r Caerau

Hywel Teifi Edwards

Tua'r flwyddyn 1910 daeth ei thad, David Isaac, o Dre-fach, Felindre i wella'i fyd fel colier yng Nghlydach Vale. Bu diwrnod dan-ddaear yn ddigon iddo ac aeth at ei wncwl yn y Caerau i weithio mewn siop gwerthu cig. Ac yn y Caerau y bu yn siopwr llwyddiannus tan ei farw yn 83 oed. Âi yn ôl i Felindre pob cyfle a gâi – nôl i angladdau'r hen wynebau ac i aros gyda'i chwaer, Rachel, hen ferch beniog a oedd megis gwraig hysbys yn ei chymuned. Hi oedd y fydwraig a ddôi â phlant i'r byd a hi fyddai'n 'troi heibio' hefyd.

Ni pheidiodd David Isaac â theimlo tynfa'r wlad ar hyd ei oes ond fe roes ei wreiddiau'n ddwfn yn y Caerau gan ymroi i wasanaethu bywyd ei bentref diwydiannol mor ddiwyd ag y gwnâi Rachel gartref. Gan fod nifer o'i gyfoedion wedi symud fel yntau i'r 'Sowth' ac yn gweithio ym mhwll glo'r Caerau, yr oedd modd cadw rhyw gymaint o'r hen fyd yn fyw a hyd yn oed sefydlu tîm sgitls concweriol, tîm o fois Dre-fach a David Isaac yn gapten arnynt, yn brawf o'u hymlyniad wrth ei gilydd.

Tîm Sgitls concweriol Bargoed Teifi yn 1912.
David Isaac sy'n dal y Cwpan

Yn ddyn llawn asbri, yn Gymro brwd ac yn denor da fe fyddai'n eisteddfota ac mewn eisteddfod yn Nre-fach adeg y Pasg y cyfarfu â'i ddarpar wraig, Margaret Jones, a ddaethai yno o ochr Aberteifi i'r afon i ganu deuawd gyda'i chwaer. Fe fyddai'n hoffi dweud yn gellweirus wrth ei blant, Roy a Norah, mai 'Anti Ann own i eisie ond eich mam ddaeth' ac mai bobo giper a gawsant i frecwast ar fore'u priodas. Y gwir yw iddo gael cymar oes a oedd yn wraig drawiadol ar sawl cyfrif.

Hanai Margaret Jones o deulu tawel ym Mhenrhiw-llan, yn ferch i saer a chanddi'r gallu i 'fynd ymhell' petai wedi mynd i'r Ysgol Ganolraddol yn Llandysul. Roedd yn swil a hirben, yn ddarllenwraig fawr a chofiai ei merch weld cyfeiriad ati yn Llyfr Log Ysgol Aber-banc: 'Margaret Jones of Bryn Hill was offered a place in Llandysul Intermediate School but declined the offer'. Pan ofynnodd Norah iddi pam na fyddai wedi mynd ymlaen â'i haddysg, yr ateb oedd fod Llandysul yn rhy bell i ffwrdd – roedd yn dair milltir a hanner o'i chartref – a byddai'n rhaid aros mewn lojins! Fe'i prentisiwyd yn wniadyddes – sicrhaodd ei thad fod ystafell arbennig iddi hi yn y cartref a adeiladodd i'w deulu, sef Bryn Hill, ac fe gafodd David Isaac ynddi hi wraig ddigamsyniol ddawnus. Bu byw yn y Caerau tan ryw naw mlynedd cyn ei marw pan symudodd i Gaerfyrddin at ei merch, ac yn ôl Norah yr oedd ei mam wedi dwli ar fywyd yn y pentref diwydiannol lle treuliodd y rhan fwyaf o'i hoes.

Yn ddwy a hanner oed roedd Norah yn cysgu yn yr un gwely â'i brawd, Roy, ac y mae'n cofio'n glir iddi gael ei dihuno un noson tua dau o'r gloch y bore gan sŵn esgidiau hoelion mawr ar y pafin a goleuadau'n fflachio. Wedi dilyn ei brawd at y ffenestr yr hyn a welodd, fel yr esboniwyd iddi lawer yn ddiweddarach, oedd corff eu cymydog, Mr. Jones, yn cael ei ddwyn adref o'r pwll lle'r oedd wedi'i ladd. Fe welodd hi beth oedd pris y glo yn gynnar iawn yn ei bywyd.

Fe'i magwyd hi yn 71 Heol Treharne mewn cartref a oedd yn ynys o Gymreictod. Pan oedd hi'n blentyn nid oedd mwy na rhyw ddeg o blant yn siarad Cymraeg yn y Caerau ac un ohonynt oedd Esme Lewis a fagwyd yn 75 Heol Treharne. Roedd hi rhyw ddeng mlynedd yn iau na Norah ond fe fu cyfeillgarwch 'ti a tithe' rhyngddynt dros y blynyddoedd. Arfer y Cymry Cymraeg a ddaethai i'r cwm i weithio, Cymry hyd yn oed o'r un ardal â'u rhieni, oedd peidio â throsglwyddo'r iaith i'w plant ac yr oedd teulu'r truan Mr. Jones drws

Pwll glo Caerau c. 1928 pan gyflogai 1,565 o ŵyr a bechgyn.

nesaf yn 72 Heol Treharne yn enghraifft chwithig ddoniol o'r arfer hwnnw.

Yr oedd Mrs. Jones yn 'rial Gardi' o Gilcennin heb ganddi ond y nesaf peth i ddim Saesneg ac roedd ei gŵr yn un o Gymry Cymraeg Morgannwg. Fe fagwyd wyth o blant ganddynt mewn tlodi a heb air o Gymraeg ar eu gwefusau. Byddai Mrs. Jones yn siarad â hwy yn Gymraeg a byddent yn ateb yn Saesneg. Aeth pedair o'r merched i weini yn Llundain a phan ddychwelent ar ambell ymweliad byddai Norah yn cenfigennu o'u clywed yn siarad Saesneg â'r fath 'twang' ac yn bragio am eu bywyd bras yn y brifddinas. Roedd hynny, wrth gwrs, cyn bod rhaglenni teledu megis 'Upstairs, Downstairs' i agor llygaid y diniwed. Aeth bechgyn Mr. a Mrs. Jones hefyd i ffwrdd o'r cwm dirwasgedig i chwilio am waith a dyna'n fyr stori chwalfa un teulu 'Cymraeg' yn un o bentrefi'r De. Gellid ei hadrodd, gwaetha'r modd, am deuluoedd lawer.

Yn 70 Heol Treharne trigai Mr. a Mrs. Joyce. Saeson rhonc oeddynt a ddaethai o Dde Affrica lle buasai'r gŵr yn gweithio yn y mwynfeydd aur. Collasent eu harian yn sgil rhyw dwyll neu'i gilydd a byddent yn ymborthi ar fara menyn a chaws a chwrw bob nos. Nid oedd dim o'i le arnynt – ond roeddent yn wahanol. Er nad oedd David Isaac yn yfed nid oedd yn ddirwestwr ac yr oedd yn ben ffrindiau â'r Ficer a oedd yn

Teulu 71 Heol Treharne yn yr ardd.

cael ei beint bob dydd yn y Constitutional Club. Yn ôl Norah roeddent fel Dafydd a Jonathan. Peth digon cyffredin oedd gweld pobol yn mynd i'r clwb i yfed a doedd neb yn teimlo eu bod yn bechaduriaid mawr.

Cymreictod diledryw eu rhieni a oedd yn 'Gymry ymwybodol' cyn i argyfwng yr iaith roi bod i'r categori hwnnw, ynghyd â chryfder Noddfa, capel y Bedyddwyr yn y Caerau, a roes dir cwbwl solet dan draed Cymreictod Norah a'i brawd, Roy, o'r cychwyn. Bu eu tad yn ddiacon ac yn ysgrifennydd y capel am ddeugain mlynedd a phan oedd ei gyfeillion adeg y dirwasgiad yn gadael am lefydd fel High Wycombe a Slough, aros yn y Caerau a wnaeth ef. Ni allai adael Noddfa. Perthynai ef i'r straen o Fedyddwyr caeth a addolai yng nghapel Pen-rhiw yn Nre-fach, Felindre – y capel sy bellach yn Sain Ffagan – ac yr oedd anffaeledigrwydd y lle hwnnw yn 'ffaith' y clywodd Norah ei chyhoeddi droeon ar yr aelwyd mewn ymadroddion megis 'Mae e 'ma rywle cyn wired â bod yr efengyl ym Mhen-rhiw!'. Yn Noddfa, o fewn ergyd carreg i'r pwll a'r Blaencaerau Hotel a rhialtwch 'Monkey Island' y meddwodd Norah ar y Gymraeg o'i chlywed yn ei hysblander mewn emyn a phregeth, ac iddi hi honno yw'r Gymraeg sy'n rhaid ei diogelu a'i throsglwyddo.

Cymraeg ar yr aelwyd a Saesneg ar y stryd. Saesneg oedd iaith chwarae'r plant ac yr oedd Norah yn gymaint rhan o'r chwarae ar y pafin, yn y parc neu ar y mynydd ag unrhyw un ohonynt. Roedd hi'n eitha 'tomboy' os oedd hi'n eitha 'Welshie' hefyd. Roedd Miss Nicholson, prifathrawes ysgol fach Blaenllynfi, yn Saesnes fras a Saesneg oedd piau addysg gan ddechrau gyda'r emynau boreol. Dyna'r drefn hyd yn oed yn y wlad lle treuliodd Norah gyfnod gyda Anti Rachel pan oedd yn gwella ar ôl salwch blin. Yn ysgol fach Dre-fach, fel yn y Caerau, ni ellid hyfforddi plentyn ym mhen ei ffordd ond yn iaith y brenin.

A phan basiodd y 'Scholarship' i fynd i Ysgol Ramadeg Maesteg – a phasio'n 'top of the valley' – roedd Seisnigrwydd y drefn mewn 'lle dierth' yn fwy o dramgwydd. Yn ystod y chwe blynedd a dreuliodd yno cyn mynd yn ei blaen i Goleg Hyfforddi Y Barri y cafodd Norah Isaac, yr ymgyrchwraig dros y Gymraeg a'i diwylliant, ei thraed tani. Y mae'n cofio mynd gyda'i mam i 'jijo defnydd' yn siop David Morgan yng Nghaerdydd a dotio at glywed cyfarch ei mam fel 'Madam'. Pan ofynnodd ei mam am ei barn hi fe'i hatebodd yn Saesneg – nid lle i'r Gymraeg oedd siop David Morgan – a bu'r cerydd a gafodd yn y fan a'r lle yn foddion i'w sobri. Fe aeth i'r Ysgol Ramadeg yn 1924 yn Gymraes o argyhoeddiad.

Fe fu'n dda iddi wrth yr argyhoeddiad hwnnw. Ar wahân i Mrs. Brinley Richards doedd neb arall o'r staff i siarad Cymraeg â hwy – o leiaf ni wnaent siarad Cymraeg. Dysgid Cymraeg iddynt gan T.O. Phillips, yr athro gorau yng Nghymru yn ôl W.J. Gruffydd. Cawsai radd (dosbarth cyntaf) yn y Gymraeg a'r Saesneg ac yn Saesneg y dysgai ramadeg Cymraeg i'w ddisgyblion di-Gymraeg. Ei gamp oedd dysgu gramadeg heb ddysgu iaith a gwae'r truan na wyddai 'the forty-two rules of the soft mutation' gan ei fod yn fonclustwr parod. Dan y fath oruchwyliaeth y mae'n rhyfedd meddwl fod Cymraes hyd yn oed o stamp Norah Isaac wedi mynd yn ei blaen i ragori yn ei harholiadau ond dyna a wnaeth – yn ogystal â chwarae hoci a thennis i'r ysgol a derbyn cyfrifoldeb yr 'Head Girl'. Yn y swydd honno roedd ganddi well cyfle i ddadlau achos y Gymraeg ac i arwain plant y tir mynydd yn erbyn 'snobs' Neath Road, Maesteg.

Fe fu ymweliad Syr Ifan ab Owen Edwards â chapel Canaan yn sbardun i'w hymroddiad dros Gymreictod a'r Urdd. Aeth yn angerdd, yn angerdd a gâi ei achlesu o gael mynd gyda'i thad i'r Eisteddfod Genedlaethol ym Mhont-y-pŵl, 1924, yn Nhreorci, 1928, Lerpwl, 1929 a Llanelli, 1930. Yn Llangynwyd, yn 1928, fe gydiodd Iolo Morganwg yn ei dychymyg ac y mae'n dal mor dyn ei afael arni ag erioed. Eu hedmygedd mawr o Iolo oedd un o'r clymau a wnaeth Norah a Brinley Richards yn ben ffrindiau. Câi fynd gyda'i thad i Lyfrgell Caerau i wrando ar siaradwyr megis George M.Ll. Davies, a Saunders Lewis a fu yno yn 1931 yn traethu ar 'India Today'. Yr oedd ei chenhadaeth yn ddigon egnïol i beri i brifathro'r ysgol, mab y Parchg. Cornelius Griffiths a oedd yn gynnyrch ysgol fonedd, ofyn iddi 'Are you one of the Sinn Feiners?', fel petai Norah yn cael ei chodi i fod yn genedlaetholwraig eithafol. Fel mae'n digwydd, Rhyddfrydwyr cadarn oedd eu rhieni mewn cwm y byddai ei sosialaeth yn dwysáu yn yr ugeiniau oherwydd cyni a nychdod.

Ar ôl pasio'r 'Higher' ei dymuniad oedd mynd i Goleg Hyfforddi Y Barri i baratoi at fod yn athrawes plant bach. Y mae'n cofio hyd heddiw – nid heb radd o ddicter – am y modd y ceisiwyd ei pherswadio i 'wneud rhywbeth gwell' trwy ddilyn cwrs gradd yn y brifysgol. Nid felly y syniai hi am addysg ac y mae'n diolch i'w rhieni am gadw traed y 'top of the valley scholar' yn solet ar y llawr. Dysgodd ganddynt wfftio at wag uchelgais. Pwysicach iddi hi ar y pryd oedd y câi ennill cymhwyster yn Y Barri ar ôl dwy flynedd, oherwydd yr oedd ei thad yn wael ac yr oedd am ddod allan o'r coleg i helpu ei mam.

A dyna a wnaeth. Gorffennodd ei chwrs yn 1935 a phan oedd yn ymddangos nad oedd dim o'i blaen ond blwyddyn neu ddwy yn un o'r LFA's (London First Appointments) daeth yr Urdd i'w gwared ym mherson Syr Ifan ab Owen Edwards a oedd yn chwilio am drefnydd ymarfer corff. Cyfarfu'r ddau ar faes Eisteddfod Genedlaethol yr Urdd yng Nghaerfyrddin yn 1935 a chafodd Norah Isaac ei swydd gyntaf. Fe'i penodwyd i wneud llawer mwy na hynny, fel y gŵyr Cymru gyfan ers hanner canrif dda. Aeth y ferch o'r Caerau i Aberystwyth i fod yn brifathrawes yr Ysgol Gynradd Gymraeg gyntaf a dechrau chwyldro. Oddi yno aeth i'r Barri drachefn ac yna i Goleg y Drindod, Caerfyrddin lle y mae heddiw, er gwaethaf blynyddoedd o orfod brwydro yn erbyn afiechyd, yn gallu edrych nôl ar yrfa a fu'n un ymdrech glodwiw o ddiflino a ffrwythlon dros yr iaith a'r diwylliant y dysgodd eu caru gyntaf yn y pentref diwydiannol lle'r oedd hi a'i

Heol Caerau c. 1910.

brawd yn 'Welshies' bach yng nghanol eu cyfoedion. Nid yw erioed wedi peidio â bod yn ferch o'r Caerau ac yn un o blant y cymoedd. Os oedd ei mam wedi dwli ar y Caerau – felly hefyd ei merch. Yn ei geiriau hi ei hun wrth sôn am y bobol y cafodd ei magu yn eu mysg, 'Mi ymladdwn i drostyn nhw'. Ac y mae wedi gwneud.

Yn anad dim y mae hi wedi perfformio'n lew ar lwyfan y Gymraeg ac os yw'n wir fod yn rhaid i bob diwylliant wrth berfformwyr y mae'n ddwbwl wir am ddiwylliant lleiafrifol sy'n wynebu bygythiadau beunyddiol o du diwylliant mwy. Diolch byth fod Norah Isaac, yn damaid o beth yn y Caerau, wedi awchu am lwyfan i'w dawn ac wedi cael cefnogaeth gall gan ei rhieni, y math o gefnogaeth a'i cadwodd rhag cael ei meddiannu gan yr ysfa gystadleuol ar ôl gwneud 'enw' iddi'i hun yn naw oed yn Eisteddfod Genedlaethol Pont-y-pŵl, 1924, trwy ennill ar adrodd 'Y Gwynt' gan J.J. Hughes mewn cystadleuaeth i rai dan ddeuddeg.

Diolch i ddiléit canu ei thad a diléit mawr ei mam mewn llyfrau roedd perfformio yn ei gwaed. Y mae'n cofio actio 'Little Ika the Gipsy Maid' pan oedd yn chwech oed a Mrs. Joyce, y gymdoges lachar, yn dod i'r tŷ i'w choluro. Tua'r un pryd, ar ôl bod yn perfformio yn y capel, y dioddefodd salwch enbyd a fyddai wedi bod yn ddigon am ei bywyd onibai am ofal Dr. Harris Jones, un arall a ddaeth i'r Caerau o Dre-fach, Felindre. Yr oedd wedi'i tharo gan Still's Disease; collodd flwyddyn o ysgol ac yr oedd i ddioddef gan effeithiau'r salwch am weddill ei hoes.

Ond fe ddaliodd ati. Yn naw oed hi oedd 'Puck' pan fu Ysgol Blaenllynfi yn actio *A Midsummer Night's Dream* a gall adrodd darnau helaeth o'i rhan ymron pedwar ugain mlynedd yn ddiweddarach gan iddi, mae'n amlwg, etifeddu cof ardderchog ei mam. Ac yn naw oed, ar ôl ei hyfforddi gan ei mam, roedd yn adrodd 'Y Gwynt' gerbron pymtheng mil ym Mhrifwyl Pont-y-pŵl – heb anghofio'r Prince of Wales a oedd ar y llwyfan ar y pryd – ac yn cael y wobr gyntaf gan Dyfnallt ar ôl trechu lleng o gyd-gystadleuwyr. Y mae'n cofio aros yng nghartref cefnder i'w thad a chysgu'n un o bump mewn gwely yno ac y mae'n cofio'n falch hyd heddiw y derbyniad rhyfeddol a gafodd yn y Caerau pan ddeallodd y trigolion fod 'one of us' yn 'National Winner'. Y mae wrth ei bodd yn dweud am y wraig honno'n llongyfarch ei mam am fod Norah wedi ennill 'the Grand National' ac un arall yn dweud ar ôl gwrando arni'n adrodd y darn, 'I didn't understand a word but it was beautiful'. Pa ryfedd ei bod hi'n cofio'r 'reception' a gafodd yn y Caerau.

Fe fu 1924 yn 'annus mirabilis' iddi. Ennill ym Mhont-y-pŵl, pasio'r 'Scholarship' ac adrodd ar lwyfan Hammersmith Palace.

Coleg Hyfforddi Y Barri yn actio *Y Gainc Olaf* yn 1935.
(Norah Isaac yw'r bedwaredd o'r chwith).

Ymddangosodd llun 'the brilliant child elocutionist' yn y *News Chronicle* ac yr oedd pobol am ei mabwysiadu! A phan ddaeth Ramsay Macdonald ar ymweliad â Chwm Llynfi roedd yn rhaid cael Norah i adrodd 'The Irish Schoolmaster' iddo yn Neuadd y Dref gerbron cynulleidfa o bymtheg cant, a'i ddilyn wedyn i Flaengwynfi i adrodd drachefn. Yr oedd dychryn diweithdra yn y cwm ac y mae'n cofio fel yr oedd pobol yn rhuthro i gusanu car Macdonald am ei fod, fel y credent, wedi dod i'w gwared rhag y drwg.

Nid yw'n ddim syndod iddi fynd ymlaen i actio dramâu Cymraeg a Saesneg yn Ysgol Ramadeg Maesteg a phan aeth i Goleg Y Barri fe gafodd y brifathrawes, Ellen Evans, a Cassie Davies yn fwyaf arbennig, i'w hysbrydoli. Hanes, i ddyfynnu'r hen ymadrodd, yw'r gweddill. Talodd Norah Isaac ei dyled i'w rhieni a phawb arall a'i cefnogodd ar ei ganfed ac y mae nifer o'i chyn-ddisgyblion wrthi heddiw yn hyfforddi ac ysbrydoli, yn unol â'i harfer hi, genhedlaeth arall o Gymry ifanc i berfformio ar lwyfan y Gymraeg – yn groyw, yn alluog ac yn eiddgar.

(Seiliwyd yr ysgrif hon ar sgwrs a recordiwyd yn 1998 pan oedd Miss Norah Isaac yn araf wella ar ôl blwyddyn o salwch. Nid oes llethu ar ei hysbryd.)

'Mae eisiau Tom ym Maesteg': Dr Thomas Richards ym Maesteg

Geraint H. Jenkins

Rhwng 1912 a 1926 yr oedd gan Ysgol Uwchradd Maesteg, ym mherson Thomas Richards, athro hanes na welwyd mo'i debyg erioed o'r blaen yn y cylch. Cardi o'r iawn ryw (neu 'o'r groth', chwedl yntau) oedd Richards, brodor o Geulan-y-maes-mawr yng ngogledd Ceredigion a aeth i Goleg Prifysgol Gogledd Cymru, Bangor, i eistedd wrth draed yr hyglod hanesydd John Edward Lloyd cyn bwrw ei brentisiaeth fel athro yn Ysgol Ganol Tywyn a'r Ysgol Ganol i Fechgyn yn Bootle. Gŵr tal, tenau ac esgyrnog ydoedd, a thu ôl i'w sbectol rimyn aur yr oedd dau lygad llym a befriai'n ddireidus weithiau. Gwisgai siwt dywyll a byddai coler wen galed yn sownd wrth ei grys bob amser; cadwai wats aur yn ei boced, a brasgamai i bobman. Gŵr annibynnol a llafar iawn ei farn ydoedd ac ni ddioddefai ffyliaid yn llawen. Yn ei wisg a'i ymarweddiad, ymdebygai i rai o gymeriadau mwyaf deddfol-biwritanaidd Charles Dickens, ac yn ôl Brinley Richards (Brinli), un o'i ddisgyblion: 'Ni lefarodd neb erioed fel y dyn hwn.'[1]

Ar 16 Tachwedd 1911 nodwyd yng ngholofn 'O Brig y Lleifiad' yn *Y Brython* fod Thomas Richards wedi derbyn swydd athro hŷn yn Ysgol Uwchradd Maesteg:

> Gresyn garw; canys yr oedd o'n gefn mor gryf i bopeth Cymreig yn Bootle a Lerpwl. Bu'n biler a cholofn Cymdeithas Cymru Fydd Bootle ar hyd y blynyddau; efe oedd ei llefarydd hyotlaf, tanbeidiaf, ac anhawsaf ei godymu; ac nid oedd neb mwy hyddysg na chryfach ei afael ar bynciau'r dydd – Hanes a Gwleideg yn arbennig. Mynych y darlithiai i Gymdeithasau llenyddol Glannau'r Mersey ar faterion felly; a bydd twll a phall am dano mewn llawer ffordd – ac yn Eglwys Bedyddwyr Balliol Road, lle'r oedd yn weithiwr mor ddygn. Boed gymaint halen puro Morgannwg ac ydoedd o halen puro Lerpwl, ac fe wna'r tro.[2]

Ar 15 Rhagfyr trefnwyd cyfarfod arbennig yn Ysgoldy Balliol Road i ddymuno'n dda i Richards yn ei swydd newydd. Cafwyd anerchiadau hwyliog gan Hugh Roberts, Trefor, Pedr Hir ac eraill, a rhoddwyd clo teilwng i'r noson gan englyn Madryn:

> Tra hyn o waith tro annheg–yw cwyno,
> Caned pawb delyneg,
> Er adfywio'n Brythoneg
> Mae eisiau Tom ym Maesteg.[3]

Ni wyddys paham y penderfynodd Richards ymgeisio am swydd ym Morgannwg, ond y mae'n fwy na thebyg mai'r gyflog uwch a'r her newydd a'i denodd i Ddyffryn Llynfi. Er 1910 yr oedd wedi adfer hen berthynas â'r ferch y bu'n ei chanlyn mewn dirgel leoedd fel 'y sticil ar y ffordd i Lasinfryn'[4] tra oedd yng Ngholeg Bangor ar ddechrau'r ganrif. Yn hytrach na gwylio campau'r sêr ar faes pêl-droed yr Anfield, teithiai bellach ar brynhawn Sadwrn i weld Mary Roberts a oedd erbyn hynny yn athrawes yn Hen Golwyn. Dyfnhaodd y berthynas rhyngddynt a chyn gadael Glannau Mersi ym mis Rhagfyr 1911 y mae'n rhaid bod y ddau wedi cytuno i briodi yr haf canlynol.

Erbyn 1902 yr oedd cant namyn pump o Ysgolion Canol wedi eu sefydlu yng Nghymru – cryn gamp, o gofio tlodi'r wlad a'r diffyg grantiau o du'r llywodraeth. Fodd bynnag, yr oedd bylchau amlwg yn y meysydd llafur. Erbyn 1907 dim ond saith a deugain o'r ysgolion hynny a oedd yn dysgu Cymraeg a dywedid am y lleill eu bod yn ymdebygu fwyfwy i ysgolion gramadeg Lloegr. At hynny, cwbl annigonol oedd y ddarpariaeth ar gyfer dysgu gwaith coed ac astudiaethau busnes. Gwendid amlwg arall oedd prinder ysgolion o'r fath yn ardaloedd diwydiannol de Cymru. Ond yn sgil pasio Deddf Addysg 1902 yr oedd hawl gan awdurdodau lleol i sefydlu ysgolion uwchradd bwrdeistrefol, ac o ganlyniad i hynny yr agorwyd yn swyddogol Ysgol Uwchradd Maesteg yn Nhŷ Plasnewydd (hen gartref rheolwr Gweithfeydd Haearn Maesteg) yn Stryd y Castell ar 8 Ionawr 1912. Yn ei araith agoriadol honnodd yr Henadur Evan Edward Davies y byddid yn croesawu pob plentyn deallus: 'The school [is] for no class in particular; intellect alone [is] required.'[5] Pan agorwyd drysau'r ysgol drannoeth yr oedd gan y Prifathro G. Stanley Griffiths bum aelod staff llawn-amser, dau gynorthwyydd rhan-amser, a 107 o blant ar y llyfrau, y mwyafrif ohonynt yn hanu o ardal a oedd yn ymestyn o Abergwynfi a Glyncorrwg i Gwm Garw. Ceid pedair ystafell yn y prif adeilad a labordy Cemeg ac Ystafell Ddarlithio mewn adeilad to sinc cyfagos. Nid oedd unrhyw fwriad ar y pryd i'r ysgol fod yn fwy na chartref dros dro ond, oherwydd y Rhyfel Mawr yn bennaf, gohiriwyd y bwriad i adeiladu ysgol uwchradd newydd a phan agorodd honno ei drysau ar 6 Rhagfyr 1922 dim ond dau, sef y Prifathro a Thomas Richards, a oedd yn weddill o'r staff gwreiddiol. Gan aralleirio geiriau'r proffwyd Eleias, meddai G. S. Griffiths: 'We only are left.'[6]

Tref ddiwydiannol, brysur a stwrllyd oedd Maesteg pan symudodd Thomas Richards yno i fyw yn niwedd 1911. Epil y diwydiannau haearn a glo ydoedd ac yr oedd yn dal i gynyddu o ran ei maint a'i phwysigrwydd. Cynyddodd ei phoblogaeth o 16,341 ym 1901 i 27,075 ym 1911 ac yr oedd yn agos i chwe mil o feibion dros ddeg oed yn gweithio yn y glofeydd. Ym 1824, sef blwyddyn sefydlu Cwmni Gweithfeydd Haearn Maesteg, y dechreuwyd diwydiannu o ddifrif yn Nyffryn Llynfi, ond ymhen hanner canrif yr oedd oes yr haearn wedi darfod amdani ac o gyfeiriad y glofeydd bellach y clywid sŵn yr hwteri'n galw. Yr oedd glo o safon arbennig o uchel yng nglofeydd Caerau, Coegnant, Cwm-du, Garth ac Oakwood, a chan fod cannoedd lawer o ddynion ifainc wedi dod i'r ardal o siroedd cyfagos i chwilio am waith yr oedd yn anorfod y byddai tref Maesteg yn tyfu'n gyflym. Yn *Kelly's Directory* am 1920 fe'i disgrifir yn 'large, populous and straggling',[7] ond hyd yn oed mor ddiweddar â 1923 yr oedd trigolion y dref yn dal i gwyno'n arw am nad oedd ganddynt olau trydan,

Commercial Street, Maesteg c. 1912.

Maesteg c. 1920.

baddonau cyhoeddus, canolfan hamdden a chofeb goffa i'r rhai a gollwyd yn y Rhyfel Mawr. Fel llawer o drefi diwydiannol cyffelyb, yr oedd prinder gwasanaethau cyhoeddus ym Maesteg a'i thrigolion yn ofidus iawn ynglŷn â safonau glendid. Digon llym ei gondemniad fu'r bardd Evan Rees (Dyfed):

> Nid Teg Faes, ond maes y mwg – maes o dips,
> Maes o dai mewn tewfwg;
> Diau gweled eu golwg
> Sobrai drem yr ysbryd drwg.[8]

Yr oedd cyfran uchel o blant dan flwydd oed yn marw o'r dwymyn goch, difftheria, y pas a'r dolur rhydd, a brithid papurau newydd lleol â chyfeiriadau at ddamweiniau angheuol yn y pyllau glo. Ni cheir dim sôn yn atgofion difyr Thomas Richards am y wedd beryglus hon ar fywyd yr ardal nac ychwaith am y trallod a achosid yn ystod streiciau. Rhaid bodio tudalennau'r *Glamorgan Gazette* i ganfod penawdau fel 'Slept on Rags', 'Son strikes father with a Poker' ac 'Alcoholic Incitement' i ganfod natur y gymdeithas. Nid pleidiwr y proletariat oedd Richards: Gladstone a Lloyd George oedd ei arwyr ef, ac nid oedd ganddo ddim amynedd, er enghraifft, ag eithafwr megis A. J. Cook, gŵr a gafodd fonllefau o gymeradwyaeth gan lowyr yr ardal yn ystod ei ymweliad â'r dref ym mis Ionawr 1926. Fel y cawn weld, edmygai Richards Vernon Hartshorn, A.S. Llafur dros ranbarth Ogwr, yn fawr, ond gwnâi hynny, o leiaf yn rhannol, am nad oedd 'dim o'r ymfflamychwr' ynddo.[9] Ac yng nghylchoedd dosbarth-canol Ymneilltuol y trôi gan amlaf.

Ar fore Mercher, 21 Awst 1912, a hwythau ill dau yn 34 oed, priodwyd Thomas Richards a Mary Roberts, Caeronwy, gan y Parchedig Morris Williams yng nghapel yr Hen Gorff ym Maladeulyn, yn Nyffryn Nantlle. Yn ôl un gohebydd, 'yr oedd yn bresennol hefyd fagad o ardalwyr twymgalon Nantlle, yn gwylio pob smic gyda diddordeb, ac yn falch o weled un o'u rhianedd yn cerdded mor gryf a glân at yr allor wen'.[10] Yr unig ferch fferm ymhlith nifer o frodyr a aned i Thomas a Mary Roberts, Caeronwy, oedd Mary Roberts ac ymddengys ei bod wedi gadael y Coleg ym Mangor yn haf 1901 heb raddio. Serch hynny, fe'i penodwyd yn athrawes yn Hen Golwyn ac, ym 1910, ailgydiodd hi a Richards 'yn y rhwyfau segur'[11] ac ar ôl y briodas a'r mis mêl yn Nhywyn ymgartrefodd y ddau yn 8 Stryd y Castell, gerllaw'r Ysgol ym Maesteg. Gwraig dawel, addfwyn a charedig oedd Mary, a bu'n gefn amhrisiadwy i'w gŵr am ddeugain mlynedd. Lluniwyd nifer o gerddi cellweirus gan feirdd Glannau Mersi i ddathlu'r briodas. Gan Madryn y cafwyd yr orau, sef yr englynion canlynol:

Wedi hir oedi a herio–ei fod
Am fyw fel y mynno;
Tom a glwyfwyd, daliwyd o
Gwrided am wadu'i gredo.

Ond iddo ef nid oedd afiaith–ym myd
Y meudwy diobaith;
Gore dyn gwraig ar y daith,
Mŷg i Dom ei gydymaith.

Ei wynfyd yn ei wenferch–a ganfu,
Ac o'i enfawr draserch
Teimlai pan yn ei hanerch
Y swyn mawr sy' nghusan merch.

Mis mêl fo'u hoes ddihelynt–ar ei hyd
Heb air croes fyth rhyngddynt.
Crud hedd fo'u cariad iddynt
A nef ddi ail fydd eu hynt.[12]

Ond taflwyd cysgod dros y briodas. Bythefnos ynghynt, ar 7 Awst, bu farw Edward Llewelyn, brawd iau Thomas Richards, o'r dicáu yn 28 oed. Brwydrasai'n ddewr am bedair blynedd yn erbyn afiechyd a oedd yn dwyn ymaith cynifer ag un o bob saith o drigolion Cymru, a dim ond ar ôl trafodaeth faith gyda'r rhieni drylliedig y penderfynwyd bwrw ymlaen â'r briodas. Meddai Richards wrth J.E. Lloyd: 'we did not think, after a severe mental struggle, that it would be well to interfere with the arrangements we had made'.[13] Yn ystod yr haf canlynol bu'n rhaid iddo ddychwelyd i Ynystudur i gynorthwyo ei dad gyda'r cynhaeaf gwair, ond peidiodd ei gysylltiad teuluol â'i sir enedigol pan fu farw ei rieni ym 1915. Bu farw Jane Richards yn 69 mlwydd oed ar 15 Ebrill, ac Isaac Richards yn 71 mlwydd oed, ar 24 Medi 1915. Fe'u claddwyd yn yr un bedd ym mynwent Capel y Bedyddwyr, Tal-y-bont.

Erbyn hynny yr oedd dros 100,000 o Gymry wedi ymuno â'r Lluoedd Arfog ac yn benderfynol o ddysgu gwers i'r Kaiser. Gwyddom erbyn hyn na ddarfu i'r Cymry ruthro mor eiddgar ag y tybiwyd i ymuno â'r fyddin Brydeinig, er gwaethaf rhethreg y Parchedig John Williams, Brynsiencyn, ac eraill tebyg iddo. Eto i gyd, yr oedd pwysau seicolegol cynyddol arnynt i ddangos parodrwydd i ymladd dros eu mamwlad. Ni thybiai Richards mai gweithred anghristionogl neu anghymreig oedd rhyfela yn erbyn gelyn dieflig ac nid oedd ganddo rithyn o gydymdeimlad â gwrthwynebwyr cydwybodol. Cymaint oedd ei ffydd yn y Dewin o Ddwyfor, yn enwedig ar ôl ei benodi'n Brif Weinidog, fel na allai lai na cheisio ymrestru ar gyfer gwasanaeth milwrol dan Gynllun Derby, cynllun a ddaeth i rym yn Hydref 1915. Ond gan fod arweiniad Asquith mor simsan a pherygl gwirioneddol y byddai Prydain yn colli'r dydd ar faes y gad, pasiwyd Deddf Gorfodaeth Filwrol ym mis Ionawr 1916, deddf a oedd yn caniatáu gwysio pob gŵr holliach a chymwys rhwng 18 a 41 oed i ymuno â'r Lluoedd Arfog. Wrth ddarllen y *Glamorgan Gazette* a sylwi ar benawdau fel 'Show your Patriotism', 'Under the Union Jack' a 'We are fighting for Life', teimlai Richards reidrwydd i ymrestru ond, yn ffodus iddo ef a'i deulu, fe'i gwrthodwyd am resymau meddygol. 'Llygaid gweinion', meddai, 'a fu'n achubiaeth i mi' ac er iddo ymddangos gerbron sawl bwrdd meddygol, hyd yn oed mor ddiweddar â 1918, fe'i dyfarnwyd yn C3 bob tro.[14] O ganlyniad fe'i harbedwyd rhag trallodion hunllefus y lladdfa yn Ffrainc. Tybed a wyddai ar y pryd mai dau o'r ymgyrchwyr mwyaf jingoaidd oedd y Prifathro Reichel a Syr John Morris-Jones, dau nad oedd ganddo lawer o olwg arnynt? Beth bynnag am hynny, ni fu dau o'i gyd-athrawon a dau o'i gyn-ddisgyblion mor ffodus oherwydd fe'u lladdwyd ar faes y gad. Ceisiai plant yr ysgol wneud eu rhan drwy ddod â cheiniog bob wythnos i brynu edafedd er mwyn galluogi athrawesau a merched yr ysgol i wau hosanau, sgarffiau a helmedau a'u hanfon at wraig Lloyd George i'w dosbarthu ymhlith y catrodau Cymreig. Yn ystod y blynyddoedd hyn o gyni ac ofn y dechreuodd Thomas a Mary fagu teulu: ganed Rhiannon ar 18 Chwefror 1915 a Nest chwe diwrnod ar ôl y Cadoediad ym 1918. Mawr oedd y gorfoledd ym Maesteg, fel ym mhobman arall yng Nghymru, pan ddaeth yr heldrin i ben.

Bu Thomas Richards yn ffodus yn ei brifathro ym Maesteg. Gŵr llariaidd a chymodlon oedd G. Stanley Griffiths ac, yn wahanol i brifathrawon Ysgolion Tywyn a Bootle, tybiai fod ymddygiad ac ymarweddiad disgyblion cyn bwysiced, onid bwysicach, na llwyddiant mewn arholiadau. Efallai, wrth gwrs, ei fod o'r farn nad oedd deunydd myfyrwyr prifysgol ym meibion a merched glowyr garw yr ardal. Ac yntau'n Athro Hŷn, disgwylid i Richards nid yn unig ddysgu Hanes, Lladin a Chymraeg ond hefyd i roi arweiniad, yn enwedig i'r athrawon

Staff Ysgol Uwchradd Maesteg.
(Thomas Richards yw'r cyntaf o'r dde yn y rhes ganol).

iau ac i'r plant hŷn. Daeth ei gyfle cyntaf i wneud argraff yn gynt na'r disgwyl. Flwyddyn ar ôl ei benodiad daeth y newyddion marwol fod Arolygiad Teirblwydd i'w gynnal ac yr arweinid y fyddin o arolygwyr gan neb llai na'r enwog Owen M. Edwards, un o arwyr pennaf Richards. Nid cynt y clywodd y newyddion nag yr aeth ati i ymbaratoi ar gyfer y cloriannu, a phan agorodd Edwards ddrws ei ystafell am ddeg ar y bore Mercher penodedig, sef 5 Mehefin 1913, yr oedd Richards wedi sicrhau bod ei ddisgybl gorau yn adrodd yn Gymraeg adnodau allan o 1 Corinthiaid II, 23-6, er mai pwnc y wers oedd y Diwygiad Protestannaidd. Gwyddai y byddai clywed darn o'r Ysgrythur yn cael ei draethu yn yr heniaith yng nghanol Maes Glo De Cymru yn cyfareddu'r Prif Arolygydd – ac felly y bu. Dotiodd O.M. Edwards at ddull gwahanol Richards o gynnal gwers ac, yn bwysicach na hynny, ei allu i gynnal diddordeb y plant. Fel hyn y mynegodd ei werthfawrogiad yn ei Adroddiad terfynol:

> The History Course is very satisfactory . . . the History Master is exceptionally qualified by education, reading, and temperament, for the teaching of the subject . . . and the lessons were quite striking; they followed no text-book, they invariably aroused the liveliest interest, each lesson had a definite aim, each lesson combined the imparting of knowledge with the developing of the children's own ideas . . . the teacher's methods were new, original, and daring. Sometimes the lesson would be carried on for a time in Welsh . . . theological views were explained, always wisely and without bias, and the thought and action of the period of the Reformation were unfolded before the children's eyes in a way that made them think and made them desirous of further knowledge.[15]

Pennaf cryfder O.M. Edwards fel Prif Arolygydd oedd ei ddawn i ysbrydoli prifathrawon, athrawon a phlant. Yr oedd yn anogwr brwd a pha ryfedd fod Richards wedi cadw copi o'r fawlgan hon yn ofalus ymhlith ei bapurau. Nodwyd eto ym 1915 ffresni dychmygus ei wersi ('an enthusiast in the subjects he takes and his work altogether is striking and original'),[16] ac y mae'n werth pwysleisio ei fod yn ysgrifennu'n gyson at J.E. Lloyd er mwyn cael ganddo wybodaeth am lyfrau newydd a fyddai'n gymorth wrth baratoi gwersi. 'I should like to break new ground somewhat in the direction of making history teaching more *interesting* to the children', meddai wrth Lloyd ar ddiwedd Medi 1914, 'I have come back from the holidays like a giant refreshed.'[17] Yn ôl R.T. Jenkins, 'fe weithiai heb frys ond eto heb orffwys', gan adael ei ôl ar fywyd a gwaith ei ddisgyblion.

Ymhlith y rhai a eisteddodd wrth ei draed ym Maesteg yr oedd y ddau frawd Gwynfryn a Brinley (Brinli) Richards o Nantyffyllon, a llawer blwyddyn wedi hynny tystiodd Brinli i ddoniau digymar Richards fel athro a hefyd i'r ffaith iddo ddylanwadu'n rymus ar ei fywyd. Ymddengys mai llysenw Richards oedd 'Dick' a bod rhai disgyblion yn gallu ei ddynwared i'r dim. Er bod O.M. Edwards wedi rhyfeddu at newydd-deb ei ddulliau a'i ddefnydd o'r Gymraeg, y gwir yw mai dysgu ar y cof a wnâi'r plant ac mai drwy'r Saesneg y'u dysgid, hyd yn oed yn y gwersi Cymraeg, er y buasai'n haws o lawer gwneud hynny trwy gyfrwng y Gymraeg. Nid oedd hafal i Richards am ddysgu rhediadau a ffurfdroadau Lladin i blant: fe'u gorfodai i'w hadrodd a'u hailadrodd dro ar ôl tro nes eu bod yn eu gwybod yn berffaith. Felly hefyd y dysgid pethau fel rhifolion ac arddodiaid. Nid nad oedd hwyl i'w gael yn ei ddosbarth: ym Maesteg ni châi ei erlid gan y Prifathro am fod yn ffraeth a digrif, a byddai'r ystafell yn aml yn fôr o chwerthin pan soniai am arfer yr hen Biwritaniaid o roi enwau Beiblaidd neu rinweddau haniaethol yn enwau ar eu plant (e.e. Jacob, Rachel, Praise-God Barebones, Faint-not-Abraham, Sure Hope, Charity a Prudence) a chaniatáu wedyn iddynt ddefnyddio'u dychymyg wrth lunio enwau cyffelyb megis 'Cofiwch wraig Lot Hughes' a 'Duw cariad yw Jenkins'. Eto i gyd, yr oedd enw Richards hefyd yn gyfystyr â disgyblaeth lem, a gwyddai sut i roi bonclust cofiadwy. Nid oedd ganddo fymryn o amynedd â disgyblion diog, di-glem a stwrllyd, a brithid y *detention book* ag enwau pechaduriaid a oedd wedi methu â chwblhau eu gwaith cartref neu ryw gamwedd gwaeth na hynny. Yn ôl T.S.P. Tuck, a oedd yn ddisgybl yn Ysgol Maesteg ym 1926, byddai Richards yn hoffi cosbi drwgweithredwyr drwy beri iddynt ysgrifennu ganwaith frawddegau megis 'Brains of wood, not the ordinary wood, but the hardest wood in the forest'.[18] Un llym ei dafod ydoedd, a gallai fod yn bur ddeifiol wrth rai disgyblion. 'When marble becomes cheaper', meddai rhyw dro, 'we'll erect a statue for [Davies] and inscribe at the foot – Mr. Ignorance.' Fe'u hatgoffai'n rheolaidd fod dydd o brysur bwyso gerllaw:

> Next August your mothers will be coming down here weeping and wailing and asking 'Why has not my daughter passed?' and I shall tell them that their daughters failed because they didn't know the adverbial rule.[19]

Yr argraff a gawn yw fod plant galluog yn ei addoli ond bod y rhai swil neu esgeulus neu anghofus yn casáu ei goegni brathog.

Ond nid dysgu o fewn muriau'r ysgol yn unig a wnâi. O bryd i'w gilydd tywysai'r plant (a chofier mai brasgamwr cyflym oedd Richards) i fannau lleol o bwys hanesyddol megis Carreg Bodvoc (sy'n dyddio o 550AD) ar Fynydd Margam, hen ffermdy Brynllywarch lle sefydlwyd yr Academi Anghydffurfiol gyntaf gan Samuel Jones, hen gynefin Ann Thomas, 'Y Ferch o Gefnydfa', yn ffermdy Cefnydfa, a bedd Wil Hopcyn ym mynwent Llangynwyd. Ym 1924 bu'n gyfrifol am arwain 75 o ddisgyblion i Lundain i weld yr Arddangosfa Fawr yn Wembley a thrwy garedigrwydd Vernon Hartshorn, AS Ogwr y cofnododd Richards hanes ei fywyd yn dra chlodforus yn *Y Bywgraffiadur Cymreig*, a William Jenkins, AS Rhanbarth Castell-nedd, fe'u tywyswyd hefyd o gwmpas San Steffan. Y mae lle i gredu ei fod wedi ceisio Cymreigio tipyn ar weithgareddau'r ysgol, yn enwedig yn sgil codi'r adeilad newydd. Casglai lyfrau Cymraeg i'w dosbarthu ymhlith y disgyblion mwyaf diwyd ac addawol (fel ei hoff Biwritaniaid, credai Richards fod Duw yn gwenu ar y rhai gweithgar) ac o Ddygwyl Dewi 1925 ymlaen cynhelid Eisteddfod flynyddol yn yr ysgol. Ym 1915 bu Richards yn gyfrifol am gynhyrchu *Owain Glyndŵr*, drama Pedr Hir, yn y Theatr Newydd, Maesteg. Teithiodd yr awdur bob cam o Bootle i wylio'r plant ac er iddo ganmol cynhyrchiad ei hen gyfaill fe'i ceryddodd am ychwanegu rhai brawddegau er mwyn bywiocáu llinellau Meredudd, mab Glyndŵr a'r cymeriad a anfarwolwyd gan Richards ei hun mewn perfformiad cofiadwy yn Bootle bum mlynedd ynghynt. Hefyd, am dair noson o'r bron ym mis Mawrth 1926 llwyfannodd y plant gyngerdd amrywiol ynghyd â drama, dan gyfarwyddyd Richards, a oedd yn gryn ffefryn ymhlith cynulleidfaoedd y dauddegau, sef *Dwywaith yn Blentyn* gan R.G. Berry. Er mai dim ond tri chymeriad a oedd yn y ddrama – dau hen gapten llong, Pirs Dafis a Nathan Jones, a Mallt, merch Pirs – ceid ynddi ddigon o hiwmor ac, yn ôl un gohebydd, hi oedd 'the tit-bit of the evening'.[20]

O 1918 ymlaen hefyd enillodd Thomas Richards gryn enwogrwydd yn y cylch, a thrwy Gymru gyfan, fel awdurdod ar hanes Piwritaniaeth ac Anghydffurfiaeth gynnar yng Nghymru. Yn ôl J.E. Lloyd, cyflawnwyd y gamp bennaf yn Eisteddfod Genedlaethol Castell-nedd ym 1918 gan 'Ambrose Mostyn' am 'y gwaith ymchwiliadol goreu, yn Gymraeg, neu yn Saesneg, ar unrhyw destyn ynglŷn a Chymru (mewn perthynas i Hanes, Iaith, Llenyddiaeth, Addysg, etc.)'. Thomas Richards oedd yr ymgeisydd buddugol a derbyniodd wobr o £50, ynghyd â Bathodyn Cymdeithas yr Eisteddfod Genedlaethol, am ei draethawd ar 'A History of the Puritan Movement in Wales 1639-1653'. Dair blynedd yn ddiweddarach, y tro hwn yn Eisteddfod Genedlaethol Caernarfon ym 1921, gwobrwywyd Richards unwaith yn rhagor. Cipiodd wobr sylweddol o gan gini am draethawd ar 'Religious Developments in Wales, 1654-1662'. 'Clasur y Cloddiwr Hanes o Faes Teg' oedd un o benawdau *Y Brython*, a disgrifiwyd y buddugwr yn *Lloyd's Sunday News* fel 'a tall, scholarly-looking, clean-shaven man, of athletic build, with twinkling eyes which reveal a rare sense of humour'.[21]

Plesiwyd Richards yn fawr gan yr anrhydeddau hyn, ac yn sgil y gefnogaeth a gawsai gan E. Vincent Evans, Ysgrifennydd Cymdeithas yr Eisteddfod Genedlaethol, aethpwyd ymlaen i gyhoeddi'r gwaith cyntaf dan y teitl *A History of the Puritan Movement in Wales, 1639 to 1653* (1920), cyfrol a oedd yn cynnwys rhagymadrodd gan J.E. Lloyd yn tynnu sylw at y ffaith mai hon oedd y gyntaf i drafod twf Piwritaniaeth yng Nghymru ar sail ffynonellau gwreiddiol swyddogol. Nid oedd ond megis dechrau. Rhwng 1920 a 1930 – degawd a oedd yn oes aur yn ei yrfa – cyhoeddodd chwech o gyfrolau ('cyfrolau cedyrn solet',[22] chwedl R.T. Jenkins), pedair yn Saesneg a dwy yn Gymraeg. Ei ail *magnum opus* oedd *Religious Developments in Wales (1654-1662)*, a gyhoeddwyd ym 1923, gwaith y cyffesodd tri beirniad y gystadleuaeth y gwyddent yn burion mai Doc Tom oedd biau'r ffugenw 'Ned Sibion' am nad oedd ond un awdur yng Nghymru a allasai fod wedi llunio'r fath orchestwaith. Ymhen dwy flynedd yr oedd *Wales under the Penal Code 1662-1687* (1925) wedi ei gyhoeddi, ac ymhen tair blynedd eto *Wales under the Indulgence (1672-1675)* (1928). Erbyn hynny yr oedd wedi dychwelyd i Fangor i fod yn brif Lyfrgellydd y Coleg, ond y ffaith syfrdanol yw fod yr holl waith ymchwil a'r rhan fwyaf o'r gwaith ysgrifennu wedi eu cyflawni tra oedd yn athro ym Maesteg. Go brin fod unrhyw athro ysgol yn holl hanes Cymru wedi cyflawni'r fath gamp ysgolheigaidd. Ac fel pe na bai hynny'n ddigon o gyfraniad, ar ôl cyrraedd Bangor cyhoeddodd ddwy gyfrol yn Gymraeg, sef *Piwritaniaeth a Pholitics 1689-1719* (1927) a *Cymru a'r Uchel Gomisiwn, 1633-40* (1930). Rhwng y chwe chyfrol, dyna gyfanswm o 1601 o dudalennau. Yr oedd angen gweledigaeth a dygnwch eithriadol i gyflawni gwaith mor arloesol â hyn ac i ddwyn y cyfan i olau dydd ymhen degawd. Ers hynny y maent wedi bod yn sylfaen gadarn i bob ymchwilydd sydd wedi mentro i faes hanes Piwritaniaeth ac Anghydffurfiaeth yng Nghymru.

Yn ogystal â'r cyfrolau trwchus, cyhoeddodd Thomas Richards gnwd o erthyglau hirfaith – yn Gymraeg a Saesneg – yn ystod y dauddegau. Y mae cyfanswm tudalennau yr wyth bwysicaf yn ymestyn i dros bum cant ac yn gyfwerth â dwy gyfrol swmpus arall. Nid oedd ball ar egni Doc Tom ac ni allai hyd yn oed feddwl am orffwys ar ei rwyfau rhwng cyhoeddi'r cyfrolau mawr. At ei gilydd saernïwyd yr erthyglau hyn rhwng 1912 a 1926, sef cyfnod pan oedd Doc Tom yn athro ym Maesteg. Ymdriniai'r erthyglau Saesneg â degymau Llandyrnog a Llandinam, y frwydr am lesi Chwitffordd (ar sail tystiolaeth Papurau Dolben yn Llyfrgell Bodley), Prifathrawiaeth Dr Michael Roberts yng Ngholeg Iesu, Rhydychen, rhwng 1648 a 1657, a helbulon yr Esgob William Lucy yn Nhyddewi. Y bwysicaf yn eu plith oedd astudiaeth ystadegol fanwl o Gyfrifiad Crefydd 1676, darn o waith a ddaliodd ei dir yn rhyfeddol o dda tan 1986 pan gyhoeddwyd golygiad cynhwysfawr a beirniadol o'r Cyfrifiad gan Anne Whiteman. Er eu bod yr un mor fanwl a maith, haws o lawer i'w darllen yw'r erthyglau Cymraeg. Yn *Nhrafodion Cymdeithas Hanes Bedyddwyr Cymru* ceir hanes ffawd y Bedyddwyr yn ystod oes Lewis Thomas; darlith ddwyawr oedd hon a draddodwyd gerbron aelodau'r Gymdeithas yn Aberafan 'ar brynhawn poeth wedi cinio trwm, a syrthiodd llawer i drwmgwsg'.[23] Ymateb y Cymry i Ddatganiad Pardwn 1687 (neu 'Declarasiwn', fel y cyfeiriai Doc Tom ato) oedd pwnc darlith hirfaith arall a welodd olau dydd mewn print ym 1924. Ond yr ysgrif Gymraeg sydd wedi para orau ac sydd wedi dylanwadu fwyaf ar hanesyddiaeth Anghydffurfiaeth Gymreig yw 'Henry Maurice: Piwritan ac Annibynnwr', darlith a gwblhawyd tra oedd Doc Tom ym

Maesteg ond y gohiriwyd ei thraddodi a'i chyhoeddi oherwydd yr anawsterau a achoswyd gan Streic Gyffredinol 1926. Gweithiwr diarbed ydoedd a rhaid bod cyfanswm ei gyhoeddiadau rhwng 1916 a 1930 wedi peri i sawl darlithydd prifysgol wrido mewn cywilydd.

O ran cynnwys, felly, beth oedd swm a sylwedd dadl Thomas Richards yn y gyfres ryfeddol hon o gyfrolau ac erthyglau? Er bod cynnwys ac arddull y gweithiau dyfnddysg hyn yn affwysol o drwm a throfaus, o ddygnu arni gellir canfod y thema fras ganlynol. Gwlad dlawd ar gyrion nerthoedd mawr y Diwygiad Protestannaidd oedd Cymru yn ystod oes y Stiwartiaid Cynnar a dim ond cyfran fechan iawn o'i phobl a oedd yn gynefin ag athrawiaethau Luther, Zwingli a Calfin. Llef un yn llefain yn y diffeithwch fuasai llais John Penry ac nid tan y 1630au y canfu Piwritaniaid Lloegr fod ganddynt *tabula rasa* ym mharthau gorllewinol y deyrnas. Yr oedd olion Pabyddiaeth i'w canfod o hyd, ofergoeliaeth yn rhemp, a phobl yn trengi heb brofi gwybodaeth achubol. Y cyntaf i ymateb yn effeithiol i'r angen dybryd hwn oedd y Piwritaniaid Cymreig, gwŷr o ddoniau ysbrydol ac egni creadigol anghyffredin iawn. Y mwyaf dynamig yn eu plith oedd Walter Cradoc, John Myles a Vavasor Powell, a phan ddaeth cyfle i rymuso eu cenhadaeth trwy gyfrwng y Ddeddf er Taenu a Phregethu'r Efengyl yn Amgenach yng Nghymru (1650-3), profodd Cymru y nesaf peth i hunanlywodraeth o ran materion crefyddol. Ond nychwyd y ddelfryd gan naws Seisnig ac estron y Werinlywodraeth a chan y 'rhagrithwyr, turncoats, blacklegs, teulu Judas' a frigodd i'r wyneb ym mhob sir bron yng Nghymru. Aeth llywodraeth y Piwritaniaid a'r gweriniaethwyr â'i phen iddi ym 1660 ac aeth Brenhinwyr ac Eglwyswyr ati'n ddiymdroi i geisio dinistrio Anghydffurfiaeth trwy ddirwyo, carcharu ac alltudiaeth yn ystod blynyddoedd 'yr Erlid Mawr'. Dioddefodd sectau 'eithafol' a 'pheryglus' megis y Bedyddwyr a'r Crynwyr yn waeth na neb, ond trwy ddyfalbarhad, dewrder ac ystryw llwyddodd yr Anghydffurfwyr – y rhai, chwedl y proffwyd Eseia, a lân burwyd o'u sothach – i lynu wrth eu cred dan gysgod yr erledigaeth. A phan basiwyd Deddf Goddefiad ym mis Mai 1689 daeth cyfle i chwyddo rhengoedd eu cynulleidfaoedd lle bynnag y caniatâi gwendidau a llygredd y gyfundrefn eglwysig iddynt wneud hynny. Ac fel yr âi'r ddeunawfed ganrif rhagddi bywiocawyd llawer o'r 'Sentars Sychion' hyn gan sêl a brwdaniaeth y grefydd efengylaidd.

At ei gilydd hanesydd anniddorol yw'r hanesydd diragfarn, ac un o bennaf nodweddion Richards oedd ei farn gadarn, ac weithiau fympwyol, am y bobl yr ymddiddorai ynddynt. Ac yntau'n ŵr egwyddorol, parchai bobl onest, unplyg, cadarn eu ffyrdd a dygn eu hymroddiad. Dyna paham y byddai'n melltithio 'dynion glastwraidd' oes Elisabeth I, sef y 'dynionach o Laodicea' a gerddai'r *via media* rhwng Calfiniaeth a Phabyddiaeth. Casâi 'Phariseaid brithion' a 'disgyblion y torthau a phroselytiaid y porth' a fu'n gymaint bwrn ar genhadaeth y Piwritaniaid yn ystod y rhyfeloedd cartref a'r Werinlywodraeth. Rhaid oedd damnio 'opportunists' sir Fôn, 'weathercocks' sir Y Fflint a 'throedwyr pennau'r cloddiau' sir Gaernarfon. Collfarnai hyd yn oed Morgan Llwyd o Gynfal oherwydd, yn un peth, fod ganddo 'ei fannau gwan a'i gylch terfyn' yn ddiwinyddol, ond yn bennaf oherwydd iddo feiddio ymosod ar Oliver Cromwell a'r Ddiffynwriaeth ym 1654 ac yna dderbyn cyflog o £100 y flwyddyn o goffrau'r Arglwydd-amddiffynnydd am weinidogaethu yn Wrecsam. 'Hoced a humbug' oedd hyn, yn nhyb Richards, ac wrth bwyso a mesur cymeriad a chyfraniad y saint Piwritanaidd ni allai lai na chredu mai Vavasor Powell oedd y pennaf un yn eu plith. Tybiai fod Powell yn fwy cyson na Llwyd, yn llai bydol na Walter Cradoc, yn fwy dynol na John Myles, ac yn llai anhydrin na William Erbery. Gwŷr cadarn eu hargyhoeddiad fel John Jones, Maesygarnedd, Jenkin Jones, Llanddeti, a hyd yn oed John Owen, y brenhinwr o'r Clenennau, oedd ei arwyr, ac ni cheisiai gelu ei ddirmyg at 'droedwyr hyddysg pennau'r cloddiau'. Nid yw'n gymaint syndod, felly, ei fod o'r farn fod Piwritaniaid y genhedlaeth gyntaf yn rhagori ar yr ail genhedlaeth (er gwaethaf ei barch dwfn at rai fel Stephen Hughes, Samuel Jones a Henry Maurice). Yn y bôn, eu hunplygrwydd a'u gwrhydri a enynnai ei edmygedd, a mynegodd hynny mewn paragraff sydd, yn ôl Thomas Parry, yn un 'na luniwyd erioed ei well gan unrhyw feistr ar ryddiaith Gymraeg':[24]

> Cewri oedd y genhedlaeth gyntaf, yn llawn o nerthoedd gwastraffus anystywallt cewri, yn pregethu'n afieithus a diwarafun yng nghanol miri'r rhyddid newydd; dynion oedd yr ail, dynion meidrol iawn mewn oes ddyrys odiaeth, weithiau'n ystumio cydwybod, weithiau ym mhebyll Meroz, weithiau'n gwadu'r ffydd. Am yr oes gyntaf, anodd meddwl amdanynt ond yn eu llawn dwf; tyfu a wnaeth yr ail o dan haul

> diflas Rhagfyr yr erledigaeth. Plannu'r baneri ar bennau'r mynyddoedd, a hynny ganol dydd, oedd gwaith Cradoc a Miles; gorfu i Stephen Hughes a'i gyfeillion eu cipio oddi yno, a'u dwyn liw nos i addurno ysguboriau ac ogofeydd. Praffter meddwl o gywrain saernïaeth Duw a welid yn amlwg yn Vavasor a'i gyfoeswyr; i'r proffwydi llai ar eu hôl daeth rhyw gymesuredd cyfrin fel mêl o ysgerbwd deddfau Clarendon, rhyw ddynoliaeth agos, rhyw irder peraidd – nerth yn dygyfor o wendid, a thyfu yn dod yn wobr i'r dioddef.[25]

Ac ar ei orau, yn enwedig yn Gymraeg, gallai sôn am yr enwogion dewr hyn fel petaent ymhlith ei gyfeillion mwyaf mynwesol.

Er ei brysurdeb fel athro ac awdur, yr oedd Thomas Richards hefyd yn weithgar iawn yng nghylchoedd llenyddol tref Maesteg. Fel y deuai graddau prifysgol (MA a DLitt) a gwobrau eisteddfodol i'w ran, tyfai'n ŵr o fri ym Maesteg, ac yn *Kelly's Directory* am 1920 crybwyllir ei enw ymhlith 96 o drigolion pwysicaf y dref. Fel y gwelsom eisoes, yr oedd yn adnabod Vernon Hartshorn, cyn-asiant glowyr Maesteg, AS Ogwr o 1918 ymlaen, a gŵr a edmygid yn fawr ganddo oherwydd ei 'blaendra onest, stôr o synnwyr cyffredin, [a] gwybodaeth drylwyr o fywyd y glöwr'.[26] Dau gyfaill da arall oedd J.P. Gibbon, rheolwr Cwmni Glo North Navigation, a C.B. Thomas, dyfarnwr bocsio a fyddai, yn fwy na thebyg, yn denu Richards i wylio gornestau yn yr Old League Hall lle y byddai ffefrynnau fel Tal Jones, Eddie Jones a Kid Hughes yn dangos eu doniau yn y sgwâr. Ond at ei gilydd troi yng nghylchoedd y Cymry Cymraeg a wnâi. Y gŵr mwyaf cydnaws â'i anian, er ei fod mewn gwth o oedran erbyn iddo gyrraedd Maesteg ym 1912, oedd Thomas Christopher Evans, 'Cadrawd', yr hanesydd lleol a wnaeth gymaint i ddiogelu hynafiaethau ac arferion gwerin Dyffryn Llynfi ac yn enwedig y rhai a oedd yn perthyn i blwyf Llangynwyd. Fe'n hatgoffwyd yn ddiweddar gan Dr Brynley F. Roberts am 'serch angerddol' Cadrawd at ei filltir sgwâr ac, fel yn achos hynafiaethwyr fel Myrddin Fardd, Carneddog a Bob Owen, casglai gymaint o bentyrrau o lyfrau, cyfnodolion a llawysgrifau fel yr ymdebygai ei dŷ i archifdy enfawr.[27] Erbyn hyn y mae ei lawysgrifau ynghadw yn Amgueddfa Werin Cymru a Llyfrgell Rydd Caerdydd, ac y maent yn cynnwys lliaws o lythyrau, yn Gymraeg a Saesneg, oddi wrth bobl mor amrywiol â Gladstone, Lloyd George, O. M. Edwards, Joseph Bradney, D. Lleufer Thomas a T.H. Thomas. Ceisio gwybodaeth – weithiau'n ddigywilydd o daer – a wnâi'r gohebwyr hyn oherwydd yr oedd Cadrawd yn adnabyddus ledled de Cymru am ei gyfraniadau rheolaidd i'r *South Wales Weekly News, The Cardiff Times, Cyfaill yr Aelwyd* a'r *Ddraig Goch*, a hefyd am y stôr ddihafal o wybodaeth a feddai. Cyn ei farw ym 1918, treuliai Richards oriau lawer yn nghwmni Cadrawd:

> Bûm yn eistedd am oriau yn gwrando arno, yn ei lais myngus a'r mwstàs yn taflu dros ei weflau, yn adrodd llu o dribannau Morgannwg, cymharu gwahanol dylwythau o lên gwerin, manylu unwaith eto ar yrfa Samuel Jones, Brynllywarch, darllen llythyrau oddi wrth Syr John Rhŷs, Syr Joseph Bradney, a'r Parch Lemuel Hopkin-James o'r Bont-faen, gan gwyno'n chwyrn nad oedd beirniaid enwog ddechrau'r ganrif hon yn hanner darllen y traethodau trymion a anfonid iddynt.[28]

Wrth reswm, gwyddai mai rhamantydd diedifar oedd Cadrawd a'i fod ar lawer ystyr yn ymgorfforiad o'i arwr Iolo Morganwg, ond ni allai beidio â rhyfeddu at ei wybodaeth eithriadol fanwl am hanes lleol. Dywedodd wrth Je Aitsh (J. H. Jones), golygydd *Y Brython*, nad anghofiai byth mo'r profiad o weld Cadrawd yn sefyll ar ben stôl ac yn ymestyn am siarteri Margam er mwyn profi iddo fod glo wedi ei ganfod yng nghyffiniau Cynffig yn yr Oesoedd Canol. Yr oedd hynny, meddai, yn 'addysg dda odiaeth . . . canys calon a chnewyllyn ymchwilio iawn – *research* – ydyw peidio â chymryd dim yn ganiataol, a mynd yn syth at fôn y pren'.[29] Cyhoeddiad pwysicaf Cadrawd o gryn ddigon oedd *The History of the Parish of Llangynwyd* (1887) a'r gwaith hwn, ynghyd â'r sgyrsiau difyr (unochrog braidd!) ar yr aelwyd, a ysgogodd Richards i ymgynefino â hanes Dyffryn Llynfi, a phan luniodd air o 'Gyfarch a Chroesawu' i'r saith gant o Fedyddwyr a fynychodd Undeb Bedyddwyr Cymru ym Maesteg ym 1925 dywedodd: 'ymwrolwch ateb a oes blwyf hynach na Llangynwyd, a glywsoch am blwyf â hanes mwy rhamantus iddo? Naddo, bid sicr'.[30] Yr oedd yn gartrefol iawn yng nghwmni pobl hŷn nag ef, yn enwedig wyrda diwylliedig a fedrai adrodd hanes eu broydd ag arddeliad neu, fel yn achos wàg gwreiddiol fel 'Allen Bach o'r Bryn', rai a feddai stôr o hanesion gogleisiol am gymeriadau ardal Tir Iarll.

Wrth i'w enw ymddangos yn rheolaidd mewn newyddiaduron cenedlaethol a lleol yn sgil y gwobrau a'r anrhydeddau a ddaethai i'w ran fel hanesydd, gelwid fwyfwy am ei wasanaeth gan gymdeithasau amrywiol. Y mae'n amlwg fod ei fywyd ym Maesteg yn llawn prysurdeb ac na châi nemor ddim amser hamdden. Gan mai tila iawn oedd safon tîm pêl-droed Maesteg Rangers câi fwy o bleser yn cerdded, ac nid oedd yn ddim ganddo frasgamu o Faesteg i Borth-cawl ac yn ôl, taith o bum milltir ar hugain. Yn amlach na pheidio, sut bynnag, treuliai nosweithiau a Sadyrnau lawer hefyd yn gwasanaethu cymdeithasau lleol. Yr oedd yn aelod o Bwyllgor Llên Eisteddfod Tir Iarll ac fe'i dewiswyd yn un o dri a bleidiodd – yn aflwyddiannus – gais Maesteg i groesawu'r Eisteddfod Genedlaethol ym 1922. Yn sgil y siom hwnnw ceisiwyd grymuso Cymreictod y fro drwy sefydlu Cymdeithas Gymraeg Dyffryn Llynfi, cymdeithas y dewiswyd Richards yn Llywydd cyntaf arni ym 1923. Ym mis Mai 1925 ffurfiwyd Cymdeithas Hynafiaethwyr Tir Iarll ac etholwyd ef yn Llywydd. Yn y cyfarfod cyntaf arweiniodd yr aelodau i eglwys a chastell Llangynwyd lle y traethodd am ddau o enwogion y plwyf, Samuel Jones Brynllywarch, a Dr Michael Roberts, prifathro Coleg Iesu, Rhydychen, ac yn yr ail gyfarfod traddododd ddarlith (yn yr Imperial Cafe) ar Ddyffryn Llynfi ym 1847. Yn yr un flwyddyn, drwy bleidlais unfrydol fe'i hetholwyd yn Llywydd anrhydeddus cangen leol y Cymmrodorion gan ei fod 'an enthusiastic Welshman, as is well-known to Maestegians'.[31]

Ac yntau'n aelod ffyddlon a gweithgar o Fethania, Capel y Bedyddwyr, ac yn gyfaill i'r gweinidog, y Parchedig Edward Jones (Iorwerth Ddu), fe'i gwahoddid yn rheolaidd i fod yn feirniad adrodd neu lên yng nghyfarfodydd cystadleuol ac eisteddfodau'r achos. Gwnâi hynny mor ffraeth fel y câi wahoddiadau i arwain eisteddfodau yr Young People's Mutual Improvement Society ac i gadeirio cyfarfodydd yn y dref. Fel y tystiodd ef ei hun ym 1925, pobl 'ymresymgar ac opiniynllyd' oedd trigolion Maesteg, yn effro iawn i'w hawliau ac wrth eu bodd yng nghanol dadlau poeth a chystadlu brwd. Yn sgil darlith a draddodwyd gan y Parchedig Jeremy Jones, Tonypandy, ar 'Ysbryd Morgannwg', gofynnwyd yn y *Glamorgan Gazette*: 'where could you find a better [chairman] than Mr. T. Richards, M.A., D.Litt?'[32] Yr oedd yn ei elfen yn llywio dadl ar y pwnc 'Cooperation v Competition' rhwng Annibynwyr a Methodistiaid y dref, a phan berfformiwyd drama D.J. Davies, 'Maes y

Meillion', gan Gwmni Drama Tir Iarll ychwanegwyd at firi'r achlysur gan ei afiaith fyrlymus fel cadeirydd. Fel darlithydd hefyd yr oedd yn ddiguro ac ni allai ei gynulleidfaoedd beidio â synnu at ei olwg wahanol ar bethau, ei ddull damhegol o lefaru, ei ddefnydd o hiwmor, eironi a choegni, a'i hyder wrth gyflwyno ei bwnc. Ym mis Hydref 1915 bu'n diddori ieuenctid Methodistiaid Calfinaidd Capel Tabor am awr a hanner ar y pwnc 'The Near Eastern Problem', a chafodd fonllef o gymeradwyaeth gan aelodau o Gymdeithas Lenyddol Nantyffyllon ym mis Ionawr 1922 am ddarlith 'odidog' ar gyd-ddigwyddiadau hanesyddol. 'Beirdd Cymru Heddiw' oedd ei bwnc gerbron Urdd y Wesleaid ym mis Rhagfyr 1923 a Chymdeithas Cymrodorion Aberdâr ym mis Ionawr 1924 (darlith a wawdiwyd yn ddidrugaredd gan ei gyfeillion academaidd ym Mangor rai blynyddoedd wedi hynny) a phan aeth i'r Caerau ym mis bach 1925 i sôn am ei brofiad fel ymchwilydd yn y prif lyfrgelloedd meithder y ddarlith yn hytrach na'i chynnwys a wnaeth yr argraff fwyaf: 'altogether, the speaker kept his audience occupied for a considerable time'.[33] A phan ffarweliwyd ag ef yn y *Glamorgan Gazette* yn haf 1926, dywedwyd amdano: 'He has the saving grace of humour, which makes the driest of dry subjects interesting, and he can always command attention from his hearers.'[34]

Er bod Thomas Richards yn fawr ei barch ym Maesteg, dengys ei lythyrau preifat ei fod wedi dyheu bron o'r dechrau am amgenach swydd, swydd a fyddai'n gydnabyddiaeth deilwng i un a chanddo gymwysterau uwch na'r cyffredin. Y mae'n amlwg nad oedd am rygnu byw am weddill ei oes yn dysgu plant amrywiol eu gallu yng nghymoedd de Cymru. Ysai am gyfle i dreulio mwy o amser yn ymchwilio, myfyrio ac ysgrifennu ac am ddychwelyd i fyd a brisiai ddarllen a diwylliant. Pwysicach na hynny, fodd bynnag, oedd ei awydd i ddod ymlaen yn y byd. Mor gynnar â haf 1913, yn sgil ymweliad Arolygwyr â'r ysgol, fe'i hanogwyd gan O.M. Edwards i geisio am swydd Arolygydd Iau gyda'r Bwrdd Addysg. 'No possible harm can come to you by so doing', meddai, 'and anything may happen.'[35] Ymhen hir a hwyr, sut bynnag, derbyniodd lythyr oddi wrth y Bwrdd Addysg yn dweud bod recriwtio ar gyfer y cyfryw swyddi wedi peidio, ond ei bod yn fwriad gan y Bwrdd i benodi tri arolygwr cynorthwyol yng Nghymru. Ond er i J.E. Lloyd, Pedr Hir a G. Stanley Griffiths bleidio ei achos yn huawdl, ni phenodwyd ef i'r un o'r swyddi hyn. Wedi iddo ennill gradd MA rhoes ei fryd ar fod yn Brifathro, ond rhwng 1917 a 1926 aflwyddiannus fu ei gais am brifathrawiaethau Ystradgynlais, Rhiwabon, Dolgellau ac Ysgol Lewis Pengam, er bod J.E. Lloyd, pennaf hanesydd Cymru, wedi rhoi clod uchel i'w waith a chanmol ei gyflawniadau yn hael. Ac yntau ar restr fer o bum ymgeisydd ar gyfer prifathrawiaeth Ysgol Sir Dolgellau, dywedodd yn goeglyd wrth ei gyfaill mynwesol Bob Owen: 'Dim canfasio i fod yn ôl y llythyren. A'r llythyren, yn ôl y Beibl a Tomos Hardy, sy'n lladd. Canfasio – Na atto Duw!'[36] Ac er i neb llai na'r Prifathro Reichel gefnogi ei gais am swydd Arolygwr ei Mawrhydi ym 1922, fe'i siomwyd unwaith eto. Anodd gwybod paham y caeid y drws yn ei wyneb mor aml. Efallai fod rhai o'r farn fod ganddo ormod o gymwysterau academaidd ac y byddai'n manteisio ar swydd newydd i fwrw ymlaen â'i waith ymchwil personol. Hawdd credu hefyd fod ei duedd i frolio wedi codi gwrychyn rhai: er enghraifft, dywedodd yn ei gais am brifathrawiaeth Ysgol Lewis Pengam ym mis Chwefror 1926, 'As a teacher . . . I stand alone.'[37] Credai ei hun fod ei oed wedi cyfrif yn ei erbyn, ynghyd â'r ffaith fod iddo'r enw o fod yn ymchwilydd diedifar yn hytrach nag yn weinyddwr profiadol. Ym misoedd cynnar 1926 cyfaddefodd wrth J.E. Lloyd ei fod yn dyheu am gyfle i ddychwelyd i ogledd Cymru: 'Should Pengam be lost, then my eyes will turn towards the North! (rather voraciously!)'[38] Erbyn hynny yr oedd Thomas Shankland, Llyfrgellydd Coleg Bangor, yn bur wael ac yn methu cyflawni gofynion ei swydd. Llwyddodd hen gyfeillion Richards (dan ddylanwad J.E. Lloyd yn bennaf) i dynnu gwifrau o'i blaid ac o ganlyniad fe'i gwahoddwyd i fod yn Llyfrgellydd ei hen goleg yn haf 1926. A chollodd Ysgol Uwchradd Maesteg un o'r athrawon mwyaf lliwgar ac ymroddedig a fu erioed yng Nghymru.

Dr. Thomas Richards.
(Doc Tom).

NODIADAU

[1]Huw Walters a W. Rhys Nicholas (goln.), *Brinli. Cyfreithiwr: Bardd: Archdderwydd* (Abertawe, 1984), 107.

[2]*Y Brython*, 16 Tachwedd 1911.

[3]*Y Brython*, 21 Rhagfyr 1911.

[4]Thomas Richards, *Rhagor o Atgofion Cardi* (Aberystwyth, 1963), 58-9.

[5]*The Glamorgan Gazette*, 9 Ionawr 1912.

[6]*The Glamorgan Gazette*, 15 Rhagfyr 1922.

[7]*Kelly's Directory of Monmouthshire and South Wales* (London, 1920), 606-13.

[8]Brinley Richards, *History of the Llynfi Valley* (Bridgend, 1982), 302.

[9]Richards, *Rhagor o Atgofion Cardi,* 92; Peter Stead, 'Vernon Hartshorn: Miners' Agent and Cabinet Minister' yn Stewart Williams (gol.), *The Glamorgan Historian*, VI (1969), 83-94.

[10]*Y Brython*, 29 Awst 1912; *Y Genedl Gymreig*, 3 Medi 1912.

[11]Richards, *Rhagor o Atgofion Cardi,* 59.

[12]Llyfrgell Coleg Prifysgol Cymru, Bangor, Bangor Llsgr 16674A. Ceir englynion gan Pedrog yn Bangor Llsgr 16746.

[13]LlPCB, Papurau Syr J. E. Lloyd 315, rhif 400, llythyr dyddiedig 11 Hydref 1912.

[14]Richards, *Rhagor o Atgofion Cardi,* 76-8. 'Am I to be glad or sorry?', meddai wrth J.E Lloyd ym mis Medi 1916 (LlPCB, Papurau Syr J.E. Lloyd 315, rhif 406).

[15]LlPCB, Bangor Llsgr 16675.

[16]*The Glamorgan Gazette*, 10 Medi 1915.

[17]LlPCB, Papurau Syr J.E. Lloyd 315, rhif 404, llythyr dyddiedig 28 Medi 1914.

[18]Llythyr at yr awdur, dyddiedig 6 Medi 1997.

[19]Walters a Nicholas, *Brinli,*104.

[20]*The Glamorgan Gazette*, 2 Ebrill 1926; R.G. Berry, *Dwywaith yn Blentyn. Comedi mewn Un Act* (Cardiff, d.d.); Huw Ethall, *R.G. Berry. Dramodydd, Llenor, Gweinidog* (Abertawe, 1985), 52-3.

[21]*The Glamorgan Gazette*, 12 Awst 1921.

[22]R.T. Jenkins, *Cyfoedion* (Clwb Llyfrau Cymraeg Llundain, 1974), 101.

[23]Thomas Richards, 'Bedyddwyr Cymru yng Nghyfnod Lewis Thomas', *Trafodion Cymdeithas Hanes Bedyddwyr Cymru* (1916-19), 3-45; idem, *Rhagor o Atgofion Cardi,* 102.

[24]Thomas Parry, 'Thomas Richards 1878-1962', *Trafodion Cymdeithas Hanes Bedyddwyr Cymru* (1978), 45.

[25]Thomas Richards, 'Henry Maurice': Piwritan ac Annibynnwr' yn Derwyn Jones a Gwilym B. Owen (goln.), *Rhwng y Silffoedd. Ysgrifau gan Dr. Thomas Richards* (Dinbych, 1978), 56-7.

[26]*Y Bywgraffiadur Cymreig hyd 1940* (Llundain, 1953), t.323.

[27]Brynley F. Roberts, *Cadrawd. Arloeswr Llên Gwerin* (Prifysgol Cymru, Abertawe, 1996), 1-5.

[28]Richards, *Rhagor o Atgofion Cardi,* 85-6.

[29]*Y Brython*, 25 Awst 1921.

[30]*Undeb Bedyddwyr Cymru a Mynwy. Y Llawlyfr. Bethania, Maesteg* (1925), 5-9.

[31]*The Glamorgan Gazette*, 10 Gorffennaf 1925.

[32]*The Glamorgan Gazette*, 3 Hydref 1924.

[33]*The Glamorgan Gazette*, 13 Chwefror 1925.

[34]*The Glamorgan Gazette*, 23 Gorffennaf 1926.

[35]LlPCB Llythyrau Syr J.E. Lloyd 315, rhif 405, llythyr dyddiedig 8 Ionawr 1915.

[36]LlGC, Papurau Bob Owen Croesor, Gohebiaeth, 1923-61, Llythyr Thomas Richards at Bob Owen, dyddiedig 11 Chwefror 1925.

[37]LlPCB, Bangor Llsgr 16676.

[38]LlPCB, Llythyrau Syr J.E. Lloyd 315, rhif 437, llythyr dyddiedig 17 Chwefror 1926.

Brinli – Bardd 'Y Dyffryn'

Huw Walters

Cwm cymharol fyr tua thair milltir o hyd yw Cwm Llynfi. Datblygodd yn gwm diwydiannol prysur gyda'i weithfeydd haearn a'i byllau glo yng nghanol y bedwaredd ganrif ar bymtheg, ond ardal wledig ac amaethyddol ydoedd cyn hynny. Ceid eog a brithyll yn ei nentydd, a choediog oedd y rhan fwyaf o'i rannau uchaf. Cwyd afon Llynfi ar Fynydd y Caerau a rhed i lawr heibio i'r Maesteg a'r Garth hyd at odre Llangynwyd ac yna ymlaen i Ogwr yn Aberllynfi i'r de-orllewin o Frynmenyn. Perthyn yr ardal i'r rhanbarth a adwaenid am ganrifoedd fel 'Tir Iarll' a phlwyf pwysica'r rhanbarth hwnnw yw Llangynwyd, neu 'yr Hen Blwyf'. Cynnwys y dyffryn nifer o fân bentrefi megis y Caerau, pentref glofaol ar un adeg lle ffynnai'r ysbryd Cymreig hyd yn gymharol ddiweddar, a Nantyffyllon sydd rhyw filltir yn is i lawr y cwm rhwng y Caerau a thref Maesteg. Enw gwreiddiol y pentref mae'n debyg, oedd *Nantyffyrlling*, neu *Nant ffyrlhing* yn ôl Edward Lhuyd ym 1696. Dywed traddodiad lleol fod rhyw rinwedd arbennig yn perthyn i'r ffynnon wrth darddiad y nant, a byddai pobl afiach yn cael eu hiacháu wrth drochi ynddi. Ac fel arwydd o ddiolch, taflent ffyrling i'r ffynnon a galwyd y nant yn *Nantyffyrlling*. Tystiodd Brinley Richards ei hun ym 1941 mai *Nantyffyrlling* oedd y ffurf ar yr enw a welodd ar weithredoedd tai yr ardal a oedd yn dyddio o chwedegau'r ganrif ddiwethaf.

Erbyn blynyddoedd canol y bedwaredd ganrif ar bymtheg yr oedd dau waith haearn ac un gwaith alcam wedi eu hagor yn yr ardal a suddwyd nifer o byllau glo yn y cwm yn ogystal. Bu cynnydd sylweddol ym mhoblogaeth Cwm Llynfi o ganlyniad ac ymhlith y gwŷr a ymsefydlodd yn yr ardal yr oedd Joshua Richards, tad Brinley. Brodor o Gwmafan oedd ef a bu'n löwr am dros hanner can mlynedd gan weithio am gyfnod yng ngwaith haearn Maesteg yn ogystal. Anghydffurfiwr cadarn oedd ef, gŵr ffyddlon i'w gapel a diacon hynaf eglwys Annibynnol Seilo, Nantyffyllon pan fu farw ym 1944. Bu'n ysgrifennydd i'r eglwys o 1894 hyd 1922, ac ef hefyd oedd ysgrifennydd yr eisteddfod flynyddol fawr a gynhaliai'r eglwys bob Nadolig yn Neuadd y Dref ym Maesteg. Gwraig o Gwmafan oedd Elizabeth Ann, mam Brinli hithau. Lladdwyd David Griffiths, ei thad, yng ngwaith alcam Cwmafan pan oedd hi'n chwe wythnos oed, ac ar ei farw ef aeth ei weddw, Ann, i gadw tŷ at Mr Earl, prif gyfarwyddwr y gwaith. Ailbriododd yn ddiweddarach â Thomas Williams, yntau'n frodor o'r un ardal. Bu 'tad-cu Glan-y-nant' fel y galwai Brinli ef, yn löwr am drigain ac wyth o flynyddoedd, ond fel crefftwr a gwneuthurwr telynau y cofiai'r teulu amdano. Mae'n debyg iddo weithio telyn i Thomas ap Thomas, brawd John Thomas (Pencerdd Gwalia), y telynor adnabyddus, ac fel cerddor o gryn fedr bu'n hyfforddi aelodau Cwmafan o gôr Griffith Rhys Jones – 'Côr Mawr Caradog' – i ganu yn y ddwy gystadleuaeth fawr a gynhaliwyd yn y Palas Grisial yn Llundain ym 1872 a 1873.

Yr oedd Ann Williams, priod Thomas Williams, 'mam-gu Glan-y-nant', yn wreiddiol o Gwmafan. Un o frodyr ei thad oedd Thomas Rees, Cwmafan, a mab iddo yntau oedd y Dr William Hopkin Rees a fu'n genhadwr dros Gymdeithas Genhadol Llundain yn Tsieina rhwng 1883 a 1921 pan benodwyd ef yn Athro Tsieinëeg ym Mhrifysgol Llundain. Ac fel 'Wncwl China' yr adwaenid ef gan blant aelwyd Glan-y-nant yn Nantyffyllon. Bu William Rees, ewythr arall i 'fam-gu Glan-y-nant', yn weinidog ar eglwys Siloh, Nantyffyllon cyn iddo symud i Ffynnon Daf, ac fe'i cyfrifid ef ymhlith sêr y pulpud Annibynnol Cymraeg yn ystod ail hanner y ganrif ddiwethaf. Mab iddo yntau oedd Benjamin Rees (Alaw Dulais) a fu'n flaenllaw gyda'r mudiad eisteddfodol yng Nghwm Llynfi cyn iddo ymfudo i'r Taleithiau Unedig yn wythdegau'r ganrif ddiwethaf.

Ganwyd pedwar o blant i Joshua ac Elizabeth Richards, tri o feibion ac un ferch, sef Gwynfryn (y Gwir Barchedig Gwynfryn Richards, Llandegfan, Môn yn ddiweddarach), Brinli a anwyd ar 13 Ebrill 1904, Rhydfen a fu farw yn bedwar mis oed ym 1906, a Nansi a anwyd dan anfantais corfforol ac a fu farw yn chwech a deugain oed ym 1958. Yn ystod y cyfnod hwn y daeth 'Brinley' yn enw bedydd tra phoblogaidd gan rai o deuluoedd cymoedd y de yn dilyn llwyddiannau cyngherddol ac eisteddfodol Brinley Richards y cerddor a'r cyfansoddwr adnabyddus o dref Caerfyrddin. Pan anwyd Brinli yn Nantyffyllon, roedd cymydog i'r teulu, Edward Gilbert, a oedd yn dad i'r gantores enwog Olive Gilbert, wedi penderfynu beth a ddylai ei enw fod. Brodor o dref Caerfyrddin oedd yntau, yn un o gyfoedion Brinley Richards, ac roedd eisoes wedi enwi ei fab ei hun yn Brinley. Gan fod Richards eisoes yn gyfenw ar y bachgen newydd- anedig, awgrymodd y cymydog nad oedd eisiau ond rhoi Brinley yn enw bedydd arno er mawrygu'r cerddor. Ac felly y bu. 'Y mae'n flin gennyf orfod cyfaddef', medd Brinli flynyddoedd lawer yn ddiweddarach, 'na wireddwyd y syniad o gael cerddor mawr arall o'r un enw'.

Gwyddys, wrth gwrs, bod traddodiad llenyddol anrhydeddus iawn yn perthyn i ddyffryn Llynfi yn Nhir Iarll, ond ychydig o drigolion y fro a ymddiddorai mewn llenyddiaeth Gymraeg pan oedd Brinli'n grwt yn Nantyffyllon. Mae'n wir i John Williams ('Ceulanydd'), brodor o Dal-y-bont yng Ngheredigion a fu'n weinidog gyda'r Bedyddwyr yn Nantyffyllon a'r Caerau, ennill cadair yr Eisteddfod Genedlaethol am ei awdl 'Pulpud Cymru' pan gynhaliwyd honno ym Mhontypridd ym 1893. Y mae'n wir hefyd fod gan yr ardal ei mân feirdd a'i phrydyddion eisteddfodol, ond prin y gellir dweud i Gwm Llynfi godi bardd o fri yn ystod y cyfnod hwn. Roedd tueddiadau llenyddol yn Joshua Richards, tad Brinli, er hynny – gallai yntau lunio ambell bennill a thriban yn ddigon naturiol a hoffai englyn er na wyddai fawr ddim am y grefft o'i lunio. Roedd chwaer Brinli, Nansi, hithau'n hoff o ddarllen, ac er na chafodd addysg ysgol, bu'r addysg a gafodd gan ei theulu'n gyfryw ag y gallodd hi ddatblygu'r cyneddfau meddyliol y cynysgaeddwyd hi â hwy.

Cymro Cymraeg o gyffiniau Pontarddulais oedd prifathro ysgol elfennol Nantyffyllon yn ystod plentyndod Brinli, ond ni chlywyd yr un gair o Gymraeg o'i enau o fewn muriau'r ysgol. Yn wir, ni wyddai'r plant ei fod yn ei medru, ac ar wahân i'r gwersi Cymraeg a gyfrennid gan John Lewis Clee, gŵr o Ystradgynlais fel yr awgryma'i gyfenw, Saesneg oedd iaith pob gweithgarwch yn yr ysgol. Saesneg oedd cyfrwng yr addysg a gyfrennid yn yr Ysgol Ramadeg ym Maesteg hefyd. 'Yr oedd ein hathro Cymraeg yn y ddau dymor cyntaf yn peri inni anobeithio', medd Brinli flynyddoedd yn ddiweddarach. 'Yr unig beth a gofiaf am ei wersi oedd iddo ofyn imi yn y dosbarth: "What is the present indicative of the verb *bod*?", gan ynganu *bod* rywbeth yn debyg i *bawd*. Yr oedd ei wersi'n bopeth ond yn symbyliad i ymddiddori mewn llenyddiaeth Gymraeg'. Ond yn Ysgol Ramadeg Maesteg y daeth Brinli i gysylltiad â Dr Thomas Richards ('Doc Tom' –llyfrgellydd Coleg Prifysgol Gogledd Cymru, Bangor yn ddiweddarach) pan oedd ef yn athro Cymraeg, Hanes a Lladin yn yr ysgol rhwng 1912 a 1926. Ac er mai Saesneg oedd ei iaith yntau y tu mewn i furiau'r ysgol, cyfaddefodd Brinli flynyddoedd yn ddiweddarach mai Thomas Richards yn anad neb arall a ddechreuodd greu tueddiadau llenyddol ynddo. Daeth i wybod am feirdd Cymraeg trwy ddarllen amdanynt yn rhifynnau'r hen *Geninen* a'r *Welsh Outlook*, dau gylchgrawn a ddosberthid ymhlith disgyblion yr ysgol gan Thomas Richards. Cofiai flynyddoedd yn ddiweddarach am yr argraff a wnaeth ysgrif Edgar Jones, Y Barri arno – 'Some Aspects of Modern Welsh Poetry' – yn un o rifynnau'r *Welsh Outlook*. Yn yr ysgrif honno y daeth i wybod am feirdd fel T.H. Parry-Williams, T. Gwynn Jones, J.J. Williams ac R. Williams Parry am y tro cyntaf. Dylanwadwyd arno hefyd yn ystod y cyfnod hwn gan ei weinidog, y Parchedig R.O. Hughes, brodor o Fethesda, Arfon, a fu'n bugeilio'r achos yn Siloh, Nantyffyllon rhwng y blynyddoedd 1909 a 1914. Medd Brinli amdano wrth ei goffáu yn *Y Dysgedydd* ym 1962:

> Yr oedd ganddo wybodaeth gyffredinol ymhell uwchlaw'r cyffredin mewn diwinyddiaeth, athroniaeth, llenyddiaeth, llysieueg, seryddiaeth a gwyddoniaeth. Y mae fy mrawd a minnau hyd heddiw yn cofio rhai o'r pethau a ddysgasom ganddo yn y Band of Hope, er nad oedd fy mrawd yn ddeuddeg oed pan ymadawodd R.O. Hughes â'r eglwys, a minnau ychydig yn iau.

Arhosodd Brinli yn yr Ysgol Ramadeg hyd onid enillodd ail dystysgrif y Bwrdd Canol Cymreig a'i galluogai i dderbyn addysg prifysgol. Ond roedd ei frawd, Gwynfryn, ar fin cychwyn gyrfa arbennig o ddisglair yng Ngholeg Caerdydd ar y pryd, ac oherwydd y cyni a brofodd y cymoedd glofaol yn ystod y dau-ddegau dewisodd Brinli adael yr ysgol i weithio yn ymyl ei dad ym mhwll glo y Coegnant. Ac fel hyn y canodd am y profiad hwnnw:

Am dymor bûm wrthi yn diberfeddu
  Y dyfnder o'i loywddu lo,
A'r myc a'r dramiau a helpais i'w llenwi
  Yn ysbwriel harddwch bro.

Rhwygais o'u gwâl dunelli gannoedd
  I ddiwallu gwacter y ddram,
A'u rhaso i'r brig yn aeddfed i'w halio
  Gan geffylau a wybu gam.

Fe'm blaenorai fy nhad, fe'm goroesodd wedyn
 Am hanner canrif a mwy,
A'r creithiau glas wedi ymdalcennu
 I urddasoli ei glwy.

Mae yntau bellach ymhell o'r Coegnant
 Ac wedi ei ddwyn i dref,
A minnau'i gydweithiwr am dro'n y lofa
 Yn fonheddig o'i goffa ef.

Bellach mae sŵn ym mrig y morwydd
 Am ddi-domennu ein gwlad,
I symud olion y rhaib a argraffodd
 Y creithiau ar dalcen 'nhad.

Ond er iddo gyfrif y profiad o weithio yno yn un gwerthfawr, ychydig iawn a gyfansoddodd mewn rhyddiaith a chân am y cyfnod a dreuliodd fel glöwr. Mae hyn yn rhyfedd o gofio i Drefin ganu cywydd nodedig i'r glöwr, ac i Tilsli yntau ganu awdl gofiadwy iddo, er na fu gan yr un ohonynt gysylltiad uniongyrchol â bywyd glofaol o gwbl. Ymhen deunaw mis fodd bynnag, aeth Brinli'n fyfyriwr i Brifysgol Caerdydd lle daeth yn gyfeillgar â Stephen J. Williams, yntau'n fyfyriwr ar y pryd, a pharhaodd eu cyfeillgarwch am dros hanner canrif.

Ar ôl blwyddyn yng Nghaerdydd fe'i prentisiwyd i fod yn gyfreithiwr yn swyddfa Moses Thomas, clerc Cyngor Tref Aberafan. Gŵr â'i wreiddiau yng nghymdogaeth Henllan Amgoed yn Sir Gaerfyrddin oedd ef; agorodd swyddfa gyfreithiol yng Nghastell-nedd ym 1895 a daeth yn ffigur o gryn bwys a dylanwad yn ei gymdeithas. Mewn llywodraeth leol felly yn fwyaf arbennig y cafodd Brinli ei addysg gyfreithiol. Ymddiddorai yn y maes hwnnw, ac ar ôl cyfnod o chwe mis yn astudio'r gyfraith yn Llundain a llwyddo yn yr arholiadau terfynol yno, ymsefydlodd fel cyfreithiwr yn ei hen gartref yn Nantyffyllon. Un mlynedd ar ddeg yn ddiweddarach priodwyd ef â Muriel Roberts o Ddyffryn Aman, Sir Gaerfyrddin. Perthynai hi i dylwyth aml ganghennog y Robertiaid yn Nyffryn Aman, teulu a fu'n gefn cyson a pharod i'r diwylliant Cymraeg yn yr ardal am flynyddoedd lawer. Yr oedd John Roberts, un o frodyr ei thad, yn adroddwr 'cenedlaethol' o'r hen ysgol a gipiodd sawl gwobr ar lwyfan y Brifwyl ym mlynyddoedd cynnar y ganrif hon, ac nid oedd perfformio ar lwyfan yn beth dieithr i aelodau o'r teulu hwn. Roedd brawd Muriel, Ifor, yn gantor o gryn fri, a'i chwaer, Marged (Pegi i wŷr Cwmaman), hithau yn adroddwraig tan gamp mewn eisteddfodau mawr a bach ledled y de. Brawd arall iddi oedd Morgan Rhys Roberts, yntau yn adroddwr ac yn actor o gryn fedr a chanddo ei gwmni drama ei hun a fu'n llwyddiannus iawn ar y llwyfannau yn ystod y pedwar a'r pumdegau. Ac er na bu Nans, y chwaer ieuengaf, yn amlwg ar lwyfannau eisteddfodau a chyngherddau Cwmaman, enillodd ei mab, Ryan Davies, gryn enwogrwydd fel diddanwr ar y cyfryngau Cymreig, a bu ei farw disyfyd ef yn Efrog Newydd ym mis Ebrill 1977 yn ergyd drom i'r teulu.

Wedi cyfnod yn y Coleg Normal ym Mangor aeth Muriel Roberts yn athrawes ifanc i'r Caerau ger Maesteg a bu ganddi hithau gwmni drama llewyrchus yn y pentref yn ystod y tridegau. Yma y cyfarfu â Brinli, yntau erbyn hyn yn gyfreithiwr ym Maesteg, a phriodwyd y ddau ar 3 Mai 1941. Brinli fyddai'r cyntaf i gyfaddef nad oedd yn berson ymarferol iawn, ac roedd yn gas ganddo feddwl am dwtio o gwmpas y tŷ a'r ardd. Gadawai bethau ymarferol fel hynny i Muriel, a chan na fedrai yrru car ychwaith, bu'n rhaid iddo ddibynnu ar ei briod i'w gludo i bobman. Rai blynyddoedd wedi marwolaeth Brinli ym 1981, dychwelodd Muriel i'w hen gynefin yng Nglanaman ac yno y bu farw ym mis Gorffennaf 1993 yn 92 mlwydd oed.

Ni chafodd Brinli unrhyw hyfforddiant yn y cynganeddion yn yr Ysgol Ramadeg, ond dechreuodd gofnodi englynion, a darnau eraill o farddoniaeth a apeliai ato, mewn llyfrau nodiadau pan oedd yn grwt yn yr ysgol. Darllenai feirniadaethau eisteddfodol yn fanwl, gan graffu mwy ar y sylwadau ar yr awdl nag ar y rheini ar y bryddest, ac wrth drysori cannoedd o englynion ar ei gof, a derbyn budd wrth ddarllen beirniadaethau, daeth i wybod yn raddol yr hyn a ddisgwylid mewn englyn cywir. Gan nad oedd ganddo neb i ymgynghori ag ef yng Nghwm Llynfi dechreuodd ymroi i'r mesurau caeth drwy geisio cynganeddu nonsens, a hynny'n bennaf er mwyn ymarfer yn unig. A dyma'r pryd y dechreuodd anfon cerddi ac englynion dan y ffugenw 'Picton' i golofn farddol y papur lleol – *The Glamorgan Advertiser*, a phan yrrodd soned gynnar o'i waith i'r *Tyst* ym mis Tachwedd 1927 rhoes J.J. Williams, golygydd colofn farddol y papur hwnnw, yr anogaeth hon iddo:

> Da gennyf mai ieuanc ydych. Yr ydych ar ben y ffordd i ddyfod yn fardd campus. Darllenwch feirdd gorau Cymru a Lloegr a pheidiwch bodloni ar ddim llai na'r safonau uchaf.

Yn y man ymroes i gystadlu ym mân eisteddfodau a chyfarfodydd cystadleuol Morgannwg. Roedd cryn weithgarwch eisteddfodol yn y cymoedd diwydiannol yr adeg hon, ac yng nghyfnod ei fachgendod yr oedd Eisteddfod Fawr Tir Iarll a gynhelid mewn pabell ar faes pêl-droed Maesteg yn ŵyl o bwys yng nghalendr eisteddfodwyr Morgannwg. Yma ym 1919 y gwelodd Crwys am y tro cyntaf–yntau'n arwain y cystadlu ar y llwyfan, a thrannoeth i'r ŵyl daeth y newydd am goroni'r arweinydd am ei bryddest, 'Morgan Llwyd o Wynedd', yn yr Eisteddfod Genedlaethol a gynhaliwyd yng Nghorwen y flwyddyn honno. Ni chynigiodd Brinli am gadair mewn un eisteddfod daleithiol ond un o'i lwyddiannau cynharaf oedd ennill yng nghystadleuaeth y soned mewn eisteddfod a gynhaliwyd yng Nghrymych yn Sir Benfro ac yntau'n llanc.

Cynan yn cadeirio Brinli ym Mhrifwyl Llanrwst, 1951.

Eisteddfod Genedlaethol 1926 oedd y gyntaf i Brinli ei mynychu, ac yno y clywodd Syr John Morris-Jones yn llafarganu ei feirniadaeth ar yr awdlau i'r 'Mynach'. Roedd gan Brinli ddiddordeb arbennig yn seremoni cadeirio'r bardd buddugol, Gwenallt, yn Abertawe y flwyddyn honno, oblegid rhoddwyd y gadair gan Gymdeithas Gymraeg Shanghai, a chefnder i'w fam, Dr William Hopkyn Rees, oedd llywydd y Gymdeithas y flwyddyn honno. Hon oedd yr Eisteddfod Genedlaethol gyntaf i Brinli gystadlu ynddi, a hynny ar y soned 'Wedi'r Angladd', a dyfarnwyd ei eiddo yn bumed yn y gystadleuaeth dan feirniadaeth R. Williams Parry. Eithr fel dychanwr y gwnaeth Brinli enw iddo'i hun fel bardd yn ystod y cyfnod hwn, a dyfarnwyd chwe dychangerdd o'i eiddo yn fuddugol yng nghystadlaethau'r Brifwyl rhwng 1931 a 1947. Cynhwyswyd dwy o'r cerddi hyn yn ei gyfrol *Cerddi'r Dyffryn* a gyhoeddwyd ym 1967, sef 'Y Dringwr' a 'Y Cymro Undydd', ond rhaid troi at gyfrol *Cyfansoddiadau a Beirniadaethau Eisteddfod Genedlaethol 1939* i gael darllen un o'i ddychangerddi gorau, sef 'Gwareiddiad' – cerdd nad yw wedi dyddio dim mewn cyfnod o drigain mlynedd ac sy'n cynnwys y penillion a ganlyn:

Ac wele'r gwyddonydd yn dyfod i fri;
Bu wrthi'n dyfeisio nwyon diri
    Er creu diogelwch mwy.
Pe deuai'n wyrthiol i ran unrhyw frawd
Ddihangfa o'r rhain – canmoled ei ffawd, –
Y nwyon i'r llygaid, y ffroenau a'r cnawd,
    Pa wyrth all arbed y clwy?

Nid arfau'n unig a'n gwnaeth yn llon
A symud gofidiau'r genhedlaeth hon,
    Fe wnaeth seicoleg ei rhan.
Fe'n dysgodd mai clefyd yw drygau'r llawr
Rhyw air bach hen ffasiwn yw pechod yn awr;
Na chosber am drosedd, boed honno'n un fawr,
    Daw'r truan felly i'r lan.

Os gwelir y plentyn yn mynd dros ben llestri
Trwy dorri ei ddillad, ei air a ffenestri,

Chwarddwch am bob rhyw branc;
Beiwch ei nain a'i gyndeidiau i gyd,
Rhowch fai ar amgylchfyd y plentyn o'i grud;
Dadleuwch yn seicolegawl o hyd
Ond na rowch y gansen i'r llanc.

Ac fel y gŵyr y rhai a'i hadnabu roedd Brinli'n ddychanwr deifiol. Y dychanwr Cymraeg tebycaf iddo, mae'n debyg, oedd Sarnicol; ond gogleisiol yw ergydion Sarnicol, heb y treiddgarwch dadlennol sy'n nodweddu ergydion Brinli. Tynnu gwynt o hwyliau dyn a wnâi Brinli yn hytrach na'i frathu a thynnu gwaed. Canodd ddwy awdl ddychan yn ogystal â'r dychangerddi eisteddfodol hyn. Pan osodwyd 'Ogof Arthur' yn destun i'r awdl yng Nghastell-nedd ym 1934 teimlodd fod yr holl ganu am Arthur wedi ei orweithio. Roedd T. Gwynn Jones eisoes wedi canu am 'Ymadawiad Arthur' ym Mangor ym 1902, a Chledlyn yntau am 'Dychweliad Arthur' yn Yr Wyddgrug ym 1923. Aeth Brinli ati i lunio awdl ddychan ar y testun heb ei dangos i neb; ni wyddai hyd yn oed ei deulu iddo gystadlu. At hynny, ni roddodd ei enw priodol mewn amlen dan sêl, a disgwyliai i'r tri beirniad ei gystwyo a'i geryddu am iddo wastraffu ei amser ei hun heb sôn am eu hamser hwy. Ond fe'i siomwyd ar yr ochr orau gan adwaith y tri. 'Er imi gywilyddio lawer gwaith o gofio am ansawdd yr awdl honno', medd Brinli, 'cefais rywfaint o lonyddwch meddwl o gofio iddi fod yn dderbyniol gan T. Gwynn Jones. Croesawai hi fel rhywbeth oedd yn tanseilio y canu sydêt ffurfiol a oedd wedi mynd yn fwrn arno, a sioc i mi oedd iddo ei rhestru'n drydedd. Bu'r ddau feirniad arall, J.J. Williams a J.T. Job, yn hynod o garedig wrthi hefyd ond ni fentrodd yr un o'r ddau ei rhestru yn y gystadleuaeth'. Cyfeiriwyd ato fel 'wag lled alluog' gan J.T. Job, ac yn ôl J.J. Williams 'ysmaliwr direidus' a oedd yn 'gynganeddwr medrus' yn ogystal ydoedd.

Bron chwarter canrif yn ddiweddarach ym 1956, a'r Eisteddfod Genedlaethol yn Aberdâr, gosodwyd 'Gwraig' yn destun i'r awdl, testun a apeliai'n fawr at synnwyr digrifwch Brinli. Lluniodd awdl ddychan ac fe'i gyrrodd i'r gystadleuaeth dan y ffugenw *Siôn Cwilt*, ond gan ei fod hefyd yn beirniadu'r englynion yn yr un eisteddfod, ac felly heb hawl i gystadlu, yr enw a roes yn yr amlen dan sêl oedd *Dai Dower*. Brawychwyd y bardd pan aeth y si ar led ychydig wythnosau cyn yr eisteddfod fod yr awdl fuddugol yn un ysgafn a phryfoclyd, a chyfaddefodd flynyddoedd yn ddiweddarach iddo golli llawer o gwsg dros y cyfnod hwnnw gan iddo lwyr gredu ei fod wedi peri trafferth dianghenraid i'r Eisteddfod a'i swyddogion. Ond fel y gwyddys, awdl Mathonwy Hughes a orfu yn y gystadleuaeth honno. Er hynny, cafodd awdl *Dai Dower* yntau glod gan y beirniaid. 'Dyma fardd dawnus a gwamalwr eneiniedig' ebe John Evans, ac yn ôl Syr Thomas Parry-Williams: 'Doniolgi dychanus ydyw, gwamalwr hwyliog fel yr hen ddychanwyr gwragedd, crefftwr medrus iawn ar y gynghanedd'. Tystiodd Geraint Bowen, y trydydd beirniad, mai 'mwynhad mawr oedd darllen yr awdl hon wedi imi syrffedu ar fynegiant bwngleraidd awdlau'r gystadleuaeth. Fel cynganeddwr saif gyda'r gorau'.

Cyhoeddwyd yr awdl hon yn llawn yn *Y Cymro* yn rhifyn 16 Awst 1956, a phrif amcan Brinli ynddi mae'n debyg oedd ceisio cadw ei arfau cynganeddol rhag rhydu wedi ennill ohono gadair yr Eisteddfod Genedlaethol yn Llanrwst bum mlynedd yng nghynt am ei awdl 'Y Dyffryn'. Roedd y testun hwn unwaith yn rhagor wrth fodd ei galon gan roi cyfle i'w ddawn ddiamheuol at ddychanu. Canodd am ddyffryn darostyngiad dyn gan bentyrru gwawd ar yr oes y perthynai iddi:

Dihoena'r oes dan yr iau
Yn ddiruddin, ddiwreiddiau;
Oes o weniaith y sinic,
Y gogan a'r slogan slic;
Oes chwil a bwystfil yn ben,
Dyddiau aberth diddiben;
Oes olau y moethau mall,
Dihiraeth am fyd arall.

Adladd y cledd yw ein hetifeddiaeth,
Penyd fu gwarchod tud a threftadaeth;
Gwelw, di-egin a fu'n gweledigaeth,
A gwawr wannaidd o hyd yw gweriniaeth.
E ddaw niwl dros ddynoliaeth–megis clog,
A golud oriog yw pob gwladwriaeth.

Eithr nid dianc oddi wrth fywyd a wnaeth Brinli yn yr awdl hon, ond ei wynebu fel y mae a'i feirniadu'n hallt. 'Y mae'n chwipio a ffrewyllu a dweud y drefn yn anarferol', medd Rolant o Fôn yn ei feirniadaeth arni, gan ychwanegu bod 'rhaid cydnabod ei fod yn dweud y gwir hefyd. Dengys inni faint ein penbwleidd-dra, a chywilyddiwn os oes gennym rywfaint o gydwybod'. Ond nid awdl negyddol ei neges mohoni ychwaith:

A ddaw oes i'n haddasu
I esgyn o'r dyffryn du?
Daw ei her i'r glyn diryw –
Nid drws maith anobaith yw.

Fel y rhydd mwswg fel cèn o ennaint
Olud newynog ar lwydni henaint,
Daw llen angof dros ddigofaint – a chraith,
A dyddiau afiaith wedi dioddefaint.

Er cur hen, er llawer craith,
Ni châr neb fyw heb obaith,
Daw'r plygain i'n harwain ni
I lawenydd goleuni.

Daw gobaith o'r stabl crablyd,
A llog o'r digroeso grud.
Mewn ysig awr, mewn oes gaeth,
Crud i hoen yw crediniaeth.
I'n hen ofn rhaid canu'n iach, –
Y mae gwin sy'n amgenach.

Cyhoeddwyd yr awdl yn llawn yn *Cerddi'r Dyffryn* ym 1967 ynghyd â detholiad o gerddi a chaneuon eraill – a'r mwyafrif llethol ohonynt yn perthyn i gyfnod y chwedegau. Er i Brinli gyfaddef yn ei ragymadrodd i'r gyfrol iddo betruso cyn cyhoeddi'r detholiad oherwydd ofni y buasai'r cerddi'n hen-ffasiwn, cafodd y gwaith dderbyniad croesawgar gan yr adolygwyr a'r beirniaid llên.

Dechreuodd Brinli gyfrannu ysgrifau i'r cylchgronau Cymraeg yn gynnar yn y tridegau, ac fel Annibynnwr o argyhoeddiad nid yw'n syndod canfod mai yn un o gyhoeddiadau'r enwad hwnnw, sef *Y Dysgedydd*, y cyhoeddwyd ei erthyglau cyntaf. Ysgrifennodd lawer ar wahanol agweddau o hanes Cwm Llynfi, yn enwedig ei thraddodiadau llenyddol a chrefyddol, a disgrifiodd ei brofiadau fel cyfreithiwr a chynghorwr yn ogystal, gan groniclo ei gyfraniad amlochrog i'w gymdeithas. Ond efallai mai ei ysgrifau gorau yw'r portreadau cryno o'i eiddo o rai o'r bobl hynny y daeth i gyswllt â hwy, gwŷr megis T. Gwynn Jones a ymwelodd â chartref Brinli yn Nantyffyllon ym mis Mawrth 1938, Wil Ifan, Crwys, Dyfnallt, Syr Thomas Parry-Williams a'r Dr Thomas Richards. Casglodd ddetholiad o'r ysgrifau hyn a'u cyhoeddi'n gyfrol dan y teitl *Hamddena* ym 1972, cyfrol sy'n rhoi cipolwg inni ar ei bersonoliaeth a'i ddiddordebau eang a brithir pob un o'r ysgrifau â hiwmor a synnwyr digrifwch ynghyd â thipyn o ddychan deifiol.

Ym mis Rhagfyr 1966 gwahoddwyd ef gan ei gyfaill a'i gymydog, y Parchedig W. Rhys Nicholas, i baratoi pytiau chwarterol ar gyfer 'Dyddiadur' *Y Genhinen*. Bu'r Prifathro R. Tudur Jones yn cadw'r 'Dyddiadur' am gyfnod o ddeng mlynedd cyn hynny o dan y ffugenw *Sodlau Segur*. 'Nid heb lawer o betruster yr addewais ysgrifennu nodiadau dyddiadurol i'r *Genhinen* ac i fod yn olynydd am dymor i "Sodlau Segur"', meddai yn ei gyfraniad cyntaf yn rhifyn yr Haf 1967. 'Ar wahân i brinder oriau hamdden, yr oedd y syniad o ddilyn croniclwr lliwgar, cyhyrog a miniog fel y cyfaill hwn yn gwneud imi ymgrebachu'. Ond bu Brinli'n gyfrifol am baratoi'r 'Dyddiadur' dan y ffugenw *Pelican* o 1967 hyd 1972, a llwyddodd i lunio ysgrifau a oedd yn gyfoes, yn ddiddorol ac ambell dro yn bigog. Pynciau llosg y dydd oedd prif destunau'r ymdriniaethau chwarterol hyn gan amlaf – megis problemau pobl dduon America, y rhyfel yn Fietnam, ymosodiad Rwsia ar Tsiecoslofacia a'r Arwisgo yng Nghaernarfon ym 1969. 'Y mae gwario arian mawr ar bantomeim di-sail yn anesgusodol, yn ddisynnwyr ac yn bechadurus o gofio am achosion teilwng y byddai swm felly yn iachawdwriaeth iddynt' meddai. A doedd ganddo fawr o olwg ar George Thomas chwaith, Ysgrifennydd Gwladol Cymru ar y pryd ac un o brif gymeriadau'r ddrama honno. Medd ef yn rhifyn y Gaeaf 1968-9:

> Deil George Thomas i esgyn o nerth i nerth. Tybed a oes gan Harold Wilson ganlynwr mwy sycoffantaidd? Y llynedd cyhoeddodd George mai Wilson oedd prif weinidog mwya'r ganrif hon. Pan ddaeth hwnnw i Aberpennar ym mis Medi, meddai George – 'We have with us here the best friend Wales has ever known. We have never had a man who has suffered so much unjust criticism but has proved himself a man capable of carrying on with his job and letting the midgets fly around'. George Thomas o bawb yn sôn am *midgets!*

> Hysbysodd George y prif weinidog y byddai cariad ac edmygedd Cymru tuag ato ar gynnydd po fwyaf yr ymosod arno. Diau i fam George gytuno ar hyn. Gwyddom i lawer Cymro ymroddedig dreulio oes gyfan i wasanaethu ei wlad. Er hynny os paratoir cyfrol newydd o *Eminent Welshmen* y ganrif hon, yna pwy a warafun y lle amlycaf i Harold Wilson, a hynny ar sail cymeradwyaeth gŵr mor hyddysg yn ein hanes â'r Gwir Anrhydeddus George Thomas?

Irene White, Aelod Seneddol Dwyrain Fflint a merch Thomas Jones, Rhymni, oedd dan ei lach yn rhifyn yr Hydref 1969, a hynny am iddi ddweud ei bod o blaid cadw 'the Welsh language and Welsh culture', ond gan rybuddio ar yr un pryd rhag y peryglon o wneud *fetish* o'r iaith. Ac meddai Brinli – 'Yr oedd ei thad yn hollol o'r un farn. Petai pob tad o Gymro wedi dilyn esiampl Tom Jones, ni fuasai'r fath beth yn bod ag acen Gymraeg, heb sôn am iaith Gymraeg, i'w diogelu heddiw'. Ni wyddai neb pwy oedd 'Pelican' *Y Genhinen*, a mawr fu'r dyfalu ymhlith darllenwyr selocaf y chwarterolyn drwy gydol y cyfnod y bu'r 'Dyddiadur' dan ofal Brinli. Mae'n debyg, fodd bynnag, i'r Parchedig Trebor Lloyd Evans adnabod arddull yr ysgrifau hyn, ac ef yn unig hyd y gwyddys a lwyddodd i ddatrys y dirgelwch ynglŷn â'u hawduraeth.

Yn ystod deng mlynedd olaf ei oes aeth Brinli ati o ddifrif i groniclo hanes ei ardal ac i ymddiddori fwyfwy yn hanes Iolo Morganwg. Darllenodd bopeth a gyhoeddwyd am Iolo a'i yrfa a thrwythodd ei hun yn erthyglau a chyfrolau'r Athro Griffith John Williams, gan geisio pwyso a mesur eu tystiolaeth. 'Iolo Morganwg' oedd testun yr hir-a-thoddaid a osodwyd i'r beirdd gystadlu arno ym Mhrifwyl Y Barri a'r Fro ym 1968, a dewiswyd Brinli i gloriannu'r cyfansoddiadau. Ac yn ei feirniadaeth yn y gystadleuaeth arbennig hon y ceir yr awgrym cyntaf fod Iolo yn fwy nag arwr i Brinli. Gofynnodd yn ei feirniadaeth: 'Tybed a fu gormod o bwysleisio gwendidau Iolo am iddo wyrdroi a chamliwio ein hanes llenyddol? Bydded inni gofio nad twyllo a ffugio er mwyn elw a wnaeth er iddo fod yn ddigon llwm ei fyd'.

Yna cyfrannodd erthygl ar Iolo i'r *Ymofynnydd*, cylchgrawn yr Undodiaid, ym mis Awst 1974, a hon oedd ei ymgais gyntaf i ailorseddu'r breuddwydiwr o Forgannwg, rhywbeth a oedd i ddatblygu'n obsesiwn ganddo yn y man. Yr hyn a bwysleisiodd yn yr erthygl hon oedd anfanteision Iolo – ei ddiffyg addysg ffurfiol, ei iechyd bregus, ei dlodi a'i ddiffyg cyfleusterau yn gyffredinol. Ni fu Iolo mewn ysgol erioed meddai, treuliodd y rhan fwyaf o'i oes mewn bwthyn yn Nhrefflemin ac ni wyddai beth oedd ffeil i gadw'i bapurau gwasgaredig. Yna ychwanegodd:

> Teimlad edmygwyr Iolo yw na phwysleisiwyd yn ddigonol ei anfanteision anhygoel, ac na ddangoswyd yn ddigon pendant, os o gwbl, y manteision a'r cyfleusterau a oedd yn agored yn y byd ysgolheigaidd modern i'w gollfarnu. Yr oedd yr Athro Griffith John Williams wedi cael cyfle a hamdden a chyfleustra fel llenor proffesiynol i nodi pob anghysondeb yn Iolo, yn enwedig y pethau a groniclodd Iolo yn ei lesgedd ymhen, dyweder, ddeugain mlynedd wedi i'r peth ddigwydd. Gellir crynhoi digon o ddefnyddiau at gyfrol drwchus i geisio dangos fel y cyhuddwyd Iolo ar ddamcaniaeth a drwgdybiaeth heb eu cynnal â ffeithiau–a hynny ar nifer o achlysuron.

Yn wir yr oedd Brinli wrthi yn ystod y cyfnod hwn yn casglu deunydd ar gyfer mwy nag un gyfrol ar Iolo Morganwg, ac ymddangosodd y gyntaf o'r rhain o Wasg John Penry yn Abertawe dair blynedd wedi cyhoeddi'r erthygl uchod. Ei theitl oedd *Wil Hopcyn a'r Ferch o Gefn Ydfa*. Fel y gŵyr y cyfarwydd, hon yw un o ramantau mwyaf adnabyddus Morgannwg, ac yn ôl y stori wreiddiol syrthiodd Wil Hopcyn mewn cariad ag Ann Thomas, etifeddes plas Cefn Ydfa sydd ryw ddwy neu dair milltir i'r de o Langynwyd. Brawd i'w mam oedd y Parchedig Rees Price o blwyf Llangeinwyr, sef olynydd y Parchedig Samuel Jones fel prifathro Academi Brynllywarch, a thad y Dr Richard Price, yr athronydd. Ond töwr a phlastrwr cyffredin oedd Wil a mynnodd rhieni'r ferch ei bod yn priodi gŵr o'r un safle gymdeithasol â hithau. Y gŵr hwnnw oedd Anthony Maddocks, cyfreithiwr o gyffiniau Pen-y-bont ar Ogwr. Gwaharddwyd unrhyw gyfathrach rhwng y ferch a Wil a phriodwyd hi â Maddocks yn hen eglwys Llangynwyd ar 4 Medi 1725. Ond torrodd Ann ei chalon a bu farw ym mreichiau Wil pan oedd ei gŵr oddi cartref, ac iddi hi y canodd Wil Hopcyn y gân adnabyddus 'Bugeilio'r Gwenith Gwyn'.

Ond yn ôl Griffith John Williams mae'n debyg mai Iolo Morganwg oedd y cyntaf i dadogi'r gân ar Wil Hopcyn, ac fe'i darganfuwyd ymhlith papurau Iolo gan ei fab Taliesin. Rhoes yntau eiriau'r gân i Maria Jane Williams o Aberpergwm, ac fe'u cynhwyswyd ganddi hi yn ei chyfrol, *Ancient National Airs of Gwent amd Morganwg*, ym 1844. Dathlwyd deucanmlwyddiant marw Ann Thomas, y ferch o Gefn Ydfa, ym 1927 a chynhaliwyd cyfarfod cyhoeddus ar Sgwâr Llangynwyd fel rhan o'r gweithgareddau. Cerfiwyd beddargraff gwreiddiol Wil Hopcyn ar garreg newydd i'w gosod uwch bedd y bardd ym mynwent Llangynwyd, a chyhoeddwyd llyfryn i ddathlu'r amgylchiad. Ailadroddwyd stori'r rhamant gan Frederic Evans, un o feibion Cadrawd, yn y llyfryn hwnnw, a chafwyd ynddo ysgrif ar Wil Hopcyn a'i farddoniaeth gan Lewis Davies, yr ysgolfeistr llengar o'r Cymer. Cyffrowyd G.J. Williams gan y dathliadau hyn a chyhoeddwyd dwy erthygl o'r eiddo – 'Wil Hopcyn a'r Ferch o Gefn Ydfa' – yn *Y Llenor* ym 1927 a 1928. Gresynai fod pobl a ddylai wybod yn well yn parhau i goleddu damcaniaethau a oedd eisoes wedi eu profi'n gwbl ddi-sail. Cyfeiriodd at awduron llawlyfr y dathlu fel crancod a oedd yn olyniaeth gwŷr fel John Williams ab Ithel, Myfyr Morganwg a Morien, gan ychwanegu iddynt anwybyddu'r goleuni newydd a gafwyd ar y materion hyn yn ystod y deugain mlynedd cynt.

Dyma'r cefndir i gyfrol Brinli felly, lle'r aeth ati i geisio profi tri pheth. Ei dasg gyntaf oedd profi nad gŵr annelwig oedd Wil Hopcyn, ond person go iawn a oedd hefyd yn fardd. Ei ail dasg oedd profi ffeithiau'r rhamant ei hun trwy ddadansoddi tystiolaeth trigolion plwyf Llangynwyd a haneswyr Morgannwg, a'i drydedd dasg oedd ceisio profi mai Wil Hopcyn oedd gwir awdur 'Bugeilio'r Gwenith Gwyn'. A'i amcan drwy'r cyfan oedd amddiffyn y traddodiad lleol. 'Mae'r dystiolaeth yn fanwl a chynhwysfawr ac yn tynnu ar wybodaeth nad oedd ar gael pan ysgrifennodd Griffith John Williams lawer o'i sylwadau ar y rhamant', meddai'r Dr Urien Wiliam mewn adolygiad yn *Y Faner* ym mis Awst 1977. 'Peth hawdd o bosibl yw drysu ychydig yng nghanol llifeiriant rhethreg yr erlynydd, ond ni allaf beidio â meddwl nad yw ef yn bell o'i le ym mhrif elfennau'r achos'.

Rai dyddiau cyn y Nadolig ym 1979 rhoddwyd cryn amlygrwydd i erthygl faith gan Clive Betts yn *The Western Mail* ac iddi'r pennawd, 'Literary row is brewing over treatment of Iolo'. Rhoddwyd cyhoeddusrwydd yn yr erthygl honno i gyfrol Brinli – *Golwg Newydd ar Iolo Morganwg* a oedd newydd ymddangos o Wasg John Penry yn Abertawe. Trafod 'Cywyddau'r Ychwanegiad', sef y cywyddau hynny a gyfrannodd Iolo i argraffiad Cymdeithas y Gwyneddigion o waith

Dafydd ap Gwilym ym 1789 a wnaeth Brinli yn y gyfrol hon. Yr oedd yr Athro Griffith John Williams eisoes wedi profi yn ei gyfrol, *Iolo Morganwg a Chywyddau'r Ychwanegiad,* a gyhoeddwyd ym 1926 mai Iolo ei hun oedd awdur y cywyddau hyn. A chafodd yr Athro gyfle pellach i ddadlennu rhagor o ffugiadau'r bardd yn ei gofiant anorffenedig – *Iolo Morganwg* – a gyhoeddwyd ym 1956. Aeth Brinli ati felly i bwyso a mesur y dystiolaeth yn erbyn Iolo, a hynny o safbwynt cyfreithiwr.

Er bod Brinli'n ŵr eithriadol o wybodus (prin fod neb yn gwybod mwy nag ef am hanes a thraddodiadau llenyddol Tir Iarll wedi marw Griffith John Williams), eto nid oedd yn ysgolhaig a oedd yn gyfarwydd â'r ffynonellau sylfaenol – sef y llawysgrifau gwreiddiol. Cyfreithiwr ydoedd, ac amddiffynnydd yn anad dim arall, a dyma yn sicr oedd prif wendid y gwaith. Mabwysiadodd ddulliau'r llys barn wrth gyflwyno'i achos. Dewisodd anwybyddu pob tystiolaeth a oedd yn condemnio Iolo ar y naill law, ac o gydnabod tystiolaeth o gwbl, – yna ei bychanu ar y llaw arall. Roedd syniad go lew gan Brinli beth fyddai adwaith y byd academaidd i'r gyfrol hon, ac ymbiliodd ei gyfaill y Parchedig W. Rhys Nicholas ac eraill ohonom arno i lunio cofiant poblogaidd i Iolo, gan fod yr adnoddau angenrheidiol at y gwaith i gyd wrth law ganddo. Ond ni thyciai ddim. Yr oedd yn rhaid iddo roi mynegiant i'w ddaliadau, a dichon mai rhyddhad iddo oedd cael oddi ar ei feddwl yr hyn a arfaethodd ei ysgrifennu ers rhai blynyddoedd. Cofiaf i Rys Nicholas ddweud wrthyf mewn sgwrs ychydig wythnosau cyn cyhoeddi'r *Golwg Newydd* iddo awgrymu wrth Brinli pe llwyddai i wyngalchu cymeriad Iolo a phrofi nad ffugiwr mohono, y byddai'n sicr o grebachu ein syniad ni am fawredd Iolo ei hun. 'Y mae paradocs tu ôl i gyfrol Mr Richards', medd Patrick Donovan am y *Golwg Newydd,* 'pe bai'n llwyddo i brofi ei achos, byddai ar yr un pryd yn llwyddo i ddwyn oddi ar Iolo lawer o'i arbenigrwydd a chryn dipyn o'i waith hyfrytaf'.

A gwir y proffwydodd Clive Betts yn *The Western Mail* ym mis Rhagfyr 1979, pan ddywedodd y byddai'r gyfrol hon yn sicr o roi ysgydwad yn iawn i'r byd academig Cymraeg a'i gyffroi i'w waelodion. Ond cafodd y *Golwg Newydd* groeso brwd gan rai adolygwyr, megis y Prifathro R. Tudur Jones yn ei golofn wythnosol yn *Y Cymro* a'i disgrifiodd fel 'un o'r llyfrau mwyaf gogleisiol' a ddarllenodd ers tro byd. Cyfaddefodd Hywel Teifi Edwards yntau yn *Y Faner* iddo gael cryn fwynhad o'i darllen tros wyliau'r Nadolig y flwyddyn honno. 'Yr hyn sy'n braf', meddai, 'yw cael cyfrol sy'n llafur cariad un sydd wedi cael golwg fawr ar weledigaeth Iolo, un sy'n gwbl sicr o werth ei freuddwydion, un sy'n gwybod na fyddai'r Gymru bresennol fel ag y mae hi, er gwaeled yw ei gwedd, oni bai am y myth cynhaliol a greodd Iolo gyda chymorth yr Eisteddfod'. Er hynny, llai croesawgar oedd yr Athro Bobi Jones yn rhifyn y Gwanwyn o *Llais Llyfrau*. Yna, ar 29 Chwefror 1980, cyhoeddwyd erthygl Syr Thomas Parry yn *Y Faner*, a chyfeiriodd ynddi at y *Golwg Newydd* fel 'cyfrol ddianghenraid'. Ymhellach:

> Gresyn, a dwbl resyn, na allai Brinli gael gwared o'r obsesiwn sydd ganddo ynglŷn â'i eilun. Gyda'i wybodaeth am Forgannwg a'i ddawn lenyddol gallai fod wedi gwneud cymwynas werthfawr â Iolo, nid ar yr un raddfa â'r cofiant a gychwynnwyd gan G.J.W., ond llyfr tra defnyddiol er hynny, petai ddim ond yn derbyn safonau ysgolheictod, nid safonau cyfreithiwr. Yn lle hynny, dewisodd ef gnocio'i ben yn erbyn wal gerrig sy'n llawer rhy galed a chadarn iddo ef wneud tolc ynddi.

Atebwyd beirniadaeth Syr Thomas gan Brinli ei hun yn y rhifyn dilynol o'r *Faner*, ond ychydig iawn o sôn a fu am *Golwg Newydd ar Iolo Morganwg* ar ôl hyn.

Bu'n casglu defnyddiau ar gyfer ysgrifennu hanes Cwm Llynfi ers blynyddoedd lawer, ac yn ystod tair blynedd olaf ei oes bu'n paratoi'r gyfrol ar gyfer ei chyhoeddi. Daeth y gorchwyl hwnnw i ben ym mis Mehefin 1981 a throsglwyddwyd y teipysgrif i ofal Mr R.D. Whittaker, ysgrifennydd Cwmni Brown a'i Frodyr, y cyhoeddwyr o'r Bont-faen, ym mis Medi'r flwyddyn honno, ond bu farw Brinli yr wythnos ddilynol. Cyhoeddwyd y gwaith – *History of the Llynfi Valley* – ychydig fisoedd yn ddiweddarach ym mis Mawrth 1982. Y gyfrol hon yn ddiau oedd ei waith mwyaf, ac olrheinir ynddi hynt a helynt y gymdeithas ddiwydiannol glòs yng Nghwm Llynfi y bu ef yn gymaint rhan ohoni.

Bu cysylltiad Brinli â'r Eisteddfod Genedlaethol yn un maith ac anrhydeddus. Urddwyd ef yn aelod o Orsedd y Beirdd yn Aberafan ym 1932, a hynny yn rhinwedd ei swydd fel ysgrifennydd pwyllgor llenyddiaeth yr eisteddfod honno. Fel *Brinli* yr adwaenid ef yng Ngorsedd, ac mae'n werth nodi yn y fan hon mai'r ffurf gysefin ar ei enw a ddefnyddiai ef yn ddieithriad. Bu hefyd yn ysgrifennydd pwyllgor llên Eisteddfod Pen-y-bont ar Ogwr hanner can mlynedd yn ôl ym 1948, a phan ymwelodd y Brifwyl ag Aberafan unwaith yn rhagor ym 1966 etholwyd ef yn gadeirydd yr un pwyllgor ac yn is-gadeirydd yr Eisteddfod. Dewiswyd ef yn gyfreithiwr mygedol i Fwrdd yr Orsedd ym 1956 ac i Gyngor yr Eisteddfod Genedlaethol flwyddyn yn ddiweddarach i olynu'r Dr William George, Cricieth. Ac fel eisteddfodwr daeth i gysylltiad agos â nifer o Gymry amlwg, gwŷr fel Lewis Davies yr ysgolfeistr amryddawn o'r Cymer, Crwys, Cynan, Syr Thomas Parry-Williams a Syr David Hughes-Parry, ac i Brinli y cyflwynodd Wil Ifan ei gyfrol o gerddi – *Unwaith Eto* ym 1946. Roedd Trefin yn gyfaill mynwesol iddo hefyd, a Brinli oedd yr olaf i siarad ag ef yn Ysbyty Hammersmith ym 1962. Ar gais Trefin y lluniodd *Cofiant Trefin* ym 1963.

Syniai'n uchel iawn am Ernest Roberts, ysgrifennydd Llys yr Eisteddfod Genedlaethol am gynifer o flynyddoedd, ac fe'i clywais yn sôn lawer gwaith am rai o'r helyntion cyfreithiol y bu rhaid i'r ddau ymgodymu â hwy ynglŷn ag ambell 'ddigwyddiad' eisteddfodol mwy cyffrous na'i gilydd. Arferai Brinli dreulio gŵyl San Steffan drannoeth i'r Nadolig ar ein haelwyd ni yng Nglanaman ac ar yr adegau hynny y cefais innau'r cyfle o'i glywed yn adrodd y cyfrinachau eisteddfodol hynny y gwyddai gymaint ohonynt. Croniclodd rai o'r 'clecs eisteddfodol' hyn mewn ysgrifau yn y wasg gyfnodol o bryd i'w gilydd yn ogystal ag yn *Eisteddfota*, y gyfrol a olygwyd gan Alan Llwyd ym 1978 – er hynny roedd nifer o straeon na ellid mo'u cyhoeddi o gwbl. Cofiaf ymweld â Brinli yn ei gartref ym Maesteg rywbryd ym mis Hydref 1976. Dros de prynhawn aeth y siarad am Brifwyl fawr dathlu wythganmlwyddiant sefydlu'r eisteddfod yn Aberteifi y flwyddyn honno pan gafwyd cryn helynt ynglŷn â chystadleuaeth y gadair. Fe gofia'r cyfarwydd i'r Prifardd Dic Jones gystadlu yng nghystadleuaeth y gadair yn Aberteifi, ac iddo hefyd ei hennill am ei awdl i'r 'Gwanwyn', er nad oedd ganddo hawl i gystadlu am ei fod yn aelod o'r pwyllgor llên. Taflwyd awdl Dic Jones allan o'r gystadleuaeth a phenderfynodd swyddogion yr Eisteddfod gadeirio awdl Alan Llwyd yn ei lle. Ond yr oedd *Cyfansoddiadau a Beirniadaethau* Prifwyl Aberteifi eisoes wedi eu hargraffu erbyn hynny, a bu'n rhaid cynnwys yr awdl fuddugol yng nghefn y gyfrol.

Fel y gellid ei ddisgwyl, mawr fu'r helynt yn dilyn y digwyddiadau hyn ac mae'r saga fawr honno bellach wedi ei hadrodd yn llawn gan y Prifardd Alan Llwyd ei hun yn ei gyfrol hunangofiannol, *Glaw ar Rosyn Awst.* Beth bynnag, cofiaf i Brinli godi'n sydyn o'r bwrdd te y prynhawn hwnnw, gan ddychwelyd o'i stydi ymhen rhyw funud neu ddwy a ffeil o bapurau yn ei law. 'Bwrwch olwg dros y rhain', meddai. Agorais y ffeil a gweld bod ynddi gyfres o lythyrau.[1] Dyma gynnwys y llythyr cyntaf (ac eithrio enw'r llythyrwr a'i gyfeiriad) at y Prifardd Dic Jones, a'i ddyddio 9 Awst 1976:

> Annwyl Dic,
>
> Yr wyf wedi cystadlu am y gadair yn yr Eisteddfod Genedlaethol lawer gwaith ac heb ddod yn agos ati, felly yr wyf yn anfon gair atat i ofyn i ti a fyddet ti yn ysgrifennu awdl i mi ar gyfer Eisteddfod Wrecsam y flwyddyn nesaf. Testun yr Awdl yw 'Llygredd'. Os oes modd i ti ysgrifennu un i mi ni chaiff neb wybod byth, ac y byddi di £200 yn dy logell. Os wyt yn teimlo fel ysgrifennu i mi, ar ôl iti gorphen hi danfon hi imi. Bydd y £200 yn cael eu talu i ti ar yr amod bod yr awdl yn fuddugol.
>
> Yr eiddot yn gywir,
>
> *. ***** *****.
>
> P.S. Carwn ennill hon cyn marw.

Llythyr cyfreithiwr gan Brinli ei hun oedd y nesaf yn y ffeil. Dywedodd ynddo i'r Prifardd Dic Jones drosglwyddo'r llythyr gwreiddiol i'w ofal gan fynnu ymddiheuriad am i'r llythyrwr dybio y gellid ei lwgrwobrwyo. Mae'r llythyr hwn yn terfynu gyda'r rhybudd: 'Os nad ydych yn barod i ymddiheuro, yna bydd yn rhaid ystyried y mater ymhellach'. Ac fe gyrhaeddodd yr ymddiheuriad gyda'r troad, sef y trydydd llythyr yn y ffeil. Mae rhannau o'r pedwerydd llythyr, sef eiddo Brinli at y Prifardd Dic Jones, dyddiedig 23 Awst 1976, hefyd yn werth eu dyfynnu:

> Annwyl Gyfaill,
>
> Wedi imi ddychwelyd i'r swyddfa yma tuag wythnos yn ôl, anfonais air at y brawd o *******. Amgaeaf gopi ffotostat o'r ohebiaeth. Er y teimlaf fod ei ateb yn dra chlaear, ni welaf unrhyw bwrpas mewn dilyn y mater ymhellach. Wn i ddim a yw wedi sylweddoli'n llawn arwyddocâd yr hyn a wnaeth. Er hynny yr oedd ei haerllugrwydd yn anhygoel.

[1]Diolchaf i'r Prifardd Dic Jones am ganiatáu imi ddyfynnu o'r ohebiaeth hon.

Wedi ailfeddwl, da o beth oedd cymryd sylw pendant o'i lythyr rhag ofn iddo gymryd eich distawrwydd – â defnyddio iaith cadeirydd pwyllgor – yn arwydd o fodlonrwydd. Iawn oedd dweud wrtho beth oedd eich barn am ei lythyr. Petasech wedi cydsynio, yna buasai testun Wrecsam yn un addas iawn.

Ni ofynnir tâl am yr ohebiaeth fer yma. Pleser oedd gweithredu ar eich rhan.

Cofion cynnes iawn,
Brinley.

Prin, fodd bynnag, fod helyntion Eisteddfod Genedlaethol Aberteifi, 1976 i'w cymharu â'r cythrwfl a brofwyd ym Mhrifwyl Y Barri a'r Fro ym 1968 pan fu raid i argraffwyr y *Cyfansoddiadau a'r Beirniadaethau* ddistrywio tudalennau 'Cynnwys' gwreiddiol y gyfrol honno a'u hailargraffu o'r newydd. Clywais Brinli'n adrodd yr hanes fwy nag unwaith, ac er bod prif gymeriad y ddrama fawr honno bellach wedi ein gadael gwell fyddai i minnau ymatal rhag datgelu rhagor, – am y tro, beth bynnag.

Etholwyd ef yn Archdderwydd Gorsedd y Beirdd ym 1971, a'r un flwyddyn gwelodd Prifysgol Cymru yn dda i'w anrhydeddu â gradd MA am ei gyfraniad i fywyd diwylliannol Cymru yn lleol ac yn genedlaethol. 'Syndod i mi oedd cael fy newis yn Archdderwydd o gofio nad oeddwn bob amser yn cydfynd â pholisi swyddogol Bwrdd yr Orsedd', meddai flynyddoedd yn ddiweddarach. 'Pan fyddai gwrthdaro rhwng y Bwrdd a Chyngor yr Eisteddfod ar fater o gyfansoddiad, yr oeddwn mewn lle anodd gan imi fod yn gyfreithiwr mygedol i'r ddau gorff. Ychydig cyn cael fy newis yn Archdderwydd, bûm yn meddwl o ddifrif am ymddiswyddo o'r Bwrdd ond cefais fy mherswadio gan ffrindiau i beidio'. Sylweddolai hefyd fod ambell aelod o'r Orsedd, fel Caradog Prichard, yn haeddu'r flaenoriaeth, gan mai ef oedd y prifardd hynaf ac yn fardd tair coron ac un gadair. Ond gwyddai hefyd nad oedd y bardd a'r newyddiadurwr am gael ei ystyried ar gyfer y swydd.

Gweinyddodd ddefodau'r Orsedd gydag urddas a graen yn y tair Eisteddfod ddilynol. Roedd ymgyrch arwyddion ffyrdd Cymdeithas yr Iaith Gymraeg yn ei hanterth yn ystod y cyfnod hwn a rhoes yr Archdderwydd newydd gefnogaeth i amcanion y Gymdeithas yn ei areithiau o'r Maen Llog fwy nag unwaith, gan dynnu nyth cacwn am

Yr Archdderwydd Brinli 1972 – 1975.

ei ben adeg gŵyl gyhoeddi Prifwyl Rhuthun ym 1972 pan ddywedodd fod 'pobl sy'n barod i brotestio am laeth am ddim i blant ysgol a rhenti teg yn fodlon condemnio y rhai hynny sy'n protestio i gadw anadl einioes cenedl – sef ei hiaith. Nid yw'r protestwyr hyn yn gofyn am ddim mwy na'u hawliau cyfreithiol' meddai. Gwnaeth safiad pendant tebyg o blaid rheol Gymraeg yr Eisteddfod flwyddyn yn ddiweddarach, a bu llythyru ffyrnig yng ngholofnau'r *Western Mail* am rai wythnosau wedyn gydag un llythyrwr yn rhag-weld sefyllfa debyg i'r un yng Ngogledd Iwerddon yn datblygu yng Nghymru. Yna, pan wrthododd Cyngor Ogwr gyfrannu'n ariannol at Brifwyl 1978 gyrrodd Brinli lythyr personol at bob aelod o'r Cyngor hwnnw yn gofyn iddynt ailystyried eu penderfyniad.

Fe'i gwnaed yn Gymrawd yr Eisteddfod ym 1980, ac ystyriai'r anrhydedd hon fel y fwyaf a ddaeth i'w ran. Fel hyn yr ysgrifennodd ataf wythnos wedi'r urddo ym Mhrifwyl Dyffryn Lliw:

> Diolch am eich geiriau caredig ynghylch fy newisiad fel Cymrawd yr Eisteddfod. Nid oeddwn yng nghyfarfod Cyngor yr Eisteddfod pan benderfynwyd felly ond deallaf i bump ohonom gael ein henwebu. Er imi deimlo'n ddiolchgar, sylweddolaf mai amatur ydwyf yn y byd llenyddol a bod nifer o bobl wirioneddol deilwng a llawer mwy gwybodus na mi heb eu hanrhydeddu felly.

Cafodd gyfle i gynrychioli Gorsedd y Beirdd mewn gwyliau Celtaidd fwy nag unwaith. Ymwelodd â'r Oireachtas yn Nulyn ym 1965, a digwyddai fod ysgrifennydd preifat yr Arlywydd Eamon de Valera yn un o gyn-fyfyrwyr Syr Thomas Parry ym Mangor, a gan fod y Fonesig Enid Parry yn beirniadu'r canu yn yr Oireachtas y flwyddyn honno trefnodd fod Brinli'n cael cyfarfod â'r Arlywydd. 'Amhosibl cofnodi'n deilwng ein hargraffiadau o'r ymweliad', ebe Brinli am yr achlysur, 'digon yw crybwyll diddordeb yr Arlywydd ym mhroblemau Cymru, yn arbennig ei hiaith, ei bersonoliaeth radlon a'i foesgarwch cynhenid'. Saith mlynedd yn ddiweddarach ym 1972 daeth cyfle arall iddo ymweld â'r Oireachtas, a chyfarfu â'r Arlywydd y tro hwn eto, ond yr hyn a barai dristwch iddo ynglŷn ag Iwerddon oedd tuedd y plant hyd yn oed yn Galway, Sligo, Mayo a siroedd eraill y gorllewin i ymwadu â'r Wyddeleg yn union wedi iddynt adael yr ysgol. Bu yng ngŵyl y Mod yn Ayr ym mis Hydref 1973 a chafodd wefr arbennig yno pan glywodd Wyddel o Clare yn canu 'Bugeilio'r Gwenith Gwyn' –y gân a briodolwyd i Wil Hopcyn o Langynwyd. Flwyddyn yn ddiweddarach ym 1974 daeth cyfle iddo ef a'i wraig ymweld â Gorsedd Llydaw yng nghwmni Tilsli a'i briod. 'Yng nghar Tilsli y teithiem yn Ffrainc', meddai, 'ac fe gytunodd tri ohonom fod y gyrrwr ar adegau yn gystadleuydd pur beryglus i Jehu!' Brinli a Meredith Edwards a gynrychiolai'r Orsedd yn yr Oireachtas ym 1978, a chafodd gyfle i ymweld â Gorsedd Cernyw flwyddyn yn ddiweddarach ym 1979. Gan fod y gwledydd Celtaidd yn wynebu'r un problemau ac anawsterau, credai ei bod yn hollbwysig i gadw'n ddiogel y ddolen gydiol rhyngddynt, a gwelai fod gan yr Eisteddfod a'r Orsedd gyfraniad mawr i'w wneud yn y cyswllt hwn.

Nid oedd storïwr hafal i Brinli. Fe gofiaf yn fwyaf arbennig am un prynhawn heulog ym mis Awst 1976. Roeddwn ar un o'm hymweliadau prin â Maesteg pan awgrymodd Brinli ein bod yn mynd am dro i barc y dref gerllaw. Er iddo fod mewn rhai sgarmesoedd, ni chlywais mohono'n bychanu nac yn sôn yn sarhaus am neb erioed. Ac amlygir yr agwedd hon ar ei gymeriad hyd yn oed yn ei feirniadaethau

Croesawu'r Prifardd Brinli yn ôl i Faesteg yn 1951.

eisteddfodol. Credai na ddylid bod yn wawdlyd nac yn fychanus ar draul cystadleuydd a oedd wedi llafurio'n gydwybodol yn ôl y ddawn a roddwyd iddo. 'Po fwyaf anobeithiol yr ymddengys y cynnyrch, mwyaf i gyd yr angen i fod yn rasol, a phrin fod slasio ar rywun yn ychwanegu at gufydd ysbrydol a llenyddol y slasiwr. Y mae clatsien yn adlewyrchiad ar hynawsedd neu ddiffyg hynawsedd y clatsiwr', meddai yn un o'i ysgrifau ar ei brofiad fel beirniad. Ac roedd iddo barch mawr ym Maesteg. Pan gipiodd gadair Eisteddfod Llanrwst ym 1951 aeth trigolion Maesteg ati'n ddi-oed i drefnu croeso arbennig i'r bardd a'i briod y dydd Sadwrn canlynol. Cynhaliwyd cyfarfod cyhoeddus swyddogol yn Neuadd y Dref, rhoddwyd teyrngedau i'r bardd gan ei gyd-gynghorwyr, a chafwyd anerchiadau gan y Parchedig W.D. Roberts, Saron, Maesteg, a Mr Dimettrie Cambettie, un o swyddogion eglwys Seilo, Nantyffyllon.

A dwg hyn ni at agwedd arall o'i fywyd, sef ei wasanaeth i'w gymdeithas. Cafodd brentisiaeth dda mewn llywodraeth leol yn swyddfa Moses Thomas, Aberafan, ac nid oedd yn annisgwyl felly y buasai yntau yn ei dro yn mentro i'r maes arbennig hwn. Daeth y cyfle i'w ran ym mis Rhagfyr 1930 pan fu farw un o gynghorwyr Nantyffyllon, ac fe'i henwebwyd am y sedd fel ymgeisydd Annibynnol. Ni chynrychiolai Brinli unrhyw blaid wleidyddol, yn wir credai mai camgymeriad oedd llusgo gwleidyddiaeth i mewn i lywodraeth leol o gwbl. Cynrychiolid Nantyffyllon ar y Cyngor lleol gan bedwar sosialydd am ugain mlynedd cyn i Brinli ennill y sedd, a thasg anodd i ymgeisydd annibynnol oedd ceisio cipio un o'r seddau hyn – yn enwedig yn ystod dirwasgiad y tridegau. Nid oedd holl drefniadaeth y Blaid Lafur bwerus yn gefn iddo, a'r unig gymorth a gafodd i ymladd y sedd oedd cefnogaeth dau neu dri chyfaill agos. Bu cyffro mawr yn Nantyffyllon yn ystod yr etholiad cyntaf hwnnw ym 1930, ond enillodd Brinli'r sedd gyda mwyafrif sylweddol a llwyddodd i'w chadw am gyfnod o ddeugain mlynedd, er iddo orfod ymladd mwy o frwydrau etholiadol na'r un cynghorwr arall. Pe bai wedi ymuno â'r Blaid Lafur ni fuasai rhaid iddo ymladd mor aml i gadw ei sedd, ond mater o argyhoeddiad yn hytrach na chyfleustra oedd gwleidyddiaeth iddo. Croniclodd rai o'r helyntion y bu ynddynt ar Gyngor Maesteg mewn ysgrif ac erthygl yn ogystal ag yn ei gyfrol, *Hamddena*, ac arwydd o'i boblogrwydd fel Cynghorydd yw'r ffaith i drigolion Nantyffyllon weld yn dda i'w ailethol dro ar ôl tro. Bu'n gadeirydd y Cyngor bedair o weithiau – ym 1940, 1950, 1958 a 1969, ac fel 'tad y Cyngor' y cyfeirid ato yn y wasg leol. Er hynny, ni chafodd fod yn gadeirydd unrhyw bwyllgor perthynol i'r Cyngor. Pan gafodd ei ethol ym 1930 yr oedd o leiaf ddwsin o bwyllgorau, ond ni bu'n gadeirydd i'r un ohonynt, er bod aelodau o'r blaid Lafur yn cael bod yn gadeiryddion yn eu blwyddyn gyntaf.

Yn wir, anwybyddwyd Brinli dro ar ôl tro gan y mwyafrif Llafur. Ni chafodd gynrychioli'r Cyngor ar unrhyw bwyllgor addysg, na bod yn un o lywodraethwyr yr Ysgol Ramadeg, er mai ef am flynyddoedd lawer oedd yr unig gyn-ddisgybl o'r ysgol honno ar y Cyngor. A phan ffurfiwyd y *Legal and Parliamentary Committee*, er mai ef oedd yr unig gyfreithiwr ar y Cyngor, barnwyd gan y mwyafrif nad oedd Brinli'n gymwys i fod yn aelod ohono o gwbl. Eithr pan drafodwyd cais gan un o denantiaid y Cyngor am ganiatâd i gadw colomennod, penodwyd Brinli'n aelod o'r is-bwyllgor a sefydlwyd yn unswydd i drafod y mater tyngedfennol hwnnw, – penodiad a fu'n achos erthygl ddychanol dan y pennawd 'Councillor Richards Gets the Bird – Or Democracy at Work' yn *The Glamorgan Gazette*, a chryn lythyru yn ei golofnau wedyn am wythnosau lawer.

Talcen caled eithriadol oedd hwn i weithio ynddo, ond brwydrodd Brinli'n galed dros hawliau'r Gymraeg yng Nghwm Llynfi. Mynnodd sicrhau enwau Cymraeg ar strydoedd Maesteg mor gynnar â 1960, pan nad oedd pethau o'r fath yn ffasiynol, a bu'n gefn cyson i bob gweithgarwch Cymreig yn yr ardal. Bu hefyd yn flaenllaw yn hybu addysg Gymraeg ym Morgannwg, yn enwedig yn Y Barri, Pontypridd, Glyn-nedd a Maesteg. Ac yn rhyfedd iawn penderfynodd aelodau o Gyngor Maesteg ei anrhydeddu ym mis Tachwedd 1972 drwy enwi ystâd o dai yn y dref yn *Ystâd Brinli*, eithr ni fynnai ef mo hynny. Gwasanaethodd fudiadau eraill yn ogystal. Bu'n aelod o Lys Llywodraethol Coleg Prifysgol Abertawe a chorff llywodraethol yr Amgueddfa Genedlaethol. Ac nid bychan fu ei gyfraniad i'w enwad. Fe'i codwyd yn eglwys Seilo, Nantyffyllon, a bu'n drysorydd ac yn ysgrifennydd i'r achos yno. Etholwyd ef yn drysordd Undeb yr Annibynwyr Cymraeg ym 1952, ac o 1964 hyd ei farw, ef oedd cyfreithiwr mygedol yr Undeb. Anrhydeddwyd ef â llywyddiaeth yr Undeb yn ei gyfarfodydd yn Llangefni ym 1964, ac yno y traddododd ei anerchiad ar 'Y Gyfraith a'r Efengyl'.

Y gyfraith, wrth gwrs, oedd ei briod faes, ond cyfaddefodd fwy nag unwaith mai llenyddiaeth oedd ei hoffter. Yr oedd eisoes wedi ymsefydlu fel cyfreithiwr yn yr hen gartref yn Nantyffyllon ym 1930, ond tyfodd a datblygodd ei bractis dros gyfnod o ddeugain mlynedd. Agorodd swyddfa yn nhref Maesteg i ddechrau, gan ymestyn y cortynnau'n ddiweddarach drwy agor swyddfeydd yn y Pentre, Rhondda, Pen-y-bont ar Ogwr a Phorthcawl. Pan ymddeolodd ym 1973 yr oedd deg o gyfreithwyr a thri chyfreithiwr cynorthwyol yn gweithio i'r cwmni. Ond ni bu Brinli'n segur wedi iddo ymddeol. Fel y gwelsom, ymroes fwyfwy yn ystod y cyfnod hwn i ymchwilio i hanes Iolo Morganwg a thraddodiadau llenyddol Tir Iarll, a bu galw mynych arno i annerch cymdeithasau ac i ddarlithio i wahanol fudiadau yn ogystal. Ac er gwaetha'r dirywiad cyson yn rhif siaradwyr y Gymraeg yng Nghwm Llynfi, drwy gydol y blynyddoedd yr oedd yno gnewyllyn o wŷr llengar a barhaodd yn ffyddlon i'r diwylliant Cymraeg, megis Morgan D. Jones, pennaeth yr adran Gymraeg yn yr ysgol leol, y Parchedig Morgan Mainwaring, rheithor plwyf Llangynwyd, Victor Hampson-Jones, y cenedlaetholwr pybyr ac eraill. Arferai Donald Jones, is-olygydd *The Glamorgan Gazette*, Victor Hampson-Jones a Brinli gyfarfod â'i gilydd yn aml yn swyddfa'r papur newydd, a dywedir mai ffrwyth llawer o'u trafodaethau hwy oedd cynnwys sylwadau arweiniol y newyddiadur dylanwadol hwnnw am rai blynyddoedd. Bu Norah Isaac, un o ferched y Caerau gerllaw, hithau yn gyfaill oes i Brinli a'i briod, ac fe'u gwelid yng nghwmni ei gilydd ar faes yr Eisteddfod Genedlaethol yn aml.

Ond gwelodd Brinli golli nifer o'i gyfeillion yn ystod ei flynyddoedd olaf – Victor Hampson-Jones, Aneirin Talfan Davies, William Morris a Bryn Williams yn eu plith, ac fe'i clywais yn dweud droeon ei fod yntau hefyd yn ymladd yn erbyn y gelyn amser a chymaint ganddo i'w wneud. Fel hyn y clodd ei deyrnged i William Morris yn un o rifynnau *Barn* ym 1979:

> O golli cynifer o gyfeillion eisteddfodol y cefais y fraint o'u nabod yn y chwarter canrif diwethaf trwy gyfrwng yr Eisteddfod, teimlaf erbyn hyn fy mod yn nesáu'n beryglus o agos i'r 'ffrynt lein' – a defnyddio iaith Morgannwg, – ond heb y cymhwyster a'r adnoddau i gyflwyno i'r genhedlaeth nesaf y cyfoeth o wybodaeth a'r waddol anghyffredin y bu rhai ar yr ymylon fel myfi yn ddigon lwcus i'w hetifeddu trwy gyfeillachu â phobl ddiwylliedig.

Cafodd iechyd da ar hyd ei oes, a'r unig beth a'i poenai ers rhai blynyddoedd oedd trymder ei glyw, ac nid oedd gan Brinli fawr o amynedd â'r teclyn clywed a wisgai pan gofiai – neu pan gofiai Muriel ei wraig. 'Fy nymuniad i fel llawer eraill yw na chaf fod yn faich ar neb yn fy nyddiau olaf', meddai yn 'Y Dyddiadur' yn rhifyn yr Haf 1969 o'r *Genhinen.* Ac fe wireddwyd y geiriau hyn megis y gwireddwyd esgyll un o'i englynion i 'Angau':

Ar amrantiad daw ataf – a'i reibus
Rybudd yw'r buanaf.

Ym mis Medi 1981 aeth Brinli a'i briod ar wyliau i Interlaken yn y Swistir gydag aelodau o Glwb Rotari Maesteg, ac yno ar y deunawfed o'r mis y bu farw'n frawychus o sydyn tra'n ymddiddan â chwmni bychan o gyfeillion. Cludwyd ei gorff adref, ac wedi gwasanaeth yng nghapel Canaan, Maesteg ac yna yn Amlosgfa Margam, gwasgarwyd ei lwch ym mynwent eglwys y plwyf, Llangynwyd. Canodd Rhys Nicholas, un o'i gyfeillion mynwesol a gŵr a fu'n agos iawn ato, gywydd coffa iddo sy'n cynnwys y llinellau:

Annwyl iawn oedd, ail i neb
Wrth wanu â'i ffraethineb;
Ni ddaw i'n cymell bellach
Â'i fwyn wên a'i ddyfyn iach;
Yn llafar y galarwn, –
Dydd du i'r llu, colli hwn.

Yn frwd ladmerydd Y Fro,
Di-ail fel ffrind i Iolo,
Heriai wŷr na wnaent fawrhau
Y Llên a gaed mewn llannau,
Anwesai bob hanesyn;
Nid rhith oedd 'Y Gwenith Gwyn'.
Ac o hanes Llangynwyd
Dôi hen ias i danio'i nwyd.

Byw i'r henwlad wnâi Brinli,
Hybu'r iaith, arddel ei bri;
Bu lais i'r 'Hen Blwy' ei hun,
Yn effro i rin y 'Dyffryn'.

Cadrawd

Brynley F. Roberts

Ymadrodd a rhin yn perthyn iddo yw 'gŵr y filltir sgwâr'. Fe'i defnyddir yn derm canmoliaethus, oherwydd nid yr un yw ei ystyr â 'gŵr plwyfol'. Mae'n dynodi person sydd nid yn unig yn adnabod ei gynefin yn drwyadl – tir, cymdogaeth, cymdeithas, hanes, pobl, diwylliant, hynny yw, sy'n adnabod diwylliant bro yn ei ystyr letaf – ond un sy'n tynnu'i faeth a'i ysbrydoliaeth o'r cynefin hwnnw nes gallu cyfuno ynddo'i hun swyddogaeth yr hen gyfarwydd sy'n trosglwyddo diwylliant a chyfrifoldeb y gwarchodwr. Y mae llawer un wedi treulio oes yn ei gynefin, yn ei ddiwyllio'i hun trwy ymgolli yn hanes, traddodiad a datblygiad y fro ac yn ei addysgu'i hun wrth ledu gorwelion yn yr ymdrech i ddeall yr agos yn well nes ei fod yn cyfoethogi hanes y genedl wrth ymdrwytho yn hanes ei gymdogaeth. Y mae'n ffasiynol erbyn hyn honni mai un o fythau O.M. Edwards yw'r gwerinwr prin ei addysg ond cyfoethog ei ddiwylliant, a diau ein bod wedi rhamantu am ein teidiau yn wladwyr syml, bucheddol, ond y mae sail i'r darlun er hynny, ac y mae cefn gwlad Cymru wedi cynhyrchu dynion a merched a oedd, efallai, heb lawer o addysg ffurfiol ond a oedd nid yn unig yn ddeallus ond hefyd yn meddu ar grebwyll yr ymchwilydd fel y daethant yn bobl wybodus, eang eu diddordebau, a gwŷr y colegau a'r prifysgolion yn falch i droi atynt am gymorth a gwybodaeth arbenigol. Y mae enwau'r chwilotwyr brwd hyn, y cofnodwyr egnïol a rhyfeddol eu dyfalbarhad yn barchus iawn ar droad y ganrif hon, yn haneswyr lleol, haneswyr llên ac yn draethodwyr eisteddfodol, rhai wedi ennill mesur o addysg, eraill yn llai ffodus eu cyfleoedd a'u hamgylchiadau – Huw Derfel, Glanffrwd, Gethin, Myrddin Fardd, Carneddog; ac yn ddiweddarach Tom Jones, Trealaw, William Davies, Tal-y-bont, D. Rhys Phillips, Resolfen, Thomas Christopher Evans, Llangynwyd.

Un o'r cyfryw rai oedd 'Cadrawd', dyn bro, crefftwr plwyf (neu ran o blwyf), dyn a dreuliodd ei fywyd lle y bu ei hynafiaid yn byw, a lle y cafodd yntau ei eni a'i fagu, a lle y bu farw. Gwir iddo fod yn America am ddau gyfnod yn ddyn ifanc, ond y cyfan a wnaeth y profiadau hynny oedd ei yrru yn ôl i'w fro enedigol a pheri iddo dyngu na adawai byth mwy. Ar un olwg felly, y mae adrodd hanes bywyd 'Cadrawd' yn orchwyl hawdd oherwydd na fu fawr o grwydro, ni fu yn unman. Ond hanes arwynebol iawn fyddai hynny, ac yn fewnol, anturiaeth eang dros lawer maes yn niwylliant Cymru yw hanes ei fywyd a'r diwylliant hwnnw wedi'i ddaearu'n gadarn yn yr Hen Blwyf, Tir Iarll, plwyf Llangynwyd.

'Cadrawd': yn ôl cofnodion swyddogol, Thomas Christopher Evans, 28/29 Rhagfyr 1846 hyd 25 Gorffennaf 1918. Yn ôl achau'r saint Celtaidd o'r chweched ganrif a roes eu henwau i'n llannau yr oedd gan Cynwyd nifer o feibion, yn eu plith Clydno Eidyn, Cynfelyn Drwsgl, Cynan Genhir, Cadrod: y mae ym mhlwyf Llangynwyd Bryn Cynan, Maes Cadrod. Hawdd yw deall pam y dewisod Thomas Christopher Evans yr enw 'Cadrawd', fel pe bai'n hawlio fod hanesydd a hynafiaethydd y fro yn 'fab y plwyf', yn fab Cynwyd; ac y mae'n briodol mai wrth yr enw hwnnw yr adweinid ef yn gyffredinol gan bawb, yn agos ac yn gyhoeddus.

Thomas Chrisropher Evans (Cadrawd), c. 1900.

Yr oedd yn fab y plwyf mewn ystyr arall a phwysicach, sef bod ei wreiddiau'n ddwfn yn Llangynwyd. Mab ydoedd i Thomas Evans y Foel, a'i wraig Jane. Bu Thomas Evans yn glerc plwyf Llangynwyd am dros hanner canrif ac yr oedd wedi gwasanaethu tri ficer pan fu farw'n 76 mlwydd oed ym mis Rhagfyr 1877. Bu'n cadw cofnodion bedyddiadau, priodasau a marwolaethau, ac fel saer y pentref daethai i gyswllt anorfod â phob teulu yn eu tro:

> Lluniodd fedd glwyswedd a glân – i luoedd
> Llawer o bob oedran,

meddai paladr englyn coffa iddo yn yr eglwys y bu'n gofalu amdani. Dilynodd 'Cadrawd' ei dad yn glerc y plwyf, a chan ei fod yn 31 mlwydd oed pan fu farw Thomas Evans, hawdd credu iddo ef ddysgu llawer am dras teuluoedd y plwyf a bywyd y cylch a'i hanes yn hanner cyntaf y ganrif ddiwethaf wrth sgwrsio â'i dad. Cymeriad cadarn, diwylliedig a diddorol oedd y tad. Yr oedd yn eglwyswr i'r carn, yn hyddysg yn athrawiaeth a litwrgi'r eglwys: pe bai pob copi o'r Llyfr Gweddi Gyffredin yn mynd ar goll, gellid dibynnu ar Thomas Evans i adrodd pob gwasanaeth o'i gof, meddid. Ond yr oedd yr eglwyswr pybr hwn, a hynny mewn cyfnod o ymgecru a chroesdynnu crefyddol a gwleidyddol, yn gefnogol i'r ymneilltuwyr, yn lletya eu gweinidogion ac yn cyfrif llawer ohonynt yn gyfeillion, a neb yn fwy felly nag Edward Mathews, Ewenni, a luniodd ysgrif goffa gynnes iddo.[1] Mewn oes o genfigen enwadol flin yr oedd clerc plwyf Llangynwyd yn ynys fach o gyd-barchu a challineb, er iddo yntau orfod dioddef am hyn pan ymddiswyddodd fel Warden yng ngwres dadl am ddatgysylltiad yr Eglwys gyda'r ficer. Etifeddodd 'Cadrawd' lawer o'r un nodweddion, oherwydd er ei fod yntau'n eglwyswr ffyddlon, cas oedd ganddo bob arwydd o gulni enwadol, a byddai yntau'n lletya gweinidogion cyrddau pregethu'r capeli ac yn cael lle yn y sêt fawr yn yr oedfaon hynny.[2]

Deuai 'Cadrawd' o deulu o grefftwyr. Ei dad oedd saer ac adeiladydd y pentref, a dilynwyd ef yn y gwaith hwn gan ei fab William (a fu farw 10 Medi, 1921). Gof y pentref oedd 'Cadrawd' a briododd ysgolfeistres ysgol y llan, y 'governess' a ddaethai yno o Hwlffordd. Fel hyn y bu yn ôl un hanesyn:

> As I came over the brow (*meddai hi*) I saw the village. About twenty houses there were then, mostly thatched and whitewashed. It was winter. All was grey and forlorn. I said to myself, 'I shall never stay in this place'. But she stayed there all the rest of her life. As she came down into the village she saw a stocky fresh-complexioned young man with black hair but a blue, blue eye. He was shoeing a horse, for he was the village blacksmith (*a chredwch neu beidio, yr oedd yn canu 'Bugeilio'r gwenith gwyn'!*) . . .
>
> 'Can you tell me the way to the vicarage?' asked my mother shyly . . . 'I shall take you to the vicarage' was my father's answer to her enquiry, 'for I have just finished shoeing his horse'.

ac aeth â hi i'r ficerdy.

Dichon nad felly'n union y bu hi. Ysgrifennodd un o feibion 'Cadrawd' ei hunangofiant ac ynddo, wrth reswm, y mae'n sôn cryn dipyn am ei rieni a'i dylwyth. Ond am ryw reswm dewisodd ysgrifennu dan ffugenw a chan roi enwau dychmygol i nifer o'r cymeriadau a lleoedd, er nad y cyfan. Ac fel y gwelir o'r hyn a ddyfynnwyd, y mae'n rhamantu tipyn hefyd Ond er na ellir bod yn gwbl gysurus fod y manylion yn ffeithiol gywir ganddo, gellir credu fod yr hunangofiant hwn, *Sand in the glass* gan 'Michael Gareth Llewelyn' sef Frederick Evans, y mab ieuengaf (a gyhoeddwyd yn 1943) yn cyfleu naws ac awyrgylch y pentref a'r cartref adeg ei blentyndod. Go brin fod y gof ifanc wedi mwynhau llawer o fanteision addysg ffurfiol er bod ei dad, yn ôl yr hanes, yn nodedig am 'ei sêl lenyddol'; ond y mae'n amlwg fod yr ysgolfeistres newydd, gwraig â phersonoliaeth gref a osodai bwys ar feithrin safonau ymddygiad uchel yn ei hysgol ac a geisiai sicrhau addysg dda a magu hoffter o ddarllen yn y plant, yn enwedig ei phlant ei hun, wedi canfod gŵr o ddiwylliant, deallusrwydd a diddordebau meddyliol yn y gof ifanc hwn. Gallwn dybio fod 'Cadrawd' tua 26-28 mlwydd oed pan ddaeth y 'governess' i'r pentref (bu hi farw yn 1932), a'r hyn sy'n ddiddorol yn yr olygfa fach a rydd 'Michael Gareth Llewelyn' yw fod y gof fel pebai'n bur gyfarwydd â mynd i'r ficerdy. Y ficer yr adeg honno oedd R. Pendrill Llewelyn, gŵr o Drelales, Pen-y-bont ar Ogwr, a anwyd yn 1813 ac a dreuliodd ei flynyddoedd o 1841 hyd ei farw yn 1891 yn Llangynwyd. Cymerai ddiddordeb dwfn yn hanes, traddodiadau a llên gwerin y plwyf ac yr oedd ganddo lyfrgell werthfawr: yn ei ffordd ei hun yr oedd yn nodweddiadol o'r to o offeiriaid hynafiaethol a lleol eu diddordeb a oedd yn olynwyr i'r 'hen bersoniaid llengar', to llai eang eu hamgyffred o ddiwylliant Cymru efallai ond cynheiliaid y cymdeithasau hanes sirol a lleol newydd a oedd yn cael eu sefydlu tua chanol y ganrif. Rhannai ei wraig y diddordebau hyn ac fel y cofir, hi a fu'n gyfrifol am gasglu peth o farddoniaeth leol y plwyf, yn eu plith 'Bugeilio'r gwenith gwyn'. Cyhoeddodd fersiwn Saesneg o'r gân yn *The Cambrian* yn 1846 gan ei chysylltu â Wil Hopcyn a hanes truenus y ferch o Gefnydfa.[4] Nid dyma'r lle i fynd ar ôl dilysrwydd y stori honno nac i holi am sail y cysylltu â Wil Hopcyn oherwydd y pwynt sydd gennyf yw fod Pendrill Llewelyn yn fyw i holl hanes y plwyf a'i draddodiadau, ei fod yn ŵr gradd o Rydychen a llyfrau a disgyblaeth prifysgol yn rhan o'i gynhysgaeth, a bod ei glerc, Thomas Evans, yntau nid yn unig yn hyddysg yn y pethau hyn ond yn llawer pwysicach, ei fod yn rhan o'r pethau hyn. Rhyngddynt byddai'r ficer a'i glerc yn sicr o feithrin diddordebau'r mab, Thomas Christopher, a dyna'n union a ddywed 'Michael Gareth Llywelyn', fod y ficer wedi tywys y gof ifanc gan roi benthyg llyfrau iddo a thrafod ei ddarganfyddiadau a'i ddyfaliadau gydag ef. Dyma fel y disgrifir eu perthynas yn yr hunangofiant:

> The old vicar encouraged the young man in his reading and in his efforts at writing. He gave him many books and the run of his library. My father's great interest was local history and folklore . . . He soaked himself, as it were, in all the books he could get hold of about Wales and discussed them with [the vicar]. Then he began a study of the locality itself, collected its folklore, recorded its legends and put down all he could discover of the coming of the iron works and coalmines to the . . . valley . . . He collected cuttings on his beloved subject and pasted them up in huge scrap-books where everything was neatly indexed. And all through those earlier yeares he saw [the vicar] every week and talked with him long into the night.[5]

Y darlun a geir gan bawb o 'Cadrawd' yw o lyfrbryf a chwilotwr greddfol, yn gasglwr, hynafiaethydd a chwilotwr yn casglu popeth a ymwnâi â'i fro, yn bapurau, llyfrau, celfi, ac yn cofnodi pob tamaid o wybodaeth o lafar neu o lyfr y barnai ef a oedd yn berthnasol. 'No tale was too trivial, no observation too trite to be recorded in his voluminous notebooks', meddai 'Michael Gareth Llywelyn', yn union fel y cymhellwyd 'Cadrawd' gan J. Gwenogvryn Evans yn 1886 pan oedd llafur yr hynafiaethydd yn dechrau ennill sylw: 'write down from day to day every scrap of Folklore you can find, however vulgar it may be'.[6] Pan gododd dŷ newydd yn y pentref, sicrhaodd fod ynddo stydi ar gyfer ei lyfrgell gynhwysfawr a'i bapurau:

> I can see him now in that little room with shelves and cabinets all round the walls, filled right up to the ceiling with books and papers of all kinds. He wore on his nose little steel pince-nez spectacles.

meddai'r hunangofiant.[7]

Ond efrydydd oedd 'Cadrawd' a oedd yn gorfod gweithio i ennill ei fywoliaeth. Digon di-drefn ydoedd yn amgylchiadau ei fywyd personol ac yr oedd yn dda fod gan ei wraig swydd. Pan oedd tua deugain mlwydd oed a chymeriad y pentref yn newid ac yn tyfu'n fwy diwydiannol, gwelodd na allai fyw wrth ei grefft yn yr efail. Cymerodd les ar chwarel yn y mynydd ond aeth y gwaith, a'r busnes ond odid, yn drech nag ef ac ymhen rhyw ddeng mlynedd troes i fyw'n gyfan gwbl ar yr hyn a enillai wrth ysgrifennu i'r wasg er mor fain fyddai hynny. Nid meudwy'r tŵr ifori ydoedd, er hynny. Yr oedd yn flaenllaw yn y bywyd cyhoeddus, yn rhyddfrydwr selog yn pledio datgysylltiad yr Eglwys, yn fardd gwlad a ddychanai ambell un a safai etholiad i'r *School Board* ac yng ngwres diwygiad 1904-05 yn emynydd digon dieneiniad. Yn ŵr byr ei dymer, yr oedd ganddo argyhoeddiadau cryfion na phetrusai eu datgan. Hawdd ei weld yn dipyn o gymeriad gwirioneddol – yn obsesif yn ei ddiddordeb hynafiaethol, ac yn rhamantu cymaint nes ei wneud yn ecsentrig:

> Mae'r 'cetyn cwta' yn ei law, mae'r fodrwy Gymreig ar ei fys, a'i ddillad, fel arfer, yn dwyn oliau y llyfrbryf a'r chwilotwr – dyma Cadrawd i'r dim, un â'i fryd ar hen bethau Cymreig, a'i bocedau bob amser yn llawnion o ddalennau'r hynafiaethydd.[8]

At hynny'n ddarlithydd twmpathog aflêr, er nad oes dim anhrefnus yn ei ysgrifennu. Ei waith 'academaidd' sy'n dangos ei allu, ei ddeallusrwydd, ei ddarllen a'i afael ar ddefnyddiau crai ei ymchwil. Er hynny, ni ellir osgoi'r cymhlethdod, neu'r ddeuoliaeth sy'n cael ei amlygu yn ei gymeriad, y gwerinwr yr oedd ei feibion yn swyddogion uchel yn y fyddin,[9] y rhamantydd a oedd yn gyfaill i ysgolheigion.

Hanai 'Cadrawd' o deulu o grefftwyr. Yr oedd ef ei hun yn of ac un o benodau gorau *Sand in the glass* yw'r ail lle y disgrifir crefft a phersonoliaeth brawd 'Cadrawd', William, saer y pentref. Parchai 'Cadrawd' grefft a blin oedd ganddo weld safonau crefftau traddodiadol yn cael eu sarhau yn enw cynilo neu yn enw ffasiwn. Y mae ei sylwadau ar ddodrefn eglwys Llangynwyd yn ei lyfr *History of Llangynwyd Parish* a gyhoeddwyd yn 1887 yn dangos ei chwaeth, ac amheuthum yn y cyfnod hwnnw yw gweld rhywun yn amau priodoldeb 'restoration' eglwys ond yn pledio achos 'renovation'. Ni ellir amau cariad 'Cadrawd' at hen eglwys y plwyf, adeilad y daethai i'w adnabod a'i ddeall yng nghwmni ei dad a'r ficer. Dichon mai agwedd ar ei geidwadaeth ramantaidd yw hyn oll a phleidiwr yr hen grefftau Cymreig sy'n siarad am yr oes o'r blaen pan geid 'stockings' ('not the flimsy machine-made abominations of to-day, but strong, warm hand-knit woolen leg comforters') am 1/- y pâr, ac esgidiau lledr 'not, as now, of brown paper' am 7/6 'made by honest Jenkin Nicholas, a neighbour, sitting on his well-used shoemaker's bench, and not turned out by the gross from the factory of the shoddy-man'.[10] Tebyg yw ei farn am ansawdd celfi ei ddydd o'u cymharu â gwaith graenus a safadwy y seiri coed gynt.[11] Dyheu y mae am fywyd syml cefn gwlad rhyw oes o'r blaen cyn bod sôn am 'strike – those disastrous disputes between masters and men, that have since then been too frequent' – a phan nad oedd *Radicals* i gwyno am y degwm ac i haeru fod y ffermwr yn 'down trodden and oppressed'.[12]

> Happy days! Happy to the peaceful dwellers in Llangynwyd, living their quiet lives under the kindly care of the good parson, – and content so long as the day's labour procured the day's substinence, and the Mabsaint afforded a periodical return of merry intercourse and innocent pleasure.[13]

Tynnu y mae ar ddyddiadur y Parchg. John Parry, y ficer, 1790-1812, ond 'Cadrawd' biau'r sylw. Dyma yn wir 'Merrie Wales'.

Nid yw darlun 'Cadrawd' o nodweddion plwyf Llangynwyd gynt yn unigryw: yn sicr nid ef oedd yr unig un a bortreadai'r oes ddelfrydol hon yn y cyfnod hwn. I'r gwrthwyneb, y mae ef yn union draddodiad hynafiaethwyr a haneswyr bro ddiwedd y bedwaredd ganrif ar bymtheg, yr ysgrifenwyr hynny a ddisgrifiwyd mor wych gan Trefor Owen yn ei ddarlith ar '"Llanwynno" a Phortreadau Bro'.[14] Dangosodd ef fel yr oedd moli cymdeithas, er mwyn diddanu ei thrigolion, yn gymhelliad pwysig i'r hynafiaethwyr hyn, ac eglurodd fel y byddai purdeb honedig y dyddiau gynt a rhamant hen ffordd ddiflanedig o fyw yn elfennau llywodraethol yn y portread a gyflwynid o'r oes a fu. Y mae teitl nofel atgofus 'Brynfab', *Pan oedd Rhondda'n bur* (1912) – a'i chynnwys – yn cyfleu'r ymagwedd i'r dim. Yr oedd y cysyniad hwn yn arbennig o rymus, efallai, ym Morgannwg lle'r oedd Iolo Morganwg wedi sefydlu darlun o 'fwynder Morgannwg', 'un o greadigaethau mawr y ddeunawfed ganrif yng Nghymru' yn ôl G.J. Williams.[15] Ehangwyd a chyfoethogwyd darlun Iolo gan haneswyr diweddarach a oedd, a dyfynnu geiriau Allan James, 'yn wir ddisgynyddion i Iolo, yn wŷr eu rhanbarth ac yn hollol deyrngar i'r ddelwedd arbennig honno o Forgannwg'.[16] Cymreictod, rhamant, gwarineb, chwaeth, dyna oedd yr edafedd a greai frodwaith 'Cadrawd' o'i blwyf genedigol, a'r rhain yn cael mynegiant yn y tribannau a chanu'r ychen a oedd yn ffrwyth y 'pastoral life . . . long before the advent of the modern style of farming',[17] ffurfiau llenyddol y treuliodd 'Cadrawd' ei fywyd yn eu casglu am eu bod yn nodweddion priod yr hen Forgannwg.

Yr hyn a welai 'Cadrawd' ac a'i symbylai fwyaf oedd dirywiad ansawdd bywyd hen blwyf gwledig Llangynwyd. Gwelai ef hen gymdeithas gydweithredol a chydymddibynnol cefn gwlad lle nad oedd meistr tir na theuluoedd llywodraethol a lle y gallai system dadol baternalistaidd weithio. Ond yr oedd plwyf Llangynwyd yn newid a'r pen isaf eisoes wedi datblygu'n gwm diwydiannol yn nyddiau 'Cadrawd' ei hun. Yn y byd newydd hwn hefyd yr oedd ef yn nodweddiadol o'i oes, yn llawenhau yn y dechnoleg newydd, yn ymhyfrydu yn y diwydiannau cyfoes ond yn ddigon effro i adnabod gormes y system 'truck' yn ogystal. Os anfodlon ydoedd ar ffatrïoedd esgidiau, hosanau a dodrefn ei ddydd, y mae elfen o falchder yn ei sylw am waith tin Llwydarth:

> In a word, the whole concern bears the impress of shrewdness and energy of a Firm quick enough to perceive and adopt every improvement, and ever studiously observant of the requirements of their trade.[18]

Llais nodweddiadol *entrepreneur* pob oes.

Gwyddai 'Cadrawd' yn ei galon mai rhamantu yr oedd am y gorffennol. Gwarchod, cynnull, crynhoi rhinweddau'r gorffennol er mwyn eu cadw yn rhan o'r diwylliant – dyna'r cymhelliad yn syniadol: yn ymarferol, ymgais i'w hail-greu yn y gymdeithas oedd y parch at grefftwaith onest. Ond yr oedd yn ormod o ŵr oes Victoria i beidio â chroesawu cynnydd ac os ydych am amgyffred agwedd gwŷr yr oes honno at bris diwydiant a threisio cymoedd Morgannwg, gwrandewch ar yr hynafiaethydd rhamantus hwn. Sôn y mae am Antoni Powell (1560-1618/1619), un o brif ysgolheigion Morgannwg yn yr unfed ganrif ar bymtheg, noddwr beirdd, copïydd a pherchennog llawysgrifau, addurn i ddiwylliant uchelwrol ei ddydd. Llwydarth oedd ei gartref a diau y gallai Antoni Powell edrych i lawr ar gwm a'i fythynnod gwyngalchog ac ar afon risial Llyfnwy, ond, meddai 'Cadrawd':

> Today, Llwydarth commands a view of collieries, with their adjacent black tips; coke ovens, with their fiery mouths gaping; tinworks, with their volumes of smoke. The ear is assailed with the bang of the steam hammer, the clatter of machinery, and the roar and scream of the locomotive on the railway below. One might possibly lament the old days, did one not remember that these sights and sounds – so offensive to the aesthetic and artistic, are evidence of industry and science, of power and wealth, of comfort and prosperity, that even the great knew not in the days of Anthony Powell.[19]

Ond y mae'n bryd troi at waith 'Cadrawd'. Efallai mai'r peth cyntaf sy'n ein taro yw ei swmp; ar wahân i'w waith cyhoeddedig a'i gyfraniadau i'r wasg, y mae yn Llyfrgell Dinas Caerdydd tua 70 o eitemau (tua 150 o gyfrolau unigol) yn nodiadau, traethodau eisteddfodol, casgliadau o waith beirdd, baledi, enwau lleoedd a deunydd llên gwerin yn ogystal â llwyth o ohebiaeth, a llawer o'r deunydd hwn wedi'i fynegeio. Y mae casgliad arall o'i bapurau yn Amgueddfa Werin Cymru yn Sain Ffagan. Bu'n cynnal colofn wythnosol yn y *Cardiff Times* a'r *South Wales Daily News* am flynyddoedd lawer; cyfrannai golofn yn gyson i *Cyfaill yr Aelwyd* o'r dechrau cyntaf yn 1880, ac ef ac Elfed oedd golygyddion tair cyfrol olaf y cylchgrawn difyr hwn, golygyddion a ysgrifennai lawer o'r cynnwys eu hunain. Yr ysgrifennu cyson hwn i'r wasg ar ffurf nodiadau, casgliadau o ddeunydd ac erthyglau mwy sylweddol i *Cyfaill yr Aelwyd* a *Cymru* sy'n esbonio swmp ei waith a maint ei nodiadau amrywiol, cynnyrch proffesiynol gŵr a oedd yn gorfod cyhoeddi'n rheolaidd a chyson gan fod hyn yn rhan o incwm y teulu.

Hynafiaethau, hanes, traddodiadau'r fro, dyna'r diddordebau a ddenodd 'Cadrawd' yn ifanc, fel, yn wir, gynifer o wŷr eraill yn ail hanner y bedwaredd ganrif ar bymtheg. Yr oedd astudio 'antiquities' yn hen ddiddordeb a hynafiaethwyr ers dyddiad Camden a Leland yn oes Elizabeth I wedi bod yn mentro i'r maes i graffu ar olion y gorffennol, yn gofnodion ysgrifenedig, adfeilion, meini hirion, cromlechi a chylchoedd cerrig. Ac nid y gweddillion materol hyn oedd yr unig dystiolaeth i'r gorffennol, oherwydd tystiai llawer hen arfer neu ddefod draddodiadol, llawer hen goel a chwedl, i gredoau'r hen oesau er iddynt golli llawer o'u hystyr a'u harwyddocâd. Y werin gyffredin a oedd wedi cadw'r dystiolaeth hon, y 'popular antiquities' llafar traddodiadol, yr hyn a elwir bellach yn 'folklore' (term a fathwyd yn 1846) a llên gwerin (term a ymddangosodd yn 1858). Yng nghefn gwlad y ceid y traddodiadau hyn yn eu purdeb a bu cryn gyrchu i gasglu llên gwerin gwladwyr trwy Brydain gyfan, a hynny'n ddifyrrwch gan sgwieriaid ac offeiriaid a dybiai eu bod rywsut ar wahân i'r werin ddi-ddysg a goleddai'r arferion a'r chwedlau hyn. Agwedd ar y dybiaeth fod bywyd y wlad a'i thraddodiadau yn gyntefig ac felly'n ddihalog oedd y diddordeb yn ei hiaith fel tystiolaeth i ffurf hŷn a phurach na'r hyn a geid yn yr iaith gyfoes, gydnabyddedig. Trwy gydol y bedwaredd ganrif ar bymtheg amlygwyd llawer o ddiddordeb yn hynodion iaith y wlad a'r rhanbarthau, 'rustic folk speech' fel y'i gelwid, tafodieithoedd erbyn heddiw. Ddiwedd y ganrif byddai'r rhain yn faes ymchwil a dadansoddi i ieithyddwyr y prifysgolion ond ganol y ganrif i fyd hynafiaethau poblogaidd y perthynai gwaith amaturiaid brwd yn casglu ac yn dotio at droeon ymadrodd bywiog a geiriau anghyffredin, cymariaethau bachog a ffraeth a diarhebion, penillion ac arwyddion tywydd. Y newid arwyddocaol a ddigwyddodd o ganol y ganrif ymlaen oedd fod y gymdeithas Gymraeg wedi dechrau cynhyrchu ei harweinwyr lleol ei hunain. Troes y werin yn llythrennog a dechrau ennill diddordeb yn eu treftadaeth ei hun. Daeth testunau llên gwerin yn elfen gyffredin yn yr eisteddfodau mawr a mân a chyhoeddid colofnau llên gwerin mewn llawer cylchgrawn a phapur newydd megis *Y Brython, Cyfaill yr Aelwyd, Cymru, Byegones, Central Glamorgan Gazette, South Wales Daily News, Cardiff Times, Cardiff Weekly Mail, Red Dragon* yn ogystal â'r casgliadau megis *Cymru Fu* (Cynddelw), *Ystên Sioned* (Silvan Evans o'r Fron) a gwaith Glasynys, Isaac Foulkes, Elias Owen ac eraill.

Yr oedd yn naturiol fod y gweithgarwch lleol hwn yn arwain at ddiddordeb mewn hanes plwyfi wrth i'r diddordeb lleol mewn hynafiaethau a llên gwerin ledu i hanes mwy cyffredinol. Yr un, er hynny, yw'r ysgogiad, sef gwarchod y gorffennol mewn cyfnod o drawsnewid cyflym a thrawmatig ac olrhain gwreiddiau cymdeithas a bro. Yr oedd gan yr haneswyr lleol, llawer ohonynt yn ymateb i her testun eisteddfodol, syniad o'r math o ddeunydd y gellid ei gynnwys yn eu traethodau – hanes a daearyddiaeth, hynafiaethau a choelion – ond yr hyn sy'n taro rhywun yw mor gymysglyd a di-drefn yw llawer o'r traethodau hyn ar hanes plwyfi (e.e. Llanarth 1875, Merthyr Tudful 1864, Aberdâr 1853-54, Glyn-nedd tua 1846). Y mae'r llyfrau diweddarach yn niwedd y ganrif, serch hynny, yn llwaer mwy trefnus a chynhwysfawr, yn fwy hanesyddol eu hagwedd, yn defnyddio cofnodion ysgrifenedig ac ystadegau swyddogol. Y mae'r enghreifftiau cynnar o'r math newydd o hanes plwyf yn gyfarwydd – Llandysul (1894-96), Llangeler a Phenboyr (1897-99), Llangynllo (1901-05); a pharhaodd y patrwm a welir yn y llyfrau hyn ymlaen i'r ugeinfed ganrif yn hanes Clydach (1901), Penderyn (1905), Llanberis (1908), Llanwenog (1939) ac eraill hyd nes i'r Parchg. Gomer Roberts symud y math hwn o hanes lleol i wastad gwir academaidd yn *Hanes Llandybïe* yn 1939.

Yr oedd 'Cadrawd' yng nghanol yr holl ddatblygiadau hyn ym maes 'popular antiquities', neu'n gywirach efallai, yr oedd ar flaen y datblygiadau. Y ffordd hawsaf i fwrw golwg ar ei waith, a chofio ei swmp, yw edrych ar ei dri chyhoeddiad pwysicaf: 'The Folklore of Glamorgan' (traethawd buddugol yn Eisteddfod Genedlaethol Aberdâr, 1885), *History of Llangynwyd Parish* (1887), *Gwaith Iolo Morganwg* (1913).

Erthygl yn *Cyfaill yr Aelwyd* yn 1884 oedd cynnig cyntaf 'Cadrawd' ar lunio hanes y plwyf, ond yr ymgais sylweddol yw'r llyfr Saesneg a gyhoeddodd yn 1887 (ac a ailargraffwyd yn 1992). Y mae'n agor gydag esboniad ar enw'r plwyf, yna'r safle, daeareg, afonydd, pridd, blodau; try wedyn at yr hanes canoloesol ac eglwysig gan ddisgrifio'r hen eglwys; ceir hanes yr enwadau, hanes diwydiant, diwylliant, tai annedd a llên gwerin a thafodiaith. Os ydych am sylweddoli'r gamp a'r newydd-deb sydd yn llyfr 'Cadrawd', darllenwch ymgais gynharach Thomas Morgan, 'Llyfnwy', *Geiriadur lleol plwyf Llangynwyd* (1870) sydd mewn byd hollol wahanol. Dengys 'Cadrawd' ei afael ar ffynonellau gwreiddiol a'i ddawn i'w defnyddio'n greadigol, yn gofnodion ac yn ddyddiaduron, dogfennau tir a stentau. Mae ei sylwgarwch yn graff, ei ddyfaliadau'n deg a'i sylwadaeth bersonol yn fywiog a phryfoclyd. Os oedd R. Pendrill Llewelyn yn symbylydd i'r gof ifanc, pwysicach erbyn hyn oedd dylanwad David Jones, (1834-90), Wallington, arno.[20] Hanesydd lleol ydoedd yntau ond mwy disgybledig ei agwedd. Ef a feithrinodd yn 'Cadrawd' y dull mwy academaidd o drin ei ffynonellau, a thrwy ei lythyrau, ei gopïau o ddogfennau a'i nodiadau ar hanes plwyfi eraill Morgannwg bu'n athro a thywysydd i 'Cadrawd'. Y mae'n ddiddorol, er hynny, sylwi fel y mae natur ac arddull yr adrodd yn newid pan â 'Cadrawd' ati yn ei afiaith i adrodd chwedlau'r cylch oherwydd er ei waethaf peidia â bod yr hynafiaethydd gofalus a thry'n rhamantydd y mae ei serch at y fro yn lliwio ei holl agwedd. Ef, yn ei amrywiol ysgrifeniadau, a roes ffurf derfynol ar chwedl y ferch o Gefnydfa, ac er na lwyddodd i ddilysu'r manylion fel yr oedd yn dymuno wedi archwilio'r cofrestri plwyf, ni newidiodd ei safbwynt ac amddiffynnodd yr hanes rhag ymosodiadau Dafydd Morganwg. Ni châi dim dynnu oddi ar hynafiaeth beirdd Tir Iarll a'r traddodiad eisteddfodol fel yr oedd hynny wedi'i adrodd gan ei arwr Iolo Morganwg. Ond ni ddylai dim o hyn guddio camp *History of Llangynwyd Parish* oherwydd mae'n llyfr gwir arloesol. Cyfeiriwyd uchod at y newid a fu yn y llyfrau hanes plwyfi. Patrwm 'Cadrawd' o olrhain ac adrodd hanes a ddilynwyd gan yr haneswyr lleol hyn ac nid yw'n anodd canfod cynllun 'Cadrawd' yn y llyfrau eraill. Fel y dywedodd O.M. Edwards mewn llythyr at 'Cadrawd' yn 1912 pan oeddid yn sôn am ailgyhoeddi'r *History*:

> Y mae'r llyfr wedi gwneyd llawer o dda yn barod, pe na buasai yn ddim ond bod yn gynllun i haneswyr lleol eraill.[21]

Llyncodd 'Cadrawd' yn ddihalen fersiwn Iolo o hanes llenyddol Tir Iarll, yr orsedd farddol ar Dwyn Diwlith a mesurau Morgannwg. Yr oedd yn gryn awdurdod ar bapurau ac ysgrifeniadau Iolo Morganwg a chydnabyddiaeth o'i wybodaeth ac o'r diddordeb cynnes hwn oedd y ddwy gyfrol y bu'n gweithio arnynt gyda'r Parchg. Lemuel James, 'Hopcyn', *Hopkiniaid Morganwg* (Bangor, 1909), a *Hen Gwndidau, Carolau a Chywyddau* (Bangor, 1910). Ymfalchïai ei deulu'n syn yn y cydweithio hwn:

> Their names appear jointly as editors upon the title page . . . The village blacksmith had collaborated as an equal with the Oxford graduate. Were we proud? I'll say we were.[22]

Yr oedd sail i'r balchder, ond rhaid amau, rywsut a fyddai 'Cadrawd' wedi ymfalchïo yn yr un termau, oherwydd yn ei ddydd ef yr oedd y bartneriaeth rhwng yr amatur deallus a'r gŵr gradd na chawsai hyfforddiant prifysgol yn iaith, llên a hanes Cymru yn dal yn ffaith, byd a oedd yn ddieithr i 'Michael Gareth Llewelyn'. Yr oedd y cydweithio'n cael ei gydnabod yn llawen ac yn deg gan Lemuel Jones, ficer Ystrad Mynach, gŵr a fuasai'n gurad Llangynwyd yn 1898. Cyhoeddodd ef *Hopkiniaid Morganwg*, gyda chyfarchiad barddol mewn cyfres o dribannau gan 'Cadrawd', yn ymgais i olrhain achau a gweithgarwch Hopcyniaid y Fro ac i ddwyn i olau dydd waith barddol Hopcyn Thomas Philip a Lewis Hopcyn, ynghyd â pheth deunydd arall. Diolchodd i 'Cadrawd' am ei gefnogaeth yn casglu tanysgrifiadau, am baratoi'r mynegai ac am ddarllen y proflenni, ond ni ellir amau nad ei gyfraniad pennaf ef, ar wahân i lunio nifer o nodiadau esboniadol, oedd cyfarwyddo James trwy ddryswch llawysgrifau Llanofer. Estynnwyd y gwaith y flwyddyn ganlynol yn *Hen Gwndidau*, lle yr enwir 'Cadrawd' yn un o'r golygyddion, yn gyfrifol am rai o'r trawsysgrifau, yr eirfa a chyfran helaeth o'r nodiadau, disgrifiad o'r dafodiaith ac o 'fesurau Morganwg'. Yr oedd y gwaith ar y ddwy gyfrol wrth ei fodd, oherwydd i bob pwrpas ffurfient gasgliad o waith beirdd Tir Iarll. Erbyn heddiw gellir gweld fod cynefindra 'Cadrawd' â llawysgrifau Iolo a'i dderbyniad gwresog o'r dystiolaeth hon yn beryglus ac yn peri i'r ddwy gyfrol fod yn rhai anodd eu defnyddio. Gwir fod Lemuel James yn nodi ei ffynonellau ac y gellir felly wahaniaethu rhwng llawysgrifau yn llaw Iolo a rhai eraill (yn arbennig yn *Hen Gwndidau* lle y gwneir hyn yn ffurfiol): y mae modd adnabod i raddau helaeth gerddi dilys a chreadigaethau Iolo.

Ond y mae'r ddau awdur, yn y ddwy gyfrol, yn tynnu mor drwm ar bapurau Iolo nes bod ei ddylanwad ef yn treiddio'r cyfan a bod rhaid dysgu datgysylltu'n ofalus ddogfennau Iolo oddi wrth y lleill.

Ond cadarnhawyd safle 'Cadrawd' fel y mwyaf gwybodus yn ei ddydd am gynnwys llaywsgrifau Iolo Morganwg a gwahoddwyd ef gan O.M. Edwards i baratoi cyfrol yng Nghyfres y Fil, llyfryn a ymddangosodd yn 1913. Bu'n pori'n hir yn y llawysgrifau yn Llanofer – 'dyddiau o ddiwyd chwilio drwy yr oll o'r ysgriflyfrau', meddai – ac mae'n siŵr fod 'cylch Llanofer' wedi'i gael yn weithiwr ymchwilgar cydnaws a allai osod sylfeini cadarn (yn nhyb yr oes) i'w dyheadau a'u delfrydau hwy. Gwir iddo gael ei hudo gan ffugiadau Iolo, fel odid pawb arall, ond llyfryn 'Cadrawd' a gyflwynodd Iolo Morganwg i werin Cymru oherwydd rhaid amau, er bod bywgraffiad Cymraeg T.D. Thomas wedi ymddangos yn 1857, pa mor gyfarwydd oedd darllenwyr cyffredin dechrau'r ugeinfed ganrif â'r *Iolo Manuscripts, Barddas, Coelbren y Beirdd* a gwaith Elijah Waring ac Emrys Jones neu pa mor gydnabyddus oeddynt â chorff gwaith Iolo. Y mae'n dweud llawer am 'Cadrawd' mai'r hyn a apeliai eto ef wrth iddo lunio'i ddetholiad o'i weithiau oedd nid yn unig hanes Gorsedd Tir Iarll a hanes Cymru a'i llên, ond hefyd syniadau Iolo a'i bwyslais ar Ryddid, Heddwch a Chrefydd, a'i barch at y Wenhwyseg, elfennau a wnâi 'Cadrawd' ac Iolo'n eneidiau cytûn.

 llên gwerin a thraddodiadau Morgannwg, er hynny, y cysylltir enw 'Cadrawd' yn bennaf. Dyma'i ddiddordeb cynharaf mae'n debyg, a thribannau Morgannwg yn allwedd i hynafiaethau poblogaidd y fro. Cyhoeddodd ymdriniaeth â 'Ploughing with oxen in Glamorgan' yn y *Red Dragon,* II, III, yn 1883 a chyhoeddodd gasgliad o dribannau yn y *Central Glamorgan Gazette* yn 1884. Cyn hynny bu'n cyfrannu i *Cyfaill yr Aelwyd* yn 1880 a'i 'Oriau gyda'r hen feirdd' yn cynnig dyfyniadau o lawysgrifau Morgannwg, a'i golofn 'Gwreichion o'r eingion' yn dra phoblogaidd yn y *South Wales Daily News*. Ond yr hyn a ddaeth ag ef i amlygrwydd fel casglwr llên gwerin oedd ei draethawd Saesneg ar lên gwerin Morgannwg yn eisteddfod genedlaethol 1885. Y mae hwn yn draethawd nodedig, yn gasgliad gwych o dribannau (rhan o'r casgliad a gyhoeddwyd yn y *Central Glamorgan Gazette*), o hwiangerddi, posau, arwyddion tywydd, coelion, ymadroddion hynod a diarhebion, a chwedlau, y cyfan tua hanner can tudalen. Er gwaethaf ei duedd i wthio pob triban i fasged Morgannwg a'i fod wedi benthyca rhai chwedlau o ffynonellau ysgrifenedig megis *Iolo Manuscripts* a Gerallt Gymro (fel y nododd ef ei hun), a pheidio â chofnodi'r rhai llafar yn Gymraeg, y mae'r casgliad yn dal yn un gwerthfawr tu hwnt. Y ffugenw a gymerodd 'Cadrawd' ar gyfer ei draethawd oedd 'Crofton Crocker', sef enw un o arloeswyr casglu defnyddiau llafar, a'i lyfr *Fairy Legends and Traditions of the South of Ireland* (1825, a llawer tro wedyn) yn llyfr allweddol yn hanes casglu traddodiadau llafar.[23] Y mae'n arwyddocaol fod 'Cadrawd' yn ceisio efelychu dulliau a safonau casglu'r to newydd o efrydwyr llên gwerin a'i fod yn pwysleisio lle gwaith maes. Ganddo ef yr oedd yr amgyffrediad lletaf o'r hyn yw llên gwerin, ei bod yn golygu holl faes y traddodiad llafar, nid chwedlau difyr a choelion rhyfedd yn unig, a'i bod yn gallu cynnig allwedd i lawer agwedd ar hanes cymdeithas. Ei draethawd ef yw'r gorau a gafwyd yn ei ddydd ac yma eto gellir synhwyro fod 'Cadrawd' yn arloesi, oherwydd nid gormod yw awgrymu i'w draethawd ef yn 1885 ddod yn batrwm i draethodwyr eisteddfodol ar ei ôl – llên gwerin sir Gaerfyrddin yn Llanelli 1895, Meirion ym Mlaenau Ffestiniog 1898, ac eraill yn ddiweddarach.[24] Aeth 'Cadrawd' ati i ehangu ei gasgliadau yn *Cymru* yn 1893 ac y mae rhagor eto, yn arbennig ei gasgliad pwysig o ganu'r ychen, yn ei bapurau yn llyfrgelloedd Caerdydd a'r Amgueddfa Werin. Prin yr oedd arno angen anogaeth J. Gwenogvryn Evans yn 1886:

> It is no doubt that I and others have many advantages over you as far as Libraries and leisure go. Still you must not forget that you have an immense advantage over every Dic Shon Dafydd in the fact of living in Wales. Take my word for it, there is no branch of study as fruitful in connection with Wales as the collection of Folklore.[25]

er mor dderbyniol fyddai cefnogaeth fel hyn.

Agwedd arall ar ei barch at ddiwylliant llafar yw ei sêl dros ei dafodiaith, y Wenhwyseg. Ymfalchïai ynddi, galwai am ei harfer yn yr ysgolion a lluniodd nifer o restri o eiriau ac ymadroddion tafodieithol. Cyfrannodd i waith adran dafodieithoedd Urdd y Graddedigion yn 1906 ac ymddengys ei fod wedi dechrau dysgu nid yn unig am waith ieithegwyr cyfoes megis Max Müller ond hefyd sut i adnabod nodweddion gwahaniaethol tafodieithoedd a'u disgrifio fel y gwnaeth yn *Hen Gwndidau*. Lledodd diddordebau 'Cadrawd' gydag amser. Bu'n ymgeisydd cyson yng nghystadlaethau traethodol yr eisteddfodau a lluniodd draethodau manwl a gwybodus ar, e.e., hanes cerddorion, hanes arlunwyr Cymru, mynegai i'r cylchgronau Cymraeg, casgliadau o ddiarhebion, o faledi, o enwau lleoedd Morgannwg, Gwent a'r Gororau, o eiriau tafodieithol, yn ogystal ag erthyglau ar enwogion a hanes ei fro ei hun megis Samuel Jones, Brynllywarch, teulu John Thomas o delynorion, barddoniaeth Dafydd Benwyn, Dafydd Niclas, Wil Hopcyn ac eraill, clychau'r eglwys a hen eisteddfodau. Dechreuodd lunio 'Llyfryddiaeth y Ganrif', ymgais i gasglu teitlau'r holl lyfrau Cymraeg a gyhoeddwyd rhwng 1801 a 1850, ac o 1885 hyd 1894 cynhaliodd golofn 'Yr Holiadur Cymreig', rhyw fath o 'Notes and Queries', yn *Cyfaill yr Aelwyd.*[26] Rhaid amau mai cyfrwng i drosglwyddo gwybodaeth oedd hon ac mai 'Cadrawd' a luniai lawer ymholiad yn ogystal â'i ateb.

Trwy ei gyhoeddiadau amrywiol daeth yn amlwg fod stôr o wybodaeth gan yr hynafiaethydd hwn o Langynwyd fel y dechreuodd nifer mawr o ysgolheigion ohebu ag ef a'i holi – gwŷr megis O.M. Edwards, Joseph Bradney, J. Gwenogvryn Evans, John Rhŷs, J. Glyn Davies, y Deon Howell a D. Lleufer Thomas. Tyfodd cylch ei gyfeillion a'i ohebwyr – D. Rhys Phillips, Carneddog, Ap Nathan, Meredith Morris, Charles Ashton, Arlunydd Penygarn, Ap Caledfryn, Christopher Williams, a'r cylch eisteddfodol, Nathan Wyn, Watcyn Wyn, Morien, ac enwi ychydig iawn ohonynt.

Daliod ati i weithio hyd y diwedd. Ymddangosodd ei erthygl olaf, 'Ein cerddoriaeth gysegredig ddiweddar', yn *Cymru*, 55, yn 1918. Yn 1912 bwriadai ef a'i fab Frederick ddwyn allan gyfrol mewn dwy ran, *Tir Iarll*. Ni chafwyd digon o danysgrifwyr ond ymddangosodd y rhan gyntaf dan enw Frederick Evans yn 1912 (adargraffiad 1993), sef ffrwyth ei wersi ar hanes y fro yn yr ysgol leol. Mae'n llyfr deniadol a brwdfrydig, ac mae'n werth cofio fod Frederick Evans wedi datblygu'n un o arloeswyr dysgu hanes lleol, 'local studies', a'i fod trwy ei gyhoeddiadau fel addysgydd proffesiynol yn Lloegr wedi annog hyn yn gyson.[27] Ni chyhoeddwyd rhan 'Cadrawd', sef yn ôl y daflen hysbysebu, gasgliad o ddogfennau na chyhoeddwyd yn *History of Llangynwyd Parish*, casgliadau o weithiau beirdd lleol, chwaraeon, nodau-clust defaid. Byddai wedi bod yn glo teilwng i yrfa nodedig, ond erys y defnyddiau hyn ymhlith ei bapurau.

Pan aeth Frederick Evans yn ôl i ailedrych ar ei lyfr – 22 oed ydoedd pan gyhoeddwyd ef – a hynny wedi gyrfa yn addysgydd graddedig o Gaergrawnt, gwelai ei ddiffygion: yr oedd yn 'very immature' a bellach yr oedd yn 'critical of much which I then accepted as evidence', meddai.[28] Ond ni allai ymwadu ag ef ac y mae ganddo frawddeg sy'n crynhoi ei agwedd at Dir Iarll:

> But all in all the book was a contribution to the romance of the locality.

Addysg a rhamant. Felly 'Cadrawd' yntau. Braidd yn annheg oedd sylw un o'i gyfeillion mewn ysgrif goffa:

> Wrth gwrs, nid oes werth parhaol mewn llawer o'i gynyrchion . . . Crynhoi pethau at ei gilydd o gorneli tywyll, dyna i gyd oedd hyd a lled ac uchder ei uchelgais llenyddol.[29]

Yr oedd 'Cadrawd' ymhell o fod yn ddi-ddysg a gallai ysgrifennu erthyglau a llyfrau trefnus a chymen sy'n dangos cryn ymchwil gyda'r gorau. Gwir mai dwyn pethau cudd y gorffennol i olau dydd oedd ei uchelgais, ond yr hyn a'i symbylai ac a'i gyrrai oedd, nid ymchwil na chwilfrydedd, nid awch am wybodaeth na hyd yn oed ei gred mewn addysg a chynnydd. Gwelwyd eisoes fel y dylanwadodd Iolo ar haneswyr lleol y ganrif ddiwethaf, gwŷr a ymroes i goleddu'r portread a roes ef o'r Fro a'i mwynder. Ni fu neb yn fwy teyrngar i Iolo na 'Cadrawd': ymfalchïai fod ei gyfoedion yn ei gymharu â'i arwr yn ei sêl, ei gasglu a'i gofnodi, a phrin fod neb yn fwy cyfarwydd nag ef â'r llawysgrifau. Dyled fawr 'Cadrawd' iddo, er hynny, oedd y darlun o gymdeithas a gyflwynwyd iddo yn benodol gan Iolo ac a atgyfnerthid gan gred gyffredin yr oes yn rhamant y gorffennol.

I ddeall 'Cadrawd' y mae angen dau lun arnom: yr ymchwilydd yn ei stydi, cyfaill David Jones a Joseph Bradney a lliaws o academyddion; ond hefyd y gŵr â pheithynen y beirdd yn ei law, cyfaill Morien ac amddiffynnydd Coelbren y beirdd. Yr efrydydd a'r rhamantydd; hynafiaethydd, crefftwr, ceidwad hen burdeb, ond cefnogydd cynnydd diwydiannol. Y mae 'Cadrawd' yn gynnyrch dau fyd, y naill ar ddarfod amdano, y llall yn ymagor. Rywsut, llwyddodd i'w cyfuno ynddo ef ei hun oherwydd yn y bôn serch angerddol at y filltir sgwâr, a'r hyn a ddynodir gan y cysyniad o filltir sgwâr, dyna oedd y cymhelliad gwaelodol i bopeth a wnâi ac a glymai'r gwrthgyferbyniadau arwynebol hyn at ei gilydd.

NODIADAU

[1]'Clerc Llangynwyd', *Y Cylchgrawn*, 17 (1878), 52-6.

[2]Gw. *Y Geninen*, 37 (Gŵyl Ddewi, 1919), 32, a cf. *Sand in the glass*, 161.

[3]Michael Gareth Llewelyn, *Sand in the glass* (John Murray, London, 1943), 1-2. Y mae hanes 'Cadrawd' ym mhennod 5, 75-106.

[4]Ar R. Pendrill Llewelyn a'i wraig, gw. D.R.L. Jones, *Richard and Mary Pendrill Llewelyn*, 1991.

[5]*Sand in the glass*, 78-9.

[6]Caerdydd, Llyfrgell y Ddinas, llsgr. 2.364,2/7.

[7]*Sand in the glass*,84.

[8]*Y Geninen*, 37 (Gŵyl Ddewi, 1919), 31,35.

[9]Gwelir lluniau dau ohonynt, yn bur gartrefol yn eu lifrai fel swyddogion, yn Brinley Richards, *History of the Llynfi Valley* (Cowbridge, 1982), 322.

[10]*History of Llangynwyd Parish*, 30.

[11]*History of Llangynwyd Parish*, 124. Casglai 'Cadrawd' gelfi Cymreig a cheir yn yr Amgueddfa Werin nifer o fanion a gyflwynwyd ganddo, megis llwyau, sleis, gwaell, lletwat, trybedd, canwyllbrennau, platiau pren a hefyd y fiolin a wnaed iddo gan W.Meredith Morris: gw. *Sand in the glass*, 97.

[12]*History of Llangynwyd Parish*, 56, 28.

[13]*History of Llangynwyd Parish*, 30.

[14]Darlith Goffa Henry Lewis, Coleg Prifysgol Abertawe, 1983.

[15]G.J. Williams, *Iolo Morganwg* (Annual Lecture, BBC in Wales, 1963), 20. Cf. ei *Iolo Morganwg* (Caerdydd, 1956), 35-72.

[16]Allan James, 'Y triban, y cathreiwr a'r hynafiaethydd', *Y Traethodydd*, 1996, 137-59, 147.

[17]Dyfynnir gan James, 143.

[18]*History of Llangynwyd Parish*, 64.

[19]*History of Llangynwyd Parish*, 184.

[20]Ar David Williams, gw. *Glamorgan Historian*, 4, 86-95, 7, 51-8.

[21]Caerdydd, Llyfrgell y Ddinas, llsgr. 2.364,2/7.

[22]*Sand in the glass*, 98.

[23]Ar gysylltiadau Crofton Crocker â Chymru a hynafiaethwyr Morgannwg, gw. Morfudd E. Owen, *Archaeologia Cambrensis*, 143 (1994), 1-36.

[24]Ar y datblygiadau cynnar hyn ym maes llên gwerin trwy gyfrwng yr eisteddfod (yn bennaf) gw. Pennod 1 traethawd M.A. Prifysgol Cymru (1993) Sarah J. Morgan, 'Bywyd a gwaith William Davies (1851-1939), Tal-y-bont, Ceredigion'.

[25]Gw. n. 6 uchod.

[26]Yn ôl *Sand in the glass*, 79-80, man cychwyn yr holl ysgrifennu i'r wasg oedd gwaith 'Cadrawd' yn ateb ymholiad darllenydd yn y *South Wales Daily News* a derbyn tâl amdano: dilynwyd hyn gan wahoddiad y golygydd iddo gyfrannu colofn wythnosol ar lên gwerin.

[27]Etifeddodd tri o feibion 'Cadrawd' agwedd ramantaidd eu tad at hanes Llangynwyd a chyhoeddi gwaith, efallai ar sail ei bapurau. Ond yr oedd y tri yn athrawon egnïol nad oeddynt yn caniatáu i'r agwedd hon ymyrryd â'u gwaith proffesiynol. Blinid G. J. Williams a Iorwerth Peate yn fawr gan yr agwedd wrth-academaidd hon at yr ymchwil ddiweddar ar Iolo Morganwg a Wil Hopcyn a hynny gan wŷr a oedd wedi derbyn addysg coleg a phrifysgol. Bu farw'r mab hynaf, Christopher John Evans, yn 1948. Bu'n brifathro ysgol yn Y Barri, cystadleuodd droeon yn yr eisteddfod, a chyhoeddodd *The Story of Glamorgan* (1908), *Short glossary of place-names of Glamorgan* (1908), *The Story of Caernarvonshire* (1910), *The Story of Breconshire* (1912), *List*

of Monmouthshire Place Names (1924), *School Geography of Wales* (1924, 1925), yn ogystal â phytiau yn y papurau newydd. Gyda'i dad lluniodd *Y Wyddor (ddarluniadol)* ynghyd â 'short handbook' yn 1899. Bu farw Llewelyn Evans, 'Ap Cadrawd', yn 1974. Ef oedd y tebycaf i'w dad o ran pryd a gwedd a llais. Athro ysgol ydoedd yn Pentre Rhondda a chyhoeddodd nifer o erthyglau byrion yn Gymraeg ar lên gwerin, canu gwerin, Y Fari Lwyd, Wil Hopcyn etc. yn y *Western Mail* yn y 1930au. Frederick Evans, a fu farw yn 1958, oedd y mab ieuangaf. Wedi cwrs addysg yng Ngholeg y Drindod, Caerfyrddin, bu'n athro ysgol ym Maesteg, ond wedi'r Rhyfel Byd Cyntaf graddiodd yn y dosbarth cyntaf mewn daearyddiaeth yng Nghaergrawnt. Bu'n Arolygydd Ysgolion ym Morgannwg ac yn Gyfarwyddwr Addysg Erith, Caint. Heblaw *Tir Iarll* (1912) cyhoeddodd erthyglau yn y *Western Mail, Glamorgan County Magazine, Wales*, llyfryn dadorchuddio cofeb Wil Hopcyn (1927), *Festival of Wales—Maesteg* (1958), a *Barddoniaeth Wil Hopcyn* gyda Lewis Davies, a bu'n gyd-awdur dwy ddrama, *Croes Efa, Y Ferch o Gefnydfa*. Yn Saesneg cyhoeddodd nifer o lyfrau ysgol ar fapio, 'local studies', 'civics' a daearyddiaeth, a hefyd *The Maid of Cefnydfa*. Yr oedd yn ffotograffydd medrus a defnyddiodd ei ddawn i ddarlunio'i lyfrau. Dan yr enw Michael Gareth Llywelyn cyhoeddodd *Sand in the glass, The Aleppo Merchant, White Wheat, Angharad's Isle, To fame unknown, Holiday adventure for children of all ages.*

[28]Gw. *Sand in the glass,* 218-19, *Cymru,* 46 (1914), 20, ar hanes y llyfr hwn.

[29]*Y Geninen*, 37 (Gŵyl Ddewi, 1919), td. 32.

Y Ferch o Gefn Ydfa a'r Ferch o'r Sger

Allan James

Bydd pob ymwelydd â phentref Llangynwyd yn rhwym o weld y gofadail amlwg sydd o fewn tafliad carreg i fynwent yr eglwys, y gofadail i enwogion yr ardal sydd hefyd yn cyhoeddi, 'Cofiwn Adfyd Cefn Ydfa'. Dehongliad y pererin ei hun yn unig a all benderfynu union ergyd neu bwyslais y neges, ai gwahoddiad i gofio neu rybudd a fwriedir. Ac eto, pa ddehongliad bynnag a ddewisir, llwyddwyd drwy gyfrwng y llythrennau a dorrwyd yn y garreg arbennig honno i atgoffa'r ymwelydd am fawrion yr ardal ac am gysylltiadau'r pentref â hanes y Ferch o Gefn Ydfa. Bu cartref Y Ferch o'r Sger, sydd nepell o Bwll Cynffig, yn gofadail debyg i helyntion y gorffennol ac yn gyrchfan boblogaidd dros y blynyddoedd i'r sawl a fynnai droedio llwybrau chwedlonol y dalaith. Llwyddodd yr hanesion am y ddwy

Yr hen fynegbost yn Llangynwyd

(Amgueddfa Genedlaethol Cymru).

ferch a'r caneuon eu hunain i ddenu cryn sylw dros y blynyddoedd, ond yn lle ailgynnal hen ddadleuon cyfarwydd ynglŷn â dilysrwydd y storïau, dewisir yn hytrach olrhain twf y traddodiadau yn eu holl amrywiaeth rhyfedd. Y nod yw ceisio amgyffred a chroniclo'r gwahanol gamau a fu'n gyfrifol am gadw'r hanesion yn fyw ar lafar gwlad ac ystyried y modd yr addaswyd y deunydd yn ôl gofynion y cyd-destun a'r cyfnod.

Er mai cyfansoddiadau cymunedol oedd caneuon gwerin yn eu hanfod, ni olyga hynny nad oedd modd iddynt, yn y pen draw, ddatblygu bodolaeth a chymeriad newydd y tu allan i'w cyd-destunau gwreiddiol nac ychwaith fod cyfnod dirymu a datod unedau amaethyddol wedi peri iddynt lithro i ebargofiant mewn byd na allai ddechrau dirnad gwir seicoleg a swyddogaeth y corff arbennig hwn o ganeuon. Oherwydd, er mor rhagluniaethol o ryfedd ar brydiau oedd yr amodau hynny a sicrhaodd barhad i'r cyfryw benillion yn sgil newidiadau cymdeithasol digon chwyldroadol, goroesi fu hanes nifer ohonynt a hynny mewn cyd-destunau cymdeithasol pur ddieithr ac anwerinol eu naws. Wedi'r cyfan, roedd hwn yn ddull o ganu a adlewyrchai ffordd draddodiadol o fyw a oedd bellach ar drugaredd symudiadau demograffig hynod ddramatig a safonau dieithr yr oes ddiwydiannol newydd.

Gwelir enghreifftiau o'r caneuon amaethyddol werinol wedi'u cofnodi yn llawysgrifau Iolo Morganwg, y casglwr ymroddedig hwnnw sy'n mynnu lle canolog mewn unrhyw drafodaeth ar draddodiadau llenyddol ei dalaith frodorol. Dyma'r fersiynau cynharaf oll o rai caneuon, wedi'u cofnodi, gellid tybied, pan roedd iddynt werth ac arwyddocâd cymunedol a phan roedd caneuon yn cael eu diogelu a'u ffrwythloni ar lafar mewn cynulliadau di-raglen mewn cyfnod di-gyngerdd a di-eisteddfod. Dyma gyfnod y trosglwyddo creadigol pan nad oedd bygythiad i ddatblygiad y cyfryw ganeuon yn absenoldeb unrhyw fersiwn gydnabyddedig, safonol. Ond roedd yr argraffiad cyntaf o ganeuon yn cynnwys geiriau traddodiadol i ymddangos cyn hir a bu'r digwyddiad hwnnw yn gam pwysig yn hanes y ddwy gân.

Ar ôl iddi ennill y wobr a roddwyd gan y Foneddiges Greenly am gasgliad o ganeuon gwerin gwreiddiol yn eisteddfod Cymreigyddion Y Fenni yn 1837, bu Maria Jane Williams yn gweithio'n ddiwyd, dan ddylanwad Arglwyddes Llanofer a chyda chefnogaeth ymarferol Taliesin Williams (Ab Iolo), i roi trefn ar ei chasgliad gan gyhoeddi'r *Ancient National Airs of Gwent and Morganwg (ANA)* yn 1844. 'I have availed myself of the offer which you so kindly made of looking over and correcting the words of the Welsh unpublished melodies which I collected', meddai mewn llythyr at Taliesin ab Iolo ym mis Mawrth 1838[1] ac wrth gwrs pe bai angen ychwanegu pennill yma a thraw, roedd llawysgrifau ei dad, Iolo Morganwg, wrth law. Yn y casgliad hwnnw y cyhoeddwyd y ddwy gân Y 'Ferch o'r Sger' a 'Bugeilio'r Gwenith Gwyn' am y tro cyntaf a'u cyflwyno i gynulleidfa lawer ehangach na'r un a allai fod wedi rhannu'r cyfoeth penillion a gofnodasid dros hanner canrif ynghynt yn llawysgrifau Iolo Morganwg. Ceir fersiwn dri phennill o 'Bugeila'r Gwenith Gwyn' (sef y teitl a ddefnyddiwyd gan Maria Jane Williams) yn un o lawysgrifau Iolo Morganwg a ysgrifennwyd tua 1785[2] a dau gopi pum pennill o 'Y Ferch o'r Sger' mewn llawysgrif arall o'i eiddo.[3] O ystyried y gân gyntaf, ceir un fersiwn dan y teitl 'Mesur Ban Cyrch – alias vulgo, Mesur y Bugail' ac y mae'n ddienw.[4] Fodd bynnag, ceir, mewn llawysgrif arall, gopi pellach sy'n dwyn y teitl 'Cann; gwaith Wil Hopkin, Eos Morganwg'.[5] O droi at Y Ferch o'r Sger, ceir bod enw penodol wrth y gân hon drachefn ond bod hynny yng nghyd-destun yr alaw y tro hwn ac nid y penillion: Thomas Evan Telynor, o'r Drenewydd Nottais, ym Morganwg, a'i cant, cylch y flwyddyn 1760'.

Er bod enwau, felly, wrth y naill gân a'r llall yn llawysgrifau Iolo Morganwg, ni chynhwysir unrhyw wybodaeth bellach ac ni ellir o'r herwydd ond dyfalu ynglŷn â damcaniaethau cyfoes ynglŷn â ffynhonnell a thras y cyfryw ganeuon.[6] Bid a fo am hynny, gwelwyd bod y gân Y Ferch o'r Sger, erbyn cyfnod cyhoeddi'r *ANA* yn 1844, yn cael ei chynnwys o fewn fframwaith storïol penodol. Wele Maria Jane Williams yn ei nodyn yn awgrymu bod y gân eisoes wedi magu cysylltiadau arbennig cyn cyhoeddi'r gyfrol wrth iddi gynnig amlinelliad o'r hanesyn yn ei ffurf symlaf:

> The Scer rocks are on the sea coast of Glamorganshire, where this melody is extremely popular. It is comparatively speaking modern, having been composed eighty or ninety years ago by a Harper of this district. He was engaged in his youth to a young woman, but subsequently in consequence of his having lost his sight, she refused to fulfil her promise to marry him,

Tŷ Sger.

(Amgueddfa Genedlaethol Cymru)

> and he vented his feeling of disappointment and grief in this composition, which is of a very pathetic character.[7]

Ymddengys mai 'William Davies of Cringell, Neath, the idefatigable Glamorgan historian' a fu'n gyfrifol am agor y maes storïol hwn am mai ganddo ef y cawn y cyfeiriad cynharaf at fanylion y garwriaeth. Mewn llythyr i'r *Cambrian* (18 Hydref 1806) dywedir i'r geiriau gael eu cyfansoddi 'at the request of a Harper, who is still living and addressed to a fair damsel who resided at a house called Sker'. Ofer fu'r berthynas oherwydd 'her friends being averse to his proposals she was married to another'.[8] Ni cheisir yma ddadansoddi'r anghysondebau yn y cefndir storïol; digon yw cyfeirio at ddatblygiad y stori yn ei hamrywiaeth anghyson a nodi nad enwir yr un o'r cymeriadau yn y fersiwn syml a geir gan Maria Jane Williams.

Yna yn 1845, tua blwyddyn wedi cyhoeddi'r *ANA*, ceir bod Mr. a Mrs. Pendril Llewelyn, sef ficer Llangynwyd a'i wraig, yn ysgrifennu i *The Cambrian*, papur wythnosol Abertawe, ac yn adrodd hanes Wil Hopcyn a'r Ferch o Gefn Ydfa ac yn cysylltu'r gân â'r cefndir storïol.[9]

Dyma'r tro cyntaf i'r hanes ymddangos ar ddu a gwyn a llunnir yr un pryd gysylltiad pendant a thyngedfennol rhwng y gân a gofnodwyd gan Maria Jane Williams o dan y teitl 'Bugeila'r Gwenith Gwyn' a hanes adfyd Cefn Ydfa. Yn y cyswllt hwn, ceir gan yr Athro G.J. Williams astudiaeth fanwl ac ysgolheigaidd o'r dystiolaeth berthnasol sy'n olrhain twf yr hanes, o'r ysfa blwyfol i gyfiawnhau'r berthynas rhwng cân a chwedl, ac o'r amheuon ynglŷn â dilysrwydd y traddodiadau. Ond pa mor gymhleth ac anghyson bynnag yr ymddengys yr amrywiadau ar ffurf y rhamant yn y ddau achos, ni wiw i ni anghofio fod lleoli'r ddwy gân o fewn cyd-destunau storïol wedi sicrhau iddynt le amlwg ymhlith caneuon enwocaf eu talaith. A'r un pryd, rhaid cofio nad oes bellach gymaint o sôn am rai o ganeuon eraill y gyfrol na fu modd iddynt elwa ar unrhyw gysylltiadau storïol o'r fath, er mor swynol oeddent.

Ar waethaf y berthynas dyngedfennol a ffafriol a ddatblygodd rhwng cân a stori yn y ddau achos hyn, rhaid derbyn yr un pryd fod yna ddylanwadau eraill yn y bedwaredd ganrif ar bymtheg a filwriai yn erbyn pob math o ddeunydd gwerinol. Ymddengys, mewn gwirionedd, fod tuedd i ystyried caneuon ac arferion o'r fath â chryn amheuaeth wrth i genhedlaeth newydd a gyflyrwyd i arddel math arbennig o barchusrwydd allanol, geisio ymbellhau oddi wrth unrhyw olion o'r hyn y gellid ei ddiffinio'n draddodiadol werinol. Gwelwyd newidiadau cymdeithasol hynod ddramatig yn sgil datblygiadau diwydiannol ond roedd o hyd garfannau digon gwerinol eu diddordebau, yn byw ac yn bod ar gyrion y gymdeithas newydd honno. Ac eto, datblygodd dull o fyw yr oedd ei batrwm a'i bwyslais yn graddol ddisodli hen gonfensiynau a choelion cefn gwlad. Dadleuir yn gyson mai i'r cyd-destunau cymdeithasol-ymylol hynny y perthyn y gân werin. Yr eironi pennaf, wrth gwrs, yw mai teuluoedd bonheddig eu tras yn aml iawn a fu'n gyfrifol am gasglu'r fath ddeunydd fel bod cryn wahaniaeth o ran tras a gwerthoedd rhwng y cantor gwerinol a'r sawl a fynnai groniclo'i stôr caneuon. Soniodd A.L. Lloyd, er enghraifft, fod y ddau yn cwrdd 'across a social chasm', yr arfer o gasglu yn y dyddiau cynnar yn ddim amgenach na 'an amiable pastime for county curates and maiden ladies on bicycles', a'r gân werin ei hun yn adlewyrchu 'springtime innocence or clodhopper humour smelling of times past'.[10]

Bid a fo am dras y casglwyr a'u cefnogwyr, roedd cyhoeddi'r *ANA* wedi diogelu 'Bugeila'r Gwenith Gwyn' a 'Y Ferch o'r Sger' o fewn casgliad safonol o ganeuon ac yn sgil y cyhoeddi gwelwyd bod ffactor pellach wedi sicrhau cyd-destun penodol i'r ddwy gân o fewn chwedlau brodorol. Ar waethaf unrhyw ragfarnau gwrthgwerinol ymhlith carfannau penodol o fewn y gymdeithas gerddorol swyddogol, roedd llwyfannau llai ffurfiol byd marchnad a ffair o hyd yno at wasanaeth perfformwyr y caneuon a'r hanesion hynny na fyddai cynulleidfaoedd Fictoraidd eu hagwedd yn awyddus i'w harddel. Gellir synhwyro y byddai pwyslais y cyfnod ar barchusrwydd allanol yn ddigon i beri i nifer helaeth o'r genhedlaeth newydd anesmwytho wrth glywed cân a fyddai'n cynrychioli dull o fyw ac athroniaeth wledig yr oes a fu. 'Folk song, unknown in the drawing-room, hunted out of the school, chased by the chapel deacons', medd Marson,[11] fel bod rhaid i'r cyfryw ganu fodoli ar ymylon y gymdeithas newydd mewn tyddynnod a bythynnod diarffordd ac mewn tafarndai a ffeiriau. Byddai holl naws y canu a dull uniongyrchol y gwerinwr o drafod profiadau, yn rhwym o greu problemau i gynulleidfa sidêt ac i unrhyw olygydd cydwybodol. Gallai'r thema, ar brydiau, fod yn rhwystr ond yn arbennig felly ryw ymadrodd neu gymhariaeth werinol a fyddai'n dderbyniol ar lwyfannau cefn gwlad ond na fyddai wrth fodd cynulleidfaoedd yr oes newydd. Ond, ar ben hynny, byddai'n anodd i aelodau'r gymdeithas ddiwydiannol gyda'r pwyslais newydd ar safle a chyfrifoldeb yr unigolyn, uniaethu â chaneuon a oedd yn y gwraidd yn ganeuon cymunedol, yn trafod helyntion a phrofiadau cyffredinol oes amaethyddol a oedd yn cyflym ddirwyn i ben. Byddai angen cynulleidfa wahanol a chymdeithasol gydnaws, i werthfawrogi pwyslais a chyfeiriadaeth y math hwnnw o ganu ac i wir fwynhau holl nodweddion tafodieithol penillion llafar gwlad.

Ond ni ddaw doe byth yn ôl, a bu'n rhaid ymaddasu a chyfaddawdu yn ôl y drefn newydd. Mae John Howells (Sain Tathan), er enghraifft, yn barod iawn i gydnabod bendithion yr oes ddiwydiannol ond bod pris i'w dalu:

> If the nineteenth century has been a marvellous period for the development of commerce, of manufactures, and of science, it has – as a set off – been most destructive to many an old custom, to old habits of rural life, to many a harmless and fanciful superstition and belief. – If we have become richer in material wealth, we are poorer in fancy. If we feed and clothe our bodies better, we starve our imaginations.[12]

Mae'r darlun a greir ganddo, medd ef, yn adlewyrchu'r sefyllfa yn ail chwarter y bedwaredd ganrif ar bymtheg ('Glancing backwards fifty years or more'[13]) ac mae'r teimlad o golled am a fu yn bur amlwg yn ei ddull o draethu. Yr hyn sy'n berthnasol yma, yw y byddai'r math o gynulliadau gwledig a thymhorol a ddisgrifir ganddo, 'Gwyl a Gwledd Mabsant', wedi cynnig, o leiaf am gyfnod, lwyfan penodol i ddiogelu arferion, dawnsfeydd a chaneuon cefn gwlad. Erbyn 1884, diflanasai llawer o'r hen draddodiadau lliwgar ac yn lle'r Ŵyl Mabsant a'i miri gwerinol a diniwed, ystyriaethau masnachol sydd yn rheoli:

> We have become so mercenary that even our holidays must be endorsed by the bank before we can feel free to indulge in them. – A few days annually, called Bank Holidays, are forced upon us rather than voluntarily hailed and welcomed, when, as it were, we are ordered to make merry, free from the fear of the bill or promissory note that might have fallen due on that day.[14]

Nid felly yn ail chwarter y ganrif pan nad oedd yr oes ddiwydiannol eto wedi tanseilio'r holl weithgareddau tymhorol a gysylltid gynt a chynifer o blwyfi penodol. Yn rhagluniaethol, felly, mabwysiadwyd gwahanol ganeuon gan faledwyr y cyfnod a fyddai'n mynychu'r ffeiriau a'r mabsantau traddodiadol lle gallent fanteisio ar lwyfan a chynulleidfa barod ac roedd gan yr ardaloedd diwydiannol hwythau gyfraniad i'w wneud drwy sicrhau llwyfannau ychwanegol i'r baledwyr crwydrol hynny. O ganlyniad, er mor elyniaethus y gallai'r gymdeithas Fictoraidd ymddangos yn ei hagwedd at gerddoriaeth a phenillion gwerin, roedd yna o hyd weithgareddau amrywiol a llwyfannau answyddogol a allai ganiatáu i gorff o ganeuon traddodiadol oroesi. Beth bynnag fyddai natur yr ymateb swyddogol i'r dosbarth hwnnw o gerddoriaeth, roedd o hyd olion o hen draddodiadau ac arferion gwledig a fyddai'n cynnig aelwyd symudol i'r cyfryw ganu er mor gymdeithasol-ymylol fyddai'r aelwyd honno.

O gydnabod natur a phwysigrwydd y llwyfan answyddogol hwnnw, rhaid, bellach, geisio dyfalu beth oedd union apêl y caneuon hyn a cheisio deall paham y bu iddynt ddatblygu'n ddarnau poblogaidd ac yn rhan gydnabyddedig o repertoire baledwyr yr oes. Dylid dechrau, mae'n debyg, drwy gydnabod apêl y caneuon eu hunain. Mae'r cyfeiriad yn nodiadau Maria Jane Williams yn dyst bod yr alaw sy'n dwyn y teitl 'Bugeila'r Gwenith Gwyn' yn boblogaidd iawn ym Morgannwg : 'Sung in all parts of Glamorganshire with many different sets of words' (*ANA*, 82). Felly hefyd 'Y Ferch o'r Sger' sydd, yn ôl awgrym y teitl, yn un o ganeuon Morgannwg 'where this melody is extremely popular'.[15] Yn ychwanegol at rinweddau cynhenid y caneuon eu hunain, o ystyried natur y pynciau a ddenai sylw'r baledwr, ac a fyddai, gellid tybied, yn eu benthyg eu hunain ar gyfer perfformiadau cyhoeddus adeg gŵyl neu ffair, byddai'r cysylltiadau storïol yn hanes y ddwy gân yn ystyriaethau pwysig. Nid rhyfedd, felly, i'r caneuon storïol hyn gael eu derbyn i fyd yr wyliau tymhorol a'u hychwanegu at stôr gydnabyddedig y baledwr. Afraid pwysleisio, ychwaith, mai athroniaeth ymarferol oedd wrth wraidd ei holl weithgareddau. Ei nod gan amlaf fyddai adrodd hanes neu gyfleu rhyw wirionedd o safbwynt cyffredinol; cofnodi'r gyfres o ddigwyddiadau ar ddull baled ac ar ôl eu hargraffu, eu gwerthu mewn ffair neu ar achlysur tebyg. Wrth reswm, roedd rhaid iddo fod yn gyfathrebwr greddfol, yn berfformiwr difyr a fyddai'n gallu llunio rhaglen boblogaidd a'i hamrywio yn ôl y galw. O gofio hyn oll, gellid bod yn bur hyderus y byddai cyflwyno cân a adlewyrchai ffawd neu anffawd rhyw gymeriadau cyfarwydd yn ychwanegu'n ddirfawr at ddrama'r achlysur, at fwynhad y gwrandawyr ac at incwm y baledwr. Gwerth y ddwy faled o'r safbwynt hwn yw eu bod â chysylltiadau digon lleol i apelio at boblogaeth ddiwydiannol y de-ddwyrain a hynny wrth reswm yn fasnachol fanteisiol. Yr awgrym yw bod angen cydnabod ystyriaethau hollol ymarferol a chyfalafol ochr yn ochr ag unrhyw bwyslais ar ddawn draddodiadol y baledwr i gyfathrebu a difyrru. Oherwydd, byddai llwyddiant y perfformiad yn naturiol ddigon yn arwain at werthiant mwy brwdfrydig ac yn hanes y baledwr, diwedd y gân, mewn ffordd real ac ymarferol iawn, oedd y geiniog.

O edrych yn fanylach ar brif nodweddion y fframwaith storïol, cawn fod yma batrwm digon cyfarwydd, patrwm a drafodwyd gan y Prifathro J.H. Davies wrth iddo ymdrin â baledi traddodiadol Cymru ac a ddyfynnwyd drachefn gan yr Athro G.J. Williams yng nghyd-destun hanes 'Wil Hopcyn a'r Ferch o Gefn Ydfa'. Dywedir am y 'Romantic Ballads' bod nifer yn cofnodi hanes 'sweethearts and cruel parents or guardians', bod enghreifftiau pellach i'w canfod yn y Saesneg ac ieithoedd eraill, ac mai byrdwn yr hanes yw bod y prif gymeriadau 'of unequal birth, either the maiden is of humble birth and the swain of noble blood or *vice versa*.'[16] Yng nghyd-destun y cyfnod gellid dyfalu y byddai'r gynulleidfa yn fwy na pharod i uniaethu â ffawd cymeriadau cyfarwydd ac i ymfalchïo mewn hanes a oedd yn daleithiol gynefin iddynt. Hynny yw, byddai clywed stori gyfarwydd wedi'i lleoli'n ddaearyddol blwyfol yn brofiad i'w fwynhau, y stori ei hun yn denu cydymdeimlad greddfol yr unigolyn a'r cyffyrddiadau lleol, drwy gydnabod y gymuned, yn esgor ar fath arbennig o frogarwch diniwed.

O ganlyniad, gellid casglu na fyddid yn ystyried cyffredinolrwydd y thema mewn unrhyw fodd yn anfantais. Ymddengys, yn wir, fod yna elfennau dramatig a didactig o fewn y fframwaith storïol yn ei ffurf gysefin a fyddai'n apelio at wrandawyr y cyfnod. Eithr yn ychwanegol at yr ymateb cynulleidfaol arferol i batrwm cyfarwydd y rhamant, gallai'r trigolion lleol gyfranogi'n llawn yng nghyffro dramatig eu fersiwn ranbarthol hwy o'r stori. Ni wiw inni, o'r herwydd, ddiystyru arwyddocâd y cysyniad o berchnogaeth gymunedol. Peth naturiol ddigon, felly, wrth i fanylion y stori yn ei dull symlaf grwydro o le i le dan ddylanwad y traddodiad llafar, oedd gweld nifer o amrywebau cytras yn datblygu o fewn un prif fframwaith wrth i gymeriadau a chyffyrddiadau lleol liwio'r hanes i greu fersiwn ranbarthol newydd. Wele'r hyn a ddywed D. Gwenallt Jones yn ei erthygl adolygiadol 'Morgannwg':

> Yn ail, ceir yr un thema yn rhamant Y Ferch o Gefnydfa ag mewn rhamantau eraill, fel Dafydd ap Gwilym yn syrthio mewn cariad â merch Ifor Hael, a'i rhieni yn ei gorfodi i briodi'r Bwa Bach; – a Thomas Evans y telynor yn syrthio mewn cariad â'r Ferch o'r Sger, a'i rhieni yn ei gorfodi i briodi Mr. Kirkhouse. Gŵr tlawd yn syrthio mewn cariad â merch gyfoethog yw'r thema; thema hefyd a geir yn rhai o'r baledi Cymraeg ac yn rhai o nofelau George Sand.[17]

Gellid derbyn, felly, fod y math hwn o stori yn apelio at gynulleidfaoedd pen ffair gan fod storïau'r Ferch o Gefn Ydfa a'r Ferch o'r Sger yn cydymffurfio â phatrwm a oedd eisoes yn ddigon cyfarwydd i faledwyr y ganrif ddiwethaf. Nid oeddent, mewn gwirionedd, yn ychwanegu dim at nifer y fframweithiau storïol a oedd ar gael am mai amrywebau a geid ar hen batrwm traddodiadol. Cynnal patrymau

Ann Thomas: Y Ferch o Gefn Ydfa.
(Amgueddfa Genedlaethol Cymru)

cyfarwydd yw un o brif nodweddion caneuon gwerin a'r broses o adnabod elfennau traddodiadol gynefin, megis yn hanes yr anterliwt a'r pantomeim, yn ychwanegu at fwynhad y gynulleidfa. Ond roedd y fformiwla arbennig hon, mae'n amlwg, wrth fodd y baledwr ac yn ddigon o ffefryn iddo benderfynu ychwanegu at yr amrywiadau. Ceir, er enghraifft, 'Can Newydd Yn Rhoddi Hanes Am Garwriaeth Mr. John Shaw, a Miss Leonora Russell'.[18] Yn ôl y patrwm yr oedd y ferch yn 'fonheddig o'r glanaf yn y wlad' a'r llanc yn is ei statws cymdeithasol. Ceir ymyrraeth draddiodiadol y rhieni ynghyd â'r bygythiad melodramatig y byddent yn 'ei danfon hi ffwrdd yn mhell o'i gwlad,/ Cyn ca'i byth i *fatcho* yn groes i'w mham a'i thad'. Mae morwyn ar ddamwain yn clywed am gynlluniau'r pâr ifanc 'i fyn'd i'r llan yn llawen' ac yn adrodd yr hanes wrth ei meistr. Ceir sôn am y dianc ganol nos, yr ymlid teuluol ac am glwyfau'r ferch. Ond mae'r teulu'n edifarhau o weld cyflwr truenus y cariadon a'r tro hwn gwelir uno'r ddau mewn 'glan briodas'. Yr hyn sy'n nodweddiadol o arddull y baledi yw'r rhybudd neu'r foeswers sy'n cloi'r hanes wrth i'r baledwr annerch 'pob rhai sy'n magu plant' a'u hatgoffa 'am beidio rhwystro ie'ngtyd i *fatcho* lle b'o'i chwant'. Digon cyfarwydd, hefyd, yw'r gwahoddiad i brynu:

> Os oes 'ma ryw rai'n gwrando yn leicio prynu'r gan,
> Heb geiniog yn ei bocket, benthyciwch de'wch yn mla'n.

Mewn baled debyg ei thema sy'n trafod carwriaeth Stephen Johnson a Miss Harriet Williams,[19] er bod rhai amrywiadau storïol gyda'r 'bwldog' ffyddlon yn amddiffyn y ferch yn erbyn ymosodiad ffyrnig 'gwaedgwn' y tad, afraid pwysleisio pa mor draddodiadol gyfarwydd yw'r foeswers :

> Mae hyn yn rybudd dirfawr i bawb sy'n magu plant,
> Am beidio rhwystro ieuengctyd i fatshio lle bo chwant.

Yma, nodir nid yn unig yr argraffydd sef 'W. Jones' Castellnewydd Emlyn, ond yr awdur 'David Jones, Penlanlas' a'r dyddiad, sef 1840. Hynny yw, roedd y math hwn o hanesyn yn rhan o raglenni baledol y dydd cyn cyhoeddi cyfrol Maria Jane Williams yn 1844 ac i'r dosbarth poblogaidd hwnnw o faledi y derbyniwyd y Ferch o Gefn Ydfa a'r Ferch o'r Sger. Ond wrth newid byd, peth naturiol ddigon oedd i'r caneuon ymaddasu ar gyfer cyd-destun newydd, ffenomen ddigon cyffredin ym myd caneuon gwerin:

> In a flourishing folk tradition, work on an already-created song never ceases. There is nothing private or exclusive about a folk song; it is the

> most public and communal fom of music and poetry imaginable. – Understand, 'collective elaboration' in this sense does not mean that a group of ploughmen or pitmen sit around in committee to alter the song; it means that in the course of the song's life various moments arise when individuals make their changes, perhaps to suit transplantation into a new locality or a fresh social circumstance.[20]

Wele'r caneuon, felly, wrth newid cyd-destun cymdeithasol yn cael eu haddasu i gydymffurfio ag amodau eu bodolaeth gymunedol newydd mewn proses ddi-dor ac organig a fyddai'n sicrhau parhad i ganeuon cefn gwlad. Yn achos 'Bugeilio'r Gwenith Gwyn', gwelwn ddau ddatblygiad amlwg sy'n golygu ymdrech ar ran y baledwr i farchnata'r gân mewn cyd-destun newydd. Yn y lle cyntaf, cyn argraffu'r gân ei hun, ceir cyfeiriadau at amgylchiadau'r stori naill ai drwy gynnwys prif deitl agoriadol 'Y Ferch o Gefn Udfa' ynghyd â chyfeiriad at 'William Hopkin, Bardd o Langynwyd, Sir Forganwg',[21] neu drwy gynnwys fersiwn felodramatig liwgar o'r stori wedi'i seilio ar y cariad 'anferthol ei nerth' a oedd wrth wraidd y drasiedi garwriaethol.[22] Byddid, hefyd, yn cynnwys cyfieithiad Mrs. Pendril

Cefn Ydfa.

(Amgueddfa Genedlaethol Cymru)

Llewelyn o'r gân ac, weithiau, benillion ychwanegol megis 'Dymuniad y Ferch o Gefn Ydfa am Ryddid' gan Gwilym Glanffrwd.[23] Yn yr ail le, byddid yn ychwanegu pennill at y fersiwn draddodiadol, gyffredin er mwyn cysoni'r gân ag amgylchiadau'r stori. Yn y pennill a ychwanegwyd yn gyson, y ferch sy'n siarad a cheir ganddi yn yr ail ran gyfeiriadau pendant sy'n clymu'r gân wrth yr hanes:

> Awn i Langynwyd gyda'r dydd,
> Er profi'm ffydd cadarna',
> Cei roddi'r fodrwy'n sel o'th serch
> I'r ferch o Gefn-Udfa.[24]

Hynny yw, o ystyried y teitlau cyfun a fyddai'n cysylltu cân a chwedl a'r arfer o ychwanegu pennill cyfeiriadol gyfleus, gellid awgrymu gyda chryn hyder i'r gân a'r stori, o fewn ychydig amser, ddatblygu'n elfennau cyfochrog o'r un traddodiad. Byddai teitlau arwyddocaol megis 'Y Gwenith Gwyn neu Y Ferch o Gefn Udfa',[25] yn tynnu sylw at y datblygiad arbennig hwn ac yn adlewyrchu'r pwyslais ar draddodiad a oedd yn cyflym gyplysu cân a chwedl.

Tebyg fu datblygiad y gan 'Y Ferch o'r Sger'. Yma drachefn, bu newidiadau testunol ac ymgais i osod y gan yn benodol o fewn cyd-destun storïol. Dau bennill o'r gân a roddir gan Maria Jane Williams yn cyfateb i'r pennill cyntaf a'r ail yng nghopïau Iolo Morganwg. Pum pennill a geir yn llawysgrifau Iolo ar ddull ymgom rhwng mab a merch, ac enw Thomas Evan wrth y penillion. Ond wedi i'r baledwr fabwysiadu'r gân, gellid tybied bod ei phoblogrwydd ar gynnydd ac felly hefyd nifer ei phenillion. Lle ceir pum pennill gan Iolo, ceir deg pennill mewn copi baledol diweddarach a deuddeg mewn fersiwn wahanol eto.[26] Yn y seithfed pennill o'r fersiwn faledol y ceir yr unig gyfeiriad at 'Y Scer' fel y cyfryw:

> Os ca'i 'nghariad o'r un fwriad,
> Cai'r ferch o'r Scer pe baent hwy score.

Fel yr awgrymir gan R.T. Jenkins, ymddengys fod y seithfed pennill sy'n cynnwys y cyfeiriad storïol, yn torri ar draws 'deuawd hollol daclus (ac ystrydebol) rhwng dau gariad'.[27] Ei gwestiwn o'r herwydd yw 'a wthiwyd y pennill hwn i mewn i hen gerdd nad oedd ddim a fynnai â stori'r Sger?'. Er bod lleoliad y seithfed pennill yn creu anhawster ac yn amharu ar rediad y gerdd, nid gwir dweud i'r pennill hwn gael ei 'wthio i mewn' am mai dyma un o'r penillion gwreiddiol a ymddangosodd yng nghopi Iolo, yr olaf o'r pump. Ymhellach, er mai dyma'r unig bennill sydd yn cysylltu stori'r Sger yn gyfeiriadol daclus â'r gerdd, nid Iolo sydd yn gyfrifol am hynny gan nad oes unrhyw sôn am y Sger yn ei fersiwn ef. Dyma ddwy linell olaf y pennill, yn ôl copi Iolo:

> Os ca'i nghariad imi'n ddifrad
> Bach eu sgil betae nhwy scor.[28]

Gwelir, felly, fod rhywun arall wedi dewis trwsio copi Iolo ac nad efe sydd yn gyfrifol am y cyfeiriad at y Sger. Erys y cwestiwn ynglŷn â'r sawl a fu'n gyfrifol am y newid. O gofio i bum pennill gael eu hychwanegu'n rheolaidd at gopi Iolo i lunio'r gerdd a argraffwyd yn gyffredin gan y baledwyr, mae'n briodol nodi'r hyn a ddywed yr Athro G.J. Williams wrth iddo olrhain datblygiad y gân arall dan ystyriaeth, sef 'Bugeilio'r Gwenith Gwyn' : 'Dro arall, byddai'r baledwr yn llunio pennill o'i ben a'i bastwn ei hun, a'i ychwanegu ar y diwedd.'[29] Mae'n bur debyg mai'r un peth a ddigwyddodd gyda'r 'Ferch o'r Sger' ac mai un neu ragor o'r baledwyr biau'r penillion ychwanegol. A derbyn bod y gân o fewn cyfnod cymharol fyr wedi'i chysylltu â stori'r 'Ferch o'r Sger', hawdd o beth fyddai i faledwr addasu pennill Iolo i gynnwys cyfeiriad storiol at y Sger, megis y diwygiwyd un o linellau 'Bugeilio'r Gwenith Gwyn' drwy newid 'ai arall Gwen' yn 'ai arall Ann' i gydymffurfio â manylion yr hanes pan ddaeth stori'r 'Ferch o Gefn Ydfa' yn boblogaidd. Peth hollol naturiol fyddai gweld mân amrywiadau testunol yn y caneuon crwydrol hynny a fyddai'n parhau ac yn datblygu ar lafar gwlad, caneuon a fyddai'n goroesi mewn amrywiaeth o gyd-destunau cymdeithasol a ddibynnai ar ffasiynau cerddorol yr oes.

Yn achos 'Y Ferch o'r Sger' ceir amrywiaeth o fersiynau o fewn un fframwaith storïol. Sonnir am Thomas Evans fel telynor dall; rhoir amryfal resymau dros fethiant ei garwriaeth; sonnir am farwolaeth cynnar ei gariad, Elizabeth Williams, o ganlyniad i briodas yn erbyn ei hewyllys; a chysylltir ail enw, sef David Llewellyn, â'r hanes. Bu raid i Thomas Morgan (Llyfnwy) geisio tacluso peth ar yr hanes a'i ateb oedd sôn am Thomas Evans fel y carwr a chyfansoddwr yr alaw ac am David

Llewellyn fel awdur y geiriau.[30] Rhaid bod y stori wedi ennill ei phlwyf fel yr aeth y ganrif rhagddi, gan dderbyn manylion ychwanegol a mân newidiadau oddi wrth bob cenhedlaeth. Yn achos y gân hon, drachefn, gwelwyd awydd i gysylltu'r penillion â'r stori a symbol amlwg o'r datblygiad hwn oedd cynnwys llinellau atodol ar ddiwedd y gân:

> Tomas Evan gyfan gor,
> Oedd lanwych fwyn delynor,
> Elisabeth William ddinam ddoeth,
> A gafwyd iddo'n gyfoeth,
> O'r Scer wawr addas gariad
> A doeth iawn ydoedd ei thad.[31]

Cofir yma eto fod y stori ei hun wedi ennill poblogrwydd rai blynyddoedd wedi cofnodi'r gerdd yn ei ffurf wreiddiol Ioloaidd lle y tadogir hi ar Thomas Evan a lle nad oes dim tystiolaeth destunol i'w chysylltu ag ardal y Sger. Heb fanylu ar holl droeon y datblygiadau storïol, digon am y tro yw cydnabod bod addasiadau ac ychwanegiadau testunol wedi sicrhau i'r gân gartref cymdeithasol newydd a bod y cyd-destun baledol wedi diogelu'r gân mewn ffurf a ddatblygodd i fod yn bur wahanol i'r fersiwn Ioloaidd wreiddiol.

Ac eto ar waethaf parhad yr hen sefydliadau tymhorol am gyfnod, roedd yn weddol amlwg erbyn ail hanner y ganrif fod dylanwadau newydd ar waith a bod 'gafael y dwrn du ar y Blaenau yn tynhau'. Denodd y pyllau glo weithwyr yn eu cannoedd i'r cymoedd ac 'ysgubwyd y wlad gan gyfres o ddiwygiadau crefyddol a roddodd yr oruchafiaeth i'r capeli a'r eglwysi fel sefydliadau cymdeithasol'. Ar ben hynny, rhoddwyd mwy o bwyslais ar faterion gwleidyddol yr oes newydd a daeth y wasg Saesneg i sylw'r werin bobl. 'Yn wyneb hyn oll', medd Ben Bowen Thomas, 'nid yw'n rhyfedd i gyfeillach y saint gymryd lle cyfeillach y beirdd, ac i'r mwyn gyfeillach golli ei safonau mewn diwylliant ac i'r bastai, yr wylmabsant a'r noson lawen golli'r dydd fel y ffynnai'r oedfaon crefyddol, yr Ysgol Sul, y cyfarfodydd llenyddol a'r eisteddfodau.'[32] O ganlyniad, bu raid i'r baledwyr hwythau ymaddasu yn unol â phatrymau cymdeithasol yr oes fel nad oeddent bellach yn 'faledwyr penffordd' ond yn manteisio ar gyfleon newydd 'ac yn mwynhau barddoniaeth dan amodau'r oes ddiwydiannol newydd, ac yn cyfarfod mewn cymdeithasau yn "Y

Bont", yn Aberdâr, ym Merthyr, yn y Gwter Fawr, etc.'[33] Bellach gellid troi tua'r eisteddfodau lleol, cyfarfodydd y Cymreigyddion ledled y sir, a'r cyfarfodydd llenyddol a drefnid gan yr eglwysi a'r capeli newydd lle roedd galw am englynion, marwnadau a llyfrynnau o gerddi o bob math. Roedd yna gynulleidfa Gymraeg o hyd wrth law i hybu'r diwylliant brodorol ond bod mannau cyfarfod newydd yn cyflym ddatblygu yn y Blaenau dan ddylanwad amodau cymdeithasol yr oes ddiwydiannol.

Pa faint o groeso a gâi'r hen benillion traddodiadol a'r hen alawon brodorol yn y cyfarfodydd hyn, mae'n anodd dweud. Ac eto, gellid bod yn weddol hyderus y byddai'r gwerinwyr alltud hynny a ddenwyd gan y datblygiadau diwydiannol i ffeirio og a chryman am fandrel a rhaw, wedi diogelu o leiaf gyfran o'r stôr penillion a oedd yn aros yn y cof drwy eu rhannu a chynulleidfa newydd. Gellid dyfalu, hefyd, y byddai yna dipyn llai o groeso i gerddoriaeth werinol ar lwyfannau cyngherddol-grachaidd yr oes o ystyried y pwyslais Fictoraidd ar barchusrwydd cyhoeddus ac ar gynnal safonau a fyddai yng ngolwg y gynulleidfa yn foesol dderbyniol. Yr awgrym, felly, yw na fyddai caneuon a baledi'r werin wedi bod yn debygol o ennill cymeradwyaeth gyffredinol gan garedigion cerddoriaeth na chan gefnogwyr y gyngerdd swyddogol. Llwyfannau llai ffurfiol eu natur, gellid dyfalu, fyddai'n fwy tebygol o gefnogi a diogelu'r math hwnnw o ddiwylliant mewn cyd-destun eisteddfodol neu fel rhan o weithgareddau diwylliannol capel ac eglwys.

Ceir tystiolaeth bendant, fodd bynnag, gan gasglwyr llên gwerin mewn cyfnodau diweddarach sy'n awgrymu fod yna gryn ragfarn gymdeithasol yn erbyn caneuon gwerin ac yn sgil adroddiad y dirprwywyr yn 1847, peth digon naturiol oedd i'r genedl fod yn orofalus ynglŷn â safon foesol a pharchusrwydd allanol ei gweithgareddau diwylliannol. Yn y cyd-destun hwn, gellid cynnig gyda chryn hyder fod safbwynt *Y Cerddor Cymreig* yn adlewyrchu barn a chwaeth y dosbarth arbennig hwnnw o Gymry cyfrifol, diwylliedig a fyddai'n mynychu cyngherddau'r oes ac a fyddai'n gwerthfawrogi patrwm a phwyslais cyfoes y rhaglenni. Mewn erthygl yn dwyn y teitl 'Y Gyngherdd, ceir cipolwg ar y math o faterion y teimlai'r gohebydd eu bod yn teilyngu sylw. Rhaid oedd cydnabod i ddechrau 'y daioni union-gyrchol a gynyrchir trwy ddylanwad cerddoriaeth dda' cyn mynd ati yn adrannol drefnus i fanylu ar fyd y gyngerdd. Wrth sôn am 'Y personau ddylent eu cynal', mae'r neges yn nodweddiadol Fictoraidd:

> Nid oes dim a all fod yn fwy eglur nag y dylai pawb a wahoddir i gymeryd rhan gyhoeddus mewn cyfarfodydd ag sydd yn dal cysylltiad agos a chymeriad moesol y wlad fod yn ddynion sobr, o gymeriad uchel a diargyhoedd; yn gystal ag yn ddynion o dalent. Y mae mwy o nerth mewn cymeriad nag mewn talent. – A gwyddom am ddynion ieuainc a lygrwyd yn ddirfawr, ie, yn wir, a lwyr ddinystriwyd trwy ddyfod dan ddylanwad cerddorion o gymeriadau llygredig. Cadwer y cyfryw, gyda'r gofal manylaf rhag cymeryd rhan cyhoeddus yn nghyngherddau ein gwlad.[34]

Gwelir bod moesoldeb yn ystyriaeth o bwys a bod yna rai cerddorion na fyddai cymdeithas gyfrifol mewn unrhyw fodd yn fodlon eu harddel. Ymhellach, wrth sôn am 'Cynwysiad y Gyngherdd', mae'r cyfarwyddiadau yr un mor bregethwrol bendant y 'dylid gofalu am fod yr holl gerddoriaeth a'r geiriau yn briodol o ran nodwedd'. Ychwanegwyd na 'ddylai dim ddyfod i'r gyngherdd ag sydd yn waharddedig gan farn a chwaeth dynion sobr, deallus, a goleuedig'.[35] Ond rhag ofn nad yw'r neges yn hollol eglur, ceir awgrym o'r math o gerddoriaeth na fyddid ar un amod yn ei gymeradwyo:

> Nid ydyw fod can neu ddarn yn cael ei ganu ar ol ciniaw yn mhalas y boneddwr, ar ol swper yn y Castell, yn y *Music Hall* yn Llundain, neu gan barti o ddynion wedi duo eu hwynebau ac yn galw eu hunain yn *Christy's Minstrels*, yn ddigon o gymeradwyaeth i'w ddwyn i'r gyngherdd. – Gofaler am gerddoriaeth dda, sylweddol, ar eiriau iachus, a chwaethus. Y mae eisiau mwy o ofal am ymborth sylweddol ac iachus i'r byd cerddorol. – Gormod o redeg sydd yn y dyddiau hyn ar ol pethau melys, mewn cerddoriaeth; a'r canlyniad ydyw, y mae archwaeth ein pobl ieuainc yn cael ei anghymwyso i dderbyn pethau mwy iachus a sylweddol.[36]

Gwelir pa mor amlwg oedd pwyslais y gohebydd ar gerddoriaeth 'sylweddol' ac ar gyflwyno deunydd 'iachus' a 'chwaethus'; diddorol sylwi,hefyd, nad yw'r difyrrwch a gysylltir â chiniawa mewn palas a chastell o angenrhaid yn mynd i foddhau sensoriaid moesol byd y gyngerdd gyhoeddus. Ansawdd y deunydd ei hun oedd yr ystyriaeth bwysicaf a hynny yng nghyd-destun rheolau digon pendant cyfnod a fynnai roi cymaint o bwys ar barchusrwydd cyhoeddus ac ar y sylweddol foesol. Ond ceir bod un rhybudd pellach yn aros y darllenydd:

> Ein barn ni ydyw na ddylai Cerddoriaeth grefyddol a chyffredinol gael eu cymysgu yn yr un gyngherdd. – Y mae cerddoriaeth ysgafn yn hollol briodol, yn ei lle, ac mewn cymedroldeb. – ond y mae eisiau cadw mewn golwg y gwahaniaeth sydd rhwng cerddoriaeth ysgafn a cherddoriaeth wag; – Nid ydym yn meddwl fod dynwared diffygion naturiol, na dynwared teimladau drwg a nwydau cynhyrfus gerbron cynulleidfa er peri iddynt chwerthin mewn un modd i'w gymeradwyo. Anfri ar gerddoriaeth ydyw rhoddi iddi wasanaeth annheilwng o'r fath.[37]

Mae'n ddigon amlwg,felly, fod disgwyl i gyngherddau adlewyrchu pwyslais yr oes ar barchusrwydd a difrifoldeb ac ar reoli'r 'nwydau cynhyrfus' hynny a allai arwain cynulleidfa anghyfrifol i chwerthin yn gyhoeddus! Ar ben hynny, arwyddocaol iawn yw'r sylw ynglŷn â chadw gwahanol fathau o gerddoriaeth ar wahân ac mai mewn 'cymedroldeb' yn unig y dylid ymroi i gerddoriaeth ysgafn. Yn wyneb hyn oll, rhaid gofyn pa fath o obaith oedd i ganeuon gwerin gael eu cydnabod yn rhaglenni swyddogol y cyfnod dan y fath amodau gelyniaethus. O ystyried y dystiolaeth sydd wrth law, rhaid amau'n fawr a fyddai'r fath gerddoriaeth draddodiadol wedi llwyddo i ennill unrhyw gydnabyddiaeth gan gynulleidfa o 'ddynion sobr, deallus, a goleuedig' wedi'u cyflyru i feddwl ac ymateb yn Fictoraidd ddiemosiwn. Belled y symudwyd o lwyfannau gwerinol a di-sensor yr wyliau tymhorol i fyd y gyngerdd lle roedd trefn, ymddygiad a chynnwys y rhaglen yn ystyriaethau mor ddifrifol o bwysig. Beth, tybed, fyddai ymateb y cerddor gwerinol i'r cyngor sy'n cloi'r 'bregeth' ac yntau dros y blynyddoedd wedi ymgyfarwyddo â phatrwm o berfformiadau oriau hamdden a ddibynnai nid ar na chloc na rhaglen, ond ar ei allu i ymateb ar y pryd i orchwylion tymhorol fel y byddai modd dianc gyda'r hwyr i ymuno â gwerinwyr eraill ei filltir sgwâr a difyrru'r amser. 'Gofaler ar bob cyfrif', yw'r rhybudd, 'nad elo y Gyngherdd yn rhy hwyr, fel na byddo y cyfarfod, na cherddoriaeth trwyddo, yn cael anair, ac na byddo dyledswyddau teuluaidd yr hwyr yn cael eu dyrysu.'[38] Bellach, roedd rhaid cydymffurfio â chonfensiynau newydd y neuadd gyngerdd rhag 'tori ar draws rheolau moesgarwch' mewn cyfnod pan nad oedd adeg hau a medi a gorchwylion beunyddiol byd amaeth yn mynd i fennu dim ar hyd a phatrwm gweithgareddau hamdden y genhedlaeth newydd. Afraid pwysleisio fod gan gyhoedd y cyfnod, erbyn hyn, reolau pendant a fyddai'n eu hannog i wahaniaethu rhwng y derbyniol a'r annerbyniol. Gwahaniaethid rhwng gwahanol fathau o gerddoriaeth, rhwng gwahanol fathau o leoliad cyhoeddus a rhwng preifatrwydd y cartref a'r neuadd gyngerdd. Pwysleisid nad pob math o gerddoriaeth a fyddai'n gweddu ar bob achlysur a rhaid oedd priodi chwaeth gerddorol â'r man cyfarfod. Un canlyniad i hyn oll oedd neilltuo cerddoriaeth werinol i gyrion cymdeithas ac i lwyfannau answyddogol a llai cyhoeddus.

Erbyn diwedd y chwedegau, mae'n amlwg fod cryn bwyslais ar ansawdd y gerddoriaeth yr oedd yn iawn i drefnwyr cyngherddau ei gosod gerbron cynulleidfaoedd wedi'u cyflyru i gredu fod sobrwydd a mosoldeb yn rhinweddau hanfodol i genedl iach a chyfrifol eu meithrin. Awgrymwyd eisoes na fyddid yn disgwyl i ganeuon gwerin ffynnu dan gyfundrefn o'r fath er na ddylid honni ychwaith iddynt gael eu halltudio'n gyfangwbl o bob cyngerdd ac eisteddfod. Ond yn achos y ddwy gân dan ystyriaeth, roedd iddynt, ill dwy, gefndir storïol a fyddai'n caniatáu iddynt oroesi yn chwedlonol, hyd yn oed dan amodau a oedd yn elyniaethus i ganeuon gwerin yn gyffredinol. Oherwydd roedd y ddeuoliaeth gyd-destunol a berthynai i'r ddwy gân, y ddeuoliaeth a gyfunwyd ac a feithrinwyd gan argrafflenni'r baledwyr a ddaeth â'r gan a'r stori'n un, yn fanteisiol i barhad y ddwy elfen fel ei gilydd yn ail hanner y ganrif. Wrth gwrs, roedd sentiment yn nodwedd bwysig ym maledi oes Fictoria a'r elfen amlwg honno yn y ddwy faled dan sylw yn help i'w cymeradwyo a'u poblogeiddio.

Ond roedd agwedd arall i'r hanes sy'n denu sylw o ystyried naws arbennig y cyfnod gyda'r pwyslais cyson ar foesoldeb y genedl, ar fesur defnyddioldeb pob dim ac ar bwysigrwydd ffeithiau. Dyma'r agwedd meddwl a ddenodd sylw ymchwilwyr i ddatblygiad y nofel Fictoraidd a'r safbwynt a ddychenir mewn dull mor effeithiol gan Dickens yn *Hard Times* drwy gyfrwng syniadau philistaidd Mr. Gradgrind ynglŷn â natur addysg. Mewn byd a roddai gymaint o bwyslais ar bwysigrwydd ffeithiau ac ar y safbwynt utilitaraidd wyddonol, roedd yr her i greadigaethau'r dychymyg ac i'r sawl a feiddiai gefnu ar yr ymarferol ddefnyddiol yn amlwg ddigon. Oherwydd yr union adeg ag yr oedd *Y Cerddor Cymreig* yn gosod canllawiau pendant ynglŷn â threfnu cyngherddau ac yn pregethu rhinwedd 'cerddoriaeth dda, sylweddol, ar eiriau iachus, a chwaethus', roedd Thomas Morgan (Llyfnwy) yn cyhoeddi ffrwyth ei ymchwil bersonol ef ar ferched Cefn Ydfa a'r Sger mewn llyfryn yn dwyn y teitl *The Cupid* (1869). Ceir bod yr Athro G.J. Williams yn cydnabod pwysigrwydd y llyfryn wrth olrhain hanes 'Y Ferch o Gefn Ydfa'. 'Chwiliwyd', medd ef, 'hanes teulu Cefn Ydfa a theulu Anthony Maddocks o Gwm Risga. Gwelwyd mai Ann ydoedd enw'r ferch a bod ei thad wedi marw yn 1706. Casglwyd yr hen benillion a'r cerddi traddodiadol at ei gilydd. Y mae'r stori wedi datblygu'n awr i'w llawn dwf.'[39] Ymchwiliwyd i hanes teulu'r Ferch o'r Sger yn yr un modd. Ond yr hyn sydd o wir ddiddordeb yma yw'r modd y mae Llyfnwy yn trafod ei bwnc, nid fel hynafiaethydd yn olrhain chwedlau ei dalaith ond fel hanesydd yn ceisio'r gwirionedd. Wele'r teitl yn llawn: '*The Cupid, Being the Histories of The Maid of Cefn Ydfa and The Maid of Sker*'. 'Histories' yw geiriad y teitl a buddiol fyddai dyfynnu o'r rhagair i'r ail argraffiad (1876) sy'n adleisio'r pwyslais arbennig hwnnw:

> I was induced to collect the histories of our heroines through the many errors committed by the publishers of the beautiful melodies, 'The Gwenith Gwyn' and the 'Maid of Sker', which airs were becoming more popular daily, and having the advantage of living for quite a number of years in the very locality where our heroines died, I made it my special study to collect the indubitable facts concerning the matter.[40]

Byddai canmoliaeth sicr i'r sawl a fynnai gyflwyno'r 'indubitable facts' yn wyneb y fath ddryswch a thrwy hynny osod chwedl draddodiadol mewn dull mor bendant y tu mewn i gyd-destun hanesyddol lleol. Afraid dweud nad Llyfnwy oedd y cyntaf i ddilyn trywydd o'r fath, ond gellir deall yn iawn pa mor dderbyniol fyddai'r gamp o 'haneseiddio' chwedlau mewn oes a roddai gymaint o bwys ar briodoldeb ffeithiau. Dangoswyd eisoes pa mor boblogaidd oedd y fframwaith storïol hwn a pha mor barod y bu'r baledwyr i'w mabwysiadu a'i defnyddio at eu dibenion arbennig hwy eu hunain. Yn yr achos hwn, bu Llyfnwy yn casglu 'ffeithiau' ac yn rhoi trefn ar ei ddeunydd er mwyn troi chwedl yn hanes ac wrth wneud hynny yn ennill statws ffeithiol i'r hanesion mewn cyfnod a fyddai'n croesawu ac yn parchu'r fath bwyslais.

Ac eto, wrth i'r ddadl ddatblygu, gallwn synhwyro ar brydiau, gymaint o demtasiwn oedd i Llyfnwy gael ei ddenu i siarad iaith yr hynafiaethydd fel bod traddodiad, yn groes i'r bwriad, yn diorseddu ffaith:

> 'Tradition never fails', says an eminent antiquary; and it is evident that the traditions concerning our heroine must have greater portion of the truth contained in them, as there is only a century and a half since her mortal remains were deposited in the parish church of Llangynwyd.[41]

Hawdd deall y sbardun yng nghyd-destun y cyfnod, ond rhaid derbyn yr un pryd fod i'r arfer o leoli cân neu faled o fewn rhyw fframwaith hanesyddol gynseiliau amlwg a phur adnabyddus. Mae'r thema yn ei hanfod, wrth gwrs, yn un ddigon cyfarwydd y mae amrywiaeth ei chysylltiadau storïol neu faledol yn trosgynnu amser a lle:

> The ballad shows whom the people consider as heroes, and for what qualities. To define the character and meaning of the heroic personage is the main task of ballad study. The content is struggle, whether of champion against dragon, outlaw against forester, ploughboy against the rich girl's parents who would have him press-ganged, miner against mine-owner. In different epochs, the source of the struggle is different.[42]

Ceir bod natur y gwrthdaro, felly, yn adlewyrchu amodau cymdeithasol rhyw oes arbennig, ond hyd yn oed pe ystyrid un fframwaith penodol a hynny o fewn un cyfnod a chwmwd arbennig, gallai amrywiadau pellach ddatblygu fel mai'r un yn y bôn oedd ffawd Y Ferch o Gefn Ydfa a'r Ferch o'r Sger. Ond ochr yn ochr â'r cyffredinolrwydd thematig hwn, roedd y duedd i greu hanes, i leoli a chorlannu straeon traddodiadol yn ffeithiol dwt o fewn un pecyn, yn hen arfer. Cyfansoddiadau cyffredinol eu hapêl a'u harwyddocâd oedd cynifer o'r baledi cynnar, yn cyfleu pob math o rinweddau megis arwriaeth gymunedol a fyddai'n hanfodol er sicrhau parhad y llwyth. 'The ballads of heroism', medd Lloyd, 'are the poetic illusion of a community's heroic ideal, and a means of forming and sustaining a way of life based on that ideal'.[43] O fewn cyd-destun cymunedol o'r fath y tyfodd y gwahanol draddodiadau am Robin Hood ac y datblygodd yr ysfa i'w gydnabod yn ffigur pendant a'i gysylltu â 'Wotan or Mithras, with the horned god of the witches or a vegetation sprite, or alternatively with this or that real-life nobleman mentioned in manorial rolls'.[44] Ac eto, ar waethaf yr holl ddamcaniaethu diddorol, myn Lloyd mai neges gymunedol sydd wrth wraidd yr holl faledi ac mai hollol amherthnasol yw pob ymdrech i weddnewid y pwyslais hwnnw drwy eu cynnwys o fewn cyd-destunau amgenach:

> All in vain. Mythology and historicity, both are irrelevant. Whether he wore the rags of an old god out of favour, or the stained velvet of an earl on the run, what does that tell us? The Robin Hood of the ballads is simply an artistic generalization, a hero conceived as ideal by the common people at a given moment in history, the stressful time of the break-up of feudalism'[45]

Er bod baledi, yn ôl tystiolaeth Lloyd, yn gallu adlewyrchu digwyddiadau hanesyddol penodol a thueddiadau a ffasiynau rhyw oes arbennig, rhaid pwysleisio yr un pryd fod yna themâu traddodiadol a phoblogaidd sydd wedi mynnu goroesi a'u bod, oherwydd cyffredinolrwydd eu neges, wedi llwyddo i drosgynnu amodau cyfnewidiol cyfnod a gwlad. Nid bod y cyffredinolrwydd thema hwnnw, wrth gwrs, yn rhwystr i'r sawl a fyn chwilota o hyd er mwyn haneseiddio traddodiad 'and the quest for historical Robin Hood still follows a meandering river of ink'.[46]

Ceisiwyd, hyd yn hyn, olrhain y dylanwadau croestynnol a fu'n effeithio ar hynt a helynt y caneuon yn sgil cyhoeddi'r *ANA* yn 1844. Bu'r baledwr, wrth reswm, yn ffigur hynod ddylanwadol a chyda'r blynyddoedd, daeth y storïau yn rhai adnabyddus, yn ddigon adnabyddus i ddenu sylw Ceiriog a fu'n cynnig ei fersiwn bersonol ei hun o hanes carwriaeth Cefn Ydfa[47] a Llyfnwy a fu, gyda chymorth Mr. a Mrs. Pendril Llewellyn, yn gyfrifol yn *The Cupid* am ailgyflwyno'r hanesion wedi'u lliwio â'r ymchwil achyddol a wnaed ganddo. Tra bo Ceiriog wedi mynnu'r hawl i ddehongli hen draddodiadau gwerin yn greadigol ffansiol, ceir bod Llyfnwy, ar y llaw arall, wedi haneseiddio'r chwedlau gyda brwdfrydedd amlwg yr ymchwilydd plwyfol a fynnai alw'r cronicl a greir ganddo, ar waethaf unrhyw addurniadau apocryffaidd, yn 'histories of our heroines'. Gyda chyhoeddi *The Cupid*, felly, mae'r storïau i bob pwrpas yn gyflawn a'r fersiynau rhanbarthol hyn wedi'u cofnodi'n achyddol gyflawn i'w cyflwyno drachefn gan hynafiaethwyr y dalaith mewn dogfennau diweddarach. Adroddodd Cadrawd stori'r Ferch o Gefn Ydfa yn ei gyfrol *History of Llangynwyd Parish* (1887) a bu'n gyfrifol hefyd am drafod hanes Y Ferch o'r Sger mewn erthyglau a gyfrannwyd i'r *Cardiff Times*.[48] Ond ymhen rhai blynyddoedd, daethpwyd i ystyried deunydd o'r fath o safbwynt llawer mwy gwrthrychol a dadansoddol fel bod ymdrech o ganlyniad i bennu ffiniau pendant rhwng traddodiadau'r werin a'r hyn y mynnid ei fod yn hanesyddol ddilys. Yr un pryd, hawdd deall sut y daeth Cadrawd i'w ystyried ei hun yn llefarydd dros hen draddodiadau'r ardal ac yntau'n frodor o Langynwyd ac yn ddilynydd teilwng a pharod i Mr. a Mrs. Pendril Llewellyn. Nid annisgwyl ei weld, ychwaith, yn adeiladu ar waith Llyfnwy ac yn cynnwys pennod gyflawn yn ei *History of Llangynwyd Parish* ar deulu a hanes Y Ferch o Gefn Ydfa.

Ond o fewn ychydig flynyddoedd, roedd llais arall i'w glywed wrth i Ddafydd Morgannwg adlewyrchu'r safbwynt dadansoddol a gwyddonol hwnnw a ddechreuodd ennill ei le mewn cyfnod a welodd fabwysiadu safonau ysgolheigaidd cadarnach ymhlith to newydd a fyddai o fewn cyrraedd i ddylanwad prifysgol. Yn wyneb y fath ddatblygiad, gellid disgwyl i gredoau traddodiadol y werin gael eu hailhystyried a'u herio yng ngoleuni dulliau ymchwil manylach y gyfundrefn newydd. A dyna a fu. Ar y naill law, cafwyd Dafydd Morgannwg yn cynrychioli'r fethodoleg newydd a'r ymgais i ddadansoddi'r dystiolaeth draddodiadol yn wrthrychol ddiduedd. Ar y llaw arall, er mor eang ei wybodaeth, roedd Cadrawd wedi'i gyflyru i dderbyn ac amddiffyn hen draddodiadau ei gynefin mewn modd a fyddai'n hawlio i'r eithaf ei deyrngarwch plwyfol. 'Cared pob un ei gynheitref (Let every one love his native place)', yw'r neges ar dudalen ei gyfrol ar Langynwyd, a'r ymdeimlad hwnnw a orfu yn wyneb pob ymosodiad ar ddilysrwydd y chwedl, pa mor rhesymegol gytbwys y dadleuid, am fod honno'n elfen mor werthfawr yn hanes diwylliannol ei 'gynheitref'. Buasai Dafydd Morgannwg yn ystod misoedd y gaeaf 1893 yn annerch Cymmrodorion Caerdydd a Chadrawd yn ei ateb y flwyddyn ddilynol mewn darlith a draddodwyd gerbron 'Cymrodorion Y Cas Newydd ar Wysg, Chwefror 13eg. 1894'. 'Swm a sylwedd' papur Dafydd, yn ôl Cadrawd, oedd 'ceisio profi nad oedd hanes y garwriaeth rhwng Wil ar Ferch, ond crug o ffwlbri disail'.[49] Wele wrthdaro digon athronyddol ei natur, yn cael ei ddarlunio'n ddramatig ddiriaethol yng nghyfarfodydd y Cymmrodorion ac ymateb Cadrawd i'r cyhuddiadau herfeiddiol yn adlewyrchu cryfder a gwytnwch ffydd y rhai a gyflyrwyd i dderbyn yn ddigwestiwn, draddodiadau a choelion cefn gwlad: 'Mor belled ac wyf wedi deall, derbyniad pur oerllyd gafodd y [y] ddamcaniaeth newydd gan Gymry Caerdydd, ac oerach fyth gan y cyhoedd, ac nid wyf yn gwybod ddarfod i neb ei weld yn werth y drafferth i wrthbrofi yr haeriadau disail'.[50]

Ond dangosodd Dafydd Morgannwg yr un gwytnwch argyhoeddiad ac yn 1896, yr union flwyddyn ag y bu John Morris-Jones yn cynhyrfu'r dyfroedd eisteddfodol drwy herio dilysrwydd yr orsedd, cyhoeddodd Dafydd yntau ei ddamcaniaeth ynglŷn â hanes 'Wil Hopcin a'r Ferch o Gefn Ydfa' gan herio'r safbwynt traddodiadol. Cyraeddasai dydd yr ymchwiliwr proffesiynol a hyder ysgolheigaidd newydd a oedd i amau ffydd ddiniwed y cyhoedd yn nhraddodiadau'r gorffennol. Yma, gwelir Dafydd yn cynnig arolwg hynod graff a chytbwys o'r dystiolaeth sy'n creu amheuaeth amlwg ynglŷn â dilysrwydd y stori. Yr un pryd, yng nghanol y dadlau rhesymegol, mae'n llwyr sylweddoli 'mai gwaith anhawdd yw symud cyfeiliornad a fyddo wedi gwreiddio yn ddwfn ym meddyliau pobl, ac wedi lledu ei gangau dros wlad neu genedl yn gyffredinol'.[51] Ei farn ef yw bod Mrs. Pendril Llewellyn wedi gwneud stori go drefnus o'r hen draddodiad ac mai fersiwn arbennig 'fy hen gyfaill Llyfnwy fu yn foddion i raddau pell i arwain teimlad y wlad ar gyfeiliorn'. Myn Dafydd fod Llyfnwy wedi cyhoeddi 'darlun (photograph) o ryw ferch, ac yn argraffedig dano–"The Maid of Cefn Ydfa", a gwerthodd lawer ohonynt'! Ond fel y sylwodd yr ymchwilydd 'gwaith anhawdd yw symud cyfeiliornad' ac ar waethaf pob ymdrech ar ei ran i geisio profi mai 'chwedl ddisail ac annheilwng o goel' ydoedd, parhaodd y chwedl yn fyw ac yn iach ar lafar gwlad yn ddiogel rhag ei holl ymosodiadau.

Buasai Cadrawd, rai blynyddoedd ynghynt, yn ceisio hel achau yn null Llyfnwy ac mewn erthygl i'r *Cardiff Times* (28:1:1893) yn awgrymu bod 'members representing two constituencies in

Glamorganshire are lineally descended from the families of the maids of "Cefn Ydfa" and "Sker"'. Sonnir bod A.J. Williams, yr aelod dros Dde Morgannwg, yn un o ddisgynyddion teulu'r 'Fair Maid' o Gefn Ydfa a bod Alfred Thomas, yr aelod dros Ddwyrain Morgannwg, yn perthyn i deulu'r Ferch o'r Sger. Mewn ail erthygl (11:2:1893), sonnir am dystiolaeth deuluol bellach gan or-ŵyr i'r hen delynor Thomas Evans ac mewn adran yn dwyn y teitl 'The Love Story', ceir manylion am ymgais y pâr ifanc i ddianc berfedd nos ac am ymyrraeth y cŵn sef elfen storïol sy'n dilyn hen batrwm baledol cyfarwydd. Byddai cyfraniadau o'r fath i'r wasg ynghyd â theyrngarwch cynhenid y werin i draddodiadau eu cynefin yn ddull effeithiol iawn o wrthsefyll ymosodiad gan unrhyw eiconoclast o ohebydd pa mor rhesymegol bynnag fyddai natur ei genadwri. Oherwydd er mor effeithiol y dadleuodd Dafydd Morgannwg wrth ymdrin â'r hanes yn 1896, ni fennwyd dim ar ddarlun hynod gyflawn a lliwgar Frederic Evans o'r hanes yn ei ffurf draddodiadol a gyhoeddwyd yn y gyfrol Tir Iarll (1912) gan gynnwys cyfeiriad at y seler lle carcharwyd y ferch ynghyd â llun priodol!

Pan gyhoeddwyd y *'Souvenir of the Wil Hopcyn Memorial'* yn 1927, fodd bynnag, yn ailadrodd yn anfeirniadol yr holl hanes yn ei ffurf draddodiadol blwyfol, cafwyd ymateb ysgolheigaidd awdurdodol yr Athro G.J. Williams a fynnodd edrych o'r newydd ar y dystiolaeth ac a ddangosodd pa mor berthnasol oedd nifer o'r amheuon a godwyd gynt gan Ddafydd Morgannwg. Dan ddylanwad Mrs. Pendril Llewellyn, Llyfnwy a'u dilynwyr, yr awgrym yw bod rhamant Cefn Ydfa wedi'i chyflwyno yn rhith hanes. Dros y blynyddoedd, roedd i'r ddadl ynghylch dilysrwydd chwedl Cefn Ydfa arwyddocâd arbennig yng ngolwg y plwyfolion am eu bod yn ystyried y traddodiad hwnnw yn elfen mor allweddol bwysig yn hanes diwylliannol yr ardal. O ganlyniad, ystyrid mai cyfrifoldeb pob cenhedlaeth oedd cynnal y traddodiad hwnnw a gwarchod hanes a feithrinwyd yn bur ofalus dros gynifer o flynyddoedd. Mae'n siwr, yn y cyd-destun arbennig hwn, mai parch a chariad at fro ei febyd a ysgogodd Brinley Richards yntau mor ddiweddar â saithdegau'r ganrif hon, i ailagor hen ddadleuon ynglŷn â dilysrwydd y chwedl.[52] Iddo ef, fel i Cadrawd a chenedlaethau o gydblwyfolion, roedd amddiffyn hanes Cefn Ydfa fel pe bai, bellach, yn gyfystyr ag amddiffyn holl anrhydedd diwylliannol y plwyf. Yn ddi-os, roedd y chwedl arbennig honno wedi magu rhyw arwyddocâd a phwysigrwydd seicolegol tra arbennig a than amodau felly, hawdd deall awydd yr ardal i osod eu ffydd mewn traddodiad o'r fath ar waethaf pob her o'r tu allan. Tebyg fu datblygiad stori'r Ferch o'r Sger gyda'r un cyfuniad o'r hanesyddol a'r traddodiadol ac yn y cyswllt hwnnw, dyfarniad Leslie Evans yw bod digwyddiadau'r gorffennol yn dueddol o gael eu gwyrdroi a'u camliwio gyda'r blynyddoedd. 'Our forbears, too', meddai, 'loved to sentimentalize a story, and there can be little doubt that the poor harpist's association with the Maid of Sker has been subjected to this process'.[53] Ond pan fydd chwedl yn derbyn gwisg hanesyddol yn y modd hwn, y canlyniad anochel yw ei bod ar drugaredd yr ymchwilydd cydwybodol a fyn wahaniaethu rhwng y traddodiadol ramantus a ffeithiau byd hanes. Ac eto, er amau'r cysylltiadau hanesyddol, peth arall yw siglo ffydd y brodorion mewn hanesion a oedd wedi hen ennill lle amlwg ac anrhydeddus ymhlith traddodiadau llafar gwlad.

Ymateb i ddigwyddiadau penodol a chyflwyno profiadau cyffredinol y byddai'r cantor neu'r cyfarwydd gwerinol a hynny, ar brydiau, mewn dull hollol fyrfyfyr. Ond, byddai at ei wasanaeth, bid siwr, ryw stôr o ganeuon a chwedlau arbennig a fyddai'n ateb gofynion y gymuned ac yn adleisio gwahanol agweddau ar natur bywyd y gwerinwr. I'r cefndir syml hwnnw y perthynai'r gân werin yn ei hanfod. Gwahanol amgylchiadau a phrosesau golygyddol ar wahanol adegau a fu'n gyfrifol am sicrhau i ddeunydd gwerinol fodolaeth ac amlygrwydd newydd ymhell y tu hwnt i lwyfannau answyddogol oes a fu. Dyna fu hanes y ddwy gân dan sylw, 'Bugeilio'r Gwenith Gwyn' a'r 'Ferch o'r Sger'. Un o brif nodweddion llên gwerin, wrth gwrs, oedd ei bod yn gymunedol a di-ffin, deunydd na fwriedid iddo gael ei ddiffinio'n achyddol gyfleus yn ôl egwyddorion oes bur wahanol ei naws a'i phwyslais. Gyda'r awydd i gofnodi a golygu, daeth yr awydd anochel i ddosbarthu ac i labelu penillion a fyddai wedi crwydro'n werinol ddi-aelwyd cyn hynny er mwyn creu unedau twt o dan deitlau penodol. Diflanasai'r hen bwyslais ar y cymunedol ac yn sgil y labelu, nid annisgwyl oedd canfod ysfa bellach i olrhain tras ac awduraeth, ac i greu cyd-destun lleol pan fyddai chwa o blwyfoldeb brwd yn gwahodd hynny. Gwelwyd tuedd, felly, i geisio pennu ffiniau ac awduraeth mewn maes lle byddai gwybodaeth o'r fath yn cael ei hystyried gan y gwerinwr ei hun yn hollol amherthnasol a di-fudd. Symudodd y ddwy gân, gydag amser, o gyd-destun i gyd-destun dan ddylanwad amrywiaeth o ffactorau cymdeithasol a'r broses gymhleth honno a sicrhaodd i'r naill gân a'r llall le amlwg yn hanes diwylliannol y rhanbarth.

NODIADAU

[1]Llyfrgell Genedlaethol Cymru, Llythyrau Taliesin ab Iolo 842. Am hanes cyhoeddi cyfrol Maria Jane Williams gweler rhagymadrodd Daniel Huws i'r adargraffiad hardd a gyhoeddwyd gan Gymdeithas Alawon Gwerin Cymru yn 1988. Gweler hefyd 'Maria Jane Williams', *Nedd a Dulais*, gol. Hywel Teifi Edwards (Llandysul, 1994)

[2]NLW 13152 A

[3]NLW 13099 B (Lanofer C 12) 150 a 214.

[4]NLW 13152 A, 293.

[5]NLW 13099 B, 205.

[6]Rhaid bod elfen o ddamcaniaeth ynglŷn â 'Bugeilio'r Gwenith Gwyn' am fod Maria Jane Williams o'r farn mai Dafydd Niclas oedd yr awdur. Dywed Ab Iolo mewn llythyr ati yn 1838 : 'This song I find was written by Will Hopkin, the clever Lyrick poet of Llangynwyd, who died about 1745, and not by Dafydd Niclas, as you supposed.' (Llythyrau Ab Iolo 838b). Hwyrach fod amheuaeth o'r fath wedi peri iddi beidio â mynegi barn ar y pwnc yn ei nodiadau. Ei phenderfyniad oedd osgoi unrhyw gyfeiriad at awduraeth y gân.

[7]*Ancient National Airs of Gwent and Morganwg (ANA),* 82.

[8]A. Leslie Evans, *The Story of Sker House* (Neath, 1956), 30.

[9]Gweler G.J. Williams, 'Wil Hopcyn a'r ferch o Gefn Ydfa', *Y Llenor* V1 (1927), 218-229, V11 (1928) 34-46. Ceir casgliad o ddogfennau perthnasol yn G.V. Hill, *Cefn Ydfa, A Who's Who and What's What* (Swansea, 1990), 155-177 (Appendix 1, Letters of Interest).

[10]A.L. Lloyd, *Folk Song in England* (London, 1967), 19.

[11]Digwydd y cyfeiriad yn James Reeves, *The Idiom of the People* (London, 1958), 9.

[12]John Howells, 'The Glamorgan Revel (Gŵyl a Gwledd Mabsant)', *The Red Dragon* V (January to June, 1884), 130.

[13]Ibid., 131.

[14]Ibid., 130.

[15]*ANA*, 82. Gweler, hefyd, drafodaeth Daniel Huws, 'Nodiadau ar y Caneuon', yn yr adargraffiad o'r ANA (1988), 26-29.

[16]Gweler G.J. Williams, op.cit., V11 (1928), 40.

[17]D. Gwenallt Jones, 'Morgannwg', *Y Llenor*, xxviii, 1949, 194.

[18]Llyfrgell Genedlaethol Cymru, Casgliad 'Baledi a Cherddi', Cyfrol 1, Rhif 42.

[19]Ibid., Cyfrol 1, Rhif 106.

[20]A.L. Lloyd, op.cit., 69.

[21]Llyfrgell Genedlaethol Cymru, 'Baledi a Cherddi', Cyfrol 4, 10.

[22]Ibid., Cyfrol 4, 20.

[23]Ibid.

[24]Ibid., Cyfrol 8, 19. Mae'n amlwg fod 'Gefn' yma yn ddeusill 'Gef(e)n' er mwyn ateb gofynion y mydr.

[25]Ibid.

[26]Gweler Daniel Huws, op.cit., 26-29.

[27]R.T. Jenkins, 'Y Ferch o'r Sger', *Y Llenor*, xxviii, 1949, 181.

[28]NLW 13099 B, 150 (Pennill 5, ll'au 7-8)

[29]G.J. Williams, op. cit., vi (1927), 224-5.

[30]Thomas Morgan (Llyfnwy), *The Cupid* (1869). Cafwyd ailargraffiad yn 1876. Mae trafodaeth gynhwysfawr o ddatblygiad y chwedl ac ymgais i edrych yn wrthrychol ar yr holl dystiolaeth yn A. Leslie Evans, *The Story of Sker House* (Neath, 1956), 30-35.

[31]Llyfrgell Genedlaethol Cymru, Casgliad 'Cerddi a Baledi', Cyfrol iv, 7.

[32]Ben Bowen Thomas, *Baledi Morgannwg* (Caerdydd, 1951), 14.

[33]Ibid., 17.

[34]*Y Cerddor Cymreig* , (Rhifyn 7) 1 Ionawr 1867, 1 (Colofn 2).

[35]Ibid., 2 (Colofn 1)

[36]Ibid.

[37]Ibid., 2 (Colofnau 1-2)

[38]Ibid., 2 (Colofn 2)

[39]G. J. Williams, op. cit., vi (1927), 226.

[40]Thomas Morgan, *The Cupid* (1876). Daw'r dyfyniad o'r 'Preface'.

[41]Ibid., 5.

[42]A.L. Lloyd, op. cit., 142-3.

[43]Ibid., 141.

[44]Ibid., 143.

[45]Ibid., 144.

[46]Ibid., 137.

[47]John Ceiriog Hughes, *Y Bardd a'r Cerddor* (1865).

[48]*Cardiff Times*, 28:1:1893; 11: 2 :1893.

[49]Llyfrgell Y Ddinas, Caerdydd, Casgliad T.C. Evans (Cadrawd), MS 2.350, 2.

[50]Ibid., 3-4.

[51]Dafydd Morgannwg, 'Wil Hopcyn a'r Ferch o Gefn Ydfa', *Cymru*, x (Rhif 59), 1896, 307-313. (308 yma).

[52]Gweler Brinley Richards, *Wil Hopcyn a'r Ferch o Gefn Ydfa* (Abertawe,1977).

[53]A. Leslie Evans, op .cit., 35.

Mwg, Tarth a Gweddi: Diwydiant a Chrefydd yng Nghwm Afan yn y Bedwaredd Ganrif ar Bymtheg

Ieuan Gwynedd Jones

O'r fan lle safai'r porter ifanc ar blatfform gorsaf Rheilffordd Rhondda a Bae Abertawe ar ddiwrnod hydrefol niwlog a thywyll yn 1938, ni welai o'i flaen ond llymder anial. Codai'r Foel Fannau, a'i llethrau du, creithiog heb arnynt laswelltyn na llwyn i feddalu eu hunlliw marwol, fel pyramid sinistr o waelod cwm a oedd yn frith gan dipiau a thomenni o wast ffwrneisi a phyllau glo ac adfeilion ffowndris haearn a gweithfeydd copr a thunplat. Rhwng y tomenni wast rhedai tramffyrdd difwstwr bellach, ffrydiau cyflenwi yn llawn o ddŵr drewllyd a llwybrau'n arwain at anheddau a oedd rywsut neu'i gilydd wedi goroesi dibristod cyffredinol. Ac eithrio nad hwter yn y pellter roedd yn fyd annaearol ddistaw. Ar odre llethrau'r Foel roedd rhesi o fythod gweithwyr yn dwt a glandeg er gwaethaf eu lleoliad ac wedi'u

Y Foel, Cwmafan c. 1929.

gwyngalchu yn ôl ffasiwn y cwm. Ac o'u blaenau, yn syllu dros fro lle buasai diwydiant yn teyrnasu, safai Tabernacl, capel y Methodistiaid Calfinaidd, yn adeilad tal a balch na ellid peidio â'i weld heb sôn am ei anwybyddu. Mwg a gweddi: diflanasai'r mwg ond beth am y weddi?

Un o dasgau'r porter ifanc oedd dosbarthu i'w cyfeiriadau priodol o gwmpas pentref Cwmafan rai o'r amrywiol nwyddau a gyrhaeddai'r orsaf yn feunyddiol, ac felly fe ddaeth yn gyfarwydd yn gyflym â chyfluniad cyffredinol y lle. Nid oedd popeth yn dywyll ac ar y rhannau hynny o'r cwm ar ymylon gogleddol yr hen graidd diwydiannol lle nad oedd fawr o adfeilion a thipiau, yr oedd rhesi o dai a oedd yn amlwg o uwch safon wedi'u trefnu ar batrwm grid fel petai rhywun wedi cynllunio pentref model.[1] Ar hyd y briffordd i Bont-rhyd-y-fen, hefyd, yr oedd llawer o dai ffrynt-dwbwl a oedd wedi'u hadeiladu tipyn yn ddiweddarach. Yr oedd yno farchnad yn ogystal â'r prisiau ynddi'n is nag oeddent yn Abertawe – bendith heb os i bobl a fuasai gynt yn dibynnu ar siop y cwmni. Yma, hefyd, roedd mwy o gapeli ac yn sefyll yn falch yn eu plith roedd Eglwys yr Holl Saint, yn adeilad Gothig, tal a thrawiadol ac iddo seintwar dyrchafedig a meindwr gosgeiddig.[2] Yn uwch i fyny'r cwm – lladdfa o dynfa pan fyddai'r troli'n drymlwythog – deuid at Bwll-y-glaw lle'r oedd tai cyngor newydd yn cael eu codi, ac at gapel Annibynnol Y Rock. Fel gweddill y cwm, roedd esgeiriau gorllewinol Y Foel Fynyddau wedi'u creithio gan sawl lefel a naddwyd i ochrau'r bryniau, ond gwaetha'r modd, nid oedd dim argoel bellach o neb yn eu gweithio.

Unwaith bob yn ail wythnos ei ddyletswydd oedd glanhau ac ailgyflenwi'r lampau signal ac oherwydd fod y gwaered am ryw filltir i lawr i Gwmafan yn serth iawn, roedd signal rhybudd wedi'i osod allan ymhellach ar y lein tuag i lawr ar gyrion Pont-rhyd-y-fen lle'r oedd gofyn i bob trên nwyddau aros er mwyn i'r gard sicrhau'r brecs ar y tryciau. Roedd cerdded y rheilffordd hyd at y man hwnnw, gan gario'r paraffin a'r defnyddiau glanhau, yn llawn cymaint o ddatguddiad dryslyd ag ydoedd cerdded pellterau isaf y cwm. O ben y gwaered gallai weld, fel petai o uchelder, y cwm diwydiannol ar ei hyd yn frith gan adfeilion ac anheddau gwasgaredig, a sylwi fel yr oedd hen orlifdir yr afon wedi'i drawsfeddiannu gan seidins, tramffyrdd a pharaffernalia rhydlyd eraill diwydiant, a bod ochrau gorllewinol Mynydd Margam a Mynydd Bychan, fel rhai'r Foel yr ochr arall,

Cwm Afan c. 1910.

wedi'u creithio gan lefelau glo segur a hen glytiau gwaith glo-brig. Yma, eto, roedd rhagor o adfeilion diwydiant, y cyfan a oedd yn weddill o Waith Haearn Oakwood, yr hynaf yn y cwm, a pheiriandai esgynrnog ar ben sawl gwaered, seidins gwag a ffosydd cyflenwi yn cario dŵr i ddim pwrpas o'r afon i'r melinau dadfeiliedig.

Ffordd arall boblogaidd, os mwy llafurus, o syllu dros holl hyd y cwm oedd dringo i gopa'r Foel Fannau. O'r uchelder hwn, pe safai dyn ger y stac cerrig neu ar ben y garnedd gerllaw ar union bigyn y mynydd, gellid mwynhau i'r eithaf sawl golwg fawr ar y gorffennol pell lawn cymaint â thirlun y presennol.[3] O'r man hwn, gallai dyn weld ar daen o'i flaen y mynyddoedd cyfagos, pob un â'i garnedd ar ei gopa yn codi'n serth uwchlaw'r cymoedd y llifai eu hafonydd i Fae Abertawe, a'r porthladdoedd lle cyrhaeddent y môr. Oddi yno, hefyd, gellid gweld sut yr oedd yr hewlydd a'r mynyddoedd i mewn i'r cwm, o Aberafan yn y de a Baglan dros Brynbryddan ymhellach i'r gorllewin, ac o Langynwyd a Margam yn y gogledd a'r dwyrain, wedi clymu Cwm Afan i mewn i fywyd diwylliannol a diwydiannol yr ardal gyfan, yn gymwys fel y gwnaethent ers canrifoedd. Fe sylweddolai dyn yn sydyn nad lle newydd oedd Cwmafan, eithr lle hen iawn.

Ni allai lai nag ymgyffroi yn wyneb y golygfeydd a'r profiadau hyn, yn enwedig wrth iddo bondro'r hyn a'i tarawai'n ddadfeiliad anorfod, yn ddibristod ac yn ddirywiad cymdeithasol.

Bob yn ail wythnos, ei orchwyl ef oedd cerdded ar hyd y trac i waered i'r cwm am ryw chwarter milltir tuag at Aberafan, cyn belled â Chyffordd y Mwnwyr Copr. Fan yma yr oedd gwaith tunplat (Gweithfeydd Cwmni Tunplat y Mwnwyr Copr) yn dal wrthi ac er mai dim ond gosod labeli ar faniau'r rheilffordd gan ddynodi eu cynnwys a phen draw eu siwrne oedd gorchwyl y porter ifanc, treuliai brynhawniau ar eu hyd i sylwi ar brosesau traddodiadol cynhyrchu tunplat. Yn gyntaf, drama torri'r bariau dur, y bariau tun fel y'u gelwid, i'w priod hyd cyn y rholio poeth. Roedd yn rhaid wrth ddau ddyn cryf a dechau ar gyfer y rholio, y naill ar ochr y ffwrnais (y rholiwr) a'i bartner (y dwblwr) ar ochr arall y rholiau. Gwisgent grysau gwlanen llac a ffedogau lledr i'w hamddiffyn rhag y gwres ac unrhyw ddamwain a allai ddigwydd mewn sefyllfa mor beryglus, ac roedd eu symudiadau wrth iddynt basio'r tafelli gwynias drwy a thros y rholiau nes eu bod o'r trwch gofynnol neu fod rhaid eu haildwymo, yn ddigon o ryfeddod. Nid oedd yn ddim llai na 'ballet' ar lawr dur ynghanol gwres a mwg, mwstwr melinau, hisian ager ac aroglau asidig, chwerw'r potiau piclo. Roedd yn hawdd gweld cymaint oedd balchder y dynion hyn wrth ymgymryd â'r rhannau crefftus a pheryglus hyn o'r broses. Roedd yn amlwg ei fod yn waith caled a pheryglus iawn ac o bryd i'w gilydd gorffwysai'r dynion chwyslyd am ychydig ar eu heistedd o gyrraedd y ffwrneisi i yfed te oer o'u fflasgiau. Ac yr oedd y rhannau eraill o'r broses ddiwydiannol – y menywod yn eu ffedogau lledr a'r menyg trwchus yn agor y platiau, y piclo a'r aneliad, y rholio oer, ac yn olaf rhoi'r tun ar bob plat unigol – i gyd yr un mor gyson ddi-ddiwedd ddiddorol, nes y dôi rhan fechan y gŵr ifanc yn y broses – sef cyfeirio'r faniau llawn i ben eu taith.

Yn aml, pan âi ar negeseuon i rannau pellennig pentref Cwmafan, byddai'n fforio adfeilion y gweithfeydd copr a haearn ac yn crwydro drwy lecynnau diffaith hen weithiau diwydiannol. Go brin fod Gibbon ar ei eistedd yng nghanol adfeilion amffitheatr Vespasian yn Rhufain dan fwy o deimlad wrth fyfyrio uwchben mawredd a chwymp yr Ymerodraeth Rufeinig nag yr oedd ef, waeth pa mor ystrydebol y gall hynny swnio, ar ei eistedd ynghanol adfeilion mawredd diwydiannol Cwm Afan. Beth oedd i gyfrif am hyn i gyd – tarddiad a dadfeiliad y cymunedau hyn yn y cwm arbennig hwn yn ne Cymru? Roedd yn gwestiwn yr awchai am ateb iddo.

Cwmafan yn ei anterth.

Yr oedd yn hen gyfarwydd â lleoliad daearyddol y pentref. Mae'r Afon Afan yn tarddu ar foelydd Mynydd Blaengwynfi yn wynebu tua'r de, islaw tarenni aruchel Mynydd Blaenrhodda a Chraig Selsig sy'n gwahanu'r ochr orllewinol hon o Forgannwg oddi wrth gymoedd Rhondda. Ar ei thaith ugain milltir o'i tharddle i'w haber nid yw'n llifo ond trwy dri phlwyf, sef Glyncorrwg, Llanfihangel-ynys-Afan ac Aberafan, ac o'r rhain â'r ail y mae a wnelom yn awr. Roedd plwyf Llanfihangel wedi'i rannu'n ddau ran anghyfartal, sef Llanfihangel Uchaf ac Isaf, a'r gwahaniaeth daearyddol mwyaf rhyngddynt oedd bod mwy o dir âr cymharol dda i'w gael yn y rhan Isaf tra mai tir pori mynyddig, gan mwyaf, oedd i'w gael yn y rhan Uchaf. Plwyf o ffermydd bychain oedd Llanfihangel at ei gilydd ar ddechrau'r bedwaredd ganrif ar bymtheg a'r rheini fynychaf wedi'u gosod ar rent gan landlordiaid absennol neu ffermwyr o dirfeddianwyr preswyl. Oherwydd mai mynydd a rhostir oedd y plwyf gan mwyaf, roedd tir âr yn brin. Datblygasai, felly, economi hanfodol fugeiliol, hen iawn o ran dull ac arfer, ond fe'i tynghedwyd i newid yn sydyn yn y modd mwyaf chwyrn o chwyldroadol.

Mae'r allwedd i ddeall y modd y newidiodd y gymdeithas fugeiliol hon yn ystod y ddwy ganrif ddiwethaf i'w chael yn hanes demograffig y cwm sydd hefyd yn ein cynorthwyo i ddeall pa rai ydoedd y grymoedd cymdeithasol a benderfynodd ffurf yr hyn a ddaeth i fod a chwrs datblygiadau diweddarach. Y peth cyntaf i sylwi arno yw bod gwahaniaethau trawiadol yn natur poblogaeth dau hanner y plwyf. Ar ddechrau'r ganrif prin oedd poblogaeth rhannau Isaf ac Uchaf y plwyf a bychan fu'r twf yn ystod y chwarter canrif cyntaf fwy neu lai.[4] Tyfodd yr hanner Isaf o 137 i 207 a'r Uchaf o 95 i 188. O hynny ymlaen, gan ddechrau tua diwedd yr 1820au, daeth gwahaniaethau sylweddol i'r amlwg. Yn sydyn, cynyddodd poblogaeth hanner Isaf y cwm yn ddramatig, gan dreblu i gyfanswm o 793 yn 1831, tra na chynyddodd poblogaeth yr hanner Uchaf ond o draean (257). Yna fe ffrwydrodd niferoedd yr hanner Isaf. Rhwng 1831 ac 1841 cynyddodd ei boblogaeth i 2,132 a chyrraedd 5,421 ymhen degawd arall. Mewn hanner canrif roedd rhan Isaf y cwm wedi ennill 5,284 yn ychwaneg o drigolion, sef cynnydd o ymron 3,800 y cant dros y cyfnod ar ei hyd. Ond yn ystod yr un hanner canrif cymedrol fu twf poblogaeth y pentrefan Uchaf, o 95 yn 1801 i 653 yn 1851, cynnydd o ychydig dros 600 y cant.

Yn ystod y deng mlynedd ar hugain nesaf roedd y patrwm yn bur wahanol. Am ugain mlynedd ar ôl 1851 safodd poblogaeth pentref Cwmafan yn yr unfan, neu disgynnodd fymryn, tan ddiwedd y ganrif, pan oedd yn 5,280, ac ni chododd y niferoedd drachefn i'w huchafbwynt ym mlynyddoedd canol y ganrif tan 1901. Aeth y cynnydd rhagddo nes cyrraedd 6,201 erbyn 1921. 1861 oedd y flwyddyn a welodd boblogaeth y pentrefan Uchaf ar ei chryfaf (861); ar ôl hynny bu gostyngiad tan ddiwedd y ganrif ac yna, fel yn hanner arall y plwyf, tyfodd eto nes cyrraedd cyfanswm o 1,390 yn 1921. Dywed niferoedd y tai yn nau ran y plwyf yr un stori. Yn yr Isaf yr oedd 22 o dai yn 1801, 871 yn 1851 a 999 yn 1891. Yn y pentrefan Uchaf roedd 26 o dai yn 1801, 172 yn 1851 a 180 yn 1891. Tystiai hyn i gyd i ffyniant cynyddol, os ansicr weithiau, y plwyf yn ei grynswth, ond dynoda, hefyd, mai'r hanner Isaf, lle'r oedd pentrefi diwydiannol Cwmafan a Phont-rhyd-y-fen, a ysbardunai'r newid.

Ffaith arall a ddynodai fod newidiadau sylfaenol yn digwydd yng nghymdeithas y cwm oedd fod yr hen gymunedau amaethyddol, bugeiliol lle'r oedd ffermwyr wedi'u cysylltu â'i gilydd trwy briodas a pherthynas deuluol yn cael eu goresgyn gan fewnfudwyr. Roedd mwyafrif mawr penteuluoedd Cwmafan yn 1851 heb eu geni yn y plwyf. Daeth llawer o blwyfi cyfagos, o Aberafan, Baglan, Margam, Llangynwyd a Thregatwg, a daeth mwy hyd yn oed o siroedd Caerfyrddin a Phenfro.[5] Roedd yno ddynion o ogledd Cymru, o Sir Frycheiniog a hyd yn oed o swyddi Dorset, Caerloyw a'r orllewinwlad. Daeth un penteulu o Gibraltar! Tystiai hyn i fewnfudo ar raddfa fawr. Y mae'n amlwg fod mwyafrif y gwragedd yn y plwyf hefyd yn fewnfudwyr a thra oedd rhai dynion wedi dod â'u teuluoedd gyda hwy, dewisodd llawer ohonynt briodi â merched o blwyfi cyfagos. Yn ôl y drefn arferol ym mlynyddoedd canol y ganrif, roedd anghyfartaledd trawiadol rhwng niferoedd y ddeuryw. Yn 1851, er enghraifft, roedd 919 o fenywod i bob mil o wrywod, 944 yn 1861, ac yr oedd yr anghyfartaledd i ehangu fel yr âi'r ganrif rhagddi. Erbyn diwedd y ganrif roedd 908 o fenywod ar gyfer pob mil o wrywod.[6] Dyna ydoedd y patrwm nodweddiadol ym mhob cymdeithas a ddiwydiannwyd yn gyflym, yn arbennig felly yn ardaloedd y diwydiannau trwm lle dibynnai cynhyrchu yn bennaf ar lafur a sgiliau dynion. Dyna ydoedd y sefyllfa yng Nghwm Afan o Bont-rhyd-y-fen i waered i'r hyn a oedd erbyn canol y ganrif yn gymhlyg diwydiannol cyffelyb o ran strwythur, os nad maint, i'r rheini yn Abertawe a Chastell-nedd.

Oherwydd diwydiannu oedd y grym wrth wraidd y newidiadau hyn yn natur a strwythur cymdeithas y plwyf. Olion gorffennol llachar, ffyniannus oedd yr adfeilion y gallai'r porter ifanc eu gweld o'i lecyn manteisiol, ynghyd â'r mynyddoedd o wast ffwrneisi a gweddillion tramffyrdd, pontydd, traphontydd a dyfrbontydd yr oedd yn rhaid iddo straffaglu drostynt ac o'u cwmpas ar negeseuon i rannau anghysbell y pentref. Palimpsest oeddynt a ysgrifwyd gan y naill genhedlaeth ar ôl y llall fel ei bod bellach yn dra anodd i'w ddarllen.

Tynghedwyd Cwmafan i fod yn rhan o'r cymhlyg diwydiannol anferth hwnnw a leolwyd ar Fôr Hafren rhwng Llanelli a Port Talbot i doddi a phuro copr a metalau anfferrus eraill ac yn ddiweddarach i gynhyrchu tunplat a dur. Ond yn ystod ugain mlynedd cyntaf y ganrif dim ond y rhai mwyaf craff ac optimistig a allasai rag-weld hynny. Yn 1821, er enghraifft, dim ond 76 teulu oedd yn y plwyf cyfan, ac o'r rhain roedd 21 yn ffermio a dim ond chwech yn masnachu – sefyllfa nad oedd wedi newid fawr ddim er 1801.[7] I raddau, lleoliad oedd i gyfrif am hyn. Rhyw ddwy filltir i lawr y dyffryn o Gwmafan, roedd i

Gwaith dur Cwmafan.

Aberafan a Thai-bach yr un fantais ag Abertawe o fod wedi'u lleoli ar aber afon a rhannent gyda'r trefi diwydiannol a oedd yn codi yn y fro fanteision deuol cyflenwadau digonol o lo rhwym, cysylltiadau da â ffynonellau mwyn a'r marchnadoedd, a chyn belled ag yr oedd cloddio glo a haearn yn y cwestiwn, weithlu crefftus.[8] Eisoes erbyn blynyddoedd cynnar y ganrif roedd gweithfeydd copr a thunplat Tai-bach yn tyfu'n drawiadol, gymaint felly fel bod diwydianwyr yn prysur chwilio am gyflenwadau ychwanegol o lo a haearn mewn cymoedd cyfagos, yn gosod tramffyrdd ac yn gwella cysylltiadau'n gyffredinol.[9] Lleolwyd y ffwrnais flast gyntaf i'w chodi yng Nghwm Afan yn Oakwood, ychydig islaw pentref Pont-rhyd-y-fen ar ochr ddwyreiniol y cwm. Fe'i hagorwyd yn 1822 gan John Reynolds, a oedd yn bartner yng Ngweithfeydd Tunplat Margam, Tai-bach, a dwy flynedd yn ddiweddarach dechreuodd y ffwrnais flast lwyddiannus gyntaf gynhyrchu yng Nghwmafan. Cynhyrchid dalennau ar gyfer eu tunio yng ngweithfeydd Vigurs a Smith, sef Gweithfeydd Ynysygerwn yng Nghwm Nedd gerllaw. Yn 1825 trosglwyddwyd y gwaith tunio i Gwmafan ac felly, am y tro cyntaf, roedd gwaith tun integredig i'w gael yn y cwm. Yn 1841 fe'i meddiannwyd gan hen Gwmni'r Mwnwyr Copr (Y Cwmni Copr Seisnig), a dechreuodd cyfnod o ffyniant heb ei debyg yn hanes y gwaith. Erbyn yr 1850au roedd yn cynhyrchu tua 1,500 bocs yr wythnos a phan dorrodd y ffyrm yn 1876 prynwyd y gwaith yn ei grynswth gan gwmni newydd, Cwmni Tunplat y Mwnwyr Copr, Cyf., a ddaliodd i gynhyrchu tan 1946 pan, fel yn hanes yr holl felinau pacio eraill yn ne Cymru, y'i chwalwyd yn sgil adrefnu'r diwydiant gan y llywodraeth.[10] Erbyn yr 1840au roedd Cwmafan yn toddi haearn bwrw hefyd, un o'r unig dri gwaith haearn yn y rhandir a wnâi hynny, gan mai gefeiliau a melinau rholio mewn gwirionedd oedd y gweithfeydd haearn eraill. Prynwyd y gwaith haearn hwn gan Gwmni Dur Seimens Glandŵr yn 1889 a bu'n cynhyrchu tan 1902 pan godwyd ffwrneisi blast llawer mwy effeithiol gan gwmni dur newydd-anedig, Cwmni Dur Baldwin, yn Port Talbot.[11]

Ond toddi mwyn copr a chynhyrchu platiau copr a sicrhaodd ffyniant Cwmafan am y rhan orau o'r ganrif. Buwyd yn toddi copr yn Nhai-bach o'r 1770au ymlaen ac roedd cysylltiadau clòs rhwng y diwydiant yno ac yng Nghwmafan. Nodwedd ar y diwydiant yng Nghwmafan am y rhan orau o'i fodolaeth oedd fod y cwmnïau a oedd ynghlwm wrtho yn doddwyr haearn hefyd. Yr 'entrepreneurs' llwyddiannus cyntaf oedd Cwmni Vigurs, Batten a James a sefydlodd y ffwrneisi blast cyntaf rhwng 1838 ac 1841. Yn 1841 fe'u cymerwyd drosodd gan Gwmni'r Mwnwyr Copr (Y Cwmni Copr Seisnig) a oedd eisoes yn berchen y gweithfeydd tun. Torrodd y cwmni yn 1848 ac fe'i cymerwyd drosodd gan Fanc Lloegr a oedd i ddal gafael ynddo tan 1854 pan ffurfiwyd y Cwmni Copr Seisnig i'w redeg. Caeodd y gwaith yn ystod dirwasgiad 1875 ond ailagorodd dan berchnogion newydd yn 1881-2 a'i brynu ddwy flynedd yn ddiweddarach gan Gwmni Rio Tinto Cyf., a ddaliodd afael ynddo tan 1906 pan ddaeth y diwydiant i ben yn derfynol.[12]

Canlyniad anorfod twf y pentref diwydiannol oedd dinistr yr hen borfeydd, y ffermydd a'r gymuned o ffermwyr tenant a llafurwyr amaethyddol. Erbyn 1847, roedd dros 600 cyfer o dir – dwy ran o dair cyfanswm aceri y pentrefan Isaf – wedi eu rhoi ar les gan ystad Iarll Jersey i Gwmni'r Mwnwyr Copr. Gorweddai'r rhan fwyaf ohonynt o dan y gwahanol weithfeydd, y ffwrneisi blast a'r purfeydd, a'r tipiau wast a gynhyrchent. Roedd y mwyafrif o'r ffermydd, ar gyfartaledd dim ond rhyw ddeugain cyfer o ran maint, o Bant-du a Brynbryddan yn y de hyd at Bwll-y-glaw yn y gogledd, naill ai wedi diflannu neu wedi'u lleihau'n ddybryd o ran maint ac o ganlyniad dim ond y ffermydd ar y tir uwch i fyny, megis Tewgoed Uchaf, a oroesodd. A drwgeffeithiwyd y rhain hyd yn oed gan y tarth o'r ffwrneisi blast, y purfeydd a'r gweithfeydd tun.[13]

Defnyddiwyd peth o'r tir ar gyfer codi tai. Cartrefwyd llawer, os nad y mwyafrif o'r gweithwyr, mewn rhesi o fythynnod a godwyd ar lethrau, pur serth weithiau, Y Foel uwchlaw'r cymhlyg o weithfeydd, tipiau a thramffyrdd. Ceid rhes ar ôl rhes o dai o'r fath wedi'u taenu'n anwastad ar hyd y llethrau a thanlinellai'u henwau natur ddiwydiannol y gymuned a ddaethai i fod ar alwad y meistri: Brickyard Cottage, Colliers' Row, Finers' Row, Copper Row, Cornish Row. Gweithwyr y gwahanol weithfeydd a drigai ynddynt bron i gyd. Er enghraifft, o'r 57 penteulu yn London Row, roedd 25 yn weithwyr haearn, gweithiai naw yn y gwaith copr, roedd pump yn weithwyr tun a dau yn lowyr. Roedd yno hefyd saer, ffiter, saer melinau, gof, garddwr, gyrrwr trên, osler, dau labrwr, gweithiwr siop a gwniadyddes weddw.[14] Roedd y rhesi tai hyn, ac eraill tebyg iddynt, mewn ffaith yn rhan o'r gweithfeydd a'r prosesau diwydiannol a ddygid ymlaen yn llythrennol ar eu trothwy. Llywodraethid bywydau'r rhai a drigai ynddynt gan ofynion y gweithfeydd, mesurid oriau eu dyddiau gan ofynion y ffwrneisi a'r gefeiliau a'r melinau rholio. Ar y llaw arall, eu sgiliau a'u dyfalbarhad hwy yn wyneb gwres a pheryglon enbyd a wnâi o adeiladau a pheiriannau bethau creadigol, gan sicrhau ffyniant cymedrol, weithiau gradd uchel o ffyniant, i'r cwm. Roedd y tai yn nodweddiadol o'r hyn yr oedd diwydianwyr yn ei adeiladu mewn mannau eraill yng nghymoedd de Cymru ac yn ôl gwerthoedd y cyfnod roeddent yn gadarn, yn gynnes ac yn glyd.[15] Yn uwch i fyny'r cwm, fel ar yr ochr ddwyreiniol, roedd gwell tai, iachusach tai i'w cael, ond yn unol â'r drefn cyn dyfod trafnidiaeth gyhoeddus, trigai'r gweithwyr bron yn ddieithriad cyn agosed i'w gwaith ag y gallent. Tueddai tai'r dosbarth canol i ymbellhau oddi wrth y tawch a mwstwr y gweithfeydd ac erbyn trydydd chwarter y ganrif gwelid codi tai ar lecynnau mwy dewisol, megis fferm Ynys-y-gwas ar ochr ddwyreiniol y pentref ac ar hyd yr hen gefnffyrdd i bentref Baglan.

Fel y dangoswyd eisoes, roedd i'r datblygiadau yn y pentrefan Uchaf wedd wahanol. Yno roedd y ffermydd, ychydig dros 300 cyfer ar gyfartaledd, yn fwy eu maint ac yn fwy ffyniannus.[16] Oddi tanynt yn ogystal roedd glo a charreg haearn ac yn uwch i fyny yng nghymoedd Corrwg a Gwynfi roedd cronfeydd helaeth o lo meddal. Roedd peirianwyr glo a daearegwyr wedi darganfod yn yr 1870au fod y gwythiennau yr un â'r rhai yn Rhondda Fawr ond ni ellid elwa arnynt yn llawn oherwydd diffyg un angenrhaid, sef cludiant atebol. Canlyniad gwybod fod yno gronfeydd anferth o lo heb eu cyffwrdd oedd ymdrechion arwrol i adeiladu rheilffyrdd i gysylltu lefelydd newydd â phorthladdoedd Bae Abertawe. Agorwyd Rheilffordd Mineral De Cymru rhwng 1861 ac 1863 ar ôl trechu anawsterau anhygoel o rwystrus ond o'r diwedd sicrhawyd y ffordd fwyaf uniongyrchol i lawr drwy'r cwm o ben bwygilydd gan Reilffordd Rhondda a Bae Abertawe a ymgorfforwyd yn 1882, tasg a gymerodd dros ddwy flynedd ar bymtheg i'w chyflawni ar gost enfawr yn nannedd cystadleuwyr eraill. Erbyn diwedd y ganrif, felly, roedd dwy reilffordd yn gwasanaethu Cwm Afan ac roedd Cymer Afan yn gyffordd brysur ar gyfer teithwyr a nwyddau i'r Rhondda, Glyncorrwg ('via' y draphont ysblennydd dros geunant yr afon) ac i lawr y cwm drwy Bont-rhyd-y-fen, dros draphont odidog arall nes disgyn ar hyd yr inclein hir a serth i Gwmafan, Port Talbot ac Abertawe.

Nid dim ond arwyddocâd economaidd a masnachol oedd i ddyfodiad y rheilffyrdd hyn. Daethant â'r byd mawr yn nes a dylanwadodd hynny ar fywyd diwylliannol y bobl. Yr oedd eisoes yn gymdeithas gymysg iawn er degawdau cynnar y ganrif, gan fod diwydiannaeth wedi atynnu nifer fawr o bobl o lawer rhan o'r wlad a'r rheini'n dwyn gyda hwy ddulliau a moddau diwylliannol eu cartrefi. Fel y gwelsom, deuai mwyafrif y mewnfudwyr o'r siroedd cyfagos, yn enwedig Caerfyrddin, Penfro a Cheredigion, â'r Gymraeg yn famiaith iddynt. Mae'n bwysig nodi fod y tonnau cyntaf o fewnfudwyr wedi atgyfnerthu sail ieithyddol y diwylliant cyn-ddiwydiannol. Cyfrennid addysg grefyddol yn ysgolion Sul y cwm ym mlynyddoedd canol y ganrif bron yn gyfan gwbl trwy gyfrwng y Gymraeg.[17] Felly, capeli Cymraeg oedd capeli'r Annibynwyr yng Nghymer a Chwmafan (2) a chapeli'r Methodistiaid Calfinaidd ym Mhont-rhyd-y-fen a Chwmafan. Dysgai'r Bedyddwyr yng Nghwmafan trwy'r Gymraeg a'r Saesneg, ond Saesneg oedd unig gyfrwng y Wesleaid. Saesneg oedd unig gyfrwng hyfforddiant yr ysgol Sul a gynhelid yn Ysgol y Gwaith yng Nghwmafan.

Felly, diwylliant Cymraeg a'r Saesneg yn iaith leiafrifol o'i fewn oedd yn ymddatblygu. Y mae'n eithaf tebygol fod yr iaith lafar yn newydd yn yr ystyr ei bod yn gymysgfa o'r Gymraeg a siaredid yng nghartrefi gwreiddiol yr ymfudwyr – Cymraeg Morgannwg, gan gynnwys y trefi diwydiannol, Sir Gaerfyrddin, Ceredigion a'r holl fannau eraill y daethai pobl ohonynt. Iaith yn y broses o ymffurfio ydoedd felly, iaith a adwaenid yn ddiweddarach fel Cymraeg Cwmafan neu Bont-rhyd-y-fen. Gall mai'r cymathu hwn sy'n cyfrif i raddau fod i'r llefydd hyn ers tro enw fel cadarnleoedd diwylliant dosbarth-gweithiol Cymraeg. Ni ellir bod yn sicr pa un oedd iaith y gweithle. Cymraeg oedd iaith y cymunedau amaethyddol cyn-ddiwydiannol, a mwy na thebyg mai Cymraeg oedd iaith y ffas lo a'r gwaith tun, tra siaredid y ddwy iaith yn y gweithfeydd toddi a'r gefeiliau. Yn sicr, byddai'n rhaid i reolwyr, asiantwyr a swyddogion eraill wrth wybodaeth ymarferol o'r Saesneg a phwysleisiai'r Cwmni Copr Seisnig, a sefydlodd ysgolion yn y gweithfeydd haearn yng Nghwmafan ac Oakwood, fanteision ymarferol medru'r Saesneg trwy fynnu fod bechgyn a gyflogid ganddynt wedi dysgu Saesneg yn Ysgol y Gwaith.[18] Câi'r mewnfudwyr o Loegr, tra nad oeddent yn niferus, eu cymathu gan ddiwylliant y mwyafrif; fe gâi'r mewnfudwyr o Gernyw, mae'n siŵr, gysur ieithyddol yn eu capel Wesleaidd. Hwyrach fod mwyafrif y siaradwyr Cymraeg yn deall manteision dwyieithrwydd a than chwarter olaf y ganrif ni phoenent yn ormodol am gynnydd y Saesneg. Dangosodd Cyfrifiad 1891 fod 2,069 (70.3 y cant) o wrywod dros dair oed allan o gyfanswm o 2,944 yng Nghwmafan yn ddwyieithog, ac 1,990 (70.5 y cant) o fenywod allan o gyfanswm o 2,824. Roedd 319 (10.8 y cant) o wrywod a 359 (12.7 y cant) o fenywod yn uniaith Gymraeg, a 459 o wrywod a 404 o fenywod yn uniaith Saesneg. Yn y pentrefan Uchaf, allan o gyfanswm o 669 gwryw dros dair oed roedd 393 (58.7 y cant) yn ddwyieithog, a'r un modd 388 (60.6 y cant) o fenywod allan o gyfanswm o 640. Roedd 81 gwryw (12.1 y cant) a 72 benyw (11.2 y cant) yn uniaith Gymraeg.[19] Mae'n anodd gwybod faint o goel i'w roi ar yr ystadegau hyn ond ymddengys eu bod yn dynodi fod y Gymraeg ar ei chryfaf yn rhannau amaethyddol y plwyf ond fod sefyllfa gymharol y ddwy iaith yn nwy ran y plwyf yn newid er colled i'r Gymraeg.

Nid yw hyn yn syndod. Saesneg oedd iaith rheoli diwydiant a

busnes. Yr oedd felly'n iaith grym a gellid ymarfer y grym hwnnw, ac fe wneid, mewn modd a danseiliai fri a defnyddioldeb y Gymraeg. Yng Nghwmafan, fel ym Merthyr Tudful a mannau cyffelyb yn ne Cymru, yr oedd rhaid dysgu Saesneg er mwyn 'dod mlân yn y byd' ac nid oes sôn am Gymry uniaith yn llenwi swyddi o bwys. Byddai hynny'n annerbyniol gan y meistri a gellid bob amser gyfiawnhau'r angen i beidio â'u cyflogi am resymau pragmataidd ac utilitaraidd. Ond bu'n foddion i blannu'r gred fod y Gymraeg yn cadw'r Cymro 'dan yr hatsus'. Mewn ffaith, wrth gwrs, nid y Gymraeg a'i caethiwai yn gymaint â'r gyfalafiaeth ddiwydiannol yr oedd meistri haearn Cwmafan a'r toddwyr copr yn ei hymgorffori'n berffaith.

Cadarnhawyd rhagoriaeth y Saesneg gan yr addysg a gyfrennid i'r plant. Ysgol Saesneg oedd Ysgol Gwaith Haearn Cwmafan a sefydlwyd yn 1845 gan Reolwr a Chwmni'r Mwnwyr Copr yn Lloegr. Dysgid y plant drwy'r Saesneg a defnyddid llyfrau Saesneg. Dysgent yr Ysgrythur, darllen, ysgrifennu ar lechi a phapur, daearyddiaeth, hanes a gramadeg Saesneg a cherddoriaeth leisiol.[20] Y mae'n amlwg mai prif, os nad unig bwrpas yr ysgol oedd hyfforddi plant ar gyfer eu cyflogi yn y Gwaith, a dyna a benderfynai'r cwricwlwm. Sylwodd yr arolygwr fod llai o ferched nag o fechgyn yn yr ysgol, eu bod yn gadael yn gynt a bod eu gafael ar y Saesneg yn wannach na'r bechgyn.[21] Tynnwyd ceiniog o bob punt o gyflogau'r gweithwyr i gynnal yr ysgol. Perthynai pedair ysgol i'r Cwmni, sef Ysgol Gwaith Cwmafan, Pont-rhyd-y-fen, Bryn ac Ysgol y Babanod, Tymaen ac roedd ynddynt gyfanswm o 1,200 o ddisgyblion yn 1873 a 1,500 yn 1880. Felly, roedd y ddarpariaeth yng Nghwm Afan yn rhagori ar bron bob cylch diwydiannol arall yn ne Cymru a châi cyfran fawr o'r plant addysg dda. Os oedd yn chwith gan yr Anghydffurfwyr nad oedd Ysgol Frytanaidd ar gael i'w plant hwy, arnynt hwy'n unig yr oedd y bai. Pan oedd y Gwaith Copr yn nwylo Banc Lloegr a than reolaeth Mr. Biddulph, Anglicanwr pybyr a phatrwm o dadofalwr, gwnaed ymdrech i orfodi'r disgyblion i fynychu gwasanaethau'r eglwys ar y Sul neu, fel yr ysgrifennodd rhywun, 'i wneud tipyn o wasanaeth i'r Church of England yn gystal â'r Bank of England'.[22] Aeth yr anghydfod yn 'cause célèbre' yn 1852 pan roes yr Anghydffurfwyr, dan arweiniad dylanwadol gweinidog yr Annibynwyr, Y Parchg. Edward Roberts, gryn gyhoeddusrwydd iddo yn y Wasg Saesneg a

Chymraeg.[23] Fe fu olynydd Biddulph, Mr. Gilbertson, a oedd yntau'n Anglicanwr, yn ddigon hirben i ymatal rhag gweithredu mor drahaus â'i ragflaenydd. Nid yw'n glir ai prawf oedd hynny o argyhoeddiadau rhyddfrydig y perchnogion neu o ganlyniadau pwyso gan gyrff crefyddol.

Un peth sy'n glir yw fod crefydd ffurfiol yn chwarae rhan gynyddol ddylanwadol yn y cymunedau a oedd ar eu prifiant yn y cwm. Roedd eglwys bigfain y plwyf, a godwyd yn lle hen adfail eglwys wreiddiol Mihangel Sant yn 1855 gyda rheolwr y Cwmni Copr yn ysgwyddo baich tryma'r costau,[24] yn sicr yn tynnu sylw edmygus y gymuned er gwaetha'r cyferbyniad od rhwng ei hystum a'i safle rhwng tipiau a thramffyrdd diwydiannol. Mae'n rhaid fod ei meindwr uchel yn ymddangos yn ychwanegiad egsotig braidd at bentref heb fod yn nodedig am ansawdd ei adeiladau. Yn 1851, pan gynhaliwyd y Cyfrifiad Crefyddol, roedd yr hen eglwys yn cael ei hatgyweirio a barnwyd fod yr adeilad a ddefnyddiwyd yn ei lle yn rhy fychan i gynnwys mwy na 355 o bobl. Eto i gyd, cofnodwyd fod 150 o addolwyr a 236 o ddisgyblion yn y gwasanaeth boreol, 83 yn y prynhawn (hwyrach yn yr Ysgol Sul) a 115 o addolwyr a 127 o ddisgyblion yn y gwasanaeth hwyrol. Fel arfer, cynhelid pedwar gwasanaeth pob Sul, un ohonynt yn Gymraeg dan ofal y curad arhosol a'i gurad cynorthwyol. Roedd incwm net y fywoliaeth yn £112.[25]

Ond yr Anghydffurfwyr a ddominyddai fywyd crefyddol y cwm. Roedd y capeli fel petaent wedi'u gwreiddio yn eu hamgylchfyd, hwyrach oherwydd pan godwyd hwy gyntaf eu bod mewn cytgord ag arddulliau adeiladu'r fro. Yn 1851 roedd yno chwe chapel, dau gan yr Annibynwyr, un yr un gan y Bedyddwyr, y Methodistiaid Calfinaidd a'r Wesleaid Saesneg, ac addolai cynulleidfa o Fethodistiaid Cyntefig mewn tŷ cyfnewidiedig yn Stryd Pelly. Yn ôl y Cyfrifiad, mynychodd 1,595 o bobl wasanaethau'r bore, 2,145 gwasanaethau'r hwyr a 932 yr Ysgolion Sul.

A bwrw bod y ffigurau hyn yn ddibynadwy, roedd cyfanswm o 1,735 wedi mynychu gwasanaethau'r bore mewn wyth addoldy, a 2,260 gwasanaethau'r hwyr. Rhifai poblogaeth Cwmafan 5,421 yn 1851, fel mai teg yw casglu fod ymron hanner y boblogaeth gyfan wedi mynychu gwasanaethau'r hwyr, a chanran tipyn yn llai gwasanaethau'r bore. Roedd yng nghapel Methodistiaid Calfinaidd

Pont-rhyd-y-fen yn y pentrefan Uchaf a wasanaethai boblogaeth o 653, gynulleidfa o 160 yn y bore, 180 yn yr hwyr ac Ysgol Sul o 190. Roedd lle yn y capel i o leiaf 738 o bobl, hynny yw, cant yn fwy na phoblogaeth gyfan y pentref.[26]

Yn gymharol ddiweddar y codwyd y capeli hyn. Adeiladwyd Seion (A) a chapel Pont-rhyd-y-fen (MC) yn 1822 ac 1826, yr union adeg yr oedd y diwydiant haearn yn cael ei sefydlu ym Mhont-rhyd-y-fen a Phant-du yn nau begwn y plwyf. Codwyd Tabernacl (MC) ym mhentref Cwmafan yn 1837-8 a chapel Y Rock yn 1839. Yn y degawd dilynol adeiladodd y Bedyddwyr Penuel yn 1844 ac addasodd y Methodistiaid Cyntefig eu hanedd-dy yn 1844 – ill dau yn y pentref. Roedd codi dau gapel ym mhob un o dri degawd olynol yn gryn gamp a rhaid bod eu presenoldeb solet, urddasol ymysg y simneiau myglyd a'r tai iselradd wedi llanw eu haelodau â balchder a diolchgarwch.

Canlyniad oedd y twf hwn i genedlaethau o addoli tawel a gofalus mewn tai annedd, ysguboriau ac, yn achos Y Rock, ystafell mewn tafarn – y Rock and Fountain ym Mhwll-y-glaw – a roes ei enw i'r capel. Buasai'r rhan hwn o Forgannwg yn gadarnle Ymneilltuaeth er yr Adferiad a Deddf Unffurfiaeth 1662 a yrrodd lawer o'r prif glerigwyr piwritanaidd o'u bywoliaethau. Amgylchynwyd plwyf Llanfihangel-ynys-Afan gan lefydd y mae eu henwau yn atsain yn hanes Anghydffurfiaeth. Ychydig filltiroedd i ffwrdd yr oedd Brynllywarch yn Llangynwyd, lle cadwai Dr. Samuel Jones ei academi ar ôl ei gau allan o eglwys y plwyf yn Llangynwyd. Wrth ymyl roedd Baglan lle bu Robert Thomas yn gwarchod 'the outlying entrenchments of the Swansea society with marvellous tenacity', chwedl Thomas Richards.[27] Ychydig ymhellach i'r gorllewin yr oedd Castell-nedd, un o ganghennau cynnar mwyaf llwyddiannus y Bedyddwyr yng ngorllewin Morgannwg ac ychydig i'r gogledd yr oedd Glyncorrwg lle parhâi traddodiad cryf o Ymneilltuaeth radical. Daliai'r hen geyrydd Ymneilltuol amgylchynol hyn – 'fel pedair girder oddi amgylch y plwyf hwn yn sicrwydd i'w ddiogelwch a'i amddiffynfa grefyddol'[28] – i roi arweiniad crefyddol, a gallai Anghydffurfiaeth Cwmafan olrhain ei thras yn uniongyrchol i un neu fwy ohonynt. Bethania, Castell-nedd, a sefydlwyd yn 1650, oedd mam-eglwys y Bedyddwyr yng Nghwmafan a fu'n cwrdd i addoli o 1823 ymlaen mewn ffermdai – Ynys Dafydd, Ynysafan, Ynys-y-Gwas a thai preifat eraill, tan eu bod yn ddigon lluosog i adeiladu'r Penuel cyntaf yn 1844.[29] Erbyn 1850 roedd yr aelodaeth yn 400, 192 ohonynt wedi'u bedyddio'r flwyddyn honno yn yr afon – Afon Iorddonen yr ardal[30] – ac erbyn 1855-6 roedd yn rhy fychan i'r gynulleidfa ac fe'i hailadeiladwyd. Ynghyd â'r festri a ychwanegwyd deng mlynedd yn ddiweddarach roeddent wedi gwario £2,000 ar eu lle addoli. Deng mlynedd ar hugain yn ddiweddarach adeiladwyd Tabor, cangen o Benuel, am gost o £6-7,000.

Perthynai'r eglwysi Annibynnol i'r un clwm o gynulleidfaoedd Ymneilltuol â'r Bedyddwyr, a'r un oedd patrwm eu twf. Y fam-eglwys oedd Maes-yr-haf yng Nghastell-nedd, yr eglwys Anghydffurfiol hynaf yn y rhan hwnnw o'r sir,[31] a dibynnai'r nifer fechan o Annibynwyr yn y plwyf a fyddai'n cwrdd i addoli yn nhai a ffermydd ei gilydd ar weinidogion Maes-yr-haf yn bennaf am gymorth a nodded. Erbyn Mai, 1821, roedd cynulleidfa gyson wedi'i sefydlu a gweinidog wedi'i benodi. Adeiladwyd Seion, y capel cyntaf, tair blynedd yn ddiweddarach.[32] Mab amlycaf Seion oedd y Parchg. William Hopkyn Rees (1859-1924), y cenhadwr a'r ysgolhaig Tsieineaidd a adolygodd y cyfieithiad Mandarin o'r Beibl ynghyd â Timothy Richard, ac a benodwyd i gadair Tsieinëeg ym Mhrifysgol Llundain ar ei ymddeoliad o'i waith cenhadol.[33] Yn ôl Cyfrifiad Crefydd 1851 yr oedd 424 yn bresennol yn y gwasanaeth boreol, 610 yn yr hwyr a 282 disgybl a 44 athro (mae'n rhaid) yn y prynhawn.[34]

Capel Y Rock oedd yr eglwys Annibynnol arall. Nid oedd yn anarferol i gynulleidfaoedd gobeithlon ddefnyddio ystafelloedd hir mewn tafarnau i gynnal gwasanaethau, arfer na chondemniwyd tan i'r ymgyrch yn erbyn y ddiod lwyddo i wneud sobrwydd yn ganolog i'r ddelwedd Anghydffurfiol o barchusrwydd.[35] Yn yr achos hwn ymddengys fod y Rock and Fountain wedi peidio â bod yn dafarn cyn y dechreuwyd ei ddefnyddio ar gyfer cyrddau gweddi a gwasanaethau'r Sul yn 1838. Daethai'r bobl fwyaf dylanwadol wrth gefn y fenter newydd hon i Gwmafan o Gastell-nedd, lle buasent yn aelodau yng nghapel Annibynnol Soar, a chawsant gymorth rhai o aelodau Seion. Y mae'n gwestiwn a oedd Y Rock yn ferch-eglwys i Soar, Castell-nedd neu Seion, Cwmafan.[36] Agorwyd capel bychan, moel yn Awst, 1839,[37] ac yn sgil twf yr achos ychwanegwyd oriel yn 1849. Yna, yn dilyn y cynnydd mawr mewn aelodau yn ystod diwygiad y flwyddyn honno, adeiladwyd capel newydd Bethania, ar leoliad newydd yn Nhymaen, lle'r oedd anheddiad sylweddol. Ugain mlynedd yn ddiweddarach bu'n rhaid codi capel newydd yno i ateb y cynnydd pellach ac fe'i hagorwyd yn 1870.[38] Yn ôl Rees a Thomas, roedd gan y tri chapel Annibynnol rhyngddynt 809 o aelodau a 604 o blant a gwrandawyr yn 1890.[39]

Y tri chapel arall oedd Tabernacl, y Methodistiaid Calfinaidd Cymraeg, capel Saesneg y Wesleaid a'r Methodistiaid Cyntefig. Felly, cynrychiolid y tri thraddodiad Methodistaidd gwahanol yng Nghwmafan. Roedd y gwahaniaethau amlycaf rhwng y Methodistiaid Calfinaidd a'r Wesleaid ar dir diwinyddiaeth ac iaith, a changen oedd y Methodistiaid Cyntefig o Gynhadledd wreiddiol y Methodistiaid Wesleaidd gan iddynt dorri'n rhydd yn 1811 nid yn gymaint am resymau diwinyddol ag oherwydd eu hanfodlonrwydd â'r dull unbenaethol o reoli a fabwysiadwyd gan yr 'elite' Wesleaidd – yn arbennig felly eu hamharodrwydd i oddef unrhyw ffurf ar lywodraeth ddemocrataidd. Roeddent felly wedi mabwysiadu ffurf fwy radical ar Wesleaeth a pherthynai'r aelodau fel arfer i'r dosbarthiadau tlotaf.

Tabernacl oedd y capel Methodistaidd mwyaf poblogaidd yn y pentref a thrwy gydol hanes crefydd Cwm Afan ef oedd y cryfaf o ran nifer yr aelodau a'r gwrandawyr. Fel yr oedd yr Annibynwyr a'r Bedyddwyr yn falch o'u tarddiad Ymneilltuol a'r cysylltiadau yr hoffent eu holrhain rhyngddynt hwy a'u sefydlwyr arwrol yn yr ail ganrif ar bymtheg, felly yr oedd y Methodistiaid Calfinaidd yn trysori eu hanes cynnar hwy a'r traddodiadau a'u cydiai wrth y dechreuadau cynharaf ym Margam, Llangynwyd a Gyfylchi.[40] Yn 1851, tair blynedd ar ddeg ar ôl ei sefydlu, gallai ymffrostio mewn cynulleidfa, ar gyfartaledd, o 250 yn y bore a 320 yn yr hwyr. Yn 1898 roedd ganddo 404 o aelodau llawn, 210 o blant, cyfanswm o 420 yn yr Ysgol Sul, a 700 o wrandawyr. Yr oedd yn adeilad eang, hardd ac ynddo le i 800 eistedd, ac yr oedd ei ymddangosiad mewn man dyrchafedig uwchben y 'Gweithie' hwyrach yn tystio'n huawdl i'r berthynas eironig rhwng gwaith ac addoliad y dywedid ei bod yn nodweddiadol o'r drefn drefol, ddiwydiannol Gymreig.

O ran eu haelodaeth a'u blaenoriaid/diaconiaid roeddent yn sefydliadau dosbarth-gweithiol digamsyniol am y rhan orau o'r bedwaredd ganrif ar bymtheg, er yn amlwg na wnaethant ddenu holl aelodau'r dosbarthiadau gweithiol nac apelio'r un fel at yr holl amrywiol haenau yn y dosbarth gweithiol: roedd ym mhobman weddill apathetig a di-hid ac eraill a oedd o ran ideoleg yn elyniaethus i'r capeli fel sefydliadau. Nid tan ddiwedd y ganrif y dechreuodd gwahaniaeth dosbarth pendant rhwng trwch yr aelodau a'r 'Sêt Fawr' ei amlygu ei hun, a'r pryd hwnnw nid oedd y gwahaniaethau dosbarth yn ddigon rhwth i elyniaethu cynulleidfaoedd cyfan. Fel ym mhob anheddiad diwydiannol bu agor pyllau a mentrau diwydiannol eraill yn foddion i ddenu siopwyr ac amrywiol fasnachwyr, ac ymhen dim wŷr proffesiynol megis athrawon, asiantwyr a chyfreithwyr i ateb gofynion y cymunedau newydd. Yn ddieithriad, dynion o'r egin ddosbarthiadau canol hyn oedd â'r sgiliau gofynnol i reoli'r capeli. Roedd hynny'n arbennig o wir pe digwyddai i berchnogion a rheolwyr y gweithfeydd fod heb unrhyw ddiddordeb mewn materion o'r fath neu pe byddent, fel roeddent yng Nghwm Afan, heb gydymdeimlad â chrefydd eu gweithwyr a'u teuluoedd neu hyd yn oed yn elynion iddi. Felly roedd gafael awdurdodol crefydd yn gyffredinol, ac Anghydffurfiaeth yn arbennig felly, ar y bobl yn fynegiant o undod moesol y gymuned.

Y mae'n amhosibl gorbwysleisio dylanwad creadigol y capeli hyn ar eu cymunedau. Roeddent yn Gymreig yn y bôn ac yn eiddigus o'r enw a oedd iddynt fel canolfannau diwylliant Cymraeg – enw yr oeddent yn benderfynol o'i gadw. Dirymai, neu o leiaf amodai eu hysgolion Sul, y Seisnigo a fygythiai'u boddi yn gyson. Roeddent i gyd, gan gynnwys Tabernacl, yn barod i gynnwys yng nghalendar eu digwyddiadau wythnosol, misol a blynyddol, weithgareddau o natur mwy seciwlar, megis y darlleniadau ceiniog y dibynnai cynifer o bobl arnynt am wybodaeth gyffredinol. Yn arbennig, erbyn trydydd chwarter y ganrif, daethai'r cwm yn enwog yn rhinwedd ei fwrlwm cerddorol, gyda phob capel yn perfformio'n falch gantatas ac oratorios, rhai ohonynt yn weithiau pur anodd. O'u clywed rhaid oedd rhyfeddu sut y gallai'r cynulleidfaoedd Protestant digymrodedd hyn ganu offeren, boed Gatholig neu Lutheraidd, mor ddeallus ac â'r fath fwynhad, neu berfformio oratorios Handel a Mendelssohn mor feistrolgar neu ymglywed mor berffaith â chywreindeb Elgar a chyfansoddwyr cyfoes eraill, tra'n dal o hyd i fod yr un bobl gyffredin a drigai yn y rhesi bythynnod hynny ac a weithiai yng nghanol mwg a mwstwr peiriannau.[41] Roedd diwylliant cerddorol y cwm felly yn dra chyfoethog.

Dywedodd J. Spencer Curwen, mab y tafodog diflino dros y Tonic Sol-ffa a cherddor da yn ei hawl ei hun fod y gân mewn cymanfa ganu y bu ynddi yng Nghwmafan yn mynd yn syth i'r galon 'and plays upon the spirit like the sound of a storm or cataract.[42] Roedd swydd arweinydd y gân, a darddodd o'r codwr canu yn negawdau cynnar y ganrif, yn un gyfrifol iawn a ymwnâi â phob agwedd ar fywyd cerddorol y capel, gan gynnwys dysgu, rihyrsio ac arwain côr y capel. Mewn gair ef (odid fyth hi), oedd y cyfarwyddwr cerdd. Nid oes rhyfedd fod i ddeiliaid y swydd gymaint braint a bri. Nid anfynych y cynhyrchodd y diwylliant crefyddol, eisteddfodol hwn gerddorion tra dawnus. Un felly oedd David John Thomas (1881-1928), neu Afan Thomas fel y carai gael ei adnabod. Roedd gan gerddorion cyfoes feddwl uchel iawn ohono ac ysgrifennai beirdd, megis Watcyn Wyn, 'librettos' iddo gyfansoddi cerddoriaeth iddynt. Un o ddisgyblion Dr. Joseph Parry ydoedd, ac fel ei athro ymroes i gyfoethogi diwylliant cerddorol ei bobl, gan ysgrifennu caneuon niferus, cerddoriaeth offerynnol ac, yn arbennig, emyn-donau y clywir canu rhai ohonynt hyd heddiw.[43]

Ac wrth gwrs, cynhelid eisteddfodau. Roedd gan bob capel, o ganol y ganrif ymlaen, ei eisteddfod flynyddol. Hysbysebid hwy yn y wasg leol a'r misolion enwadol a dôi cystadleuwyr o bell ac agos. Fel arfer, cyhoeddid y cerddi a'r gweithiau rhyddiaith arobryn, ac yn y modd hwn creai'r bobl 'elite' ohonynt eu hunain, gan anrhydeddu'r rhai yn eu plith a oedd yn fwy dawnus na'r cyffredin a gosod safonau y gallai eraill anelu atynt a thrwy hynny sicrhau fod rhagoriaeth o'r fath yn cael ei gydnabod a'i wobrwyo.[44] Felly anogid rhai i ddarllen a chrewyd 'clientele' ar gyfer yr ystafell ddarllen a Neuadd y Gweithwyr (Mechanics' Hall).[45] Sefydlwyd Neuadd Gweithwyr Cwmafan yn Ebrill, 1839, dan nawdd Mr. Biddulph, y cymwynaswr y cyfeiriwyd ato eisoes. Sicrhaodd hanner cant o aelodau i gychwyn a chyfanswm o 74 erbyn 1851, pymtheg ohonynt yn fenywod. Roedd ynddi lyfrgell yn cynnwys 786 o lyfrau ac roedd hanes a gwyddoniaeth ymhlith y pynciau a astudid.[46] Yn 1864 ffurfiwyd Cymdeithas Lenyddol Cwmafan a 'Penny Reading' a Chymdeithas Ddadlau yr un flwyddyn.[47] Yn ôl y drefn arferol, dibynnai sefydliadau addysgol o'r fath i'r dosbarth gweithiol yn drwm ar gefnogaeth gwŷr busnes lleol, yn enwedig meistri haearn a chynhyrchwyr, ac yr oedd yn un o'r dulliau y gallai meistr feithrin gweithlu deallus a chydweithredol. Fel arfer, cefnogent y capeli a'r cymdeithasau cyfeillgar yr un fel, ac am yr un rhesymau, fel dulliau cyfleus a thra effeithiol o reoli cymdeithas. Felly, roedd Biddulph yn ymddwyn yn unol â safbwyntiau tadofalol mwyaf goleuedig ei gyfnod ac yr oedd yn nodweddiadol iddo fuddsoddi mewn ystafell yn hytrach na gweld cystal sefydliad ar drugaredd tafarn – penderfyniad doeth a oedd yn unol ag argymhelliad Cofrestrydd Cyffredinol y Cymdeithasau Cyfeillgar.[48]

Sefydlwyd y gymdeithas gyfeillgar gyntaf (The Union Society) yng Nghwmafan yn 1794. Erbyn trydydd chwarter y ganrif, fodd bynnag, perthynai niferoedd lluosog o ddynion a thipyn llai o fenywod, i'r prif Urddau. Y fwyaf ohonynt oedd Urdd Annibynnol yr Odyddion, Undeb Manceinion. Roedd gan yr Odyddion 2,105 o gyfrinfeydd yng Nghymru mewn 54 dosbarth. Roedd 330 o gyfrinfeydd ym Morgannwg yn unig, pump ohonynt yn cwrdd mewn gwahanol dafarnau yng Nghwmafan, ac yn hynny o beth adlewyrchai'r pentref safle'r Gymdeithas yng nghrynswth de Cymru lle roedd ganddi rhwng un ar bymtheg a deunaw mil o aelodau.[49] Pennaeth Undeb De Cymru y pryd hwn oedd yr enwog Ddr. Thomas Price, gweinidog y Bedyddwyr yn Aberdâr a etholwyd yn Is-lywydd yr Urdd yn 1864 ac yn Uchel Feistr (Grand Master) yn 1865, yr unig Gymro i'w anrhydeddu yn y modd hwn. Yr oedd yn ogystal yn aelod brwd o'r Iforiaid, y bu'n llywydd iddynt yn 1859, ac yr oedd y Gwir Iforiaid, yr unig Urdd Gymreig, hwythau'n gryf yng Nghwmafan ac yn perthyn i Ddosbarth Cwmafan a Chastell-nedd.

O drydydd chwarter y ganrif ymlaen ymgysylltai'r undebau llafur â mudiad y cymdeithasau cyfeillgar. Erbyn yr 1870au cynnar roedd y glowyr yn ymaelodi wrth y miloedd â'r Amalgamated Association of Miners a sefydlwyd yn swydd Gaerhirfryn yn 1869. Bu streiciau 1873-4 ac 1875 yn angau i'r AAM a'r undebaeth effeithiol a gynrychiolai am chwarter canrif ac o'r llanastr daeth math o gysylltiadau diwydiannol a oedd i bob pwrpas yn unigryw i dde Cymru – sef y Raddfa Symudol (Sliding Scale) y cysylltir enw William Abraham (Mabon) â hi. Fe'i ganed ef yng Nghwmafan yn 1842 a'i addysgu yn Ysgol y Gwaith cyn dechrau'n löwr yn bedair ar ddeg oed. Ar ôl symud i gylch Abertawe cafodd waith yn swyddog i'r AAM ac yn ddiweddarach yn asiant i Undeb Cenedlaethol y Glowyr yn Nosbarth Rhondda.[50]

Byddai'n amhosibl gorbwysleisio dylanwadau ei blentyndod a'i fagwraeth yng Nghwmafan ar Mabon a'r math o drefn ddiwydiannol y bu'n bennaf gyfrifol am ei chreu yn niwydiant glo de Cymru. Yn gyntaf, dylanwad crefydd. Wedi'i fagu gan fam ddwys-grefyddol, cafodd ei addysg grefyddol yn y Tabernacl, lle, yn ifanc iawn, y daeth yn arweinydd y Gobeithlu ac yn athro Ysgol Sul. Roedd yn gôr-feistr medrus ac arweiniodd gôr Y Rock yn llwyddiannus mewn gwyliau lleol. Priodolai ei lwyddiant bydol i'r hyfforddiant a gawsai yn y Tabernacl fel siaradwr cyhoeddus ac yn wir roedd yn enwog fel areithydd ym mhobman, yn ogystal ag am ei allu, pan fethai â pherswadio, i ddefnyddio'i lais tenor croyw i wneud iawn am ei ddiffyg. Yn ail, darpariaeth y Cwmni Copr ar gyfer gwella addysg eu gweithwyr. Rhoes yr ystafelloedd darllen a Neuadd y Gweithwyr gyfle iddo ddarllen yn ehangach nag a fuasai'n bosibl iddo hebddynt ac i wrando ar bobl addysgedig ac ysgolheigion yn darlithio ar bynciau na ddaethai fel arall o fewn ei glyw. Y mae'n deg dyfalu mai yn llyfrgell Neuadd y Gweithwyr y dechreuodd feistroli syniadau cyfoes am natur yr economi a chymhwyso'i ddaliadau crefyddol cadarn at economeg wleidyddol.

Oherwydd hanfod y Raddfa Symudol yr oedd ef yn brif dafodog drosti ar ochr y glowyr oedd bod cytgord rhwng cyfalaf a llafur a bod anghytundeb rhyngddynt i'w setlo drwy gyflafareddiad yn hytrach na grym. Gan mai'r farchnad, nad oedd gan y naill ochr na'r llall reolaeth drosti, a benderfynai brisiau torri glo, rhaid oedd derbyn ei hanwadalwch yn un o ffeithiau bywyd a chymwyso cyflogau yn ôl ei symudiadau. Eisteddodd Mabon a'i gyd-undebwyr gyda William Thomas Lewis, Y Maerdy – archgyfalafwr y maes glo – i gytuno ar union dermau'r cytundebau rhwng y meistri glo a'r undeb, a chredid y dôi heddwch o lynu wrthynt. Y mae'n ddiamau fod magwraeth Mabon yng Nghwmafan dan drefn ddiwydiannol dadofalol wedi'i gyflyru i gredu mai hon oedd y system fwyaf cyfiawn y gellid ei dyfeisio; fe'i magwyd i ymddiried yn Biddulph ac roedd cyflafareddu yn well na helynt. Ar y maes diwydiannol cyfatebai hyn i ymdrechion Henry Richard i arfer cyflafareddiad yn ddull o setlo ymrafaelion cydwladol.[51] Roedd trefn o'r fath yn atgas yng ngolwg arweinwyr y prif undebau eraill yn y maes glo, ond bu'r dynion yn driw i Mabon a'r Raddfa Symudol tan ymron ddiwedd y ganrif.

Roedd yr un peth yn wir hefyd am y gweithwyr tunplat. Brodor o Gwmafan oedd eu harweinydd hwythau, William Lewis (Lewis Afan), ac ymdebygai'r drefn a luniodd ar gyfer y gweithwyr tunplat i undeb Mabon, yn enwedig o ran yr athroniaeth waelodol a wfftiai ac a geisiai ymwrthod ag ysbryd milwriaethus. Yn draddodiadol, ymunai'r gweithwyr tunplat â'r gweithwyr haearn, ond yn Abertawe a'r gorllewin ffurfiasant eu hundeb eu hunain, sef Cymdeithasfa Annibynnol y Gweithwyr Tunplat. Lewis Afan oedd yr ysgrifennydd ac erbyn 1871 rhifai'r aelodau dros bedair mil ac ymddangosai'n ddigon cryf i herio'r meistri â chais am gyflog unffurf â chyflogau gweithwyr tunplat mewn mannau eraill. Parhaodd y streic a ddilynodd am ddeufis ond fe'i setlwyd heb unrhyw drafod â'r undeb. Gwthiwyd Lewis Afan o'r neilltu gan y dynion yn ogystal â'r meistri. Y mae lle i gredu petai'r dynion wedi ennill y byddai Lewis wedi dadlau dros drefn rhwng meistr a gweithiwr gyffelyb i'r Raddfa Symudol yn y diwydiant glo. Fodd bynnag, roedd yn gamp arwyddocaol ar ran Lewis i greu'r undeb yn y lle cyntaf a rhoi cyfle i ddynion ymgyfarwyddo â'r manteision a allai ddeillio o berthyn i gorff o'r fath. Parhaodd tan 1887 pan ddaeth i ben gyda marw Lewis Afan.[52]

Serch hynny, bu degawdau canol y ganrif hyd at 1890 yn flynyddoedd llewyrchus i Gwmafan. Nid oedd y diwydiant copr eto'n methu er bod arwyddion fod ei ddyddiau wedi'u rhifo yn ôl fel yr ymehangai gweithfeydd mwy cystadleuol mewn mannau eraill yn y rhanbarth neu fel yr aent dramor. Dechreuwyd synio fod Cwmafan yn bell oddi wrth y canolfannau cynhyrchu. Ffynnai'r diwydiant tunplat, fodd bynnag, yn fwy nag erioed. Erbyn yr 1880au roedd gan ddiwydiant tunplat de Cymru fonopoli llwyr ymron o'r farchnad fyd-eang ar adeg o alw cynyddol, a chyfranogai Cwmafan o'r ffyniant hwn. Ac yna, yn sgil Tariff McKinley a ddaeth i rym ym mis Gorffennaf 1891, daeth y wasgfa. Rhwng 1895 ac 1900 llethodd y dirwasgiad y diwydiant yn llwyr ac ni bu adferiad tan yn hwyr yn y ddegawd newydd.

Erbyn hyn roedd gwedd hen-ffasiwn i ddiwydiannau trwm Cwm Afan. Roedd haearn, dur a thunplat yn symud i'r arfordir a dynesai diwedd cyfnod. Ond roedd hanes diwydiannol y cwm hefyd yn ailadrodd yr hyn a oedd yn digwydd mewn mannau eraill yn y cymoedd lle roedd diwydiant trwm wedi datblygu, sef twf y diwydiant glo yn brif gyflogwr llafur. Fel y gwelwyd eisoes, roedd i ddau ran y cwm economïau gwahanol a chyn gynted ag y crëwyd system reilffordd effeithiol blagurodd rhan ucha'r cwm. Tyfodd Cymer Afan, Glyncorrwg a Blaengwynfi yn syfrdanol o gyflym. Erbyn 1875 aethai Glyncorrwg yn ddosbarth trefol dan Ddeddf Iechyd Cyhoeddus y flwyddyn honno. Roedd yr un peth yn digwydd yng Nghymer Afan a oedd yn egino'n 'el dorado' wrth i byllau newydd agor yn Cynonville a Dyffryn Rhondda yn 1900. Roedd cyflogau'n dda ac roedd pobl yn ddigon gobeithlon i aros yn yr ardal hyd yn oed pan glafychai'r economi, fel y gwnaeth yn 1908-1916. Erbyn 1921 rhifai poblogaeth Glyncorrwg ymron 11,000 pan oedd poblogaeth Cwmafan ychydig dros 6,000. Symudasai canolbwynt yr economi o Gwmafan. Roedd y rhan orau o'i ddiwydiant trwm, ac eithrio tunplat, wedi pallu a rhan fechan bellach a oedd i'w byllau glo yn ffyniant ei economi.

Yr hyn a gadwodd ganlyniadau'r newidiadau hyn rhag bod yn drychineb oedd, yn gyntaf, y ffaith fod gwaith i'w gael wrth law. Gellid cyflogi gweithwyr haearn a thunplat, a thoddwyr haearn, yn Nhai-bach a Port Talbot lle'r oedd yn ddieithriad alw am grefftwyr medrus, tra gallai glowyr gael gwaith yn y pyllau yn uwch i fyny'r cwm. Yn ail, roedd Cwmafan fel pentref diwydiannol yn ddigon hen i fod wedi creu sefydliadau a oedd yn ddigon grymus i roi lliw a llun i fywyd diwylliannol y gymuned. Roedd y sefydliadau hyn i gyd o dras dosbarth-gweithiol ac nid oedd traddodiad tadofalol wedi difetha na dirymu awydd naturiol y bobl i reoli eu hunain. Y mae'n hollbwysig nodi mai'r capeli oedd y sefydliadau dominyddol ac roeddent i gyd yn eu gwahanol ffyrdd yn ddemocrataidd eu hysbryd a'u trefniadaeth. Roedd hynny yr un mor wir am y cymdeithasau cyfeillgar, yr ystafelloedd darllen a ffurfiau eraill ar addysg oedolion, y 'Co-op' a feithrinai ddarbodaeth a chydgynhaliaeth, a'r clybiau chwaraeon, yn enwedig rygbi – gêm y rhagorai Cwmafan arni – fel bod ethos y capeli yn dylanwadu ar bawb, gan gynnwys y rhai heb unrhyw gyswllt ffurfiol â hwy.

Fel y llunnir craig gan effeithiau pwerau natur, felly y marciwyd y gymuned gan y diwylliant crefyddol hwn ac y cyfeiriwyd ganddo hefyd y modd y meddyliai'r bobl am wleidyddiaeth gan eu gyrru i fynegi eu safbwyntiau gwleidyddol mewn ffordd wreiddiol. Ond cyn democrateiddio gwleidyddiaeth ar lefel leol a seneddol ychydig o gyfle a oedd i fynegi'r gallu hwn yn ymarferol. Gellid ei ddatblygu a'i goethi yn unig o fewn y sefydliadau a grewyd gan y bobl i ateb eu pwrpasau hwy. Cafodd democratiaeth ei chyfle pan ddechreuodd natur gwleidyddiaeth newid 'yn genedlaethol' yn ail hanner y ganrif. Gydag estyniad yr etholfraint yn 1867 ac ailddosbarthu seddau yn 1884-5, gallai pleidleiswyr Cwmafan ddylanwadu ar wleidyddiaeth mewn ffordd nad oedd yn agored iddynt gynt. Yn yr un modd, ym maes llywodraeth leol sicrhaodd diwygiadau cymdeithasol mawr diwedd y ganrif y byddai gan wŷr a gwragedd fwy o lais ym materion y pentref ac oherwydd i Gwmafan fynd yn rhan o ddosbarth trefol Port Talbot gallent yn ogystal ddylanwadu ar faterion yr holl ardal. Felly camodd Cwmafan i mewn i ganrif newydd yn barod i chwarae rhan goleuedig yn ei gwleidyddiaeth hi. Fe beidiai'r simne ar Y Foel â mygu a chiliai diwydiant ond am rai cenedlaethau eto fe barhâi'r traddodiadau a'r syniadau a ledaenwyd oddi mewn ac oddi amgylch y capeli a'r eglwysi yn fyw ym mywydau pobl ddeallus, wybodus a haelfrydig.

NODIADAU

[1]Ceir darluniad o'r anheddiad yn Nhŷ-maen yn J.B. Lowe, *Welsh Industrial Workers' Housing 1775-1875* (Amgueddfa Genedlaethol Cymru, 1977), 54.

[2]Fe'i dyluniwyd gan Prichard a Seddon, penseiri eglwysig, yn 1855.

[3]Ynglŷn â'r cofebau cynhanesyddol niferus sydd ar Foel Fynyddau gw., *An Inventory of the Ancient Monuments in Glamorgan. Volume 1: Pre-Norman. Part 1. The Stone and Bronze Ages* (RCAHMW, Cardiff, 1976), 81b.

[4]Y mae'r ystadegau sy'n dilyn wedi'u seilio ar y Cyfrifiadau Poblogaeth dengmlwyddol perthnasol.

[5]Cofnodion Cyfrifwyr Cyfrifiad 1851.

[6]Seiliwyd ar Gyfrifiadau Poblogaeth 1851, 1861 ac 1891.

[7]Cyfrifiad Poblogaeth 1821.

[8]Ar dwf diwydiant yn gyffredinol gw. Arthur H. John a Glanmor Williams (goln.), *Glamorgan County History*, Cyf. 5, *Industrial Glamorgan* (Cardiff, 1980), yn arbennig y penodau gan R.O. Roberts, 'The smelting of non-ferrous metals since 1750', Trevor Boyns et al, 'The iron, steel and tinplate industries, 1750-1914'. Gw. hefyd yn gyffredinol, W.E. Minchinton, *Industrial South Wales 1715-1914* (London, 1969)., ac ar gyfer cylch Bae Abertawe, Trevor Boyns, 'Industrialisation' yn Ralph A. Griffiths, *The City of Swansea. Challenges and Change* (Swansea, 1990), 34-50.

[9]Gw. A. Leslie Evans, *The History of Taibach and District* (Port Talbot 1963 ac 1983). Hefyd, Martin Phillips, *The Copper Industry in the Port Talbot District* (Neath, 1935).

[10]Ar hyn gw. W.E. Minchinton, *The British Tinplate Industry. A History* (Oxford, 1957), 229 ac yn dilyn.

[11]Gw. *Glamorgan County History*, 148-9 a Martin Phillips, op.cit., 74-6.

[12]Gw. R.O. Roberts, 'The development and decline of the non-ferrous industries of South Wales' yn Minchinton, *Industrial South Wales*, 121-60.

[13]Seiliwyd ar Fapiau Degwm a Rhaniadau ar gyfer Llanfihangel-ynys-Afan.

[14]Seiliwyd ar ddadansoddiad o gofnodion y cyfrifwyr ar gyfer y Pentrefan Isaf, 1851.

[15]Am ddarluniadau o dai cyfoes gw. J.B. Lowe, *Welsh Industrial Workers' Housing 1775-1875* (Amgueddfa Genedlaethol Cymru, Caerdydd, 1977).

[16]Am restr o'r ffermydd yn y Pentrefan Uchaf, gw. Roger Lee Brown, *The farms of the Upper Afan, a schedule 1570-1851* (Cardiff, 1982). Gw. hefyd idem., *Afan Uchaf. Transactions of the Upper Afan Historical Society*, Cyf., 7, 1984, am restr o ffermydd a'u perchnogion a ddaeth yn lleoliadau pyllau glo.

[17]Gw. Adroddiadau y Comisiynwyr ar gyflwr addysg yng Nghymru. Rhan I. (Papurau Seneddol, 1847), 178-9.

[18]Adroddiadau Addysg 1847, Cyf. I, 344.

[19]Cyfrifiad y Boblogaeth 1991.

[20]Leslie Wynne Evans, *Education in Industrial Wales 1700-1900. A Study of the Works School System in Wales during the Industrial Revolution* (Cardiff, 1971), 87-9.

[21]Adroddiadau Addysg, Cyf. I, 343-4.

[22]*Y Diwygiwr*, 1887, 159.

[23]Ceir hanes am y digwyddiad hwn yn T. Rees a J. Thomas, *Hanes Eglwysi Annibynol Cymru* (Lerpwl, 1872), II, 126-7.

[24]Cyfrannwyd canpunt gan yr Incorporated Church Building Society.

[25]Gw. Ieuan Gwynedd Jones a David Williams, *The Religious Census of 1851. A Calendar of the Returns Relating to Wales* (Cardiff, 1976), Cyf. I, 236.

[26]Ibid., 228.

[27]Thomas Richards, *Wales Under the Penal Code (1662-1687)* (1925), 90.

[28]*Bedyddwyr Cwmafan a'r Cylch o'r Flwyddyn 1770-1901*, 16.

[29]ibid., 16.

[30]ibid., 20.

[31]Gw. Rees a Thomas, op.cit., II, 95-108.

[32]ibid., 126.

[33]*Y Bywgraffiadur Cymreig hyd 1940,* 783; Idris Hopkyn, *William Hopkyn Rees. Cenhadwr Crist yn China* (Abertawe, 1960); Richard Lovett, *The History of the London Missionary Society 1795-1895* (London, 1899), 558 a 577.

[34]Cyfrifiad Crefydd 1851, op. cit., 226.

[35]Am enghreifftiau gw. W.J. Lambert, *Drink and Sobriety in Victorian Wales c.1820-c.1895* (Cardiff, 1983), passim.

[36]J. Vyrnwy Morgan, *Y Parch. Edward Roberts, Cwmafan* (Llanelli, 1904), 53 sy'n nodi fod y ddau berson a oedd yn bennaf gyfrifol am y fenter yn ddiaconiaid yn Seion, un ohonynt yn Ysgrifennydd.

[37]Yn ôl y Cyfrifiad Crefydd, 226, roedd ynddo 'a free gallery, 33 pews let, and standing 4 benches'. Roedd yn bresennol yn y bore 550, y prynhawn 90 disgybl a'r hwyr 650 – ffigurau sy'n rhy uchel o lawer o gofio maint y capel.

[38]Rees a Thomas, op. cit., II, 134-5. a V, 157. Hefyd, Stanley Jones, *Eglwys y Rock, Cwmafan. Dathlu sefydlu'r achos yn 1836 a dathlu can mlynedd gweinidogaeth tri gweinidog* (Maesteg, 1957).

[39]Rees a Thomas, V, 496.

[40]Gw. 'Margam, Pen-hydd and Brombil' yn Ieuan Gwynedd Jones, *Mid-Victorian Wales. The Observers and the Observed* (Cardiff, 1992), 80-102.

[41]Am bwysigrwydd cerddoriaeth a chanu corawl yn arbennig, gw. traethawd llyfryddol Gareth Williams, 'How's the tenors in Dowlais? Hegemony, harmony and popular culture in England and Wales 1600-1900', *Llafur*, 5, rhif 1 (1987), 70-80. Am draethawd ardderchog ar ddiwylliant Cwm Tawe, gw. T.J. Morgan, *Diwylliant gwerin ac Ysgrifau Eraill* (Llandysul, 1972), 7-84.

[42]Dyfynnwyd gan Rhidian Griffiths, *Glamorgan County History, Cyf. VI, Glamorgan Society 1780-1880*, (gol.), Prys Morgan (Cardiff, 1988), 376.

[43]Gw. 'Ein cerddorion', rhif 193, yn *Y Cerddor*, XXVI, 134; Wil Ifan, *Afan, a Welsh Music Maker* (Cardiff, 1944); E.P.Jones, *Cerddorion a Thraddodiad Cerddorol Sir Forgannwg* (Rhydaman, d.d.), 30 a *Cronfa Goffa Canmlwyddiant Afan. Coflyfr y canmlwyddiant a rhaglen y dathlu* (Port Talbot, 1981).

[44]Er enghraifft, John Rowlands (Afanydd), 'Traethawd ar ddechreuad a chynnydd Gweithiau Cwmafan', yn *Aeron Afan. Cyfansoddiadau Eisteddfod Iforiaid Aberafan* (1853); *Cyfansoddiadau Buddugol Eisteddfod Seion, Cwmafan a gynhaliwyd Dydd Nadolig 1855 yn nghyd a'r feirniadaeth arnynt* (Abertawy, 1856); William Morgan, *Galareb a Mawl-gerdd. Buddugol yn Eisteddfod Penuel, Cwmafan* (1857); *Y Berllan: sef cyfansoddiadau buddugol Eisteddfod Maesteg yr hon a gynhaliwyd yn Carmel, Medi 20, 1869 dan nawdd prif lenorion y Dyffryn* (Cwmafan, gan David Griffiths, 1869); David Evans, 'Madog Fychan', *Hanes, ystyr, ac enwau lleoedd ac amaethdai yn Nyffryn Afan, cydfuddugol yn Eisteddfod Cwmafan, Nadolig 1889*; John Thomas, 'Moses bach', *Hanes crefydd yng Nghwmafan. Y traethawd buddugol yn Eisteddfod Penuel, 1859* (Abertawe, 1859).

[45]D.T. Eaton, 'Friendly Societies', *Transactions of the Port Talbot Historical Society*, Vol.1 (1963), 56-63.

[46]*Merthyr Guardian*, 21 Ebrill 1849, ceir adroddiad ar y seremoni agoriadol a rhoir tipyn o'r cefndir. Ceir manylion eraill yng Nghyfrifiad Addysg 1851, *Census of Great Britain, 1851. Education. England and Wales. Report and tables* (London, 1854), 256-7.

[47]*Swansea and Glamorgan Herald,* 1 Ebrill 1864 a 30 Medi 1864.

[48]Ar dadofalaeth a rheoli cymdeithas gw. yn gyffredinol, David Roberts, *Paternalism in Early Victorian England* (London, 1979) a W.R. Lambert, 'Drink and work – discipline in industrial south Wales c.1800-1870', *Welsh History Review*, 7, no.3, 1975, 289-306.

[49]Yn ôl T.J.Jones, 'Traethawd ar Hanes Plwyf a Phentref Aberdar', *Gardd Aberdar* (Caerfyrddin, 1854), 87 yr oedd yn Aberdâr yn unig chwech o Urddau, 54 o gyfrinfeydd ac aelodaeth yn rhifo 5,162. Yn gyfatebol i'r boblogaeth yr un oedd record Cwmafan. Gw. D.T. Eaton, 'Friendly Societies in Cwmavon', *Port Talbot Historical Society Transactions*, Vol. I, No.1 (1963-4), 56 ac yn dilyn.

[50]Am hanes yr AAM gw. E.W. Evans, *The Miners of South Wales* (Cardiff, 1961) ac idem., *Mabon. A Study in Trade Union Leadership* (Cardiff, 1959).

[51]Gw. Ieuan Gwynedd Jones, *Henry Richard. Apostle of Peace 1822-88* (Fellowship of Reconciliation, 1988).

[52]Gw. Minchinton, op. cit., 113-21 am gyfrif manwl o swyddogaeth yr IATM.

'Tyfu Mâs o'r Mæs': Pont-rhyd-y-fen a'r 'æ fain'

Beth Thomas

Nid oes un rhanbarth o'n gwlad nad yw yn euog o lurgunio rhyw seiniau na'i gilydd. Yn Mynwy a Bro Morganwg ceir yr a *yn cael ei hanmharu yn druenus. Ar rai adegau gwneir hi yn fwy tebyg i* e *nag iddi hi ei hun, a phrydiau ereill gosodir* i *o'i blaen, a cheir* bêch *yn lle* bach*, a* giëár *yn lle* gâr.

Y Parch J. Gwrhyd Lewis, Tonyrefail [ca 1900]

Efallai mai'r fwyaf trawiadol o nodweddion y Wenhwyseg, tafodiaith Gwent a Morgannwg, yw sylweddoli'r orgreffyn <a> a'r ddeugraff <ae> gan lafariad flaen, hanner agored, hir mewn unsillafion ac yn y sillaf olaf acennog: [tɛ:d] a glywir yn lle [ta:d], a [kəm'rɛ:g] yn hytrach na [kəm'ra:g] y de-orllewin. Disgrifiwyd dosbarthiad daearyddol yr amrywyn hwn fel a ganlyn gan Ceinwen. H. Thomas yn 1975[1]:

> It is a feature of the south Glamorgan dialects of Nantgarw, Coety Walia-Rhuthun, Dyffryn Elái, as well as those of the hill country from Tafarnau Bach through Merthyr Tudful to Aberdare. At the latter place its functional load has lessened considerably and by the time we reach Hirwaun it has become marginal to the system, surviving in four items only, in three of which it is in free variation with /ɑ/ . . . Hirwaun forms the western periphery of this feature in this part of the south-east, for at Rhigos, a few miles further on, it has disappeared completely. Further south, however, the feature persists as far as the Afan Valley in west Glamorgan, and its transition area begins in the mid-Glamorgan districts of Glyn Ogwr and Tir Iarll.

Dibynna Ceinwen H. Thomas yn bennaf ar dystiolaeth y traethodau ymchwil tafodieithol a wnaethpwyd ar iaith y de-ddwyrain rhwng 1930 a chanol y saithdegau. Mae ei disgrifiad, fodd bynnag, yn adleisio'r cyfeiriadau cyhoeddedig cyntaf o ddosbarthiad y nodwedd ffonolegol hon, sef Trafodion Urdd y Graddedigion (1901:40) ac erthygl gan Thomas Jones yn *Y Greal* yn 1911. Ceir cyfeiriad diddorol gan Thomas Jones hefyd at statws gwarthnodedig yr amrywyn [ɛ:] ddechrau'r ganrif, a thuedd pregethwyr i'w hepgor wrth ffurfioli. Er na roddir manylion gan G. Ruddock (1969) am natur yr 'amrywiad rhydd' a geid ar Hirwaun,[2] ceir tystiolaeth fod defnyddio'r [ɛ:] yn amrywio yn ôl cenhedlaeth yn Nyffryn Elái yn y 50au:[3]

> Gydag ychydig iawn o eithriadau, perthyn pobl o dan eu trigain i un dosbarth. Y maent yn aelodau o gapeli, ond Cymraeg bratiog, ansicr, sydd ganddynt, heb odid ddim gafael ar y dafodiaith. Y mae eu geirfa Gymraeg yn eithriadol o gyfyngedig, ac fe welir newid mawr yn seiniau'r dafodiaith. Nid ydynt yn caledu culseiniaid yn gywir, ac a: a ddefnyddiant mewn geiriau fel tad, tan, da yn lle (æ) y dafodiaith.

ac awgrymir bod y siaradwyr ieuengaf yn Nantgarw yn yr un cyfnod yn teimlo cywilydd o'r nodwedd:[4]

> Hon yw'r unig sain y mae'r siaradwyr ieuengaf yn orymwybodol ohoni pan fyddant yng ngŵydd siaradwyr tafodieithoedd eraill.

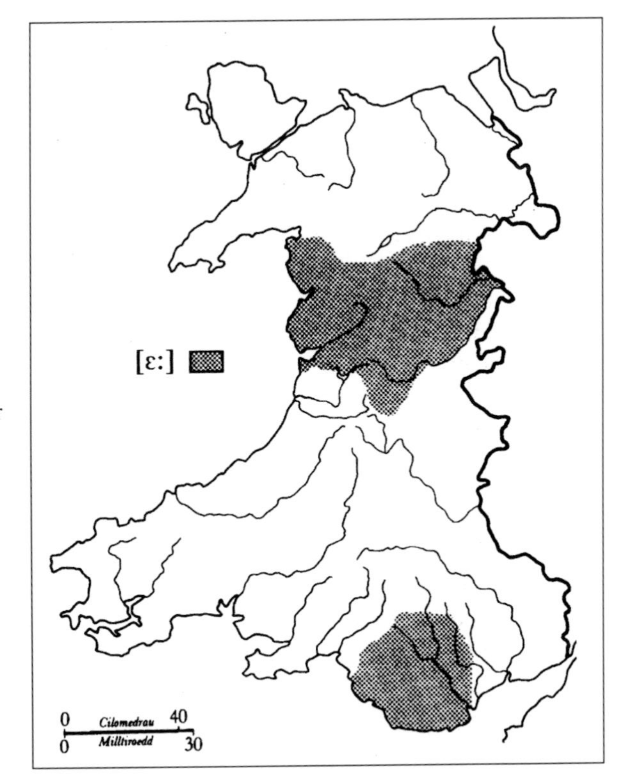

Ffig. 1: Tiriogaeth yr amrywyn [ɛ]

Os oedd y nodwedd Wenhwysig hon ar drai yn nwyrain Morgannwg ddeugain mlynedd yn ôl, beth am ei ffawd ar ymylon gorllewinol ei thiriogaeth? Rhwng 1979 ac 1982, bûm yn recordio siaradwyr ym Mhont-rhyd-y-fen yn Nyffryn Afan. Tan yr Ail Ryfel Byd, goroesodd y pentref bychan hwn yn ynys o Gymreictod mewn ardal a oedd yn prysur Seisnigo. Roedd natur unffurf a chlòs y gymuned lofaol fach hon yn fodd i gynnal yr iaith Gymraeg yn wyneb dylanwadau Seisnig o'r tu allan. Wedi'r rhyfel, gwanhawyd clymau clòs y gymuned gan newidiadau ym myd gwaith, ym myd addysg, a chynhysgaeth y boblogaeth. Bellach, mae llai na thraean o'r boblogaeth yn medru Cymraeg, o'i gymharu a 75% yn 1951. Perthyn y Cymry Cymraeg i'r genhedlaeth a fagwyd cyn y rhyfel. Ymhlith y cenedlaethau iau, a fagwyd mewn cyfnod o newid cymdeithasol ac ehangu gorwelion, mae'r di-Gymraeg yn y mwyafrif.

Fel y clywyd eisoes, ffiniol iawn yw Pont-rhyd-y-fen o safbwynt dosbarthiad daearyddol [ɛ:]. Ni chlywir yr amrywyn mewn ardaloedd i'r gorllewin o'r pentref, ac nid yw'n amlwg ychwaith yng Nghwmafan, y pentref nesaf i lawr y cwm. Yn ôl ymchwil Thomas Jones,[5] roedd [a:] y Ddyfedeg wedi treiddio cyn belled i'r dwyrain ag Aberafan erbyn dechrau'r ganrif hon:

> The narrow 'ä' is found west of Bridgend almost to Aberavon. There is a low sea border beyond Pyle and Kenfig – the Morfa – which lay open to an easy invasion from the west, causing the penetration of the Dimetian into a valley which must have at one time been purely Gwentian. The narrow a is found at Kenffig and Margam, then the line runs on to Foel Fynyddau and thence along the ridge separating the Avan and Nedd valleys unto Aberdare and Cefncoedycymmer. Hirwaun and the whole of the Nedd valley lie beyond it, but Aberdar Merthyr lie within it.

Awgrymir, felly, fod pentref Cwmafan ddechrau'r ganrif oddi mewn i diriogaeth [ɛ:]. Ac eto, un wraig yn unig o blith trigolion Cwmafan a glywais yn arfer yr amrywyn pan oeddwn yn recordio yn yr ardal ynghanol y saithdegau. Roedd yr hen wraig hon yn 103 oed, ac wedi byw am hanner canrif yn Abertawe ers mynd yno i wasanaethu yn ei harddegau cynnar. Saesneg oedd iaith ei gŵr a'i theulu yn Abertawe, a Saesneg oedd ei hiaith arferol hithau wedi iddi ddychwelyd i Gwmafan ar ôl yr Ail Ryfel Byd. Mae achos i gredu, felly, fod ei Chymraeg yn enghraifft o dafodiaith Cwmafan fel yr oedd ddiwedd y bedwaredd ganrif ar bymtheg, a bod tiriogaeth yr [ɛ:] wedi crebachu ers hynny. Ceir tystiolaeth ddiddorol gan wraig o Bont-rhyd-y-fen, a aned yn 1899, fod ei mam yn cofio gwŷr Cwmafan yn dilorni'r nodwedd dafodieithol hon yn iaith Pont-rhyd-y-fen ar yr adegau hynny pan fyddai capeli'r ddwy ardal yn uno i adrodd y Pwnc:

> Odd Mam o Gwmafon, a nawr odd 'i'n gweud [a:]. A 'na beth man nw'n dweud chimbod am y Pwnc – 'san nw'n neud gwawd, sbort am yn penna ni achos bo ni'n gweud 'Tæd a'r Mæb a'r Ysbryd Glæn' a bysan nw'n gweud 'Tad a'r Mab a'r Ysbryd Glân'. A 'na beth od! Dim ond yn y cwm nesa ôn ni!

Yn ystod yr amser y bûm i'n recordio yng Nghwmafan, clywais y brodorion yn defnyddio'r nodwedd ieithyddol hon i ddifrïo trigolion Pont-rhyd-y-fen, gan ddweud eu bod nhw 'ishta defid – mê mê ar 'yd lle i gyd,' neu 'Chi 'di bod yn Pontry-fen? Man nw'n doti glo mæn ar y tæn lan man'na!' Ac eto, er i'r sain gael ei huniaethu'n lleol â 'iaith Pont-rhyd-y-fen', daeth yn amlwg wrth wneud y gwaith casglu na wneid defnydd ohoni ond gan leiafrif o Gymry Cymraeg y pentref. Roedd y newidyn (â), felly, yn nodwedd a haeddai sylw manylach.

Dosbarthiad cymdeithasol yr amrywyn [ɛ:] ym Mhont-rhyd-y-fen

Tua 250 o boblogaeth Pont-rhyd-y-fen oedd yn siarad Cymraeg pan wnaethpwyd y gwaith maes ar gyfer yr astudiaeth hon yn nechrau'r 1980au. Holwyd a recordiwyd 54 ohonynt yn rhan o sampl tebygolrwydd o Gymry'r pentref. Yn dilyn dull Lesley Milroy[6] o ddadansoddi llafar yn ôl natur y disgwrs, rhannwyd y deunydd ieithyddol a gasglwyd yn ddwy arddull, sef arddull cyfweliad a llafar digymell. Oherwydd cyfyngiadau sefyllfa cyfweliad, nid oedd modd casglu deunydd cymharol yn y ddwy arddull gan bob un o'r 54 siaradwr a ffurfiai'r sampl gwreiddiol. Y mae'r deunydd sydd gennyf yma felly'n seiliedig ar sgorau 43 o siaradwyr y llwyddwyd i recordio digon o'u llafar digymell a'u harddull cyfweliad. Rhoddwyd sgôr canrannol i bob siaradwr, yn nhermau presenoldeb neu absenoldeb yr [ɛ:] Wenhwysig yn eu llafar. Ceir yn Ffig. 2 sgorau'r siaradwyr wedi eu carfanu yn ôl rhyw ac oedran, mewn arddull cyfweliad a llafar digymell.[7]

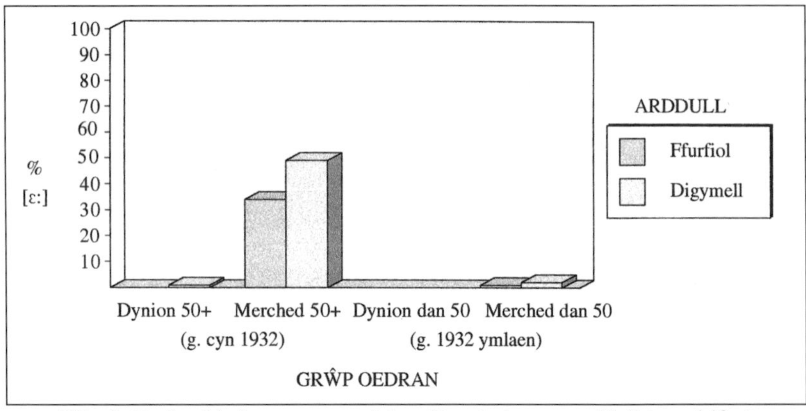

Ffig. 2: Dosbarthiad yr amrywyn [ɛ] yn ôl oed, rhyw ac arddull (canolrifau)

Gwahaniaethu yn ôl rhyw

Dengys Ffig. 2 mai nodwedd ar lafar y gwragedd hynaf yw'r amrywyn [ɛ:]. Nid ydyw'n nodwedd ar iaith dynion o'r un genhedlaeth nac ychwaith ar iaith y bobl iau. Yn iaith y grŵp dros hanner cant oed, mae gwahaniaeth trawiadol rhwng dynion a merched, hyd yn oed oddi mewn i'r un teulu, er nad yw'r siaradwyr eu hunain bob amser yn ymwybodol o hyn. Buwyd mewn sefyllfaoedd lle'r oedd brawd a chwaer, neu ŵr a gwraig, yn cael eu recordio ar y cyd, a'r gwahaniaeth rhwng y merched a'r dynion yn amlwg i glust ymwelydd o dafodieithegydd, er na sylwai'r siaradwyr arno. Mae'r sefyllfa hon ym Mhont-rhyd-y-fen yn groes i'r patrwm arferol mewn astudiaethau sosioieithyddol. Yn astudiaeth Trudgill (1974)[8] o Norwich, er enghraifft, ac astudiaeth Lesley Milroy (1980) yn Belfast, y dynion oedd fwyaf ceidwadol, a'r merched yn arwain y newid ieithyddol. Ni chyfyngir y patrwm hwn ychwaith i astudiaethau o gymdeithasau trefol Saesneg eu hiaith. Yn ei hastudiaeth o iaith lafar y Mot yn yr hen Sir Benfro, gwelodd C.M. Jones[9] mai'r dynion oedd 'yn ffafrio'r sylweddolion "lleol", sef y ffurfiau y dywedir eu bod yn nodweddiadol o'r amrywio rhanbarthol a gysylltir â'r ardal, tra bod y benywod yn dewis y sylweddolion eraill.' Nid yw Jones, fodd bynnag, yn manylu ar y gwahaniaethau cymdeithasol rhwng y ddau ryw a allai roi cyfrif am y gwahaniaethau ieithyddol hyn. Sonia R.O. Jones hefyd yn ei astudiaeth o Gymraeg y Gaiman, Patagonia,[10] fod y merched yn fwy ymwybodol o ffurfiau safonol na'r dynion. Awgryma mai rhwydweithiau clòs a Chymraeg eu hiaith y merched sydd i gyfrif am hynny. Gwahanol, fodd bynnag, oedd casgliadau Ball[11] yn ei astudiaeth o dreigladau yng Nghwm Tawe:

> There is a consistent difference in that female speakers use more non-standard forms than the males . . . It appears that in this community the men are the ones who are more likely to be exposed to the force of standard Welsh; attending Welsh language activities, and reading and writing Welsh, more than the women do. This pattern of behaviour is also perhaps a reflection of other social patterns which restrict the role of women outside the home among the older members of the community.

Yn achos y newidyn (â), nid oedd amheuaeth nad y merched ym Mhont-rhyd-y-fen oedd yn glynu at y ffurf dafodieithol, nid y dynion. Roedd angen edrych am y ffactorau yn eu cefndir cymdeithasol a allai esbonio hyn.

Yn y bennod gyntaf, pwysleisiwyd sut yr oedd rhwydweithiau merched a dynion o'r genhedlaeth a fagwyd cyn y rhyfel yn seiliedig i raddau helaeth iawn ar y gymuned. Yn eu hieuenctid, roedd Pont-rhyd-y-fen yn bentref glofaol ffyniannus. Roedd y boblogaeth yn lluosog, cyfoedion yn niferus, a nifer fawr o weithgareddau cymdeithasol yn cael eu cynnal yn lleol gan y pentrefwyr eu hunain. Un canlyniad i hyn oedd rhyngbriodi, ac fe adlewyrchir hynny yn nwysedd y clymau teuluol rhwng pentrefwyr. O'r 55 o siaradwyr yn yr hapsampl, roedd pob un ond pedwar yn perthyn i o leiaf un arall yn y sampl. Perthynai rhai ohonynt i gynifer â phump neu chwech. Cefais gyngor gan un siaradwraig i 'watsho beth ych chi'n gweud rownd 'ma. Os damsh-elwch chi ar gyrn un man'yn, ych chi'n damshel ar gyrn pawb'. Cafodd y mwyafrif o'r hen bobl eu haddysg hefyd yn lleol. Ar wahân i ychydig a fyddai'n llwyddo i ennill ysgoloriaeth i'r 'County School', byddai'r mwyafrif yn aros yn ysgol y pentref nes cyrraedd 14 oed.

I'r bechgyn, y cam nesaf fyddai cael gwaith yn un o'r gweithfeydd glo lleol, lle cydweithient â pherthnasau, cymdogion, a hefyd ddynion o ddau bentref cyfagos, sef Cwmafan a'r Ton-mawr. Dewis cyfyngedig iawn oedd gan y merched: gallent aros gartref i helpu gyda gwaith y tŷ, cael crefft wnïo, neu fynd i wasanaethu yn nhai pobl fwy cefnog yn y gymdogaeth. Yn achos yr unig ferch neu'r ferch hynaf mewn teulu o nifer o fechgyn, nid oedd dewis o gwbl, ond aros gartref:

> Yn tŷ yn 'elpu Mam ôn i chwel. Odd llond y tŷ o fechgyn 'na. Bues i ddim o dre. Ddim cyfle pry'ny . . .

Felly, er bod rhwydweithiau'r ddau ryw yn ddwys, amlbleth, a lleol dros ben, cyfyngid y merched yn fwy na'r dynion i'r pentref. Trôi bywydau'r merched o gwmpas y cartref, y gymdogaeth, a'r capel, sef yr unig ganolfan gymdeithasol a ystyrid yn addas i ferched 'teidi'. Er i ambell un ohonynt dreulio cyfnod byr yn gwasanaethu yn Llundain yn ei hieuenctid, roedd pob un o'r merched yn y grŵp dros 50 oed wedi gweithio oddi mewn i'r gymuned am y rhan fwyaf o'i hoes. Bu rhai ohonynt yn gweithio gartref erioed. Perthynai'r merched hyn i rwydweithiau lleol dwys, seiliedig ar gysylltiadau teuluol a chymdogaethol. Yn ei hastudiaeth o ferched tebyg yn y Rhondda yn y cyfnod rhwng y ddau Ryfel Byd, disgrifia Crook eu rhwydweithiau fel a ganlyn:

> The working group of the men at the pit was a strong, self-regulating one . . . A similar network of colleagues and friends existed amongst the women and it was this that influenced the behaviour of the women within it. This network was particularly active when men were at work and children at school, but took second place to family life when they were at home . . . In general, the impression given of the Rhondda during this period is one of involvement and interdependence between women. This very intimacy was a major factor in regulating women's behaviour; they actually did not want to be excluded from the group and were therefore anxious to conform to its standards.[12]

Hyd yn oed pan oedd gwaith i'w gael mewn gweithiau glo lleol, gweithiai dynion Pont-rhyd-y-fen gyda dynion o bentrefi eraill, lle nad arferid yr amrywyn [ɛː]. Ers cau'r gweithfeydd glo lleol yn y 30au a'r 50au, ehangwyd eu rhwydweithiau ymhellach, naill ai trwy weithio mewn glofeydd ymhell o'r gymuned, neu drwy weithio yn ehangder amhersonol y gwaith dur ym Mhort Talbot. Tra cyfyngwyd bywyd cymdeithasol y merched yn dra helaeth i weithgareddau'r capel, roedd gan y bechgyn ryddid i 'fynd i garu lawr Pwll-y-glaw, lawr yn Cwmafan – cwrso. A myn' i'r sinema yndifa.'

Mae lle i gredu mai yn gymharol ddiweddar y diflannodd yr amrywyn de-ddwyreiniol [ɛ:] o lafar dynion Pont-rhyd-y-fen. Yn archif sain yr Amgueddfa Werin ceir recordiadau o ŵr o Bont-rhyd-y-fen a aned yn 1879 (fe'i recordiwyd yn 1967).[13] O ddadansoddi ei ddefnydd o (â) mewn gwahanol gyd-destunau, gwelwyd bod ganddo sgôr o 19% ar gyfer yr amrywyn [ɛ:] yn ei lafar mwyaf ffurfiol, ond sgôr o 38% mewn darnau o naratif (wrth iddo adrodd cyfres o straeon am gymeriadau'r pentref) – sgorau uwch na'r dynion a recordiwyd gennyf fi yn 1979-81. Yn hyn o beth, diddorol yw sylw un siaradwraig (a aned ym 1905) fod ei brodyr yn arfer yr amrywyn [ɛ:] pan oeddent yn blant bach. 'Wi'n cretu ôn nw'n gweud mês pan ôn nw'n rai bêch,' meddai, 'Ond pan ôn nw'n tyfu . . . dethon nw mâs o'r mês.'

Yn achos y bobl ieuengaf, mae rhwydweithiau'r ddau ryw yn llai dwys ac amlbleth nag eiddo'r bobl hynaf. Bu lleihad ym mhoblogaeth y pentref er y 30au, a gwelir yn ystadegau'r cyfrifiad bod dosbarthiad oed y boblogaeth yn gwyrdueddu tuag at y cenedlaethau hynaf erbyn 1981. Anodd i'r bobl ifainc yw cael hyd i gwmni o'r un oed a'r un diddordebau â hwy yn lleol, ac felly tueddant i gymdeithasu y tu allan i'r gymuned. Ffactor bwysig arall yw datblygiad diwydiannau ysgafn yn yr ardal ers y Rhyfel, a hyn yn arwain at fwy o ferched yn mynd i weithio y tu allan i'r cartref. Effeithiodd newidiadau addysgol hefyd ar rwydweithiau cymdeithasol. Ers sefydlu ysgolion eilradd modern yn 1950, bu rhaid i bob un o blant Pont-rhyd-y-fen adael ysgol y pentref yn 11 oed i barhau â'u haddysg yng Nghwmafan neu Bort Talbot. Effeithiwyd ar rwydweithiau cymdeithasol hefyd gan sefydlu Ysgol Gynradd Gymraeg Pont-rhyd-y-fen yn 1954: yn gyntaf, am ei bod yn tynnu plant o ddalgylch ehangach nag ysgol y pentref; yn ail, am fod y plant yn mynd ymlaen i ysgol gyfun Gymraeg gryn bellter o'r gymuned. Saesneg yw iaith arferol rhwydweithiau cymdeithasol y genhedlaeth hon, a daw'r mwyafrif o'r aelodau Cymraeg eu hiaith o ardaloedd lle na cheir yr amrywyn [ɛ:].

Hyd y gellir gweld, felly, cyfyngir defnydd o'r amrywyn [ɛ:] i'r grŵp cymdeithasol a chanddo'r cysylltiadau lleol cryfaf, sef y gwragedd hynaf. Fodd bynnag, nid yw ymddygiad y grŵp hwn o ferched yn gwbl unffurf. Celir maint yr amrywiaeth oddi mewn i'r grŵp gan y sgôr ganolrifol a ddangosir yn Ffig. 2: roedd rhai yn sgorio'n uchel yn y ddwy arddull, eraill yn sgorio'n gyson o isel, ac eraill eto yn amrywio o un arddull i'r llall. Ymddangosai hefyd fod ffactorau daearyddol yn arwyddocaol, gan fod yr [ɛ:] fel petai'n gryfach ar ochr ddwyreiniol y pentref. Gan nad oedd digon o ferched o'r grŵp oedran hwn yn y sampl gwreiddiol i allu tynnu casgliadau pendant, penderfynwyd cyfweld rhagor o wragedd er mwyn cael dwysach gwasgariad daearyddol.

Amrywio tiriogaethol

Yn Ffig. 3, gwelir sgorau llafar digymell 19 o ferched, yn ôl ardal eu magu.[14] Am eu bod yn amlwg 'wahanol' i'r lleill, yn sgorio'n gyson isel ni waeth beth oedd eu tarddiad daearyddol, ni chynhwysir sgorau'r merched a oedd wedi cael addysg ffurfiol yn y Gymraeg yn y tabl hwn – ffactor y trafodir yn fanylach yn nes ymlaen. Cynrychiola'r golofn ganolog, neu'r 'pren', y degau o 0 i 10 (h.y. o 0 i 100), a threfnir unedau pob sgôr gyferbyn â'r 'deg' perthnasol i roi'r 'dail' ar yr ochr dde. Felly sgorau canrannol y merched sydd ar yr ochr dde i'r pren, a defnyddir y sumbolau ar yr ochr chwith i ddynodi'r ardal lle y'u maged. Dynodir sgorau'r merched sydd yn cymryd rhan yn gyhoeddus yn y capel mewn ffigurau bras.

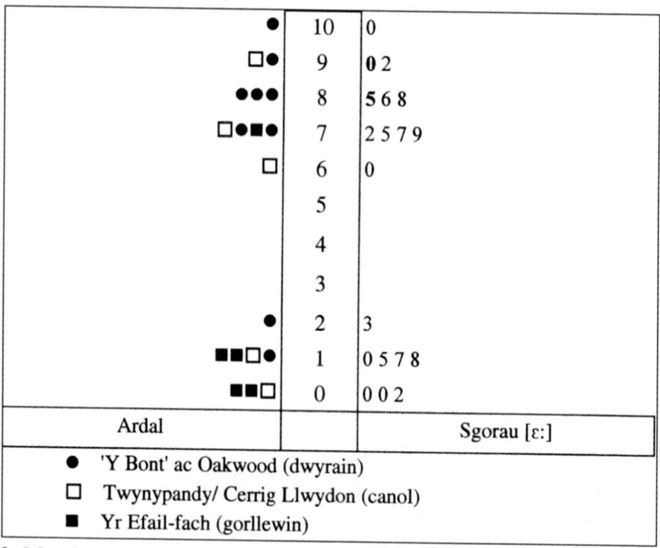

Ffig. 3: Merched a aned cyn 1932: sgorau [ɛ] mewn llafar digymell, yn ôl ardal eu magu

Ar wahân i un wraig, sef yr hynaf a recordiwyd ar gyfer yr astudiaeth hon (fe'i ganed yn 1899), ychydig o [ɛ:] a ddefnyddid gan y merched o orllewin y pentref. Mae'r gwrthwyneb yn wir am y sawl a fagwyd ar yr ochr ddwyreiniol, er bod dwy sgôr neilltuol yn eu plith. Diddorol yw nodi bod un o'r eithriadau'n briod â dyn a fagwyd yn Nhre-boeth, Abertawe. Credai fod ei Gymraeg ef lawer yn well na Chymraeg Pont-rhyd-y-fen, a cheisiai ei efelychu. Roedd teulu ei thad hefyd o ardal Abertawe. Pan ofynnwyd iddi ar ddiwedd y cyfweliad a oedd hi'n arfer yr [ɛ:], ei hateb oedd:

> Tân wi'n weud, chi'n gwpod.
> **Fel'na chi 'di bod ariôd, ne –?**
> Wel i ddethoi i sharad mwy fel'na achos y gŵr, wy'n cretu. Achos odd [y gŵr] mwy Cymreigadd na ôn i.

Roedd y sgoriwr isel arall, er nad oedd yn wraig gyhoeddus ei hun, yn chwaer i un o ferched mwyaf cyhoeddus Jerusalem, ac yn chwaer-yng-nghyfraith i un o'r blaenoriaid. Mawr oedd ei hedmygedd ohonynt, a mawr hefyd ei chywilydd o'i hiaith ei hun. At hynny, roedd ganddi ffrind o ddwyrain Dyfed a siaradai Gymraeg 'lawar fwy cywir' na hi, ac a'i gwnaeth yn 'fwy ymwybodol o'n ffaeledda'.

Nid mor hawdd yw egluro'r darlun cymysg a welir yn sgorau'r merched a fagwyd ynghanol y pentref. Syrthiant i ddau grŵp ieithyddol, heb unrhyw reswm amlwg. Gwelwyd hyn nid yn unig yn y sgorau ar gyfer llafar digymell a ddefnyddir yn y graffiau uchod, ond hefyd yn sgorau pedair gwraig o ganol y pentref a gynhyrchodd lafar ffurfiol yn unig. Cafodd dwy o'r rhain sgorau o 87% a 100%, eithr sgoriodd y ddwy arall 0%. Yn achos y newidyn ieithyddol hwn, roedd y rhan yma o'r pentref fel rhyw fath o ardal drawsnewid, heb lawer o dir canol ieithyddol. Sut oedd rhoi cyfrif am wahaniaethau amlwg yn iaith cymdogesau agos, neu am wahaniaeth sylweddol yn llafar aelodau o'r un teulu?

Amrywio enwadol

Ymhlith y merched a recordiwyd yn rhan o'r sampl yr oedd dwy chwaer. Er eu recordio gyda'i gilydd mewn cyfweliad dwbl, gwahanol iawn oedd eu sgorau ar gyfer y newidyn (â): defnyddiai'r naill yr amrywwyn [ɛ:] 60% o'r amser yn ei llafar digymell, eithr sgoriodd y llall 17% ar gyfer ei defnydd o'r un amrywwyn. O edrych yn fanwl ar gefndir teuluol a chymdeithasol y ddwy chwaer, darganfuwyd eu bod wedi'u magu mewn dau gapel gwahanol – y sgoriwr isel wedi dilyn ei mam i Sardis, capel yr Annibynwyr, ar ochr orllewinol y pentref, a'r sgoriwr uchel a thair chwaer arall iddi wedi dilyn eu ffrindiau i Jerusalem, capel y Methodistiaid, ar y pen dwyreiniol. Bu'r capeli'n ganolfannau cymdeithasol pwysig i'r genhedlaeth hon o ferched erioed. Yn wahanol i'r bechgyn, fe'u gwaherddid hwy rhag mynychu tai tafarnau a neuaddau biliards. O achos y cyfyngiadau cymdeithasol hyn, tueddai'r merched i ddethol eu rhwydweithiau o blith ffrindiau o'u cymdogaeth neu o ryw gapel arbennig:

> Fel och chi'n dod i'ch *teens* weti'ny, och chi'n neud ffrindia â'r merchid y capal . . . Y capal odd a weti'ny. Ôn nw'n dod o draw Twynypandy, Pont-ryd-y-fen, a chi'n neud ffrindia â nw . . . Ôn ni'n e'angu tim'bæch weti'ny. (Gwraig o Oakwood, ganed 1905, aelod yn Jerusalem)

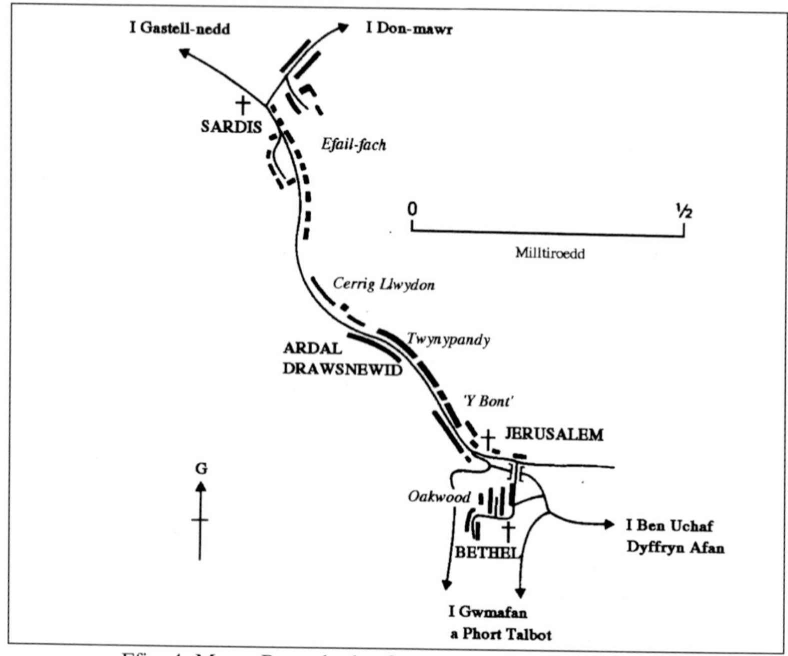

Ffig. 4: Map o Bont-rhyd-y-fen yn dangos lleoliad y capeli

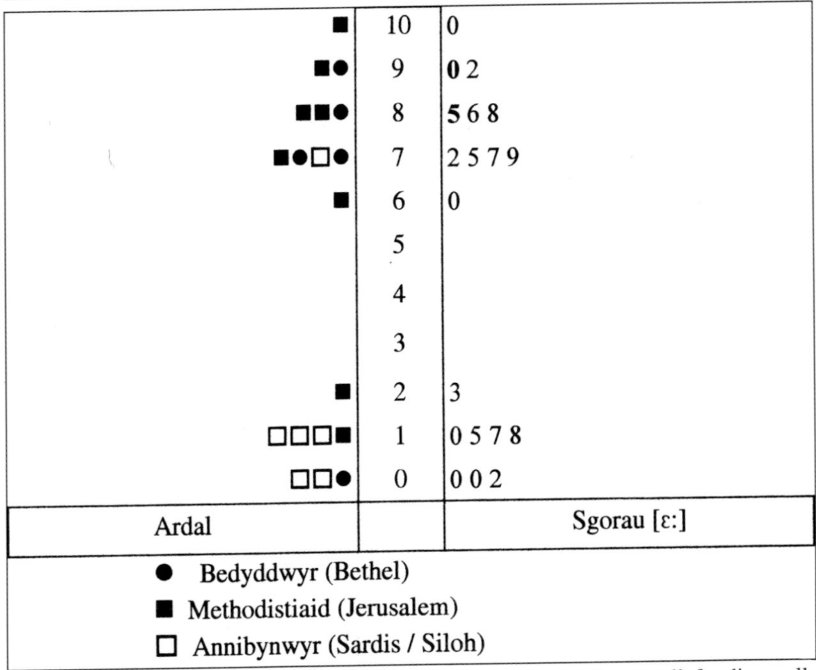

Ffig. 5: Merched a aned cyn 1932 (sampl estynedig): sgorau [ɛ] mewn llafar digymell, yn ôl enwad

Arweiniodd achos y ddwy chwaer at ystyried arwyddocâd ieithyddol newidyn cymdeithasol arall, sef ymlyniad y merched wrth wahanol gapeli. Fel y gwelir yn Ffig. 4, mae tri chapel ym Mhont-rhyd-y-fen: Sardis, capel yr Annibynwyr, ar y pen gorllewinol;[15] a Jerusalem capel y Methodistiaid, a Bethel capel y Bedyddwyr ar y pen dwyreiniol. Mae sail diriogaethol i aelodaeth y capeli hyn. Yn ôl eu cofnodion, tynnai'r capeli y mwyafrif o'u haelodaeth o'r ardal yn uniongyrchol o'u cwmpas, gyda Sardis yn gwasanaethu ochr orllewinol y pentref, a Jerusalem a Bethel yr ochr ddwyreiniol. Yn y canol, mae dalgylchoedd y tri chapel yn gorymylu. Seilir y graff pren a dail yn Ffig. 5 ar yr un data â Ffig. 3, ond bod y sgorau y tro hwn wedi eu dosbarthu yn ôl capeli'r siaradwyr. Gwelir bod y sgorwyr uchel i gyd – ac eithrio'r Annibynwraig hynaf, sydd o bosibl yn adlewyrchu cyfnod cynharach yn nosbarthiad daearyddol yr amrywyn – yn mynychu'r capeli ar y pen dwyreiniol. Isel ar y cyfan yw sgorau'r Annibynwyr.

Gwelir bod tair sgôr neilltuol ym mhen isaf y graff: yr amlycaf yw'r siaradwraig o Bethel sydd ymhlith y sgorwyr isaf oll. Hon yw'r unig un o ferched Bethel a fagwyd ynghanol y pentref. Perthyn y lleill o ferched Bethel i rwydwaith glòs o ffrindiau a pherthnasau sydd yn hanu o Oakwood, yr ardal o gwmpas y capel. Nid yw'r siaradwraig hon yn perthyn iddynt mewn unrhyw fodd, ac nid yw ychwaith yn arbennig o gyfeillgar â hwy. Mae ei chlymau â'i chymdogaeth, felly, yn gryfach na'i chlymau â'i chyd-Fedyddwyr, ac fe adlewyrchir hyn yn ei hiaith. Y wraig a chanddi gysylltiadau teuluol agos â Chwm Tawe yw'r sgoriwr isaf ond un ymhlith merched Jerusalem, capel y Methodistiaid. Yr ydys hefyd wedi cyfeirio eisoes at y llall, sef y wraig a oedd yn perthyn yn agos i siaradwyr cyhoeddus, ac a oedd yn ymwybodol o'i 'ffaeledda' yn sgîl cyfeillgarwch â merch o Ddyfed. Ar wahân i'r gwragedd neilltuol hyn, mae ymlyniad i wahanol gapeli yn rhoi cyfrif am ymddygiad ieithyddol 79% o'r merched, ac yn egluro'r amrywiaeth sydd yn iaith y merched hynny a fagwyd ynghanol y pentref.[16]

Amrywio arddulliol

Hyd yn hyn, canolbwyntiwyd ar ddefnydd y gwragedd o'r amrywyn [ɛ:] mewn llafar digymell yn unig. Gwelwyd bod merched Jerusalem a Bethel, y capeli sy'n rhannu tiriogaeth ar ochr ddwyreiniol y pentref, yn ymddwyn yn debyg. Pan edrychir ar amrywio arddulliol, daw is-raniad pellach i'r golwg. Mae Ffig. 6 yn dangos sgôr ganolrifol merched y gwahanol enwadau mewn llafar digymell a llafar ffurfiol. Gweler Milroy (*op. cit.*, 62) am ddiffiniad o'r gwahanol arddulliau hyn. Noder mai sgorau canolrifol ar gyfer y merched y codwyd mwy nag un arddull ganddynt a geir yma.

Gwelir mai merched Bethel sy'n amrywio fwyaf yn ôl arddull. Mae merched Sardis yn ymddangos yn gyson isel yn y ddwy arddull. Er bod peth amrywio arddulliol yn llafar merched Jerusalem, nid yw'n hafal i'r amrywio a geir yn iaith y grŵp o Bethel. Gan fod tiriogaeth Bethel a Jerusalem yn gorymylu, a chlymau teuluol a chymdogaethol aelodau'r ddau gapel yn ymweu, hawdd yw deall paham y byddent yn rhannu'r un frodoriaith, ac yn ymddwyn yn debyg yn eu llafar mwyaf anffurfiol. Y broblem yw esbonio gallu merched Bethel i ollwng yr [ɛ:] yng nghyd-destun cyfweliad ffurfiol.

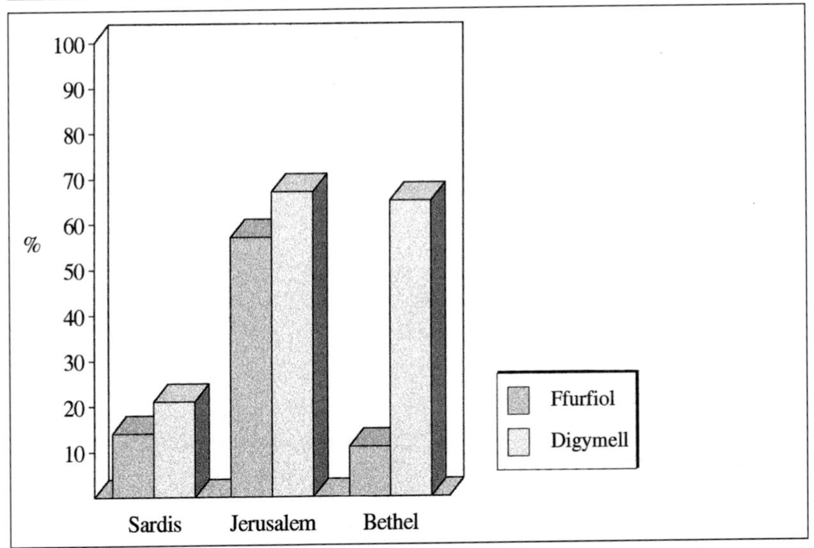

Ffig. 6: Sgorau canolrifol y merched ar gyfer yr amrywyn [ɛ], yn ôl capel

'Tawed y gwragedd yn yr eglwysi'?

Yn hanesyddol, y Methodistiaid yw'r enwad uchaf ei statws ym Mhont-rhyd-y-fen. Hwy oedd y cyntaf i ymsefydlu yn y gymuned, a bu eu haelodaeth yn fwy niferus a dylanwadol nag eiddo'r Bedyddwyr a'r Annibynwyr erioed. Ys dywedodd un Eglwyswraig (g.1916):

> Odd Jerusalem, capal y Methodistied, ôn nw – penna mawr, chi'n gwpod. Dîr annwl! A Ysgol Sul ddæ 'da nw. Cymræg dæ 'da nw a phopath. A 'nw mor *stiff* chi'n gwpod.

Am eu bod yn gymdogion i'w gilydd, roedd cryn dipyn o ymwneud rhwng y Methodistiaid a'r Bedyddwyr, a cheir digon o dystiolaeth bod cryn dipyn o gystadlu a gelyniaeth rhyngddynt, fel y dengys y storïau canlynol:

> Wy'n cofio dwy chwaer o'r Row . . . ar ôl nw baso capal y Bedyddwyr, wrth bo' sgyrts 'ir 'da nw, ôn nw'n neud fel 'yn [ysgwyd ei sgert] wrth baso. Fel ta nw'n shiglo llwch! . . . On' of cwrs, ma petha widi newid.
>
> (Bedyddwraig, g.1910)

> Yn y tŷ cinta 'yn man'yn, odd manijer y gwaith Oakwood yn byw, chi'n gwel'. A'dd Mam a Mrs Jones lot o bantnars, a ninna blant yn

> bantnars 'u plant nw, fel gwelwch chi blant yn yr isgol. Ond ôn i 'di myn' na i de un Dy' Sul, a myn' i'r eclws gita Muriel. A pwy gwrddas i ar dro'r Baptis man'na ond Anti Ann nawr chwel. 'Le chi'n myn'?' midda'i wtho i. 'Myn' i'r eclws 'ta Muriel.' 'Yr 'en slwt!' midda'i 'tho i, am bo fi'n myn' i'r eclws. A'n i'n gweud wth 'næd, widi dod da thre, 'Na gæs odd Anti Annie achos bo fi'n myn' i'r eclws.' 'O, twt, twt. Paid becso. I gaid faddeuant am fyn' i'r eclws. 'Sat ti'n myn' i'r Baptis, chelit ti faddeuant byth!'
>
> (Methodist, g.1902)

Yn Oakwood Row, rhestr gefn-wrth-gefn o fythynnod a godwyd yn yr 1820au, mawr oedd y cystadlu rhwng y Bedyddwyr a'r Methodistiaid i wyngalchu eu tai ar gyfer Cyrddau Mawr. Cofiai un siaradwraig o Fedyddwraig blant Jerusalem yn pryfocio plant Bethel trwy ddatgan bod gan y Methodistiaid well organ na'r Bedyddwyr! Ond er cymaint oedd awydd y Bedyddwyr i ddangos eu bod o gystal tras â'r Methodistiaid, nid yw'r cystadlu hwn ynddo'i hun yn esbonio'r gwahaniaeth ieithyddol rhwng merched Bethel a merched Jerusalem.

Fel y soniwyd eisoes, daw'r mwyafrif o ferched Bethel o ardal Oakwood (gweler Ffig. 4), rhan ynysedig o'r pentref ar ochr Margam i afon Afan. Ceir yn eu plith ferched sydd yn gyhoeddus yn y capel, ac yn ddiwylliedig eu diddordebau, er na chawsant fawr o addysg ffurfiol. Gan na fu'r Bedyddwyr erioed mor niferus eu haelodau â'r Methodistiaid yn y pentref,[17] ni fuont mor ddibynnol ar ddynion i lanw'r Sêt Fawr. Mewn capel a fu heb weinidog trwy gyfnod y Dirwasgiad a'r Rhyfel oherwydd cyni ariannol, gwelwyd merched yn chwarae rhan flaenllaw mewn gweithgareddau cyhoeddus a diwylliannol, a hefyd yn sefydlu'r Ysgol Gymraeg:

> The nucleus of the Welsh School Parents Association in Oakwood were also dominant in the Baptist Young People's Guild and form the most coherent and active of village groups. Their unity is built round common residence in Oakwood, Welsh speaking, and membership or participation in Bethel activities . . . Their central activity is the revival in the village of Penillion singing or Cerdd Dant.
>
> (Frankenberg, 1960au)[18]

Dyma mewn gwirionedd yr 'élite' y soniodd Frankenberg amdano yn ei astudiaeth gymdeithasegol o Bont-rhyd-y-fen yn y pumdegau:

> There is in Pont-rhyd-y-fen a small élite of literary-minded Welsh speakers who read and write extensively in Welsh. They are concentrated in Oakwood. They, and some others, are sensitive about the kind of Welsh they speak. They are at pains to explain that it is not real Welsh but a 'sloppy way of speaking' peculiar to Pont-rhyd-y-fen. They emphasize that if anyone were to speak 'real Welsh' the neighbours and other villagers would think that they were putting on airs and trying to get above themselves.[19]

Ceir dau bwynt pwysig yn sylwadau Frankenberg: yn gyntaf yw'r awgrym bod gan yr *élite* hwn afael weithredol ar Gymraeg ysgrifenedig safonol; yn ail, fod eu cymheiriaid yn pwyso arnynt fel unigolion i gydymffurfio â normau ieithyddol y gymuned, ffactor y deuwn yn ôl ati yn nes ymlaen. Cynhwysai'r *élite* aelodau o Bethel a Jerusalem. Un gwahaniaeth mawr rhwng y ddau enwad, fodd bynnag, oedd amharodrwydd merched Jerusalem i hawlio'u lle yn y Sêt Fawr. Gwelwyd diacones am y tro cyntaf yn Sêt Fawr Bethel yn 1944. Ond er i'r Methodistiaid, yn ôl adroddiad capel Jerusalem yn 1940, ddewis merch yn flaenor bedair blynedd ynghynt, yn 1940, nid ymgymerodd â'r gwaith oherwydd 'ni theimlodd ein chwaer ar ei chalon i dderbyn y swydd'. Barn gyffredin ymhlith y merched oedd: 'Dinon dyla fod yn flaenllaw, nid menywod.' Er bod ambell ferch 'ddysgetig yn yr ysgrythur' yn cymryd rhan flaenllaw yng Nghyrddau'r Chwiorydd ac yn y Gymdeithas Lenyddol, swyddogaeth y dynion oedd siarad yn y Seiat ac oedfaon y Sul:

> Odd dim merchid yn cmeryd ran pry'ny. Man nw'n cmeryd ran 'eddi. On' y blaenoried odd yn cmeryd ran. Y nw odd y Sanhedrin pryd'ny yndifa? (Gŵr, g.1911)

> 'Na beth od, bechgyn odd ran fwya yn roi atnota yn y capal. Odd dim merchid 'na. Bach iawn o ferchid wi'n cofio'n dod i Jerusalem i weud adnota yn y Seiat . . . Wi ddim cofio merchid yn myn' mlân i weud adnota llawar. Bechgyn wi'n cofio. (Gŵr, g.1913)

Yn y cyfnod yn union wedi'r Rhyfel Byd Cyntaf, byddai bechgyn Jerusalem yn cael eu hyfforddi'n bwrpasol i gymryd eu lle yn y Sêt Fawr, a gweddïo o'r frest. Disgwylid i aelodau o'r ddau ryw siarad yn y Gymdeithas Lenyddol, ond bechgyn yn unig oedd yn cael cymryd rhan yng Nghwrdd Gweddi'r Bobl Ieuanc:

Odd Cwrdd Gweddi Bobol Ifanc bora Dy' Sul, a un o'r blanoried – odd a'n byw yn y Row – William Hughes . . . odd a'n disgu'r bechgyn 'yn i weddïo chwel, a'dd un yn darllin a roi emyn mæs, a ôn nw'n myn' streit o manna miwn i cwrdd 'annar awr 'di deg . . . Ma lot o reina wedi gwasgaru nawr, lot o nw ddim wedi para mlæn, a ma lot *wedi* 'fyd. On' geson *nw* 'u disgu chwel – geson ni ddim, y merchid. (Gwraig, g.1905)

Nid felly oedd hanes merched Bethel. Os edrychir ar gyfansoddiad y grŵp o Bethel sy'n cyfnewid arddulliau, fe welir bod dwy ohonynt yn ddiaconesau, ac felly'n gyfarwydd â siarad Cymraeg mewn cyd-destunau ffurfiol a chyhoeddus. Ys dywedodd un ohonynt: 'Wi ddim diall bo' Paul wedi gweud "Tawed y gwragedd yn yr eglwysi." *God 'elp* yr eglwysi 'sen ni 'di grindo arno fe! On' na fe, *bachelor* odd e, ma nw'n gweud.' Yn rhinwedd ei pherthynas ag actor enwog, bu'r llall mewn galw mawr gan y cyfryngau Cymraeg, yn ymddangos ar raglenni radio a theledu. Mae tair o'r grŵp yn perthyn i'r un teulu, a chanddynt enw yn yr ardal am fod yn flaenllaw mewn gweithgareddau diwylliannol. Dyma ddisgrifiad un ohonynt o'r fagwraeth ddiwylliannol a gawsant ar yr aelwyd:

Och chi'n disgu, wy'n cretu, cystal â unrhyw goleg. Y cefndir ŷn ni 'di câl fel plant, chimod. 'Na beth sy wedi'n helpu ni odd bod yn yr awyrgylch – capal a steddfota a'r llenyddiath Gymraeg. Pan ôn i'n blentyn nawr odd Mam yn disgu'n wâr a finna i atrodd. Odd shwt ddiddordeb 'da 'i. Wel ôn ni'n gwpod am Wil Ifan a Crwys a Elfed amsar ôn ni'n dwts bach.

Bu un ohonynt yn ei hieuenctid yn adroddwraig ddisglair, yn perfformio o flaen cynulleidfaoedd o Gymry alltud yn Llundain yn ystod y Dirwasgiad, wedi ei hysbysebu fel *Child Wonder Elocutionist*! Enillodd un arall o'r grŵp, ei chyfnither, wobr am adrodd yn yr Eisteddfod Genedlaethol.

Y mae un o'r merched amlarddulliol o Bethel nad ydyw'n siaradwraig gyhoeddus. Serch hynny, mae'n rhan annatod o'r un grŵp cydlynol o ffrindiau a pherthnasau â'r lleill, yn seiliedig ar y gymdogaeth yn union o gwmpas y capel. Trwy eu hymwneud â gweithgareddau diwylliannol, mae rhai o aelodau'r grŵp hwn wedi estyn eu rhwydweithiau cymdeithasol i gynnwys Cymry o ardaloedd eraill. Daeth hyn â hwy i fwy o gysylltiad ag amrywiadau llafar eraill ar y Gymraeg, amrywiadau ac iddynt fwy o statws. Gellid dadlau mai merched Bethel yw'r mwyaf ymwybodol o statws ansafonol yr [ɛ:], a'r mwyaf cyfarwydd â rheoli eu defnydd o'r sain mewn amgylchiadau ffurfiol.

Talu sylw neu ymgymhwyso?

Honnodd y sosioieithydd arloesol William Labov fod cyfnewid arddulliau yn ddibynnol ar un ffactor, sef maint y sylw a roddir i'r hyn a ddywedir: '*Styles can be ranged along a single dimension, measured by the amount of attention paid to speech.*'[20] O ddilyn y ddamcaniaeth hon, gellir egluro ymddygiad ieithyddol merched Bethel trwy ddweud eu bod yn gofalu hepgor y nodwedd dafodieithol ansafonol [ɛ:] wrth siarad mewn cyfweliad, ond yn ei harfer wrth ymlacio mewn sefyllfa anffurfiol. Nid yw hyn, fodd bynnag, yn rhoi cyfrif am yr achlysuron hynny pan fydd siaradwyr yn defnyddio'r frodoriaith yn hollol bwrpasol a hunanymwybodol. Ym Mhont-rhyd-y-fen, mae estyn rhwydweithiau cymdeithasol i gynnwys pobl o'r un gogwydd diwylliannol wedi arwain at fwy o gysylltiad ag academyddion sy'n rhoi bri ar dafodiaith. Mae'r siaradwyr felly mewn sefyllfa lle mae nodweddion a ystyrid ganddynt gynt yn 'slang', '*pidgin Welsh*', neu'n 'acen od' wedi magu gwerth o achos eu prinder. Merched Oakwood oedd y mwyaf parod i gydnabod yr [ɛ:] yn rhan o'u tafodiaith, ac i fynegi siom bod y dafodiaith ar fin diflannu. Ys dywedodd un ohonynt:

> Ma mwy o falchdar 'da fi'n ddiweddar . . . Ma'r pwyslas wedi dod mwy diweddar ar dafodieitha, a fel wy'n gweud, pam ma rai yn sôn am dafodiath, ych tafodiath chi, ych chi'n myn' i feddwl, wel *ma*'r tafodiath 'yn yn bert. A'r ffaith bo fa' myn' yn bring, falla fel popath arall pam ma prindar ma mwy o werthfawrogi arno fa'n dos a?
>
> (Gwraig o Oakwood, g, 1920au)

Byddid yn disgwyl, yng ngoleuni geiriau'r siaradwraig hon, y byddai merched Bethel yn barotach i ddefnyddio'r [ɛ:] mewn cyfweliad â rhywun a oedd yn amlwg yn ymddiddori yn y dafodiaith. Cynigiodd y siaradwraig a ddyfynnwyd uchod baratoi monolog imi yn y dafodiaith, fel y gallwn ei recordio. Nid yw hyn yn brofiad anghyffredin i dafodieithegwyr, ond nid yw'n unol â damcaniaeth Labov am safoni'n mynd law yn llaw â thalu sylw i iaith. Yn baradocsaidd, er ei balchder yn ei thafodiaith, ni ddefnyddiodd y siaradwraig y nôd amlycaf ar y dafodiaith honno – sef yr [ɛ:] – wrth sgwrsio â mi, nac â ffrind iddi o'r tu allan i'r pentref. Er hynny, yn achos pob un o'r merched o'r grŵp yma, yn eu rhyngweithio â thylwyth a chymdogion yn unig y cofnodwyd sgorau uchel ar gyfer [ɛ:].

Wrth hidlo'r data i geisio gweld patrwm i ddosbarthiad yr amrywyn [ɛ:], neilltuwyd y gwragedd addysgedig am eu bod yn amlwg 'wahanol', a'r gwahaniaeth yn hawdd rhoi cyfrif amdano. Ac eto, weithiau gall eithriadau i'r patrwm cyffredinol daflu goleuni ar weddill y data. Recordiais saith o wragedd addysgedig eu cefndir, pump ohonynt yn athrawon ysgol wedi ymddeol. Yn anffodus, ni lwyddais yn achos dwy ohonynt i gofnodi ond arddull cyfweliad. Deuai'r mwyafrif o'r gwragedd addysgedig yn wreiddiol o ochr ddwyreiniol y pentref. Yn ddiddorol, un yn unig o'r athrawesau oedd yn gyhoeddus yn y capel, a hynny gyda'r Methodistiaid. Cynnyrch ysgol uwchradd oedd y ddwy wraig gyhoeddus arall yn eu plith, y naill o Jerusalem a'r llall o Bethel. Treuliodd yr athrawesau gyfnod y tu allan i'r gymuned mewn colegau addysg, a hynny yn yr oedran pan fyddai eu cymheiriaid yn ffurfio'r rhwydweithiau o ffrindiau agos a fyddai mor bwysig iddynt ar hyd eu bywydau. Mynegodd un ohonynt yr arwahanrwydd a deimlai o achos hynny:

> Wedi dod nôl . . . odd dim ffrindia. Ôn i'n rwpath ar wahân, chimbod. Odd neb jest yn mynd i'r coleg, a byw 'ma. A ôn i'n teimlo fel rwpath – on nw fel 'ta nw ddim gallu bod yn agos . . . Ôn i'n teimlo bo' ryw waniath, chimbod. Wel, *dyla* fa neud gwaniath chwel.

Gellir dadlau bod y merched hyn yn debyg i'r *lames* a ddisgrifiodd Labov yn ei astudiaeth o seiliaith dynion duon ifainc yn America, sef unigolion ynysedig nad oes ganddynt wybodaeth lwyr o normau'r frodoriaith.[21] Er y gallai dadansoddiad o'r fath egluro ymddygiad rhai o ferched Pont-rhyd-y-fen, nid ydyw'n dal dŵr yn achos eraill, yn enwedig y rhai hynny sy'n rhan o rwydwaith merched Oakwood.

Wrth holi'r merched am eu hymwybyddiaeth o'r amrywyn [ɛ:], awgrymwyd sawl gwaith mai fy mhresenoldeb i oedd yn eu hatal rhag ei arfer:

> Amsar bo chi'n (chwerthin) siarad â rywun sy'n siarad Cymrâg yn dda, ych chi'n gweud cath. Nawr bydda i'n mynd ar 'y ngwylia, a os bydda' i'n myn' lan y Gogledd bydda'i byth yn gweud cæth a llæth. Ma nw'n werthin am ych pen chi'n dyn nw? A bydda'i'n gweud cath a llâth.
> **Chi'n wa'nol pryd chi'n wilia yn Pontry'fen?**
> O, otw!
> **Ych chi ddim yn iwso fa nawr wrth wilia â fi, ych chi?**
> Na, na. Wi'n gweud na wrthoch chi, chwel? Sen i'n wilia 'da nw [ei ffrindiau], sen i'n gweud næ wrthyn nw.

Honnai un arall mai'r amrywyn [ɛ:] a ddefnyddiai bob amser gyda'i ffrindiau, er nad oedd yn ei arfer wrth sgwrsio â mi:

> Ych chi ddim 'di glŵed e achos ma nw'n swanco, chimod. Ma nw'n ryw *put on* yndifa. Dyw e ddim yng Ngwmafan. 'Na od yndife? Dim ond yn pentre hyn. 'Sa fe mwy cyffredin, mwn ardal fwy, falle bydden i ddim yn boddran i newid.

Yn anffodus, ychydig iawn o gyfle a gafwyd i recordio'r merched addysgedig mewn grwpiau gyda merched eraill. Bu rhaid bodloni ar gyfweliadau unigol, a hynny'n cyfyngu ar fy ngallu i recordio eu llafar digymell. Roedd un ohonynt, fodd bynnag, yn rhan hollol ganolog o rwydwaith merched Bethel, a bûm yn ddigon ffodus i recordio cryn dipyn o'i rhyngweithio â dwy aelod arall o'r grŵp, yn ogystal â chyfweliadau unigol. Pan ddadansoddwyd eu llafar y tro cyntaf, yn arddulliau ffurfiol a digymell yn ôl ffurf y disgwrs, roedd sgôr y wraig hon ar gyfer llafar digymell lawer yn is na sgorau ei chymheiriaid. Sgoriodd 55% ar ei defnydd o'r amrywyn [ɛ:], lle cafwyd sgorau dros 70% gan ei ffrindiau. Gwahanol iawn oedd y darlun pan wahaniaethwyd rhwng llafar a gyfeiriwyd ataf i, a llafar a gyfeiriwyd at y ddwy wraig arall. O'r safbwynt hwnnw, fe sgoriodd 100% o [ɛ:] wrth siarad yn uniongyrchol â'i ffrindiau, ond 31% wrth gyfeirio'i geiriau tuag ataf i. Awgrymir, felly, nad talu sylw i fynegiant mewn sefyllfa ffurfiol yw'r broses a geir yma, ond ymgymhwyso at iaith y cydsgyrsiwr.

Mae sawl sosioieithydd wedi amau damcaniaeth Labov mai sylw i fynegiant sydd yn achosi cyfnewid arddull.[22] Y mwyaf trylwyr ei feirniadaeth, fodd bynnag, yw Bell,[23] sydd yn cynnig dull amgenach o ddehongli patrymau amrywio arddulliol. Yn ôl Bell: '*at all levels of language people are responding primarily to other people. Speakers are designing their style for their audience'*. Cynigir ganddo fframwaith – *Audience Design* – i ddadansoddi amrywio arddulliol yn nhermau 'cynulleidfa' unrhyw weithred lafar (gweler Ffig. 7).

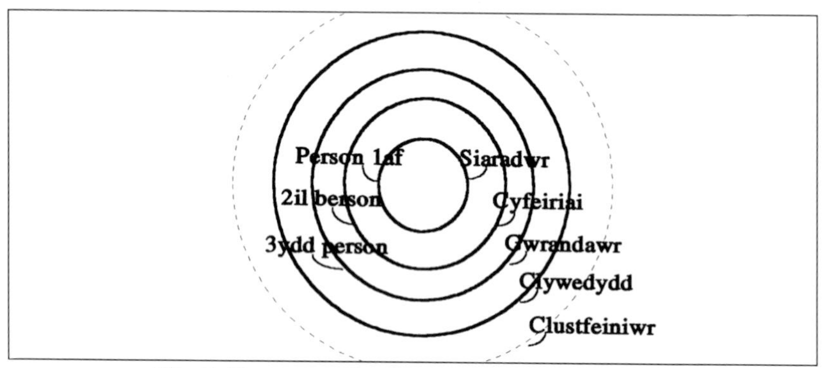

Ffig. 7: Y personau a'r rolau yn fframwaith Bell (1984)

Mae fframwaith Bell yn cymryd yn ganiataol mai ymateb i bobl eraill y mae siaradwyr wrth gynllunio eu llafar. Honnir mai dylanwad yr ail a'r trydydd person – sef y gynulleidfa – sydd i gyfrif am wahaniaethau oddi mewn i lafar y siaradwr . Y prif ddylanwad yw'r cyfeiriai, y person a gydnabyddir yn uniongyrchol gan y siaradwr. Gall fod eraill yn bresennol, nad ydyw'r siaradwr yn cyfeirio atynt yn uniongyrchol, ond sy'n gydnabyddedig ganddo. Gelwir y rhain yn wrandawyr. Gelwir personau y mae eu presenoldeb yn amlwg i'r siaradwr, ond nad ydynt yn gyfranogwyr cydnabyddedig o'r rhyngweithio, yn glywedyddion. Clustfeinwyr yw'r enw a roddir ar wrandawyr nad yw'r siaradwr yn ymwybodol ohonynt. Ac eithrio'r clustfeinwyr, mae gan bob un o'r rhain ddylanwad ar iaith y siaradwr, ond y cyfeiriai yw'r dylanwad pwysicaf.

Mae damcaniaeth Bell, sy'n seiliedig ar ymchwil ar iaith darlledwyr radio yn Seland Newydd, yn ategu gwaith seicoieithyddion megis Giles[24] a Thakerar *et al*[25] ar ymaddasu ieithyddol. Dadleua Bell fod modd ail-ddehongli canlyniadau nifer o astudiaethau sosioieithyddol yn nhermau ymaddasu at iaith y cyfeiriai. Yn astudiaeth Nikolas Coupland o gyfnewid arddulliau iaith mewn siop drefnu teithiau yng Nghaerdydd, gwelwyd bod iaith gweithiwr yn adlewyrchu iaith ei chwsmeriaid, a'i bod *'almost as good a marker of the occupational status of her interlocutor as that interlocutor's own speech'*.[26] Cydnabu Milroy y gellid dehongli amrywio arddulliol ei hastudiaeth yn Belfast ar hyd y llinellau hyn, gyda'r sgorau ar gyfer Llafar Digymell yn tarddu o ryngweithio rhwng aelodau teuluol a chyfeillion agos, ond bod Arddull Cyfweliad yn ôl diffiniad yn gynnyrch atebion i gwestiynau gan ddieithryn.[27] Er y gellir dadlau bod ffactorau megis pwnc a chyd-destun y sefyllfa hefyd yn dylanwadu ar arddull, awgryma Bell fod y newidynnau hyn yn eilradd i effaith y cyfeiriai. Cysylltir pynciau a chyd-destunau penodol â mathau penodol o gyfeiriai, ac ymateb i'r rheini y mae'r siaradwr.

Os derbyniwn ddamcaniaeth Bell yng nghyd-destun amrywio arddulliol y newidyn (â) ym Mhont-rhyd-y-fen, digon hawdd yw egluro ymddygiad ieithyddol merched Bethel yn nhermau ymaddasu at fy iaith i. Nid yw'r dehongliad hwn yn annhebyg i syniadau sosioieithydd arall o'r enw Le Page, a awgrymodd fod ymddygiad ieithyddol yr unigolyn yn cael ei gyflyru gan ei awydd i uniaethu â gwahanol grwpiau cymdeithasol. Cyfyngir ar allu unigolion i gyflawni hyn, fodd bynnag, gan y ffactorau canlynol:[28]

1 gallu'r siaradwyr i adnabod y grwpiau sy'n ddelfryd iddynt
2 mynediad i'r grwpiau hyn, a'r gallu i ddysgu rheolau eu *repertoire* ieithyddol
3 croestynnu rhwng yr awydd i uniaethu â grŵp allanol a'r angen am gadw hunaniaeth
4 gallu siaradwyr i addasu eu hymddygiad ieithyddol

Yn achos y mwyafrif o ferched Jerusalem, gellir dadlau nad oes ganddynt fynediad i grwpiau ieithyddol eraill, ac nad oes ganddynt y gallu i addasu eu hymddygiad ieithyddol i gyfeiriad yr holwr. Hyn sydd yn cyfrif am eu sgorau uchel ni waeth beth fo'r cyd-destun cymdeithasol. Er bod rhyngweithio beunyddiol merched Bethel hefyd yn lleol, mae ganddynt yn ogystal gysylltiadau achlysurol â Chymry Cymraeg o ardaloedd a chefndiroedd gwahanol. Gan y gwragedd hyn y mae'r cyfle mwyaf i gyfarwyddo â mathau eraill o Gymraeg, a'r rhain sydd fwyaf abl i symud i gyfeiriad iaith yr holwr. Ganddynt hwy hefyd y mae'r ysgogiad cyson i addasu.

Casgliadau

I gloi, gellir disgrifio dosbarthiad y nodwedd Wenhwyseg hon fel a ganlyn. Cyfyngir defnydd o'r amrywyn [ɛ:] ym Mhont-rhyd-y-fen i'r menywod hynaf, sef y grŵp a chanddo'r rhwydweithiau cymdeithasol mwyaf dwys a lleol. O'r rhain, merched y ddau gapel ar ochr ddwyreiniol y pentref sy'n gwneud y defnydd mwyaf ohono. Gwelwyd bod sgorau'r merched o gapel Jerusalem yn gyson uchel yn y ddwy arddull. Mae eu defnydd o'r Gymraeg ar y cyfan yn gyfyngedig i'r ardal leol, a'u rhyngweithio â phobl o'r tu allan fel arfer yn Saesneg. Yn iaith aelodau'r rhwydwaith clòs o ferched diwylliedig eu gogwydd o gapel Bethel y gwelwyd yr amrywio arddulliol mwyaf trawiadol. Er bod rhyngweithio beunyddiol merched Bethel, fel merched Jerusalem, yn lleol, mae ganddynt gysylltiadau achlysurol â Chymry Cymraeg o ardaloedd a chefndiroedd gwahanol. Y gwragedd hyn sydd â'r cyfle mwyaf i gyfarwyddo â mathau eraill o Gymraeg, a'r rhain sydd fwyaf abl i symud i gyfeiriad iaith yr holwr. Gellir dadlau bod ymddygiad ieithyddol y gwragedd diwylliedig hyn yn adlewyrchu'r grwpiau cymdeithasol y maent yn ceisio uniaethu â hwy. Nid oes ganddynt bellach gymaint o gywilydd o'r [ɛ:] – iddynt hwy mae'n amlygydd cryf o'u hunaniaeth leol, ac fe'i defnyddiant yn rhydd ac yn helaeth ymhlith ei gilydd. Ond wrth siarad â holwr fel fi, mae'n bosibl bod absenoldeb yr [ɛ:] yn eu llafar yn arwyddo eu bod hefyd yn uniaethu â rhwydwaith ehangach o Gymry diwylliedig.

NODIADAU

[1]Ceinwen H. Thomas : 'Some Phonological Features of Dialects in South-east Wales', *Studia Celtica* 10/11 (1975-6), 352.

[2]G.E. Ruddock, 'Astudiaeth seinyddol o dafodiaith Hirwaun ynghyd â geirfa' (Traethawd M.A. Prifysgol Cymru [Caerdydd], 1969).

[3]V.H. Phillips, 'Astudiaeth o Gymraeg llafar Dyffryn Elái a'r cyffiniau' (Traethawd M.A. Prifysgol Cymru [Caerdydd], 1955).

[4]Ceinwen H. Thomas, *Tafodiaith Nantgarw* (Caerdydd: 1993).

[5]T. Jones, 'A Glossary of the Welsh of Glamorganshire', llsgr. AWC 1619/1 (llungopi o'r llawysgrif wreiddiol yn Llyfrgell Genedlaethol Cymru),1907.

[6]L. Milroy, *Language and Social Networks* (Rhydychen: 1980).

[7]Dylid nodi nad dewis syml rhwng amrywynnau un newidyn sydd gennym mewn gwirionedd. Yn nhafodieithoedd y De-ddwyrain, gall y sain [ɛ:] sylweddoli'r ddeugraff <ae> yn ogystal ag <a> yr iaith ysgrifenedig. Pan fyddo'r newidyn yn cynrychioli'r ddeugraff <ae>, e.e. yn *Cymraeg, chwaer, daeth*, mae gan y siaradwr ddewis o gynhyrchu [ɛ:], [a:] neu'r ddeusain [ai]. Ychydig iawn o ddefnydd a wnaed o'r amrywyn deuseiniol [ai] – y geiriau *Cymraeg* a *chwaer* (yn yr ystyr grefyddol) oedd i gyfrif am y rhan fwyaf o'r enghreifftiau deuseiniol a gododd. Gan fod nifer y dangosynnau ar gyfer (â)2 yn gymharol brin, penderfynwyd cyfuno'r ddau newidyn a rhoi sgôr grynswth ganrannol i bob unigolyn i fesur presenoldeb yr amrywyn [ɛ:] yn eu llafar.

[8]P. Trudgill, *The Social Differentiation of English in Norwich* (Caergrawnt: 1974).

[9]C.M. Jones, 'Astudiaeth o Iaith Lafar y Mot (Sir Benfro)' (Traethawd Ph.D. Prifysgol Cymru [Llanbedr Pont Steffan], 1987),345.

[10]R.O. Jones, 'Cydberthynas Amrywiadau Iaith a Nodweddion Cymdeithasol yn y Gaiman Chubut – Sylwadau Rhagarweiniol', *Bwletin y Bwrdd Gwybodau Celtaidd* 27 (1976), 56.

[11]M.J. Ball, (gol.), *The Use of Welsh* (Clevedon: 1988), 79.

[12]R. Crook, 'Tidy Women: women in the Rhondda between the wars', *Oral History* 10, 2 (1982),40-57.

[13]Astudier tapiau AWC rhifau 1524 5, 1566-8, 1673-6. Meiswn a blaenor yn Jerusalem oedd y siaradwr, wedi ei fagu ar ochr ddwyreiniol y pentref.

[14]Recordiwyd ar gyfer y sampl estynedig fwy o wragedd nag a ddefnyddir ar gyfer y graffiau a ddangosir yma. Cyfyngir y drafodaeth yn y bennod hon i gynnyrch ieithyddol y merched y codwyd mwy nag un arddull ganddynt. Er imi geisio sicrhau cydbwysedd daearyddol, ni lwyddais i gael mwy nag un arddull gan rai o'r merched. Diddorol yw nodi, fodd bynnag, fod sgorau [ɛ:] yn arddull ffurfiol nifer o'r merched oedrannus o ddwyrain y pentref yn uchel iawn, sydd yn awgrymu mai siaradwyr unarddulliol ydynt.

[15]Ar un adeg roedd gan yr Annibynwyr gapel bach arall yn yr Efail-fach, sef Siloh a oedd wedi ymneilltuo oddi wrth Sardis yn 1896. Ailunwyd y ddau pan ddechreuodd niferoedd eu mynychwyr ddisgyn. Bellach mae Sardis hefyd wedi cau, a defnyddir Macpellah, adeilad a ddefnyddid gynt i gynnal Ysgol Sul yr enwad, ar gyfer y gwasanaethau.

[16]Mae hyn yn wir hefyd am y merched na chafwyd ond arddull ffurfiol yn unig ganddynt: mae gan y ddwy a gafodd sgorau uchel ar gyfer [ɛ:] gysylltiadau â Jerusalem, ac y mae'r ddwy arall yn aelodau yn Sardis.

[17]Yn ôl adroddiadau'r capeli, roedd gan Jerusalem yn ei anterth yn y dauddegau bron i 350 o aelodau, o gymharu ag ychydig dros gant yn Bethel yn yr un cyfnod. Disgrifiwyd nerth cymharol yr enwadau fel a ganlyn gan Frankenberg yn y nodiadau maes a wnaeth yn y 50au: '*There are two main chapels in the village, Methodist Jerusalem, Baptist Bethel and the Anglican church...*

Jerusalem is the larger of the chapels and has 215 subscribing members. Bethel has 108 members. There are members of the Rock [Pwll-y-glaw], Siloh and Sardis chapels in the village. The Parish Church of St John is the mother church of Ton-mawr and Bryn as well: the Easter Communicants in 1956 for Pontrhydyfen alone numbered 86.' Yn ôl adroddiad y capel, roedd gan Sardis 101 o aelodau yn 1953.

[18]Nodiadau anghyhoeddedig a wnaeth R. Frankenberg ar waith maes cymdeithasegol ym Mhont-rhyd-y-fen rhwng 1955-6, ac a gyhoeddwyd yn rhannol yn R. Frankenberg, *The Social Anthropology of Complex Societies* (Llundain: 1966), 137-142..

[19]Dyfyniad o nodiadau maes anghyhoeddedig Frankenberg, *op.cit.*

[20]W. Labov, *Sociolinguistic Patterns* (Pennsylvania: 1972), 208.

[21]W. Labov, 'The linguistic consequences of being a lame', *Language in Society* 2,1 (1973), 81-115.

[22]Gweler S. Gal, 'Variation and change in patterns of speaking: language shift in Austria', yn D. Sankoff (gol.), *Linguistic variation: models and methods* (Efrog Newydd: 1978), 227-38. Hefyd N. Coupland, 'Style-shifting in a Cardiff work-setting', *Language in Society* 9, (1980), 1-12.

[23]A. Bell, 'Language style as audience design', *Language in Society* 13,2, (1984):145-204.

[24]H. Giles, (gol.) 'The dynamics of speech accommodation', *International Journal of the Sociology of Language 46* (1984).

[25]J.N. Thakerar, H. Giles, & J. Cheshire, 'Psychological and linguistic parameters of speech accommodation theory', yn C. Fraser & K.R. Scherer (gol.) *Advances in the social psychology of language* (Caergrawnt: 1982), 205-55.

[26]N. Coupland, 'The social differentiation of functional language use. A sociolinguistic investigation of travel agency talk' (Traethawd Ph.D. Prifysgol Cymru [Caerdydd] 1981).

[27]Gweler L. Milroy *op. cit.*, 182

[28]R.B. Le Page, 'Projection, focussing, diffusion', yn M.W. de Silva (gol.) *Festschrift Le Page. York Papers in Linguistics* 9, (1980), 9-31.

D. Afan Thomas, 'Cerddor o'r Cwm' (1881-1928)

Lyn Davies

Y mae taer angen ailgloriannu cyfraniadau sylweddol y genhedlaeth o gerddorion a chyfansoddwyr Cymreig a anwyd yn ystod degawdau olaf y ganrif ddiwethaf, cenhedlaeth a fu'n weithgar yn bennaf, dyweder, yn ystod y cyfnod 1900-1940. Y mae rhai ohonynt yn enwau llai cyfarwydd, megis William George, Ystalyfera, gŵr a gynhyrchodd dair opera sy'n dangos dylanwad Dvorák a Brahms ymhlith eraill, ond mae eraill yn gyfansoddwyr a fu'n amlwg ar lwyfannau cenedlaethol, megis Cyril Jenkins, David Vaughan Thomas, J.R. Heath y meddyg teulu a'r cyfansoddwr y dylanwadwyd arno gan Debussy a'r ysgol argraffiadol yn Ffrainc, David de Lloyd, y 'prodigy' a feistrolodd Sol-Ffa mor drylwyr fel ei fod yn medru arwain darnau cerddorfaol cymhleth wedi eu trosglwyddo i'r nodiant hwn, Hubert Davies, Kenneth Harding, Dr Daniel Protheroe, E.T. Davies, Dr David Evans, D. Christmas Williams, T. Hopkin Evans, Maldwyn Price, Bradwen Jones, Harry Evans a'r enwog Morfydd Llwyn Owen, efallai y mwyaf enigmatig o holl gyfansoddwyr Cymru ar hyd yr oesoedd. Dyma genhedlaeth gyfan o arloeswyr medrus, diffuant a di-ildio yn eu hymdrechion dros gerddoriaeth yng Nghymru. Heb y gwaith arloesol hwn, teg dadlau na fyddai cerddoriaeth yng Nghymru wedi datblygu mewn modd mor ddeinamig yn ystod y ganrif hon, yn arbennig yn y cyfnod wedi 1945.

Camgymeriad fyddai galw'r unigolion hyn yn 'ysgol' o gyfansoddwyr cenedlaethol. Y mae eu cyfraniadau yn nodedig am eu bod yn unigolion carismataidd, gwahanol iawn eu hanian a'u hamcanion creadigol a chymdeithasol. Ond wedi dweud hynny, dylid nodi hefyd yr hyn sy'n gyffredin rhyngddynt, sef eu bod yn gerddorion cyflawn, yn bianyddion ac organyddion, yn offerynwyr ac yn lleiswyr nodedig, yn arbennig D. Vaughan Thomas a Morfydd Llwyn Owen, yn arweinwyr ac yn gyfansoddwyr sy'n pontio rhwng gwerthoedd a chynnyrch creadigol Oes Victoria a'r filrif newydd. Gellir cyplysu enwau'r unigolion hyn, oherwydd y ffactorau economaidd, cymdeithasol, diwydiannol a daearyddol sydd mor allweddol i wir ddealltwriaeth o fywyd a gwaith pob un ohonynt. Yng ngweithiau creadigol y rhain ceir amlinelliad o'r modd yr oedd cyfansoddwyr Cymreig yn ymateb, neu'n peidio ag ymateb, i'r chwyldro a fu yng ngherddoriaeth Ewropeaidd y cyfnod – cyfnod o galedi diwydiannol a rhyfel. Un o'r elfennau pwysicaf yng ngweithiau'r to hwn o gyfansoddwyr Cymreig yw'r modd y mae'r unigolion yn creu cydbwysedd rhwng creu ar gyfer y gymdeithas ar y naill law, ac ar y llaw arall bod yn driw i'r ysfa i amlygu moderniaeth mewn harmoni a cherddoriaeth, er enghraifft, ymhlith elfennau eraill. Roedd Morfydd Llwyn Owen a J.R. Heath yn tueddu tuag at argraffiadaeth tra bod D. Vaughan Thomas yn ochri fwyfwy â chyfansoddwyr yr Almaen cyn iddo ddarganfod llwybr cenedlaethol 'Cymreig' yn ei ganeuon nodedig – meddylier am 'Berwyn' a'r 'Saith o Ganeuon ar Gywyddau Dafydd ap Gwilym' ac eraill. Ym mron pob achos, prif nodwedd eu gweithiau creadigol yw'r symud oddi wrth elfennau cerddorol Fictoraidd at ymwybyddiaeth ddyfnach o ddatblygiadau cyfoes. Diau fod hyn oll wedi creu tensiwn ym mywyd creadigol rhai ohonynt, ond yn raddol sylweddolwyd nad oedd modd glynu at yr hyn a fu, er gwaethaf, neu efallai oherwydd poblogrwydd y cynnyrch cynharaf. Un o broblemau mwyaf sylfaenol y cyfansoddwyr oedd bod yn driw nid yn unig i'r gymdeithas o'u hamgylch ond hefyd i'r ysfa greadigol bersonol, yn arbennig yn achos y rhai hynny a oedd a'u bryd ar ymestyn eu gorwelion cerddorol. Dylai fod yn fater o falchder cenedlaethol fod yr unigolion hyn wedi gosod pwys mawr ar wasanaethu o fewn i gymunedau a oedd mor brin eu hadnoddau ar gyfer hyrwyddo cerddoriaeth ar y lefel broffesiynol uchaf oll.

Un o'r mwyaf carismataidd o'r cerddorion a'r cyfansoddwyr hyn oedd D. Afan Thomas a anwyd ar 15 Ebrill 1881 yn 3, Woodland Row, Cwmafan. Mab ydoedd i Margaret ac Evan Thomas, 'a serious-minded strong man, loved by his family but rather aloof', chwedl Wil Ifan. Roedd Afan yn un o bump o blant, Gertrude, Gwilym, Myfanwy a Gwladys oedd enwau'r lleill, ac fel cynifer o'u cyfoeswyr fe symudodd ei rieni o'r wlad i'r gymuned ddiwydiannol ym Morgannwg er mwyn sicrhau gwaith. Gwyddom fod poblogaeth Cwmafan wedi tyfu'n sylweddol yn ystod y bedwaredd ganrif ar bymtheg. Yn 1800 credir mai tua 200 oedd nifer y trigolion. Ond erbyn 1901 roedd dros

7,000 wedi ymsefydlu yn yr ardal. Rhan o'r datblygiad diwydiannol hwn oedd adeiladu Woodland Row gerllaw ffwrneisi Danycoed.

Siopwr a pheiriannydd oedd tad Afan. Bedyddiwyd ef yn David John Thomas ond mabwysiadodd Afan yn enw ar gyfer cystadlu yn gynnar yn ystod y ganrif ac fel Afan y daeth pawb i'w adnabod. Yn ôl Wil Ifan, roedd y fam yn freuddwydiol ac arallfydol ei chymeriad ac mae'n debyg bod Afan wedi etifeddu'r wedd hon ar ei gymeriad oddi wrthi hi. Yr oedd crefydd a cherddoriaeth, llenyddiaeth a chwaraeon yn rhan annatod o fywyd y teulu. Yn wir, y mae'n debyg fod gan Evan a'i wraig leisiau canu cyfoethog, ac roedd y tad yn godwr canu yng nghapel Seion. Cyfansoddwyd yr englyn coffa hwn i fam Afan yn dilyn ei marwolaeth yn1937:

> Llwm yw'r côr a'r clodfori – heb bêr rin
> Ei soprano glodwiw;
> Â'i halaw bu'n addoli,
> I gerdd oedd ei hangerdd hi.

Mewn amgylchfyd o'r fath pa ryfedd i Afan ymgolli yng ngherddoriaeth boblogaidd y dydd yn gynnar mewn bywyd, diolch yn bennaf i'r Ysgol Sul a'r Gobeithlu. Ymhlith y dylanwadau cynnar pwysicaf arno yr oedd John Eaton, arweinydd y gantawd flynyddol a berfformid yn y capel lleol. Y mae'r ffynonellau'n awgrymu cefndir teuluol hapus a chartrefol gyda'r pwyslais disgwyliedig ar werthoedd a diwylliant dosbarth-gweithiol gwâr.

Llwyddodd Afan i ennill cymhwyster Coleg y Feiolinwyr (ACV) yn gynnar mewn bywyd a bu'n ddisgybl yn Ysgol y Gweithwyr Copr yng Nghwmafan. Dengys tystiolaeth ei gyfeillion nad oedd Afan yn hoffi ffurfioldeb gwersi ac mae'n debyg iddo adael Ysgol y Sir yn Port Talbot wedi ffrae rhyngddo a'r prifathro. Bu hefyd yn ddisgybl yn Academi Harris, ysgol ragbaratoawl ar gyfer y weinidogaeth. Roedd yn amlwg erbyn troad y ganrif y byddai'n dilyn gyrfa cerddor, ac am gyfnod byr arall bu'n un o fyfyrwyr Dr Joseph Parry yng Nghaerdydd. Unwaith eto, amlygwyd styfnigrwydd Afan pan ddôi wyneb yn wyneb ag unrhyw awdurdod addysgol. Gymaint oedd pryder Parry am natur anwadal ei ddisgybl fel iddo ysgrifennu'n bersonol at dad Afan gan ddweud:

> Your son called today . . . I find that he wants to give in this term his singing lesson and his twice weekly piano lessons. I find that he has not consulted you on the matter, and I told him that it was wrong to do anything as to change in the course of his studies without consulting you, so I got him to promise to write to you and state that I quite disapprove of any change and to let well alone . . . his technical ability is far behind his emotional and expressional playing and he readily confesses this.
>
> (Llythyr dyddiedig 7 Ionawr 1901, LlGC., 411).

Nid Parry oedd y cyntaf i sylwi ar y wedd hon ar gymeriad Afan, ond llwyddodd i'w berswadio i ddychwelyd i Gaerdydd a gorffen ei astudiaethau. Daeth y ddau yn ffrindiau ac roedd Afan ymhlith y criw bach dethol a oedd yn ymweld yn gyson â'r 'Doctor Mawr' yn ei gartref ym Mhenarth cyn ei farwolaeth yn 1903. Diau fod rhywbeth o'r un anwadalrwydd rhywle yng nghymeriad Parry a bod y ddau wedi dod i ddeall ei gilydd yn iawn. Yn 1902, symudodd Afan i Bournemouth er mwyn dilyn cwrs o wersi techneg organ ac wedi marwolaeth Parry fe fu'n eistedd wrth draed un arall o'r arloeswyr mawr cynnar, sef Dr D. Christmas Williams, yn Academi Gerdd Williams ym Merthyr Tudful yn 1904. Wedi hynny, bu'n ddisgybl i Dr David Evans yng Nghaerdydd, gŵr arall y daeth i'w adnabod yn dda a'i edmygu'n fawr. Cafodd addysg anghonfensiynol, efallai, ond fe'i galluogodd i ddatblygu ei ddoniau sylweddol iawn fel pianydd, cyfeilydd sensitif, organydd a feiolinydd o fri.

Yn 1903 penodwyd Afan yn organydd yng nghapel Bethesda, Llansawel yn ymyl yr hen ddociau, swydd y bu ynddi tan flwyddyn cyn ei farwolaeth. Mewn llythyr dyddiedig 21 Medi 1903 oddi wrth swyddogion y capel cynigiwyd cyflog o £20 y flwyddyn iddo ynghyd â defnydd yr organ ar gyfer dysgu ei ddisgyblion personol. Ail-edrychwyd ar y cytundeb rhwng y capel ac Afan yn 1919 ac mewn llythyr a ddanfonwyd at y cerddor ar 9 Chwefror cynigiwyd £30 y flwyddyn iddo, 'i chwareu yr offeryn yn yr holl foddion cyhoeddus ar y Sabboth a hefyd mewn cyfarfodydd arbennig arall cysylltiedig a'r eglwys'. Talwyd y swm iddo bob chwarter ar ffurf siec, 'yr hon sydd i gael ei chyflwyno iddo y Sabboth olaf ymhob cwarter'. Cynigiwyd y cytundeb am gyfnod o bedair blynedd hyd at 1922 yn y lle cyntaf. Yn hynny o beth roedd y telerau ynghyd â natur y gwaith yn gwbl gydnaws â'r telerau a gynigiwyd i fwyafrif y cerddorion a oedd yn gweithio ar eu liwt eu hunain – megis, er enghraifft, D. Vaughan Thomas yn un o gapeli Abertawe.

Yn y cyfnod rhwng 1900 a 1914 enillodd ei gyfansoddiadau gryn nifer o wobrwyon mewn eisteddfodau mawr a mân ond difyr yw cael prawf ymhlith ei bapurau personol ei fod wedi holi nifer o gerddorion am eu barn am safon ei waith a'i fod hyd yn oed wedi ymgymryd â gwersi cyfansoddi yn ystod y dauddegau, ychydig flynyddoedd cyn ei farw. Mae llythyrau i'w cael ynglŷn â nifer o'i ganeuon oddi wrth Dr. Roland Rogers, Bangor – 'I like your songs very much indeed', meddai ef – David Jenkins, Aberystwyth, Caradog Roberts a Theador Weber, athro a chanddo gryn brofiad o ddysgu trwy'r post ac un a fu'n hysbysebu'n gyson yn y *Musical Times* ynghyd â chylchgronau eraill. Yr oedd ef yn sicr ei farn pan ddywedodd: '. . . you have exceptional skill in the treatment of both vocal and instrumental subjects . . . you are undeniably a gifted man'. Nid anarferol oedd gweld cerddorion y genhedlaeth hon yn ceisio cyfoethogi eu haddysg ac nid oedd Afan wrth wario ei enillion fel cystadleuydd ar fwy o addysg yn eithriad. Yr hyn sy'n amlwg yn ei achos ef yw bod ansicrwydd y sawl na chafodd addysg ffurfiol hefyd yn elfen yn ei bersonoliaeth greadigol, elfen y cawn ei hystyried yn y man.

D. Afan Thomas (1881 – 1928).

Sut ddyn oedd Afan? Yn y disgrifiadau a gafwyd gan Wil Ifan ac eraill ceir darlun o bersonoliaeth gymhleth ac amlochrog. Ar y naill law roedd ei synnwyr digrifwch yn anffodus. Ar y llaw arall, roedd y cyfansoddwr yn medru arddangos doniau diplomatig eithriadol yn ei berthynas â cherddorion eraill. Meddai ar nerfusrwydd Schubertaidd ynghyd â'r gallu i ysgrifennu'n gyflym iawn – yn rhy gyflym ar brydiau. Dyna sy'n cyfrif am flerwch ei lawysgrifau a'i lawysgrifen. Yn wir, mae'r llythyrau at Wil Ifan bron iawn yn gwbl annealladwy, fel cynifer o'i lawysgrifau cerddorol. Er ei fod yn berson o ynni mawr, nid oedd yn medru ymlacio'n rhwydd. Tystia nifer o'i deulu a'i gyfeillion i hyn ac er ei fod yn ymddangos yn gryf ei gorff nid oedd Afan yr iachaf o ddynion. Soniodd Wil Ifan amdano'n methu cysgu am ddyddiau bwy'i gilydd ac amdano'n methu bwyta – yn debyg iawn i Ivor Gurney, y bardd-gerddor o Loegr. Yn ei gyfrol goffa sensitif i'w hen gyfaill dywed y bardd:

> . . . it was his difficulty about sleeping that made any big mental or nervous struggle impossible for him . . . possibly he used up so much energy in all that he did that sleep could not cope with his jangled nerves. All I know is that he slept badly, and I ought to know, who have had my head on the same pillow so often. Because of the long wakeful hours he disliked sleeping alone, especially in a strange place.
>
> (*A Welsh Music Maker*, 27)

Pan dorrodd y Rhyfel Mawr, llwyddodd Afan i osgoi gwasanaeth milwrol gorfodol am rai blynyddoedd. Ond pan ddaeth yr awr benodedig gerbron Tribiwnlys Llansawel ar 10 Ebrill 1918 bu'n rhaid i'r cerddor ddatgan yn gyhoeddus o flaen y cadeirydd:

> I lately appeal to you that I am absolutely incapable owing to a deranged physical condition -of performing these duties. I do not desire to be misunderstood. I wish to state publicly before you that it is not lack of patriotism that makes me appeal for re-consideration, I am as deeply moved by patriotic motives as any other loyal British citizen but I have been examined by a well-known heart specialist, Dr Lancaster of Swansea and my heart is functionally deranged. I am unable to sleep and fail to do even the lightest manual labour and walking a short distance makes me utterly fatigued. I now beg to be exempted from military Service.
>
> (LlGC, Casgliad Afan Thomas, dim rhif)

Yn ôl arbenigwr meddygol arall roedd Afan yn dioddef o 'Chronic Dyspepsia, Insomnia and Neurasthenia'. Darlun trist, pathetig hyd yn oed, o ddyn 37 oed heb ond deng mlynedd arall o fywyd yn weddill. Yr hyn sy'n wyrthiol yw fod y cerddor wedi medru dysgu yn yr Afan Academi, Port Talbot, ei fod wedi medru arwain yr Afan Glee Singers a ffurfiwyd yn 1919 a Chôr y Brython gyda'r fath afiaeth a'i fod hefyd wedi ymddangos yn gyson fel arweinydd corawl ac fel perfformiwr unigol. Bu'n cyfeilio i nifer o unawdwyr enwog, megis Wieniawska ac ef hefyd oedd un o aelodau cyntaf Cerddorfa Simffoni Genedlaethol y BBC yng Nghymru.

Ond os oedd Afan yn wan o gorff teg nodi cryfder ei gymeriad a'i ysbryd. Bu'n ddigon dewr i sefyll dros yr hyn a ystyriai'n gyfiawnder i'r unigolyn a gonestrwydd yr artist creadigol. Ceir prawf pendant iawn o hyn yn y *cause célèbre* a ddug yn erbyn y cyfansoddwr Cyril Jenkins, un o'r mwyaf lliwgar a checrus o holl gerddorion Cymru (ac mae hynny'n ddweud mawr!). Yn syml, mater o dor-hawlfraint a gododd gynnen rhwng y ddau gerddor – cynnen a arweiniodd yn syth i'r llysoedd barn. Adroddir yr hanes yn gynnil effeithiol ar dudalennau'r *Cerddor* ym mis Medi 1914:

> Ynglyn â chynghaws Mr. D. Afan Thomas yn erbyn Mr. Cyril Jenkins, fe gofir fod yr achos wedi ei ohirio er mwyn sicrhau tystiolaeth Dr. Vaughan Thomas, M.A., yr hwn, gyda'r diweddar Mr. Harry Evans, oedd y beirniaid pan enillodd Mr. Afan Thomas am gyfansoddi tôn yn Nhreforis, Nadolig, 1906. Yn Aberafon y gwrandawyd yr achos o flaen y Barnwr Lloyd Morgan . . . dywedai Dr. Vaughan Thomas ei fod yn cofio mai 'Spes' oedd yr enw cysylltiedig â'r dôn fuddugol, a'i fod ef wedi gyrru'r feirniadaeth i'r *Cerddor*, a chofiai hefyd gyweirnod y dôn, ac yr oedd yn un a'r dôn 'Dunvant' (wrth hon yr oedd enw Mr. Cyril Jenkins yn rhaglen Crwys, a'r hon dôn a anfonwyd gan Mr. Jenkins i ysgrifennydd y Gymanfa). Dywedai Dr. Thomas hefyd iddo ddarganfod ar ol gwrandawiad cyntaf yr achos, wall o bumedau dilynol yn y dôn; ac wedi iddo gymaru y ddwy dôn yn y llŷs, fod yr un gwall yn 'Dunvant' hefyd.

Canlyniad hyn oll oedd i'r Llys ddyfarnu o blaid Afan a bu'n rhaid i Cyril Jenkins dalu'r costau ynghyd â swm o £1 ac addo peidio â chyhoeddi 'Dunvant' eto. Ceir y manylion ariannol yn gyflawn mewn llythyr (LlGC., 486) rhwng Afan a'i gyfreithwyr, Moses Thomas,

Aberafan a difyr yw nodi fod Jenkins wedi ei orfodi i dalu swm o £43-6s-6c a oedd yn cynnwys gini i Dr Vaughan Thomas ynghyd â'r swm o 4s-6c ar gyfer costau teithio. Un canlyniad positif i hyn oll oedd fod Vaughan Thomas wedi cael y cyfle i weld drosto'i hun beth oedd hyd a lled talent Afan ac ef a fu'n gyfrifol am sicrhau perfformio nifer o weithiau Afan, er enghraifft, yn yr Eisteddfod Genedlaethol, yn ystod y dauddegau. Cafodd Jenkins yrfa eithriadol lewyrchus a bu'n byw am gyfnod yn Awstralia. Fis yn ddiweddarach ar dudalennau'r *Cerddor* yr oedd Jenkins eto'n darged i lythyr di-enw yn cwyno am achos tebyg o gerdd-ladrata yn ei erbyn. Unwaith eto, emyn-dôn oedd achos y gynnen a bu'n rhaid i Jenkins 'esbonio' sut yn y byd y daeth i gyfansoddi tôn, 'Bethania', a oedd nodyn am nodyn yr un â'r don 'Vesper' gan Alvan B. Young? Nid beirdd yw'r unig biod lladratgar!

Dirywiodd iechyd Afan yn ystod y dauddegau ac yn ystod mis Ebrill 1928 cymerwyd ef i'w wely yn dioddef, ymhen ychydig, o niwmonia, clefyd a achosodd ei farwolaeth gynnar yn ystod oriau mân bore Sul, 13 Mai. Bu farw un o fawrion y cwm ac un o arwyr tawel cerddoriaeth Cymru. Cofir hyd heddiw am yr angladd a gafodd yn ei bentref, un o'r mwyaf a welwyd yno erioed, fel y tystiodd Wil Ifan yn ei gofiant iddo:

> . . . Well before the advertised time people flocked round the crunching approaches to Woodland Row, and when it was time to set out for the chapel any thought of an orderly two-by-two procession was impossible. Men filled the narrow road from side to side, and because of the hearse we had to take the longer winding downward way around the tips. When I left the house the funeral flooded the road for as far as one could see. There was a brass band playing the dead composer's tunes, but as they were at the head of the procession I could not hear a note. I was told that, though we walked four or five abrest the funeral even so was almost a mile long. Cwmafan and a big slice of South Wales seemed to have put on their black for that black day to mourn for him and there were many touching scenes.

Ysgrifennodd cyfnither Afan at y teulu o'i chartref yn Seattle:

> He was the pride of my life – that dear lovable affectionate simple David John-that beautiful nature and wonderful sensitive organisation – the only genius that this family has produced . . . modest and

unasuming with an infinite capacity to inspire love and admiration in all with whom he came into contact.

(Llythyr dyddiedig 18 Mehefin 1928, LlGC., 425)

Adleisiwyd yr un teimladau tyner gan filoedd ar ddydd ei angladd.

* * *

Y gymwynas fwyaf y gallwn ei gwneud ag Afan yw cychwyn ar y broses o ailgloriannu ei gynnyrch creadigol. Gadawodd gorff sylweddol o weithiau cerddorol amrywiol eu maint a'u safon. Y mae'n gwbl amlwg mai cyfansoddwr greddfol ydoedd. Hynny yw, cyfansoddwr a oedd yn gadael i'w allu creadigol cynhenid lifo heb bob amser ystyried yr elfen intelectol sydd mor hanfodol mewn cyfanweithiau sylweddol. Fel D. Vaughan Thomas a Morfydd Llwyn Owen, mae ei weithiau cynnar yn adlewyrchu byd y caneuon a'r baledi Fictoraidd. Yna, wrth iddo fagu hyder mae'r arddull yn closio at elfennau cyfoes, fel y gwelwn yn y man. Gadawodd nifer o weithiau offerynnol anorffenedig, ac mae ôl brys mawr ar nifer ohonynt – brys yr ysgrifennu di-dor yn oriau'r nos di-gwsg. Meddai ar y gallu i lunio cyfanweithiau dramatig ar raddfa eang, ac fe fyddai'n dda gweld amryw o'r gweithiau hyn yn gweld golau dydd yn y dyfodol. Yr oedd meddylfryd Afan yn medru cwmpasu'r telynegol mewn barddoniaeth, a gwneud hynny gydag afiaeth heintus a sensitifrwydd mawr. Byddai'n hawdd dadlau fod ei addysg gerddorol yn ddiffygiol mewn mannau a bod hynny'n cyfrif am frychau ieithwedd a strwythur. Ond ar yr un pryd, fe fyddai dadlau felly yn colli golwg ar natur y dyn ei hun – sy'n ei wneud mor ddeniadol. Gellir dweud yr un peth am nifer fawr o gyfansoddwyr. Nid Afan oedd y cyntaf i adael i'w reddf reoli ei reswm! Perfformiwyd nifer o'i weithiau gorau yng nghyngherddau'r Eisteddfod Genedlaethol yn Abertawe yn 1926 ac yn Aberafan yn 1932, ond er hynny esgeuluswyd trwch ei waith gan gorau ac unawdwyr.

Cymerer ei ganeuon. Maent wedi'u saernïo'n gelfydd gyda gwir ymdeimlad ag arddull idiomatig mewn cyfeiliant. Yn 'Paradwys y Bardd', un o ddarnau prawf Eisteddfod Genedlaethol Y Barri ar gyfer soprano neu denor (fe'i cyhoeddwyd gan Snell yn 1920), mae'r gosodiad o eiriau Eifion Wyn bob amser yn ofalus ac yn dangos ymwybyddiaeth lwyr o'r cwmpawd lleisiol – elfen sydd hefyd yn amlwg yn 'Land of the Silver Trumpet' – y geiriau gan Illtyd – cân a enillodd iddo wobr o £10 yn Eisteddfod Genedlaethol Penbedw, 1917. Mendelssohn yw'r dylanwad amlycaf ar gyfeiliant yr olaf o'r rhain (ei 'Ganeuon Heb Eiriau') ac fe geir adlais clir o ganeuon y salon ond bod y trawsgyweirio'n datblygu'n fwyfwy mentrus, bron iawn fel caneuon Liszt, dyweder. Yr un dylanwadau sydd i'w clywed yn 'The Magic of a Smile' a 'Suo Gân' lle ceir esiampl nodedig o liwio geiriau'r bardd (Wil Ifan) mewn cân sy'n llifo'n naturiol rhwng cyweirnodau G fwyaf ac E feddalnod fwyaf. Cyhoeddwyd 'Eiluned' gan yr Educational Publishing Company, Caerdydd yn 1932 ac mae'r trawsgyweirio rhwng D feddalnod fwyaf ac A fwyaf yn llwyddo i greu amwysedd naturiol sy'n debyg i Dvorák (yn symudiad araf ei 'Simffoni O'r Byd Newydd', er enghraifft). Y mae'r gân hon i denor yn haeddu gwrandawiad yn ein hoes ni, ac o fewn strwythur dwyran syml mae'r gân estynedig yn cloi'n bwrpasol. Yn y caneuon serch a gyfansoddwyd ganddo, y mae'n anodd osgoi'r teimlad ei fod yn ail-fyw profiadau personol, profiadau digon chwerw-felys, efallai. Yn ei gofiant iddo soniodd Wil Ifan am berthynas Afan ag Edith George, y ferch y cyflwynodd ei gân 'Eiluned' iddi. Yn ôl Wil Ifan, daeth eu perthynas i ben yn weddol ddisymwyth pan oedd y cyfansoddwr ar ei wely angau, ond mae'n amlwg i'r berthynas olygu llawer iawn i Afan gan iddo gadw llond drôr o'i llythyrau ac ni chyflwynwyd y rhain i'r Llyfrgell Genedlaethol.

Ceir rhai gweithiau nodedig ymhlith ei anthemau, megis 'Buddugoliaeth' a gyfansoddwyd ar gyfer dathliadau heddwch 1919 ar gais ei gyfaill, Dan Phillios, ac ar eiriau gan J. Owen Jones. Ynddi, yr hyn sy'n amlwg o'r cychwyn cyntaf yw gofal y cyfansoddwr am farciau deinamig er mwyn sicrhau effeithiau corawl trawiadol – wrth ddisgrifio Afan yn arwain yr Afan Glee Singers dywedodd un gohebydd, '. . . during practice, time and again he would shout, "let your double fortes be fortes and your fortes be piano and your piano pianissimo"'. (LlGC., 430). Anthem fer, ddefosiynol yw hon ac yn arwyddocaol nid anthem sy'n dathlu buddugoliaeth filitaraidd. Gwelir yr un gofal am amrywiaeth 'timbre' a graddio deinamigau yn y 'Magnificat', gwaith sy'n awgrymu fod gan y gŵr o Gwmafan afael sicr ar gerddoriaeth Uchel Eglwysig. Sylwer, hefyd, ar y cyffyrddiadau cromatig ysgafn ychydig cyn y diweddglo.

Ond y mwyaf effeithiol o ddigon ymhlith y gweithiau corawl yw'r gweithiau ar raddfa ehangach. Un ohonynt y dylid ei glywed eto yw 'Battle of the Baltic' sy'n frith o effeithiau dramatig i leisiau meibion – mor ddramatig effeithiol â'r gorau o waith ei gyfoeswyr, megis 'Crossing the Plain' a darnau eraill tebyg. Mae'r cerddor yn ymateb yn wych i'r thema forwrol gan ddiweddu ag ymdeithgan fawreddog i'r geiriau 'Brave Hearts to Britain's Pride/Once so faithful and so True . . .'. Y cyfanwaith arall y dylid ei berfformio eto yw'r darn corawl hynod effeithiol, 'He Fell Among Thieves', gosodiad o waith Syr Henry Newbolt ar gyfer lleisiau cymysg a cherddorfa lawn. Dengys y gerddorfaeth o'r cychwyn cyntaf ein bod yng nghwmni un a oedd yn deall sut i ysgrifennu ar gyfer adnoddau mawr. Y mae'r rhethreg gorawl yn deilwng o Stanford neu Parry (Hubert ac nid Joseph y tro hwn) ar eu gorau. Felly hefyd y trawsgyweirio anarferol ond cwbl naturiol sy'n tanlinellu holl strwythur y darn estynedig. Petasai gwrandawyr Radio Tri heddiw yn digwydd clywed y gosodiad o 'Ye have Robbed, said He, Ye have Slaughtered and made an end . . .' heb wybod ymlaen llaw pwy a'i cyfansoddodd, buasent yn ei chael hi'n anodd i enwi'r cyfansoddwr heb restru nifer helaeth o gyfansoddwyr gorau y traddodiad corawl Seisnig. Ymgais llai llwyddiannus a geir yn ei osodiad o waith John Masefield, 'Twilight'. Dyddiad cyfansoddi'r darn yn ôl un llawysgrif oedd 5 Chwefror 1923 ac mae'n amlwg fod Afan yn gyfarwydd ag arbrofion harmonig Holst a Vaughan Williams. Egyr y monolog â chyfres o driawdau anghysylltiedig, araf – agoriad sy'n creu naws y geiriau i'r dim, 'Twilight it is and the Far Woods are dim and the Rooks cry and call'. Hawdd dychmygu'r cyfansoddwr yn cyfeilio i'r llefarydd mewn neuadd leol ond haws dychmygu'r meddylfryd a'r seiniau cerddorfaol a roes fynegiant i deimlad y bardd. Ceir gwell ymgais i gyfuno llefaru a seiniau cerddorfaol neu offerynnol yn y gwaith hwn nag a gafwyd yn 'The Child's Funeral', cyfanwaith a gyfansoddwyd ganddo yn 1912 yn ymateb i'r stori gyfarwydd am y plentyn a gollwyd yn ne'r Eidal dim ond i'r teulu ddarganfod bod y plentyn yn fyw ac yn iach yn yr angladd. Os yw'r thema'n gyfarwydd i'r sawl a astudiodd farddoniaeth Oes Victoria, yna mae'r cyfeiliant piano yn awgrymu melodrama monologau cerdd theatr y cyfnod Edwardaidd ychydig cyn dyfod y ffilmiau dilafar a'u cyfeiliannau piano disgrifiadol.

Cyfanwaith sylweddol arall yw 'Merch y Llyn', sef gosodiad o waith Watcyn Wyn a Wil Ifan. Nid Afan oedd y cyntaf i osod stori Llyn y Fan Fach, bu D. Emlyn Evans wrthi o'i flaen, ac yn sicr nid Afan oedd yr olaf, gosododd Syr Peter Maxwell Davies fersiwn cyfoes o'r chwedl yn ei opera, 'The Doctors of Myddfai', yn 1995-6, ond mewn gwirionedd ymgais i ysgrifennu ar gyfer adnoddau lleol sydd yma, ac nid oes i'r gwaith unrhyw nodwedd gerddorol arbennig ac eithrio ambell gymal melodig gwerinol ei naws. Nid yw geiriau'r beirdd fawr o help chwaith! Enghraifft ydyw o'r cantawdau lu a gyfansoddwyd gan gyfansoddwyr mawr a mân ar hyd a lled Prydain yn y cyfnod hwnnw. O leiaf, gellir dweud fod yr unigolion a fu'n ymwneud â'r gweithiau hyn yn profi cysylltiad uniongyrchol â chelfyddyd o ryw fath, yn wahanol i'r hyn sydd mor gyffredin yn yr oes 'oddefol' sydd ohoni.

Prif nodweddion y gweithiau offerynnol unigol yw'r afael sicr ar ysgrifennu idiomatig, y strwythurau ffurfiol, clasurol a ddefnyddir ynghyd â'r parodrwydd mewn ambell ddarn byr i arbrofi mewn *timbre*. Y mae llawer o'r cynnyrch yn adleisio'r cyfansoddwyr yr oedd Afan yn hen gyfarwydd â hwy. Er enghraifft, yn y Triawd Piano ceir adlais o Sonatau hwyr Beethoven (Opus 110 a 111 yn benodol). Un o'r gwendidau amlycaf yw'r anallu i ddatblygu syniadau yn ddigonol. Wedi mynegi cymal rhethregol, mae Afan fel petai'n anabl i weithio'r wythïen ymhellach. Mae'r darnau llai hefyd yn adleisio Brahms a Dvorák, megis y 'Berceuse' a'r 'Petit Suite'. Un o'r nodweddion y dylid ei nodi yw'r hoffter 'Celtaidd' o'r cywair lleddf sydd mor amlwg yn y 'Lament' a'r 'Nos Gân' i'r Piano. Y mae llawer o'r darnau offerynnol byr yn gydnaws â gweithiau cynnar Herbert Howells, Gurney ac eraill o'i gyfoeswyr. Byddai'r darn disgrifiadol ar gyfer bandiau pres, 'Rip Van Winkle', yn ychwanegiad sylweddol at 'repertoire' ein bandiau cyfoes petai modd i ryddhau'r llawysgrif a'i chyhoeddi. Un llawysgrif a welodd olau dydd ac a berfformiwyd yn fynych yw 'Dawns y Gwanwyn' ar gyfer unawd piano a seindorf linynnol, gwaith sy'n meddu ar sioncrwydd rhythmig 'Handel in The Strand' Percy Grainger ond heb yr elfen felodig gofiadwy sydd mor nodweddiadol o'r cyfansoddwr hwnnw. Y gwir amdani yw fod Afan ar ei orau wrth osod geiriau, fel yr oedd mwyafrif ei gyfoeswyr. Meddylier am E.T. Davies, er enghraifft, gŵr arall hynod ddawnus a gyfrannodd yn helaeth ac a gyfansoddodd nifer o ddarnau offerynnol effeithiol ond sy'n cael ei gofio heddiw yn rhinwedd un neu ddwy o ganeuon gwirioneddol wych. Y mae'r un peth yn wir am Vaughan Thomas ac am Morfydd Llwyn Owen. Cystal i ni dderbyn ein bod yn gaeth i'n natur farddonol fel cenedl ac mai gwell yw i gerddor adael dyrnaid o weithiau bychain sydd wedi'u saernïo'n ofalus na nifer o simffonïau nad oes gan neb ddiddordeb ynddynt wedi marw'r cerddor.

Gedy unrhyw astudiaeth fanwl o waith Afan yr argraff ein bod yn syllu ar waith cyfansoddwr a anghofiwyd, ac nid dyna'i haeddiant. Does bosibl nad oes modd atgyfodi'r cyfanweithiau gorau, megis 'Battle of the Baltic' a 'He Fell Among Thieves'. Wedi'r cyfan, beth bynnag yw gwir werth a safon nifer helaeth o'i weithiau onid yw'r gŵr a luniodd 'Llanbaglan', un o'r emyn-donau mwyaf a gyfansoddwyd yn ystod y ganrif hon, yn gyfansoddwr sy'n haeddu ailwrandawiad, o leiaf?

Llyfryddiaeth

Llawysgrifau

Cyrhaeddodd pum casgliad o lawysgrifau Afan Thomas Lyfrgell Genedlaethol Cymru yn 1950, 1953, 1963, 1966 a 1973. Yn M. Wynne Lloyd, *A Schedule of the Music MS etc. of D. Afan Thomas*, (LlGC., 1980), ceir y manylion am y casgliad yn gyflawn. Bu teulu Afan yn ddiwyd iawn yn sicrhau cartref i'r llawysgrifau yn Aberystwyth. Dylid nodi fod rhai llythyrau rhwng Afan a'i gyfaill, Wil Ifan, yng nghasgliad Wil Ifan yn LlGC. Gweler hefyd *Rhestr o Lythyrau at y Parchedig William Evans, 'Wil Ifan'*, Rhiannon Francis Roberts, Tachwedd 1965, 1272. Un o'r problemau amlycaf wrth astudio'r llawysgrifau yw natur anorffenedig gymaint o'r cynnwys. Problem arall, yr un mor rhwystrus, yw blerwch llawysgrifen Afan yn ei lythyrau at Wil Ifan. Dylid nodi nad yw'r llawysgrifau wedi'u dyddio bob tro ac fe all hyn arwain at ddryswch wrth groniclo'i waith yn gronolegol.

Ffynonellau eraill

Gweler: Wil Ifan, *Afan, A Welsh Music Maker* (Caerdydd, 1944); taflen goffa Afan sy'n cynnwys cyflwyniad gan J. Grenville Jones, *Cronfa Goffa Genedlaethol Canmlwyddiant Afan*,1981 (LlGC., Rhif XML 410T455 C947); *Y Bywgraffiadur Cymreig hyd at 1940* (Llundain, 1940), 943; W. Afan

Davies, 'Afan' yn *Barn*, rhif 220, Mai 1981, 177-8; Wil Ifan, 'Afan – *Musical Genius under a Bushell*', *Western Mail*, 22 March 1923; Wil Ifan, 'Afan Bencerdd', *Y Crynhoad*, 22 (Ion. 1955), 40-2; 'Ein Cerddorion' yn *Y Cerddor*, 26, 134-5; '*Valley Town*' yn y *Western Mail*, 26 Hydref 1988.

Rhestr o Brif Weithiau Cerddorol Afan

Emynau

Eirin Afan, sef, casgliad o emyn-donau ar gyfer ieuenctid Cymru sy'n cynnwys dros 50 o donau mewn dwy gyfrol. Yn eu plith y mae: *The Mill Wheel, Danygraig, Pwllyglaw, Cwmclais, Llanbaglan, Spes, Nokomis, Hiawatha, Lux Aeternus, Tymaen, Golgotha, Seion, Hymn of Love, Elsie, Tommy, Marian, East Lodge, Gwladys, Dilys, Nain, Ellen, Gwynfor, Geneva*, ac yn y blaen.

Corawl ac Operatig

Battle of the Baltic
He Fell Among Thieves
Twilight
The Child's Funeral (monolog)
Merch y Llyn – Cantawd ar eiriau gan Watcyn Wyn a Wil Ifan

Caneuon (detholiad)

He Was Despised; The Girl I want to Marry; My Heart's a Nest; I Remember; Lesbia hath a Beaming Eye; Sibrwd yr Awel; Omar Khayyam; Paradwys y Bardd; The Mountains of Glamorgan; Drosom Ni; Y Gof; Cathl yr Eos; Mandelay; Gwlad Ieuenctid; Cwyn y Gwynt; Suo Gân; Leisa Fach; The Limber Lost; Winnie's Resting Place; Cydymdeimlad; The Grenadier's Goodbye; Gwelais Flodyn Bach yn Marw; Y Delyn Aur; The Lamb that was Slain for Us; Mary had a Little Lamb; The Magic of a Smile; Land of the Silver Trumpets; Eiluned; Ye Mariners of England; Tyrd i'r cwch Eiluned Lon; Rhyw Foreu Gaeafol; A Dream; If Death be Good; I wandered on th' Eternal Shore; Robin Bach; O Wilt thou have my cheek, dear; Paid â goddef i Estroniaid; Once in the World's First Prime; Rain (cerddoriaeth gan Ceridwen John ond yn llaw Afan – trefniant ganddo, efallai), a.y.y.b.

Rhan-Ganeuon

Cydymdeimlad; The Grenadier's Goodbye; Gwelais Flodyn Bach yn Marw; Y Delyn Aur; The Lamb that was Slain for Us; Mary Had a Little Lamb; Cân y Ffynnon.

Anthemau

As the Hart Panteth; Buddugoliaeth; Sing Unto the Lord; Magnificat; Yr Arglwydd yw Fy Mugail.

Gweithiau Offerynnol-Cerddorfaol

Nifer o Bedwarawdau Llinynnol; Cyfresi ar gyfer Cerddorfa; Intermezzo ar gyfer Cerddorfa Lawn; Triawdau llinynnol a chwythbrennau; Berceuse; Astudiaethau ar gyfer Feiola a Cello; Trefniadau o Alawon Cymreig; Waltzes; Unawdau Organ ac Amrywiadau; Preludes and Voluntries; Tone Pictures; Berwyn (trefniant ffliwt a llinynnau); Dail Hydref ar gyfer Feiola a Phiano; Lament i'r Ffidil gyda chyfeiliant Piano; Berceuse i Ffidil a Phiano; Gavotte i unawd Piano; Petit Suite naill ai i'r Piano neu i Linynnau; Night Ramble ar gyfer Clarined, Ffidil, Cello a Chwyth Pres; Dawns y Gwanwyn i Unawd Piano a Cherddorfa Linynnol; Prelude anorffenedig i'r Organ; Rip Van Winkle ar gyfer Bandiau Pres.

Lewis Davies, Y Cymer (1863 – 1951)

T. Gwynn Jones

Mae'n sicr fod yna, yma ac acw yn y Gymru gyfoes, wŷr a gwragedd y gellid eu disgrifio yn golofnau cymdeithas neu'n gynhalwyr diwylliant; y bobl hynny sy'n asgwrn cefn i bopeth sy'n digwydd mewn bro ac ardal heb chwennych unrhyw dâl na gwobr. Ac yn hanes diwylliant a bywyd cymdeithasol Cymru drwy'r oesau yn sicr fe fu rhai glew nad yw eu cyfraniadau bellach yn hysbys. Cof lleol yn aml sy'n dal gafael ar eu cymwynasau, a pheth diflanedig yw hwnnw ymhen amser. Erbyn hyn, fe gedwir enwau, os nad cyfraniadau, y mwyaf dethol ohonynt mewn cof yn flynyddol trwy gyfrwng Gwobr Goffa Syr T.H. Parry-Williams yn yr Eisteddfod Genedlaethol ond cymharol ifanc yw'r wobr honno. Y gwŷr a'r gwragedd a weithiodd yn ddygn ddiflino yn y maes yw gwir gynhalwyr iaith a diwylliant Cymru, a hebddynt hwy byddai golwg bur wahanol ar yr hen wlad erbyn heddiw. Os cyhoeddwch lyfr neu ddau, ac ennill gwobr neu ddwy, fe gaiff eich enw ei godi i blith yr anfarwolion yn y *Cydymaith*, ac fe deifl rhai sefydliadau arian atoch fel conffeti; os dowch chi'n wyneb cyfarwydd ar deledu fe'ch codir i dir aruchel diddanwyr y Gymru gyfoes faterol. Ond mae mwy o le i ddiolch am y rhai hynny sydd, ac a fu, â'u traed yn solet ar y ddaear, heb chwennych unrhyw dâl na diolch am eu cymwynasau a'u cyfraniadau i ddyfodol y genedl.

Un o'r gwŷr a fu'n golofn ymhob achos yn ei fro yw gwrthrych yr ysgrif hon; gŵr a adwaenid yn ei gyfnod fel Lewis Davies, Y Cymer. Yn y fro honno, rhwng Penderyn, Hirwaun, Y Cymer a Maesteg y treuliodd oes hir, ffrwythlon dros gyfnod o 85 o flynyddoedd. Gwelodd y fro yn cyflym newid, a dirywio, o ran yr iaith Gymraeg a'i diwylliant, a'r bywyd cymdeithasol a gysylltir yn aml â chymoedd y 'gweithie' ar drugaredd y newid a ddigwyddodd yn y cefndir diwydiannol. Daethai ei dad, (yntau'n Lewis Davies), ar ôl tymor yn was fferm ym Mhen-cnwc yn ardal Llanboidy yn Sir Gâr, i weithio'n ŵr ifanc yn y 'gweithie' haearn yn Hirwaun – gwaith haearn Crawshay – a dod yno fel pydlar ac yna cael dyrchafiad i fod yn ffeiner (refiner). Ymhen tipyn fe briododd ag Amy, a ddaethai hefyd o ardal Llanboidy, â'i bryd, fel llawer o ferched eraill cefn gwlad y cyfnod, ar gael gwaith fel morwyn yng ngwlad y 'gweithie'. Eu cartref oedd tŷ mewn rhes o dai a elwid y Tramway yn Hirwaun, ac yno y ganed Lewis Davies, Y Cymer yn 1863.

Aeth i Ysgol Hirwaun a maes o law fe ymrôdd i fod yn athro. Wedi cyfnod byr yn brentis yn Ysgol Penderyn, heb iddo dderbyn addysg uwchradd o unrhyw fath fe enillodd ysgoloriaeth i fynychu'r Coleg Normal ym Mangor am ddwy flynedd o 1882 i 1884. Bu sôn, hefyd, am fynd i goleg yng Nghaergrawnt, ond gan fod ei dad yn Annibynnwr selog, ei gyngor i'w fab oedd, 'Paid newid dy grefydd a throi'n Eglwyswr', a diflannodd y freuddwyd addysgol yn y fan a'r lle. Daeth yn ôl o Fangor yn 1884 yn athro trwyddedig i ddysgu yn Ysgol Penderyn hyd 1886.

Yno y cyfarfu â'i ddarpar wraig, Celia Lewis o Ben-y-pownd, Cwm Taf. Erbyn hyn, adfeilion yn unig sy'n nodi'r fan honno. Fe'u priodwyd yn 1886, a symud yn y flwyddyn honno i fyw i'r Cymer, lle bu Lewis Davies yn brifathro'r Ysgol Gynradd hyd ei ymddeoliad yn 1926. Wedi priodi, fe fabwysiadwyd merch a oedd yn nith i Lewis Davies, ac wedi hynny fe anwyd iddynt bedwar mab a dwy ferch. Bu dau o'r meibion yn gapteiniaid yn y fyddin cyn dychwelyd i'r fro i fod yn wŷr busnes; bu'r ddwy ferch yn athrawesau, a mab arall yn athro ar ôl treulio cyfnod o dair blynedd yn siop ironmonger un o'r brodyr. Ar adeg ysgrifennu'r llith hwn mae'r mab hwnnw, Gwyn Lewis Davies, yn byw yng Nghaerdydd yn ŵr heini yn ei nawdegau. Fe dreuliodd gyfnod, cyn ymddeol i Gaerdydd, yn brifathro Ysgol Uwchradd Tywyn ym Meirionnydd a bu ei atgofion teuluol a'i sylwadau yn gymorth mawr i lunio'r ysgrif hon.

Pwyswyd, hefyd, yn drwm ar ysgrif am Lewis Davies gan Brinley Richards, Maesteg yn ei gyfrol *Hamddena*. Bu'r ddau yn gyfeillion agos am ugain mlynedd olaf oes Lewis Davies ac onibai am ysgrif y cyn-Archdderwydd ni byddai gennym fawr o wybodaeth am y cawr o'r Cymer. Dyfynnir yma ran fechan o ysgrif Brinley Richards er mwyn i ni gael golwg gyffredinol ar weithgarwch y Cymro cwbl ymroddedig hwn:

> Un o'r Cymry mwyaf amryddawn a gyfarfûm i erioed oedd yr hen ysgolfeistr, Lewis Davies, Y Cymer. Yr oedd yn enghraifft odidog o ddyn rownd, ys dywed pobl Morgannwg. Adnabyddid ef fel

> eisteddfotwr, hanesydd, cerddor, cyfansoddwr, arweinyd côr a seindorf, bardd, darlithydd, englynwr, beirniad, traethodwr, ac yn y blaen. Yn lleol yr oedd braidd yn bopeth . . . Bu'n aelod o Gyngor Dosbarth Glyncorrwg, ac yn gadeirydd yn ei dro. Yr oedd yn Ynad Heddwch, ac yn gadeirydd Mainc Ynadon y Plant yn Aberafan am rai blynyddoedd . . . Beirniadodd mewn cannoedd o eisteddfodau lleol ar ganu, adrodd, traethodau a barddoniaeth.[1]

Dyna felly y 'dyn rownd' a fedrai hefyd bregethu, newyddiadura'n gyson i bapurau lleol a chenedlaethol, cynnal dosbarthiadau dysgu'r cynganeddion, difyrru cynulleidfaoedd, ysgrifennu nofelau a llyfrau i blant ac arwain band ffeiff a drwm Y Cymer o 1895 tan 1900. Ar wahoddiad W.P. Thomas, pennaeth pwll yr 'Ocean', gŵr dylanwadol yn y cylch a Chymro da, fe fu'n arweinydd band ffeiff a drwm Cwm Parc hefyd. Rhwng 1908 a 1914, bu'n arweinydd Côr Meibion Blaenau Afan. Bu'n ddiacon yn Eglwys Annibynnol Hebron, Y Cymer

Lewis Davies,
Y Cymer.

am drigain mlynedd, yn ysgrifennydd ei gapel am hanner can mlynedd, ac yn organydd ac arweinydd y gân. Does ryfedd, felly, i Brinley Richards ei alw'n 'un o'r Cymry mwyaf amryddawn' a dal ei fod 'yn lleol . . . braidd yn bopeth'.

Roedd galw mawr arno i feirniadu mewn eisteddfodau yn y cymoedd cyfagos, ac âi'n fynych i eisteddfodau yng Nghwm Rhondda. Bryd hynny, cerdded yn ôl ac ymlaen o bobman oedd y drefn. Roedd galw mawr arno hefyd i annerch cymdeithasau, yn arbennig ym Morgannwg. Testunau ei ddarlithiau mwyaf poblogaidd oedd 'Wil Hopcyn a'r Ferch o Gefn Ydfa', 'Enwau Lleol Sir Forgannwg', 'Cynganeddion yn y Beibl ac mewn Emynau' a 'Tribannau Morgannwg', a'i hoff faes oedd hanes lleol. Ond y gwir yw ei fod yn ŵr mor wybodus fel y gallai drin a thrafod rhai dwsinau o destunau eraill hefyd. Roedd yn gryn awdurdod ar dribannau Morgannwg ac yr oedd wedi casglu rhai cannoedd ohonynt. Yn Eisteddfod Genedlaethol Pen-y-bont ar Ogwr, 1948, ac yntau'n 85 oed erbyn hynny, daeth yn gyd-fuddugol â Dan Herbert, Resolfen, am gasgliad o dribannau.

Dilynai'r Eisteddfod Genedlaethol yn selog a mynych y cystadlodd ar wahanol destunau ynddi. Fe ddywed Brinley Richards iddo ennill dros ugain o wobrau yn y Brifwyl am storïau a nofelau i blant, traethodau hanesyddol a daearyddol, nofelau hanes ac yn y blaen: 'Anodd meddwl', meddai, 'am neb yn fwy niferus ei wobrau'n yr Eisteddfod Genedlaethol'. Er chwilio a chwalu ni lwyddwyd i nodi'r union ugain achlysur yr enillodd wobrau, ond mae'n debyg y gellir derbyn gair Brinley Richards ac yntau'n gymaint o awdurdod ar hanes y Brifwyl ac yn adnabod Lewis Davies yn bersonol. Y mae un peth yn ddigon sicr, sef mai cystadlaethau llenyddol yr Eisteddfod Genedlaethol oedd yn ei ysgogi i fynd ati yn gyson i roi ei bin ar bapur. Nodwyd yn barod ei gasgliad o dribannau ar gyfer Prifwyl 1948. Yn yr un flwyddyn, cynigiodd am y wobr am gyfieithu *Y Ffordd yng Nghymru* (R.T. Jenkins) i'r Saesneg. Y flwyddyn ddilynol yn Eisteddfod Genedlaethol Dolgellau, gwobrwyodd D.J. Williams nofel ganddo. Nofel hanes wedi ei seilio ar y gwrthryfeloedd yn ne Cymru rhwng 1116 a 1136 ydoedd a chafodd glod gan y beirniad a farnai fod *Herio'r Norman* gan 'Y Brawd Brych' yn 'nofel a oedd yn waith da a chanmoladwy drwyddi. Saif ar ei phen ei hun yn y gystadleuaeth.' Yn yr un Brifwyl hefyd cafodd hanner y wobr am nofel antur, nofel arall am y cyfnod Normanaidd a Bannau Brycheiniog a Bro Morgannwg yn gefndir iddi. Ei theitl oedd 'Y Cyn-Herwheliwr' ac yr oedd 'Min-y-Rhos' yn gystadleuydd diflino yn 86 oed!

Fel bardd enillodd amryw o gadeiriau mewn eisteddfodau lleol am awdlau a phryddestau, a chyfansoddodd rai cannoedd o englynion. Ar ei ymddeoliad yn 1926 fe luniodd englynion i gofnodi'r achlysur, a dyma bedwar ohonynt:

Clwy, mysgu cwlwm ysgol, – wir, clwy mawr
    Y cloi mas terfynol,
  Dolur im adael ar ôl
  Fy mhlant drichant ymdrechol.

Colli'r gân ddiddan ddyddiol, – colli'r wên
    Colli'r aidd ysbrydol,
  Dim gloywi'r wers, dim galw'r rhôl
  Y 'boss' ei hun sy'n absennol.

Troi camau tua'r Cymer, – o, mor hawdd
    Dymor hud 'rhen arfer,
  Ond tasg a gyst diosg y gêr
  Ymswyn yr wyf rhag yr amser.

Gair, fechgyn, boed hyn ynoch – drwy eich dydd
    Brwd 'd'rewch dân' pan weithioch!
  Mynner y faner a fynnoch
  Ond cwnner gwlad! Caner y gloch.

Yn y cyfnod wedi Rhyfel 1914-18, yn nydd nerth Undeb y Cymdeithasau Cymraeg, fe fyddid yn cynnal Ysgol Haf Gymraeg yn Llanwrtyd lle cymysgid tipyn o ddŵr y ffynhonnau â dôs o ddiwylliant Cymraeg. Âi Lewis Davies yno i ddysgu'r cynganeddion i'r ymwelwyr, a mawr fyddai'r hwyl wrth drin yr awen a chyfansoddi englynion.

Dyna'r darlun, felly, o Lewis Davies, Y Cymer – y dyn na laesodd ddwylo gydol ei oes faith. Er ymddeol o'i waith fel athro yn 1926, ni ddaeth ei weithgarwch i ben a bu wrthi wedi hynny am bum mlynedd ar hugain yn hogi'r arfau a chyflawni ei campau. Un felly oedd y gŵr a garodd ei fro a'i genedl ac a ymroes am gyfnod hir i'w gwasanaethu. Haedda ei lafur cariad fwy o gydnabyddiaeth nag a gafodd. Yn 1951, ac yntau'n 88 oed bu farw, a chladdwyd ef ym mynwent gyhoeddus Y Cymer. Y mae cofeb iddo yng nghapel Hebron, Y Cymer.

Ar wahân i geisio braslunio ei gyfraniad i'w gymdeithas, pwrpas arall yr ysgrif hon yw ystyried ei weithgarwch llenyddol, ac yn fwyaf arbennig y llyfrau a gyhoeddodd. Yn ystod ei oes fe gyhoeddodd nifer o lyfrau, yn storïau a nofelau, na fyddai'r beirniad llenyddol heddiw, mae'n debyg, yn rhoi rhyw lawer o ganmoliaeth iddynt ar gyfrif crefft ysgrifennu a chynllunio nofel, a dyfeisgarwch dychymyg. Un o'i fwriadau amlwg wrth ystorïa oedd ceisio cyflwyno hanes y fro a throeon ei bywyd i'w ddarllenwyr, croniclo hanes rhai o'i chymeriadau a gwneud ei ddarllenwyr yn fwy ymwybodol o gefndir ehangach hanes Cymru. Dylid, wrth gwrs, geisio gosod yr ysgolfeistr hwn yn ei gefndir priodol yn y cymoedd. Fe dyfodd i fyny yng nghyfnod prysur y 'gweithie' yn ardal Hirwaun, ac yng Nghwm Rhondda, cyfnod y gweithgarwch mawr a'r ymfudo o bob rhan o Brydain i gymoedd yr haearn a'r glo. Fe dyfodd yng nghyfnod dirywiad y Gymraeg yn y bröydd y bu'n byw ynddynt; gwelodd ddyddiau gogoniant y diwylliant Cymraeg yng nghymoedd Ogwr ac Afan a bu byw i weld y chwalfa. Yn ei swydd fel athro fe welodd ddirywiad yr iaith – trwy gyfrwng y Saesneg y dysgai ef y plant yn Ysgol Y Cymer, yn ôl arferiad y gyfundrefn addysg ar y pryd. Ac eto yr oedd yn ddigon ymroddedig fel Cymro Cymraeg i ymegnïo ar ôl 1900 i geisio rhoi yn nwylo plant Cymru lyfrau yn eu hiaith eu hunain.

O droad y ganrif ymlaen y mae tair gwedd ar weithgawch Lewis Davies sy'n amlycach na'i gilydd. Y gyntaf yw ei deyrngarwch mawr i'r Eisteddfod Genedlaethol a'i ddiwydrwydd fel cystadleuydd. Mewn erthygl yn y *Western Mail*, 3 Awst 1934, (papur y bu'n golofnydd Cymraeg iddo am amser), ysgrifennodd am 'Fy Eisteddfod Fawr Gyntaf – y Beirdd a Welais', sef Eisteddfod Genedlaethol Caerdydd, 1883. O hynny hyd at 1949 fe ddaliodd i'w dilyn yn ddiflino.

Yr ail wedd yw ei ddiddordeb ysol mewn hanes lleol, hanes y bröydd o waelodion Sir Frycheiniog hyd at waelod Bro Morgannwg, ynghyd â gwybodaeth sylweddol iawn am hanes Cymru ymhob cyfnod hyd at ei ddyddiau ef. Daw'r wybodaeth hon i'r amlwg ymhobman yn ei waith ysgrifenedig – yn ei nofelau, yn ei ddarlithiau, ac yn ei ysgrifennu cyson i'r wasg am gryn nifer o flynyddoedd. Bu'n cyfrannu i nifer o bapurau – y *South Wales Daily News*, *The Western Mail, The*

Glamorgan Advertiser, The Glamorgan Gazette a *Tarian y Gweithiwr*. Ym Mehefin, 1925, cafodd wahoddiad gan 'Je Aitsh', golygydd *Y Brython*, i gyfrannu colofn wythnosol i'r papur hwnnw. A than y pennawd, '"O'r Sowth" gan Eryr Craig y Llyn. Epleswr a Thylinwr wythnosol newyddion y De', cyfrannodd gannoedd o ysgrifau i'r papur hwnnw a phob un ohonynt dros fil o eiriau. Dangosant ei fod â'i fys ar byls pob dim yng Nghymru, adroddai hanes ei beirdd a'i llenorion, traethai ar y maes eisteddfodol yn y de, adroddai'n llawn hanes yr Eisteddfod Genedlaethol yn flynyddol, a deuai ei wybodaeth o hanes Cymru i'r amlwg yn gyson. Ni ellir ond rhyfeddu at rychwant ei wybodaeth am hanes; ni thraethai'n academaidd ar y pwnc, canys hanesydd poblogaidd ydoedd a gredai fod cyflwyno hanes y genedl i bawb o bob oed yn waith anhepgor. Byddai ef ac O.M. Edwards wedi bod yn bennaf ffrindiau.

Y drydedd wedd i'w nodi yw ei gynnyrch ysgrifenedig – cryn dipyn ohono wedi'i gyhoeddi a chryn swm heb ei gyhoeddi. Bu'r pin ysgrifennu yn ei law am yn agos i drigain mlynedd. Bu'n gystadleuydd pybyr yn yr Eisteddfod Genedlaethol, yn enwedig o'r dauddegau ymlaen, ac er i Brinley Richards ddweud iddo ennill dros ugain o wobrau yn y Brifwyl, deuddeg o weithiau y nodir iddo ennill gan W.W. Price yn ei *Bibliographical Index* (Cyfrol VI), a bu'n beirniadu bedair o weithiau. Sylwer ar rai o'i fuddugoliaethau:

Caernarfon 1921:	'Lewsyn yr Heliwr'.	(Nofel)
Yr Wyddgrug 1923:	'Storïau'r De'.	(Storïau hanes)
Yr Wyddgrug 1923:	'Bargodion Hanes'.	(Casgliad o storïau hanes)
Pont-y-pŵl 1924:	'Tair Alegori Fer'.	
Pwllheli 1925:	'Wat Emwnt'.	(Nofel)
Wrecsam 1933:	'Chwe Stori i Blant'.	
Caernarfon 1935:	'Hanes Cymry a fu yn amlwg ym mywyd Lloegr yn ystod teyrnasiad y Tuduriaid'.	(Traethawd)
Abergwaun 1936:	'Llyfr Darllen i Ysgolion: "Bywyd ac Anturiaethau Morwyr Cymru".'	(Storïau hanes)

Machynlleth 1937:	'Ar Rawd y Pererinion'.	(Nofel)
Caerdydd 1938:	'Nofel Antur i Blant'.	
Pen-y-bont ar Ogwr 1948:	'Casgliad o Dribannau Morgannwg'.	
Dolgellau 1949:	(a) 'Herio'r Norman'.	(Nofel)
	(b) 'Y Cyn-Herwheliwr'.	(Nofel antur – cafodd hanner y wobr)

Dyna'r llwyddiannau. Mae'n ddiamau fod yna fethiannau hefyd ac o gipio drwy'r beirniadaethau fe ellir gweld rhyw gysgod o Lewis Davies yma ac acw. Er enghraifft, yng Nghaerdydd yn 1938 gosodwyd cystadleuaeth ar 'Hanes Unrhyw Blwyf yng Nghymru'. Ysgrifennodd 'Hedydd y Coed' ar blwyf Penderyn. Ai Lewis Davies oedd hwnnw tybed, ac yntau'n awdurdod ar y plwyf hwnnw? Ym Machynlleth yn 1937 gofynnwyd am 'ddeg o ysgrifau amrywiaethol'. Un ymgeisydd a gafwyd, sef 'Arnallt Gymro', ac ymhlith y deg ysgrif roedd un ar 'Hen Ddefodau Godre Brycheiniog' ac un arall, 'Glowyr Mametz', a gynhwyswyd eisoes yn ei gyfrol *Bargodion Hanes*.

Un peth sy'n gwbl sicr. Ni fu neb ffyddlonach i adran rhyddiaith yr Eisteddfod Genedlaethol erioed – bu'n cystadlu am dros bump ar hugain o flynyddoedd. Ond ei 'magnum opus' oedd un o'i fethiannau. Yn Eisteddfod Genedlaethol Castell-nedd, 1918, gofynnwyd am lyfr hanes ar Gwm Nedd. Bu Lewis Davies yn llafurio yn y maes am ddwy flynedd solet, gan ysgrifennu bob dydd cyn mynd i'r ysgol, ganol dydd ac yna wedyn bob min nos. Cynhyrchodd waith sylweddol iawn ar Gwm Nedd – cyfrol swmpus sy'n dangos y gallai'r awdur fod yn hanesydd academaidd yn ogystal â hanesydd poblogaidd i blant. Ond ail orau oedd Lewis Davies y tro hwnnw, er mawr siom iddo yn siŵr. Enillwyd y wobr gan D. Rhys Phillips, Llyfrgellydd Abertawe, a gynhyrchodd gyfrol fawr a gyfrifir hyd heddiw yn waith pwysig ar hanes y cwm hwnnw. Ac o ran diddordeb, yn Saesneg yr ysgrifennodd Lewis Davies ei waith mawr yn y dyddiau cyn i'r Brifwyl weld y golau.

O'r cyfan a ysgrifennodd, ni chyhoeddodd ond rhyw saith o lyfrau ac y mae tomen o'i gyfansoddiadau na welsant olau dydd. Yn ei ysgrif ar Lewis Davies, fe'u rhestrir gan Brinley Richards ac mae'n bosibl nad yw'r rhestr honno'n gyflawn. Fe'i nodir yma, er mwyn i ni allu gwerthfawrogi ei weithgarwch.[2]

Nofelau a Straeon i Blant:

'Yng Ngafael y Môr Ladron'.
'Llwybrau Geirwon'.
'Aradwr y Ddaear Goch'.
'Y Clochydd'.
'Bywyd yr Herwr gynt'.
'I Bob Gŵr ei Gredo'.
'Broc Iwerydd'.
'Llawlyfr i blant ysgol ar Ddiwydiannau Hen a Diweddar'.
'Cymeriadau'r Beibl i Blant'.
'Llawlyfr i blant rhwng 11 a 15 oed ar Hanes Cymru, 1400-1700'.
'Llawlyfr i blant rhwng 10 a 12 oed "Cymru hyd 1600"'.
'Casgliad o straeon i blant yn cynnwys disgrifiadau o hen arferion a gorchwylion unrhyw sir yng Nghymru' (Dewisodd ef Sir Frycheiniog).
'Chwech o storïau gwreiddiol i blant wedi eu seilio ar ddigwyddiadau yn hanes crefydd yng Nghymru'.

Hanes:

'Casgliad o ysgrifau hanesyddol ar Ddyffryn Afan' – Glyncorrwg, Margam, Blaengwrach, Abaty Nedd, a.y.y.b.
'Hanes Plwyf Penderyn'.
'History and Meaning of Glamorgan Place Names'.
'Welsh Social Life in the Middle Ages'. (300 tud. ffwlsgap)
Traethawd, 'Bro Morgannwg'.
'Llên Gwerin Dyffryn Nedd'.
'Handbook of the History of Miskin Higher'. (cyhoeddwyd yn bamffledyn)
'Astudiaeth o'r newid yn hanes unrhyw le ar y glannau yng Nghymru oddi ar 1850'.
'Ymchwiliad i gyflwr gweithfaol a chymdeithasol unrhyw blwyf gwledig yng Nghymru' (cyd-fuddugol yn Eisteddfod Genedlaethol Aberystwyth 1916).
Traethawd 'Cymry Adeg y Tuduriaid'.
'Chwech o ysgrifau byrion ar ysgolfeistri rhwng 1850 a 1900'.

Eraill:

'Sgript darllediad i blant ysgol tua 12 oed. "Pennod drist yn hanes Morgannwg"'.
'Cyfieithiad o libretto *Elijah*'.
'Ysgrifau amrywiol ar destunau fel Y Beca, Ystradfellte, Honor Breit a.y.y.b.'

'Bras linelliad o Ddaearyddiaeth Cymru yn Anianyddol ac yn Hanesyddol'.
'Addasu chwedl yn ddrama un act, "Hywel Gethin a'i Feistr"'.
'Drama fer wreiddiol, "Gefail Cwm Cadlan"'.
'Casgliad o Briod-ddulliau a Geiriau Bro Morgannwg'.
Radnorshire (cyhoeddwyd gan Cambridge University Press yn y 'County Series').
'Outlines of the History of the Afan Districts' (cyhoeddwyd yn bamffledyn sylweddol).

Y mae'n debygol fod mwy y gellid ei ychwanegu at y rhestr hon. Dyna ffrwyth yr oes faith o astudio ac ysgrifennu; dyna ffrwyth llafur y gŵr na allai, er gwaethaf ei holl ymrwymiadau i'r gymdeithas, ymatal rhag rhoi geiriau ar bapur. Ac wrth gwrs, y drasiedi yw na chyhoeddodd fwy o lyfrau, yn arbennig ffrwyth ei hir ymgydnabod fel hanesydd lleol â'r wlad o odre Sir Frycheiniog i waelodion Bro Morgannwg.

Cyn terfynu, rhaid dweud gair am ei nofelau/storïau cyhoeddedig. Cyhoeddodd nifer ohonynt:

1924 *Daff Owen* (Nofel fuddugol yn Eisteddfod Genedlaethol Yr Wyddgrug, 1923. Hughes a'i Fab)
1924 *Bargodion Hanes* (Cyfrol o ysgrifau/storïau o fyd hanes. Buddugol yn Eisteddfod Genedlaethol Yr Wyddgrug, 1923. Hughes a'i Fab)
1925 *Lewsyn yr Heliwr* (Ystori yn Disgrifio Bywyd Cymreig. Buddugol yn Eisteddfod Genedlaethol Caernarfon, 1921. Hughes a'i Fab)
1928 *Wat Emwnt* (Nofel Wreiddiol yn delweddu Bywyd Cymreig Brycheiniog a Morgannwg yn chwarter olaf y ddeunawfed ganrif. Cyd-fuddugol yn Eisteddfod Genedlaethol Pwllheli, 1925. Hugh Evans, Gwasg y Brython).
1929 *Y Geilwad Bach* (J. Davies, Gwasg Deheudir Cymru, Llanelli)
1936 *Bywyd ac Anturiaethau Morwyr Cymru* (Llyfr Darllen i Blant)

Cyhoeddodd hefyd gyfrol o storïau o fyd hanes i blant, sef *Ystorïau Siluria* yn 1921, cyfrol a enillodd iddo'r wobr gyntaf yn Eisteddfod Cymdeithas Dewi Sant, Caerdydd.

Fe welir ar unwaith mai'r dauddegau oedd un o'r cyfnodau mwyaf ffrwythlon yn ei hanes. Bryd hynny, rhyw ddechrau ymddangos roedd nofelau i blant yn y Gymraeg. Afraid yw mynd yn fanwl dros y cefndir hwnnw; gellir dweud mai crindir cras oedd maes llyfrau i blant cyn hynny. Daeth O.M. Edwards i ysgogi gweithgarwch, gŵr a welodd yn arloesol o glir fod rhaid diwallu anghenion plant Cymru, gŵr a welodd mai trwy ddarparu llyfrau pwrpasol, diddorol i blant yr achubid y Gymraeg rhag tranc. I Gymro o argyhoeddiad Lewis Davies, yr oedd geiriau 'O.M.' yn siŵr o fod yn fêl ar ei fin – rhaid oedd trwytho plant Cymru yn hanes eu bröydd, a hanes y genedl, peri iddynt ymfalchïo yn yr hyn oedd o'u cwmpas a rhoi iddynt flas ar yr adnabod sydd mor bwysig yn nhwf addysg pob plentyn. Ac onid oedd *Cymru'r Plant* wedi dangos iddo'r hyn oedd ei angen ar blant Y Cymer a Chymru? Dylanwad pwysicaf O.M. Edwards, drwy *Cymru'r Plant*, oedd dangos i egin lenorion yng Nghymru nad oedd iddynt gynulleidfa bwysicach na phlant.

Fel athro o Gymro brwd ni allai Lewis Davies lai na bod yn gyfarwydd â rhai cyhoeddiadau pwysig a fu'n trafod anghenion plant Cymru, megis *A Nation and its Books* (Adran Gymraeg y Bwrdd Addysg, 1916) a *Welsh Books for Children*, Pamffledi Cylch Dewi, 1920. Ac fel aelod o'r gweithgor bu ganddo ran uniongyrchol yn y gwaith o baratoi Adroddiad hollbwysig y Pwyllgor Adrannol a benodwyd gan lywydd y Bwrdd Addysg, sef *Y Gymraeg mewn Addysg a Bywyd* (1927). Gwelodd y dauddegau ymddangosiad nifer o lenorion plant – dyna gyfnod Moelona, Joseph Jenkins, R. Lloyd Jones, Winnie Parry, Tegla Davies ac eraill. Roedd llawer ohonynt yn portreadu bywyd gwledig a phentrefol, hwyl a difyrrwch plant, ac ar yr un pryd yn cyflwyno gwybodaeth a cheisio magu gwreiddiau. Yr un oedd nod Lewis Davies ond fod ei gefndir ef yn gefndir mwy diwydiannol er mai bro ei febyd yntau yw'r gefnlen i lawer o'i waith. Bydd edrych ar ei ragair i rai o'i gyfrolau yn dweud y cyfan wrthym am ei obeithion:

(a) *Lewsyn yr Heliwr*.
'Ergyd yr Ystori hon yw portreadu i ieuenctid yr ugeinfed ganrif gyflwr cymdeithas yn Neheudir Cymru yn nyddiau olaf y "Coach" Mawr, lai na chanrif yn ôl; ac yn enwedig i ddangos prinder yr addysg, caledi yr amgylchiadau, a gerwinder cyfraith y wlad yn y cyfnod hwnnw.'[3]

(b) *Bargodion Hanes*: 'Ystorïau i Ddiddori Plant Cymru yn hanes eu Gwlad. Amcan yr Ystorïau hyn yw creu awydd darllen ym mhlant Cymru. Maent wedi eu gwaelodi ar hanes Cymru, ac ni fedd yr un genedl hanes mwy rhamantus. Mae yr awdur wedi bod yn ffodus yn ei wead i'r amcan hwnnw. Pe ceid y plant i gymryd diddordeb yn hanes eu gwlad eu hunain, gwelent nad oes achos iddynt ostwng pen i neb, a magai ynddynt hunanbarch ac awydd am ragori yng ngwasanaeth eu cyd-ddynion'.[4]

Bron na allech dybio mai wedi copïo rhai o eiriau Syr O.M. Edwards yr oedd Lewis Davies er mwyn mynegi ei obeithion.

(c) *Y Geilwad Bach:*

'Dyn hynod iawn ar lawer ystyr oedd Mr. Francis Crawshay. Ond yr oedd yn Feistr Gwaith a drigai yn agos iawn at ei weithwyr. Ac am hynny, a'r ddynoliaeth fawr a'i nodweddai ar bob rhyw bryd, cerid ef gan bawb a edmygai onestrwydd, uniondeb a thrugaredd.

Bu i'r Awdur fantais fawr ynglyn â'i hanes, oblegid un o'i "ffeiners" am chwarter canrif oedd fy nhad, a'i "housekeeper" am flynyddoedd na wn eu nifer oedd "Pegi Ty Mawr", chwaer i'm tad, a'm modryb innau.

Dewiswyd y mwyafrif o gymeriadau Cymraeg y llyfr o blith personau a fucheddai mewn gwirionedd; a digwyddiadau hysbys ydyw'r hanes am helyntion y Ffwrneisi a'r Offis yn nechreu'r ystori ynghyd a helynt yr Eureka tua'i diwedd.'[5]

Dyna ddigon i ddangos nod Lewis Davies ac yr oedd i dynnu'n helaeth ar ei wybodaeth o hanes Cymru i'w gyrraedd. Ei amcan pennaf oedd cofnodi ar ffurf stori a nofel yr hyn y gwyddai'n dda amdano trwy ddarllen a sgwrsio ag aelodau o'i deulu a chymeriadau ei fro.

Y mae'n rhaid derbyn mai hanesydd oedd Lewis Davies yn gyntaf dim ond y mae'n rhaid, hefyd, gydnabod fod ganddo ddawn storïwr a wyddai sut i ddisgrifio golygfa a chymeriad mewn modd a fyddai'n dal diddordeb. Gallai lunio deialog llawn lliw a chyffro a hiwmor, gan ddefnyddio tafodiaith hyfryd Blaenau Morgannwg yn fynych. Gwyddai werth amrywio arddull a sgwrsio cynnil, a gwyddai sut i yrru stori yn ei blaen o ddigwyddiad i ddigwyddiad mewn modd a fyddai'n gwneud argraff ar ei ddarllenydd. Ond ni chollai gyfle yn y darnau naratif i ehangu gwybodaeth am y gorffennol – am galedi bywyd, gormes, anghyfiawnder, dewrder y werin a hen arferion.

Ond yn *Wat Emwnt* ac *Y Geilwad Bach* – a chymryd dim ond dwy o'i nofelau – mae dychymyg creadigol y nofelydd i'w weld wrth ei waith, er fod addysgu yn dal yn ffactor bwysig yn y ddwy. Yr unig awdur Cymraeg arall yn ystod y cyfnod i ganolbwyntio ar ddeunydd hanesyddol fel cefndir i'w nofelau yw Elizabeth Watkin Jones, a heb fynd ati i gymharu a manylu gellir dweud iddi hi estyn ffiniau'r nofel hanes yn y pedwardegau o'i chymharu â'r hyn ydoedd yn y dau – a'r tridegau. At hynny, roedd ganddi ddawn ysgrifennu ddiamheuol. Hi, yn anad neb, a roes ffurf gelfydd i'r nofel hanes; un o'r arloeswyr cynnar oedd Lewis Davies.

Er mwyn dangos natur ei waith, ystyrier *Wat Emwnt*, 'Nofel wreiddiol yn delweddu bywyd Cymreig Brycheiniog a Morgannwg yn chwarter olaf y ddeunawfed ganrif'. Yn ei feirniadaeth yn Eisteddfod Genedlaethol Pwllheli, 1925, dywedodd yr Athro Edward Edwards:

> Amlwg iawn fod crefft y nofelydd byw yn rhedeg drwy y nofel oll. Mae ei druth mor ddifyr a ffres nes y teimlwn fy mod yn adnabod Wat Emwnt yn iawn, ac i mi fod gydag o mewn ymladd ceiliogod, ac yn dianc rhag y 'Press Gang'. Treuliodd hwyrach, ormod o amser yn yr Amerig, – ond gwir ddiddorol ei daith adre. Darlun byw a chywir ar ochr newydd i fywyd gwlad – dosbarth y gwas fferm, dosbarth yr heliwr a'r sowldiwr. Mae'n wir dda drwyddi o'i dechreu i'r terfyn.[6]

Canmoliaeth yn wir! Ond rhaid cofio nad oedd yn y cyfnod hwnnw draddodiad o feirniadu teilwng ar y nofel i blant. Yn ei babandod, ysywaeth, yr oedd y ffurf lenyddol hon yn 1925, ac elfennol, hefyd, oedd safonau beirniadaeth ar lenyddiaeth i blant. Serch hynny, dylem sylwi ar rai o gymalau'r feirniadaeth, megis 'Mae ei druth mor ddifyr a ffres . . .' a 'Darlun byw a chywir ar ochr newydd i fywyd gwlad . . .' Un o gryfderau'r nofel yw bod bywyd Wat Emwnt yn cael ei gyflwyno'n bennaf trwy ddeialog – dull storïol y gwyddai Lewis Davies ei werth yn dda.

Hynt bywyd un person yw'r nofel hon yn ei hanfod, rhyw fath o gofiant gwas fferm y mae ei fywyd yn ddrych i hanes, arferion a thraddodiadau bro. Yn is-thema, fel petai, ceir hanes 'troi' a sadio'r gŵr a arferai ymladd ceiliogod a gwatwar y 'Ranters' Methodistaidd, gyda'r canlyniad fod ei gartref yn dod yn un o ganolfannau'r diwygiad lle galwai Jones Llangan a Williams Pantycelyn ar eu rhawd. Ond rhwng y ddau begwn cawn glywed am y 'gaflets' (neu'r sbardunau ar droed y ceiliog), clipio sofrenni aur, rhialtwch ffeiriau Aberhonddu, hwyl tŷ tafarn, y gwas bach Dai Price â'i fryd ar ddysgu darllen, y 'press gang' yn dal Wat Emwnt a'i anfon i Fryste i ryfela yn yr Amerig, cyfarfod John a Charles Wesley, ymladd yn erbyn yr Indiaid Cochion, clywed canu 'Y Deryn Pur' gan forwyn mewn tafarn ar Ynys Staten, ei phriodi, dod â hi nôl i Gymru a chael gwaith yng Nghyfarthfa ac yntau erbyn hynny wedi sadio yn ei fywyd beunyddiol.

Dyna fraslun yn unig o'r stori. Mae ôl crefft ar y cynllunio ac mae rhyw undod crwn yn y cyfanwaith o ran y modd y mae'r awdur wedi dal ei afael ar rai o'r prif gymeriadau yn hanner cynta'r nofel gan ofalu eu dwyn yn ôl i gylch y diweddglo. Dyna, hwyrach, a olygai'r beirniad wrth ddweud: 'Amlwg iawn fod crefft y nofelydd byw yn rhedeg drwy y nofel oll'. Ond mae yna rinweddau eraill, megis y defnydd o dafodiaith, yr hiwmor iach a'r disgrifiadau sy'n gameos graffig – fel yr ymryson rhwng dau geiliog yn y talwrn, neu ddarlunio tref Bryste yn gryno a byw, neu ladd yr Indiad a oedd wedi gwisgo croen mochyn gwyllt er dod yn agos at wyliwr o filwr, a'r gwrthdaro rhwng Wat, yr yfwr a'r ymladdwr ceiliogod, a'r gwas, Dai Bach, a oedd yn un o'r 'Ranters' â'i fryd ar ddysgu darllen ac ysgrifennu. A thrwy'r cyfan yr ydym mewn cyswllt â hanes y cyfnod yn ei amryfal agweddau – arferion, coelion, byd gwerin a thafarn, cychwyn crefydd Ymneilltuol, dechrau'r broses o ddysgu'r werin i ddarllen, bywyd milwyr a rhyfela, cyrddau pregethu awyr agored, a sobrwydd tröedigaeth.

Ystyriwn eto y gyfrol arall, sef *Y Geilwad Bach*. Hanes bywyd hogyn o'r enw Moc a geir ynddi, ef oedd y geilwad, sef yr hogyn â âi o amgylch y tai i alw'r gweithwyr i fynd at eu gwaith yng ngweithiau haearn Crawshay. Mae dwy thema yn y nofel hon. Mae'r gyntaf yn ymwneud â hanes Moc, yr hogyn da, annwyl a charedig i'w fam weddw, yr hogyn a oedd am wella'i fyd, a'r modd yr ymserchodd teulu Crawshay ynddo a'i helpu i gyrraedd ei nod. Mae'r ail thema yn dangos pa mor waraidd oedd y teulu hwnnw yn y fro. Mae'r nofel yn gymaint o foliant i'r Crawshays ag yw hi o glod i gynnydd y geilwad bach. Cefndir daearyddol y stori eto yw'r ffin rhwng Sir Frycheiniog a Sir Forgannwg, a molawd i'r Crawshays yw'r bennod gyntaf ar ei hyd. Yn 1819 daeth y teulu hwnnw i ardal y pyllau glo, a buont yno am 'ddeugain mlynedd yn frenhinoedd y lle. Ond brenhinoedd mewn gwirionedd oeddynt' ebe'r awdur. Mae'r nofel yn ymgais i brofi'r gosodiad hwnnw, yn arbennig trwy groniclo gweithredoedd un ohonynt, sef Fransis, 'a elwid gan amlaf yn "Mr. Ffrank" neu "Sgweier Ffrank"':

> Credai ef mewn byw yn agos at ei weithwyr, nid yn unig o ran man a lle, ond o wybod am eu trafferthion a'u llawenydd hefyd. Nid oedd ddim a allasai eu dolurio neu eu llwyddo hwy nag a oedd yntau'n gyfrannog ohono yr un modd.
> . . . Mewn gair, g˘r o'r ddynoliaeth oreu oedd Sgweier Ffrank, yn curo cefn pobun a oedd onest ac wyneb-agored, ac yn cashau pob camwri a ffug.[7]

Dewisodd yr awdur gyfiawnhau y gosodiadau hyn a phrofi dynoliaeth fawr y Sgweier trwy ddilyn hynt a helynt Moc, y geilwad bach, yr ymserchodd y Sgweier ynddo. Ac am fod ganddo bwyntiau i'w profi, fe aeth yr awdur allan o'i ffordd yn aml i lunio penodau neu ddarlunio golygfeydd a oedd yn fwy o gymorth iddo wneud hynny nag i greu nofel grefftus.

Yn y gyfrol hon, daw'r hanesydd lleol i'r amlwg yn gyson. Cawn wybodaeth am y 'gweithie' haearn a glo, arferion gwaith, llysenwau gweithwyr, Shoni Sgubor Fawr, Dai'r Cantwr, Helynt y Beca, Clwy'r Colera yn 1849 ac ati. Dywedodd Moc un tro wrth Sgweier Ffrank ei fod eisiau gweld y byd, ac o'r herwydd aeth y sgweier ati i'w helpu trwy fynd ag ef i Ystradfellte. Treulir tair pennod yn cyflwyno'r fro honno i'r hogyn sy'n ddigon i wneud i'r darllenydd deimlo ei fod yn cael gwers ddaeryddiaeth. Sonnir am Sgwd yr Eira, Afon Hepsta, Y Porth Mawr, Y Baban, Y Bedd, Maen Dervac (a'r arysgrif Ladin arno), Scytydd y Clyn Gwyn, Maen Llia, olion hen gastell Aber Llia, Hendrebolon a'r man lle bu Syr Dafydd Gam yn cuddio cyn mynd i Agincourt. Nid oes gwadu mai'r athro o hanesydd sy'n traethu yn y penodau hyn ac nid y nofelydd. A phan ddaeth Moc adref i adrodd hanes y daith wrth ei fam, dywedodd, ''Rwy heddi wedi dechre gweld y byd mam'. Hyd at hanner y ffordd drwy'r stori, mae'r addysgwr at ei gilydd yn drech na'r nofelydd – mae'r hanesydd lleol poblogaidd a'r nofelydd yn ceisio cyfarfod â'i gilydd, heb fod yr un o'r ddau yn gwbl sicr o'u llwybrau. O ganlyniad, ceir rhai penodau gwan, er fod yna gryn gamp ar y ddeialog a'r defnydd o dafodiaith bro.

Ond i weld y byd yr aeth Moc, neu'n benodol felly, i weld y meysydd aur yng Nghaliffornia, a dyna fyrdwn ail hanner y llyfr – anturiaethau Moc yn y meysydd hynny. Dyma lle mae'r creu mwyaf diddorol, yn bennaf am nad yw Sgweier Ffrank mwyach o fewn cyrraedd a'r awdur o'r herwydd yn tynnu mwy ar ei ddychymyg ei hunan. Ond ar gychwyn y daith, ni allai'r awdur osgoi enwi strydoedd a gogoniannau Llundain – Crystal Palace, y King's Head lle bu Jac Glan y Gors yn byw, Westminster, Whitehall, ac ati. Ac wrth groesi'r sianel rhyw ddyfalu roedd Moc tybed ble croesodd Cesar i Brydain, a Gwilym Orchfygwr ymhen un ganrif ar ddeg ar ei ôl. Yna ceisiodd ddychmygu'r Armada yn dod i fyny'r sianel yn amser Bess, a Nelson yn mynd allan i gwrdd â'r gelynion yn amser Boni. Ym maes yr aur, er gwaethaf sawl sgarmes, gwnaeth Moc ei ffortiwn cyn i hiraeth am Gymru ddod i'w lethu. Y mae'n dychwelyd at ei fam a Frank Crawshay, gan gyfarfod ar y llong ag un, William Ellis, a roes iddo *Animated Nature* Goldsmith i'w ddarllen pan oedd yn hogyn.

Yn 1929 y cyhoeddwyd y nofel hon. Tua'r un cyfnod yr ysgrifennwyd nofelau cynnar E. Morgan Humphreys a nofelau antur R. Lloyd Jones. Ni chyrhaeddodd Lewis Davies eu lefel hwy. Fe wnaeth ef ei gyfraniad pan oedd y maes ond megis tir gwyryfol a'i gamp fu agor cwys yn y dauddegau a'r tridegau a'i gwnaeth yn haws i eraill wedyn hau a medi.

Beth, felly, y gellir ei ddweud amdano wrth gloi? 'Dyn rownd' a dyn 'a oedd braidd yn bopeth' yn ei fro? Ie'n siŵr. Nofelydd plant? Arloeswr ym myd ysgrifennu ar gyfer plant yn sicr, ac arloeswr o ran poblogeiddio hanes Cymru mewn stori a nofel, bid siŵr. Ysgrifennwr diflin a roes oes o wasanaeth di-ddiolch i'w Gymru ef? Heb os. Ond yn bennaf dim, hanesydd pybyr ei fro a'r genedl a garodd hyd y diwedd. Heddiw, fe gawsai Fedal Goffa Syr T.H. Parry-Williams yn gydnabyddiaeth deilwng o'i holl lafur. Ond y cyfan a gafodd Lewis Davies, Y Cymer oedd Gwisg Werdd Gorsedd y Beirdd.

NODIADAU

[1]Brinley Richards, *Hamddena* (Abertawe, 1972), 57.
[2]Brinley Richards, *Hamddena*, 62-3.
[3]Lewis Davies, *Lewsyn yr Heliwr* (Wrecsam, 1922)
[4]Lewis Davies, *Bargodion Hanes* (Lerpwl, 1924)
[5]Lewis Davies, *Y Geilwad Bach* (Llanelli, 1929)
[6]Lewis Davies, *Wat Emwnt* (Lerpwl, 1928)
[7]Lewis Davies, *Y Geilwad Bach*, 10-11

Richard Price o Dŷ'n Ton, Llangeinor (1723-91)

Prys Morgan

O ddringo i flaenau afon Ogwr, heibio i Langeinor, Glyn Ogwr a chyn cyrraedd Nant-y-moel, fe ddeuir i bentre o'r enw Price Town. Mae'n ddigon posib mai ar ôl rhyw ddiwydiannwr y cafodd y lle ei enwi. Ond o leiaf y mae'n galw i gof yr enw Price, enw mab disgleiriaf Llangeinor, Richard Price o Dŷ'n Ton (1723-91), athronydd enwocaf Cymru, gweinidog Ariaidd, radical a chwaraeodd ran flaenllaw yn hyrwyddo'r Chwyldro Americanaidd, gŵr y bu ei gefnogaeth selog i'r Chwyldro yn Ffrainc yn ddigon i wneud i Edmund Burke ysgrifennu ei glasur ar y Chwyldro i ymosod arno, a mathemategydd praff ac ystadegydd manwl a oedd yn arloeswr yswiriant bywyd. Roedd yn gyfaill agos i Benjamin Franklin a Thomas Jefferson, a phan roddwyd gradd er anrhydedd gan Brifysgol Yale i George Washington yn 1781 yr unig un i gael gradd yn yr un seremoni oedd y gŵr o Dŷ'n Ton. Pan fu farw yn 1791 bu galaru ar ei ôl mewn llawer gwlad.

Llangeinor ar ddechrau'r ugeinfed garif.

Roedd Richard Price yn fab i Rice Price (1673-1739) o hen ffermdy Tŷ'n Ton, a saif hyd heddiw yn Llangeinor, ar lethrau coediog wrth enau Cwm Garw, o deulu o hen Biwritaniaid a ddaeth o dan ddylanwad Samuel Jones a gynhaliai Academi yn fferm Brynllywarch; yn wir, bu Rice Price yn gofalu am yr Academi am beth amser, a brawd Rice Price oedd Samuel a ddaeth yn gyd-weinidog â'r emynydd Isaac Watts yn Llundain. Chwaer y brodyr hyn oedd Catherine a briododd William Thomas o Gefn Ydfa. Eu hetifeddes oedd Ann, 'Y Ferch o Gefn Ydfa' yn y chwedl enwog a ymserchodd yn y bardd Wil Hopcyn ond a orfodwyd (gan Rice Price, yn ôl un stori) i briodi ag Anthony Maddocks y cyfreithiwr llwyddiannus, ac a fu farw o serch ym mreichiau Wil Hopcyn. Roedd Richard Price felly yn gefnder i'r Ferch o Gefn Ydfa.[1] Mae dweud hynny yn lleoli'r teulu ymhlith mân-ysweiniaid Blaenau Morgannwg, ffermwyr cyfrifol ac annibynnol eu barn, a oedd yn cyd-briodi â meddygon a chyfreithwyr, arloeswyr Anghydffurfiaeth yn niwedd yr ail ganrif ar bymtheg a dechrau'r ddeunawfed, ac arloeswyr radicaliaeth mewn cyfnod ychydig yn ddiweddarach. Byddai ambell un ohonynt yn priodi i mewn i blith pendefigion y sir, ond fel arfer eu cyfeillion oedd pregethwyr ymneilltuol, megis David Williams neu William Edward y Pontwr, neu grefftwyr deallus megis Siôn Bradford, Lewis Hopkin, ac Iolo Morganwg.[2]

Plentyn ail briodas Rice Price oedd Richard, ac er i'w fam farw'n ifanc, siaradai bob amser yn uchel amdani. Anfonwyd y bachgen i ysgol Joseph Simmons yng Nghastell-nedd ac yna i Academi Vavasor Griffiths yn Nhalgarth, a chan ei fod yn ddisgybl hynod o ddisglair fe'i hanfonwyd (dan ddylanwad ei ewyrth Samuel) i Academi Tenter Alley yn Moorfields yn Llundain. Ei diwtor yno oedd John Eames a fu'n gyfaill mynwesol i Syr Isaac Newton, a hwnnw a ddeffrodd ddiddordeb Richard mewn mathemateg. Y bwriad gan ei dylwyth oedd ei godi i fod yn weinidog Annibynnol, ond gan ei fod yn ymroi fwyfwy i astudiaethau gwyddonol, daeth hefyd o dan ddylanwad Rhesymoliaeth yr oes, ac ymbellhau oddi wrth yr Annibynwyr ac agosáu at y Presbyteriaid. Dywedodd ei ewyrth y byddai'n well ganddo fod ei nai yn troi'n fochyn na throi'n Bresbyter, ond felly y bu. Gallodd y gŵr ifanc ymroi i astudio gryn dipyn gan fod hen ewyrth iddo wedi marw a gadael arian iddo, ac yn ogystal daeth yn rhyw fath o gaplan i ymneilltuwr cyfoethog o'r enw Streatfield a chael ystafell yn ei dŷ yn Stoke Newington, a oedd bryd hynny yn bentre ar gyrion dinas Llundain. Daeth hefyd yn bregethwr swyddogol i'r cyfarfodydd o ymneilltuwyr, Presbyteriaid gan amlaf, yn Newington Green ac mewn mannau eraill fel Old Jewry, Llundain, ac Edmonton. Bu farw'r cyfaill Streatfield yn 1756, a'r awgrym yw ei fod wedi gadael digon o fodd i Richard fyw yn weddol o gyfforddus am weddill ei fywyd, ond rhaid cofio mai bywyd digon syml ac anfoethus oedd ganddo ar hyd ei oes. Yn wir, mae cryn dipyn o'r hen Biwritan yn perthyn i Richard Price, a dyna un o'r elfennau a'i tynnai bob amser at Americaniaid fel Benjamin Franklin: hoffai'r awyrgylch dirodres, brethyn-cartref, megis, a berthynai iddynt, a gobeithiai bob amser na fyddai'r Americanwyr byth yn colli'r diniweidrwydd gwladaidd a oedd yn ei farn ef yn sylfaen gadarn i'w hiechyd gwleidyddol. Priododd Richard Price yn 1757 â merch o'r enw Sarah Blundell, ond yn fuan ar ôl priodi aeth hi'n glaf a bu'n gaeth i afiechyd am ddeng mlynedd ar hugain. Eglwyswraig ydoedd hi ac ni chytunai o gwbl â chredoau hereticaidd ei gŵr, ac er mor Biwritanaidd ydoedd ef nid oedd hi'n barod i ildio i'w egwyddorion a bu'n rhaid iddo ddioddef ei hoff ddifyrrwch hi gyda'r nos, sef chwarae cardiau gyda'r cylch eang o gyfeillion a oedd ganddynt yn Newington. Er y gwahaniaeth diwylliant, ni bu gair croes rhyngddynt, ac ar ôl iddi farw ddiwedd mis Medi 1786 anodd, os nad amhosibl, oedd ei gysuro yntau.

Yn 1758, ychydig ar ôl iddo briodi, daeth Richard Price i sylw'r cyhoedd cyffredinol am y tro cyntaf wrth gyhoeddi ei lyfr, *A Review of the Principal Questions in Morals.* Ymgais yw'r llyfr i holi o ble y daw ein syniadau moesol ni, cwestiwn a oedd wedi poeni llawer yn Lloegr ers amser John Locke a oedd wedi awgrymu fod pob dim yn ein bywydau yn dod o'n profiadau. Daliai rhai mai oddi wrth ein teimladau yr oedd ein hegwyddorion moesol yn dod, ond ceisiodd Price ddangos mai o'r deall a'r synnwyr cyffredin y codent. Roedd ei ddiddordeb mewn moesau yn cyd-fynd â'i waith fel pregethwr Presbyteraidd, a'i ddiddordeb yn y deall a'r rheswm yn ei leoli hefyd gyda meddylwyr Oes Rheswm, yr Oes Oleuedig. Nid oedd bob amser yn cytuno â barn ei gyfaill Joseph Priestley, y pregethwr a'r gwyddonydd, ond gellid barnu eu bod ill dau yn perthyn i'r mudiad neu'r ysgol o 'Rational Dissenters'. Nid ymneilltuwyr oedd holl gyfeillion Richard Price: yn 1769, er enghraifft, daeth yn gyfaill oes i Arglwydd Shelburne, gwleidydd dylanwadol a oedd â diddordeb dwfn mewn crefydd resymegol ac Undodiaeth, ac a ddaeth am amser byr (yn 1782) yn Brif Weinidog. Ond rhannai'r cylch o gyfeillion, ym Mhrydain ac America, yr un diddordebau: diwygio crefydd, diwygio'r gyfundrefn wleidyddol ac ymddiddori mewn gwyddoniaeth. Gŵyr pawb am waith arloesol Priestley gyda'r nwy ocsigen, a gwaith Benjamin Franklin yn dyfeisio'r rhoden fellt i achub simneiai neu dyrrau rhag mellt neu luched. Roedd cartref Thomas Jefferson (cyfaill arall i Price) yn Virginia yn llawn o ddyfeisiadau o bob math.

Nid gwyddonydd labordy oedd Richard Price eithr mathemategydd, ac yn 1760 y daeth ffrwyth dylanwad ei hen diwtor John Eames i'r fei, wrth iddo weithio ar broblemau mathemategol anodd ynglŷn â thebygolrwydd, gan ddechrau gyda chwestiwn syml nad oedd fawr neb wedi ei ofyn o'r blaen: pa mor hir yr ydym yn debygol o fyw a pha mor hen neu ifanc y byddwn ni wrth farw? Anfonodd at Benjamin Franklin yn 1769 draethawd arloesol ar ystadegau bywyd ac angau poblogaeth Llundain, gan geisio pennu beth oedd oedran marw mwyafrif y boblogaeth yn y cyfnod hwnnw. Ar hyd ei oes bu Richard yn casglu ystadegau o gofrestri plwyfi ar y pwnc hanfodol (ond digalon) hwn, a derbyniai ystadegau tebyg gan gyfeillion ar draws Ewrop, yn arbennig y mathemategydd o Sweden, Per Wargentin. Roedd y pwnc yn gweddu i Bresbyter fel Price i'r dim, gan ei fod yn fathemategol ddyrys a diddorol, ond roedd yn ffordd dda o addasu'r ystadegau i helpu'r ddynoliaeth. Fel mae'r hanesydd Keith Thomas wedi dangos yn ei lyfr enwog ar ddirywiad swyngyfaredd, nodwedd y cyfnod rhwng 1660 a 1760 oedd troi oddi wrth swyn a hud at ffyrdd rhesymegol o ofalu rhag damweiniau a pharatoi at y dyfodol. Un ffordd o wneud hyn oedd buddsoddi mewn cwmnïau yswiriant. Doedd dim llawer o broblem gydag yswirio tai, ond beth am fywyd dyn? Roedd llawer o gwmnïau wedi codi a oedd yn cynnig yswiriant bywyd, ond aeth llawer i'r wal am na wyddai neb faint o arian i'w godi, a hynny am na wyddai neb beth oedd hyd tebygol bywyd. Cyhoeddwyd gwaith Price yn 1769 a datblygwyd y syniadau i fod yn llyfr a adargraffwyd droeon, sef *Observations on Reversionary Payments* a gyhoeddwyd gyntaf yn 1771, a dyna ddechrau ymwneud â'r fusnes yswiriant bywyd. Bu'n cynghori'r Equitable Assurance

Society ar hyd ei oes a chafodd gan y gymdeithas i benodi ei nai, William Morgan (a oedd yn addoli ei ewyrth), yn brif gyfrifydd neu actiwarydd iddi, ac fe ystyrir yr ewyrth a'r nai ill dau yn arloeswyr y fusnes fodern o yswirio bywyd. Ceisiai ddwyn perswâd ar y Senedd a'r llywodraeth tua diwedd ei fywyd i basio mesur i'w gneud yn orfodol i bobun roi ychydig bach o'i gyflog naill ochr er mwyn cael cronfa bensiwn naill ai i weddwon neu i bawb a phobun yn eu henaint. Yn anffodus roedd y syniad yn llawer rhy arloesol, a methu wnaeth y mesur yr oedd Richard wedi ei ysbrydoli. Ni chafwyd dim byd tebyg nes cael mesur Lloyd George.

Pwnc arall a oedd yn ei gorddi oedd Dyled y Wlad (National Debt), a hyn i ryw raddau o achos ei ddiddordeb mewn arian a mathemateg ond hefyd am ei fod yn heddychwr pybyr. Oddi wrth yr hyn a ddywedwyd eisoes gellid yn hawdd tybio mai rhyw gyfrifiadur oeraidd o ddyn oedd Price, ond roedd ochr dyner i'w gymeriad: ymhoffai ym mywyd natur, mewn anifeiliaid ac adar, ac ystyriai ei geffylau yn gyfeillion iddo. Byddai'n mynd yn aml o Newington ar gefn ceffyl gwyn, gan wisgo clogyn glas a spats duon ar ei sgidiau, i ymweld â swyddfa'r cwmni yswiriant ger Pont Blackfriars.[3] Roedd rhyfeloedd costfawr Prydain yn ystod y ganrif wedi chwyddo'r Ddyled, a theimlai Price fod afradlonedd Prydain yn gwneud y wlad yn rhy barod i fynd i ryfel. Cyhoeddodd lyfr diddorol yn 1771, *An Appeal to the Public on the Subject of the National Debt*, gan awgrymu pob math o gronfeydd ariannol a fyddai'n lleihau ac efallai yn diddymu'r Ddyled. Cafodd beth dylanwad ar lywodraeth Pitt yn 1786 i sefydlu'r Gronfa Soddi, ond ni lwyddodd y Gronfa i ddiddymu'r Ddyled gynyddol, a chynyddu a wnaeth hyd heddiw.

Roedd y cylch o Ymneilltuwyr Rhesymegol yr oedd yn perthyn iddo yn gryf o blaid yr Americanwyr yn yr anghytuno cynyddol rhwng y trefedigaethau a'r famwlad, a phan aeth y ffraeo mor gignoeth nes bygwth math o ryfel cartref rhwng Prydain ac America, roedd heddychiaeth Price hefyd yn ei wthio i ysgrifennu yn erbyn gwallgofrwydd mynd i ryfel, a dyna sail ei lyfr dadleuol a gyhoeddwyd ar ddechrau'r rhyfel yn 1776, *Observations on Civil Liberty*.[4] Teimlai Price i'r byw fod llywodraeth Prydain yn ynysoedd Prydain eisoes yn llywodraeth bwdr a gormesol, gan ei bod yn erbyn rhoi breintiau llawn i'r ymneilltuwyr, a phrawf pellach o'i gormes oedd trin yr

Americanwyr fel baw. Bu llawer o ddarllen ar bamffledyn Price yn America, a rhywsut llwyddodd ef i ohebu yn ystod y rhyfel â nifer o'r gwrthryfelwyr. Mater o dristwch mawr i Price oedd fod y ddwy ochr wedi methu â chymodi, a'i obaith ef hyd y funud olaf oedd y gallai'r Americanwyr ddal o fewn rheolaeth Prydain fel trefedigaeth annibynnol. Ond aeth pethau'n rhy boeth, ac yn y pen draw collwyd America. Er mai trwy ryfel yr oedd America wedi ennill ei hannibyniaeth, parhau i'w chefnogi a wnaeth Price, ac yn ystod y rhyfel yn 1778 fe'i gwahoddwyd gan yr Americaniaid i fynd draw i gynghori'r taleithiau ynghylch eu cyfundrefn ariannol, ond gwrthod a wnaeth gan honni ei fod yn rhy hen ac ansicr ei iechyd.

Yn ystod y rhyfel yn 1781, rhoddwyd graddau er anrhydedd gan Brifysgol Yale i ddau ŵr ar yr un diwrnod, a'r ddau oedd George Washington a Richard Price – yn ei absen. Wedi diwedd y rhyfel, ysgrifennodd lyfr diddorol ar bwysigrwydd y 'Chwyldro'; sef *Observations on the Importance of the American Revolution* (1784). Iddo ef dyma un o ddigwyddiadau mwyaf hanes y byd, gwir chwyldro a fyddai'n esgor ar gyfnod newydd a gwell. Dywedodd ei fod yn awyddus i'r llywodraeth newydd yn America gasglu digon o ystadegau – yn wir cafwyd cyfrifiad yn America yn 1790 flynyddoedd yn gynharach nag a gafwyd ym Mhrydain. Ofnai y byddai pobol America yn colli eu hen symlrwydd a mynd ar ôl moethau a maldod. Nid oedd o blaid diddymu'r frenhiniaeth ym Mhrydain, eithr gwelai mai gwerinlywodraeth oedd yr unig ateb yn America. Teimlai'n ofnus ynglŷn ag effaith caethwasiaeth ar y wlad newydd, gan obeithio y gellid diddymu'r fasnach a'r gyfundrefn. Ei obaith oedd cael cyfundrefn ffederal gref i'r wlad ifanc, er mwyn cydio'r taleithiau'n dynn at ei gilydd. Parhaodd ei ddiddordeb yn America ar hyd ei oes; byddai'n cynnig cynghorion i'r Americanwyr ac yn gwneud ambell weithred dda drostynt hefyd. Yn 1787 ef a drefnodd gyda'r Society for Equitable Assurance i lunio polisi dros daith i'r America gan y cerflunydd Jean Antoine Houdon iddo wneud y cerflun adnabyddus (penddelw i'w gweld ar stampiau ac arian America) o George Washington.[5]

Rhag ofn i ni gael yr argraff mai llenor llawn-amser oedd Richard Price, dylem ddweud ei fod yn pregethu (ar wahanol adegau yn ei yrfa) mewn tri thŷ-cwrdd Presbyteraidd yn ei gartref yn Newington

Green o 1758 i 1783, yn Edmonton, ac yn Hackney o 1770 i 1791, ac yn 1787 daeth yn ddarlithydd yn y coleg newydd a agorwyd gan yr ymneilltuwyr yn Hackney. Cymerai ran yn y dadleuon crefyddol a oedd yn bynciau llosg yn ei ddydd, ac yn 1791 daeth yn aelod o gymdeithas newydd yr Undodiaid. Er ei fod yn gyfaill mynwesol i Joseph Priestley, yr Undodwr blaenllaw, Ariad ydoedd Price nid Undodwr, hynny yw, nid oedd yn derbyn mai dyn da yn unig oedd Crist, derbyniai fod Crist yn rhyw fath o berson dwyfol, ond fod ei ddwyfoldeb ar wahanol lefel i'r Duw Mawr ei hun. Roedd yr argyfwng ynghylch America wedi creu awyrgylch newydd ym Mhrydain o drafodaeth a pharodrwydd at ddiwygiadau, a Richard Price a'i gyfeillion yn meddwl yn sicr fod oes newydd yn agor yn hanes y wlad, a hynny'n cynnig gobaith i roi breintiau a rhyddid llawn i'r ymneilltuwyr. Ond siom ar ôl siom a ddaeth i'w rhan, ac yna, erbyn diwedd yr wythdegau, trodd eu gobeithion at y lle mwyaf annisgwyl, sef Ffrainc.

Wrth ysgrifennu at Benjamin Franklin yn ystod 1787 dywedodd Price fod yna ysbryd cyffredinol o eplesu ('general fermentation') yn ymledu trwy Ewrop gyfan, ac America oedd wrth wraidd hyn i gyd, gan fod yn esiampl i wledydd eraill. Roedd Price yn rhan o fudiad byd-eang Goleuedigaeth, ac felly yn gohebu eisoes â Ffrancwyr blaenllaw fel Turgot a Mirabeau, De La Rochefoucault a Condorcet. Mirabeau a oedd wedi cyfieithu ei lyfr ar y Chwyldro Americanaidd i'r Ffrangeg.[6] Fel sydd yn adnabyddus, roedd ffactorau hir-dymor wedi achosi'r Chwyldro Ffrengig yn 1789, ond yn y tymor byr roedd rhyfel America a buddugoliaeth y taleithiau dros Brydain wedi cael effaith ddofn ar Ffrainc, ac mewn ffordd annisgwyl roedd yr holl arian a roddwyd ganddi i helpu'r Americanwyr yn eu brwydr wedi bod yn ormod o straen ar gyfundrefn ariannol Ffrainc, gan achosi methdaliad llwyr. Roedd llawer iawn o fynd a dod rhwng Americanwyr blaenllaw a Ffrainc, ac fe gâi Richard Price newyddion am y sefyllfa ym Mharis gan gyfeillion iddo yno megis Thomas Jefferson. Yn union cyn yr ymosodiad ar y Bastille roedd nai Richard Price, George Cadogan Morgan, wedi mynd ar daith trwy Ewrop, gan gyrraedd Paris mewn pryd i weld y digwyddiadau mawrion. Roedd ef yn chwyldroadwr llawer mwy penboeth na'i ewyrth, ac yn anfon newyddion yn ôl am y digwyddiadau. Fe ddaeth y ffactorau tymor-hir a'r ffactorau tymor-byr at ei gilydd yn ystod 1788 a 1789, a'r newidiadau cyflym yn Ffrainc yn cael effaith drydanol ar radicaliaid Prydeinig fel Richard Price. Fel y gwelent hwy bethau, yr hyn roedd Ffrainc yn ei wneud oedd dilyn esiampl Prydain yn 1688, ganrif yn rhy hwyr. Dyna er enghraifft fel y gwelai Owain Myfyr bethau wrth drafod y newidiadau mawrion yng nghyfarfodydd y Gwyneddigion yn Llundain. Roedd cymdeithas radicalaidd yn Llundain yn cyfarfod bob blwyddyn ar 4 Tachwedd (diwrnod pen blwydd y Brenin Gwilym III) i gofio am y Chwyldro Gogoneddus a ddigwyddodd yn 1688. Cafodd Richard Price wahoddiad i annerch y gymdeithas ar ganmlwyddiant y Chwyldro yn 1788, ond methodd trwy afiechyd â gwneud. Pan gafodd wahoddiad yr eildro yn 1789 cytunodd i annerch y 'Revolution Society' a hynny yn y tŷ-cwrdd yn Old Jewry yn Llundain. Bu'r croeso mor frwd nes i Price gytuno i gyhoeddi'r anerchiad (yn 1790) dan y teitl, *A Discourse on the Love of Our Country*. Barn Price oedd mai Chwyldro Gogoneddus oedd 1688 ym Mhrydain a'r digwyddiadau yn Ffrainc yn 1789, ac y dylid peidio â bod yn rhy ynysig a hunan-gyfiawn o Brydeinig ond croesawu mudiadau chwyldroadol ar draws Ewrop a'r byd. Gwelai oes newydd yn gwawrio.

Er bod Price yn adnabod gwleidyddion pwysig fel Pitt, dyn amhoblogaidd oedd i fwyafrif y boblogaeth am fentro ochri gyda gelynion Prydain yn America ac yn awr yn Ffainc. Wedi'r cyfan, newydd osgoi rhyfel yr oedd Prydain a Ffrainc ynghylch argyfwng gwleidyddol yn yr Iseldiroedd. Un o'r gwleidyddion a oedd wedi ymosod ar ei farn ar America oedd Edmund Burke. Gwrthodai Dr Johnson gyfarfod â Richard Price ar unrhyw gyfrif, ac arswydai'r hanesydd Edward Gibbon fod unrhyw un fel Price yn gallu cydymdeimlo â'r 'wild visionaries' yn y Cynulliad Cenedlaethol ym Mharis. Gwelodd Burke o'r diwedd ei gyfle i ymosod ar Price, ac ysgrifennodd lyfr yn darnio ei anerchiad, sef *Reflections on the Revolution in France*, llyfr proffwydol a allodd rag-weld holl drychinebau'r Chwyldro, a llyfr a ddaeth yn glasur i geidwadwyr ymhob man a phob oes. Dyna'n sicr fel y cofir yn bennaf am Richard Price heddiw, fel oen a aberthwyd ar allor ceidwadaeth dan gyllell finiog Edmund Burke.[7]

Nid oedd Price wedi ei glwyfo'n ddwfn gan ymosodiadau bustlaidd Burke: roedd yn siomedig yn ystod 1790 fod y llywodraeth unwaith eto wedi gwrthod rhoi rhyddid i'r ymneilltuwyr, a bu'n brysur yn golygu at y wasg argraffiadau newydd o rai o'i weithiau cynharach. Gofynnwyd iddo siarad mewn cinio ar 14 Gorffennaf 1790 i goffáu'r ymosodiad ar y Bastille flwyddyn ynghynt, gan roi cyfle iddo longyfarch y Ffrancod, ac wrth gwrs roedd hyn ar adeg pan oedd y Chwyldro wedi arafu dros dro a Louis XVI wedi adennill cryn boblogrwydd iddo'i hun. Darllenwyd anerchiad Richard Price (mewn cyfieithiad) gerbron y Cynulliad Cenedlaethol ym Mharis fel arwydd fod pobol ym Mhrydain yn frwd eu croeso i'r Chwyldro. Nid oes amheuaeth nad oedd radicaliaid Prydain yn teimlo fod rhyw fath o Filflwyddiant ar fin dod, o ystyried fod Chwyldro Ffrainc yn dilyn mor fuan ar ôl Chwyldro America.[8] Roedd yn falch i weld cynifer o bobol yn dod i'w amddiffyn yn erbyn ymosodiadau Burke. Gweithiai'n ddygn ar argraffiad newydd o'i glasur ar yswiriant, ond dirywiodd ei iechyd yn enbyd yn nechrau 1791. Tristwch iddo oedd clywed fod Franklin wedi marw yn America a John Howard (diwygiwr y carcharau) wedi marw yn Kherson yn y Crimea. Parhâi i fynd i angladdau, gan ddweud wrth ei gyfeillion fod cynnal angladdau yn yr awyr agored ym mis Chwefror yn ffordd dda o ddanfon y byw i ddilyn y meirw.[9] Erbyn mis Ebrill roedd ar ei wely angau, a bu farw Richard Price yn 68 oed, 19 Ebrill 1791, cyn iddo weld y Chwyldro yn Ffrainc yn dirywio i fod yn gyfres o lywodraethau gormesol ac yn lledu rhyfel ar draws y byd i gyd. Dr Joseph Priestley a roddodd y bregeth yn ei angladd, a bu galaru ar ei ôl yng Nghynulliad Cenedlaethol Ffrainc.

Dyna fraslun o'i fywyd a'i waith, gŵr a oedd yn gyfaill i enwogion ym Mhrydain, Ffrainc ac America, arloeswr y Chwyldro yn America a Ffrainc, ac arloeswr yswiriant bywyd a chyfundrefn bensiynau. Roedd yn radical enwog yn ei ddydd, a phobol yn rhyfeddu wrth gyfarfod ag ef yn y cnawd, ei fod yn un mor dawel a diymhongar, gan ei fod yn dadlau mor gryf ac eofn mewn du a gwyn. Un cymharol fyr o ran maintioli'r corff oedd, ond fod ei wyneb yn gryf a'i lygaid yn arbennig o ddeallus. O gofio'i hoffter o'i lyfrgell (a oedd hefyd yn rhyw fath o labordy iddo, gan ei fod yn hoff o chwarae ag offer gwyddonol), syndod yw ei fod yn nofiwr cadarn, yn nofio bob cyfle a gâi yn ystod ei wyliau, ac yn wir wedi gallu achub mwy nag un a oedd wedi cwympo mewn i afonydd. Ond mae hyn oll yn codi cwestiwn dyrys: pam y dylai Cymru gofio amdano? Onid Cymro wedi mynd oddi

Richard Price
(1723 – 91).

cartref ydoedd, ac wedi mynd yn ddyn mor eang ei orwelion nes colli golwg ar yr hen graig y naddwyd ef ohoni?

Mae'r cronicl teuluol gan Caroline Williams yn dweud fwy nag unwaith mor hoff ganddo oedd ei dylwyth ym Morgannwg, mor aml yr ymwelent hwy ag ef yn Newington, ac mor aml yr âi i Forgannwg i ymweld â hwy. Mae'r dyddiadur a drawsysgrifiwyd gan Mrs Beryl Thomas yn cadarnhau hyn: treuliai ddau fis o bob blwyddyn ym Morgannwg, yn mynd o dŷ i dŷ i aros gyda'i berthnasau, gan dreulio wythnosau fel arfer ym Mhen-y-bont ar Ogwr, a phob cyfle a gâi i aros mewn bwthyn yn Southerdown neu Aberogwr, er mwyn iddo nofio yn y môr. Mae'r dyddiaduron yn rhoi darlun inni o wyliau difyr ym

Morgannwg ym mlynyddoedd olaf ei fywyd yn haf a hydref 1788, 1789 a 1790, ac mae'n amlwg fod mynd yn ôl at y gwreiddiau wedi ei berswadio i ddechrau ysgrifennu ei hunangofiant yn ystod y gwyliau – ni allodd orffen y gwaith ond cyflwynwyd y nodiadau i'r neiaint, a William Morgan a lwyddodd i gyhoeddi'r deunydd mewn cofiant i'w ewyrth yn 1815. Wedi i'w wraig farw, ei dylwyth o Forgannwg oedd yn edrych ar ei ôl yn Llundain, a chysur nid bychan iddo wrth iddo heneiddio oedd cael cwmni dau o'i neiaint, William Morgan a George Cadogan Morgan, George yn Ymneilltuwr mawr ac yn ddarlithydd yn y coleg yn Hackney, a William yn cael ei hyfforddi gan ei ewythr i fod yn brif actiwarydd yr Equitable Assurance Society. Does dim sôn yn unman am wybodaeth Richard Price o'r Gymraeg, ond roedd William yn rhugl ynddi ar hyd ei oes, ac mae stori amdano yn cyfieithu cân Gymraeg i'r Saesneg pan oedd yn hen ŵr. Roedd y teithio cyson o Lundain i Forgannwg, a'r cylch o berthnasau o Forgannwg o'i gwmpas yn Llundain, yn ogystal â chyfeillion o Gymru yn ei gylch crefyddol a radicalaidd, megis Abraham Rees (mab Lewis Rees, Llanbrynmair, arloeswr Annibyniaeth yng Ngogledd Cymru), yn golygu fod Richard Price yn cadw mewn cysylltiad â'i wreiddiau.

Ond mae dau hanesydd diweddar, y diweddar Athro Gwyn Alfred Williams, a'r Athro Philip Jenkins (gŵr o Aberafan, er ei fod yn byw ym Mhensylfania), wedi tynnu sylw at gylch o bobol ym Morgannwg, naill ai dan ddylanwad Richard Price neu yn dwyn cysylltiad ag ef, a'r rhain yn eu tro yn arloesi rhyw fath o radicaliaeth ym Morgannwg. Yn 1965 dangosodd G.A. Williams fod Richard Price yn aelod o gylch eang o radicaliaid, yn bennaf ym Mlaenau Morgannwg yn y ddeunawfed ganrif, crefftwyr a oedd hefyd yn ymneilltuwyr, rhai ohonynt yn Ddeistiaid, megis Siôn Bradford o ardal Pen-y-bont, nifer ohonynt yn closio at Undodiaeth erbyn diwedd y ganrif, megis Edward Evan o Aberdâr ac Iolo Morganwg. O flaenau Morgannwg y deuent fel arfer, ond roedd ambell un fel Joseph Coffin wedi dod o Loegr i Ferthyr. O Wlad yr Haf y deuai Walter Coffin a briododd Mary Price, hanner-chwaer Richard Price, a'u mab hwy, Walter Coffin ieuanc, a briododd ag Ann Morgan, chwaer i'r ddau nai y soniwyd amdanynt eisoes, William a George Cadogan Morgan. Dyma'r teulu a agorodd y gweithiau glo mawr yng Nghwm Rhondda, a'r trydydd Walter Coffin (mab yr uchod) a ddaeth i fod yn A.S. dros Gaerdydd yn 1852, yr anghydffurfiwr cyntaf (Undodwr hefyd) i fynd yn aelod seneddol dros Gymru. Bwriad yr Athro Williams yn ei ysgrif oedd dangos nad adar prin oeddynt, ond eu bod yn rhan o gymdeithas go niferus o radicaliaid.[10] Pwysleisia hefyd fod yna gylch o radicaliaid Undodaidd yn Llundain, yr 'Essex Street Circle' a oedd yn cysylltu Richard Price a David Williams (Caerffili) ag Arglwydd Shelburne (Syr John Aubrey o Forgannwg oedd asiant Shelburne), a Siôn Bradford o'r Betws ac Iolo Morganwg, a bod Iolo a Richard Price ill dau yn cymryd rhan yn etholiad Sir Forgannwg yn 1789, lle yr oedd propaganda bywiog yn erbyn yr hen bendefigion a pholisïau rhyfelgar y Llywodraeth.[11]

Estyniad i'r un ddadl sydd gan Philip Jenkins. Yn 1979 tynnodd sylw at ffaith go ryfedd ac annisgwyl, sef bod yna gysylltiad rhwng yr hen Jacobitiaid (sef pleidwyr Iago II a'i fab a'i ŵyr Bonnie Prince Charlie) a'r Seiri Rhyddion, fel pebai'r math o wleidyddiaeth wrthbleidiol a gynrychiolid gan y Jacobitiaid yn edwino a math newydd o wrthblaid, sef y Seiri Rhyddion, yn codi yn eu lle, gan ddefnyddio ambell dro yr un adeiladau. Dengys fod tua 36 o gyfrinfeydd wedi eu sefydlu yng Nghymru rhwng 1725 a 1820, deg ohonynt yn y blynyddoedd 1761-71 yr adeg pan oedd hen Jacobitiaeth yn diflannu. Sefydlwyd cyfrinfa ym Mhen-y-bont ar Ogwr yn 1765. Roedd Cymro amlwg fel Syr Watkin Lewes nid yn unig yn perthyn yn agos i'r hen Jacobitiaid ond ymhen amser yn troi i fod yn radical ac yn un o brif gyfeillion John Wilkes. Roeddynt yn eithaf Cymreigaidd eu naws, a'u prif ffest neu wledd ar Ddydd Gŵyl Ddewi, er enghraifft yn Y Bont-faen yn 1765. Un o gyfeillion pennaf Watkin Lewes oedd Robert Morris o Dreforys, un o'r seiri rhyddion oedd yn barod i gydweithio ag ymneilltuwyr megis Richard Price a David Williams, i greu gwrthblaid gefn-gwlad ('country opposition').[12]

Dywed Jenkins ymhellach fod Cyfrinfeydd y Seiri Rhyddion yn gallu cyfuno eglwyswyr ac ymneilltuwyr, a bod Richard Price ei hun yn Brif Feistr (Grand Master) Cyfrinfa'r Seiri Rhyddion ym Mhen-y-bont ar Ogwr o 1777 ymlaen.[13] Dywed fod llawer o syniadau gwleidyddol Price yn dod o'i ddiddordeb yng ngwaith awduron y Rhyfel Cartref megis Harrington, a'i fod yn gryf o blaid beirniaid fel John Wilkes, a oedd yn ddraenen yn ystlys y Brenin. Roedd gwrthwynebiad Price i'r rhyfel yn erbyn America hefyd yn boblogaidd yn ne Cymru, gan fod cymaint o fasnach arfordir y De yn ymwneud ag

America. Os oedd Richard Price felly yn Feistr ar Gyfrinfa, mater cyfrinachol ydoedd ac ni fyddai llawer yn ymddangos yn ei bapurau nac o gwbl yn ei gyhoeddiadau argraffedig. Ond y mae'n esboniad da paham yr oedd yn rhaid iddo dreulio dau fis o bob blwyddyn ym Morgannwg ac yn ardal Pen-y-bont ar Ogwr. Felly, swm a sylwedd sylwadau diweddar Gwyn Alfred Williams a Philip Jenkins yw fod Richard Price mewn gwirionedd yn rhan o gylch o radicaliaid Cymreig, ym Morgannwg ac yn Llundain, a'u bod yn arloesi'r tir, yn paratoi'r ffordd i oes ddiweddarach radicaliaeth Cymru, a bod Price heb droi cefn o gwbl ar ei fro enedigol ar lannau Garw ac Ogwr, ond ei fod yn chwarae rhan allweddol yn y broses araf o newid Cymru o fod yn wlad Doriaidd i fod yn wlad radicalaidd.

Nid oedd gan Richard Price a'i wraig blant, ond roedd ganddo berthnasau di-rif ym Morgannwg. Roedd ei frawd, John Price, yn byw yn y Parc heb fod ymhell o Gaerdydd,a'i fab yntau yn berchen ar Gwrt Llandaf (y 'Cathedral School' erbyn heddiw), ac ar ôl ei denantiaeth yntau daeth Walter Coffin yn berchen ar Landaf, nes i'r plas fynd yn Balas yr Esgob ganol y ganrif ddiwethaf. Yr oedd Richard yn hoff o'i nith, Margaret Price, a briododd â Lewis y Tŷ Newydd – dyma blas Newhouse, Llanisien sydd erbyn hyn yn westy moethus i'r gogledd o draffordd yr M4. Efallai mai ei hoff nai oedd William Morgan yr

Tŷ'n Ton c. 1924.

actiwarydd, mab ei chwaer a briododd â meddyg o Ben-y-bont ar Ogwr. Rhoddwyd yr enw Cadogan ar un o'r bechgyn (George Cadogan Morgan) am fod y teulu'n ddisgynyddion i Gadwgan Fawr, ac wedi etifeddu ystad Tyle Coch ar lannau Glyn Rhondda. A chan fod y disgynyddion i William, y teulu Coffin, wedi datblygu diwydiant glo yng Nglyn Rhondda, daeth Tyle Coch (gyferbyn â Threorci, gerllaw Cwm Parc) yn hynod werthfawr iddynt, gan roi cynhaliaeth i'r disgynyddion am genedlaethau. Dyma dystiolaeth gor-or-ŵyr i William Morgan, sef y nofelydd Evelyn Waugh.[14] Priododd Ann Morgan ag Alexander Waugh, a dywed fod yn ei feddiant – yr unig beth radicalaidd a berthynai i Evelyn Waugh – fotymau yn perthyn i'r radical Horne Tooke, a oedd yn gyfaill i Iolo Morganwg. Noda Waugh hefyd mai eu harwyddair oedd 'Hog Dy Fwyall'. Tua thair milltir yn unig sydd rhwng blaenau Ogwr ym mhlwyf Llangeinor a'r llethrau uwchlaw Glyn Rhondda, lle mae Tyle Coch, a phedair cenhedlaeth yn unig sy'n gwahanu Tŷ'n Ton oddi wrth *Brideshead Revisited.* Pe baem yn ysgrifennu yn y Saesneg, onid teitl da i'r bennod fyddai 'Tŷ'n Ton Revisited'?

NODIADAU

[1]Brinley Richards, *Wil Hopcyn a'r Ferch o Gefn Ydfa* (Abertawe, 1977); ceir llawer iawn o fanylion am gefndir Richard Price a disgynyddion ei frodyr a'i chwiorydd yn Caroline Williams, *A Welsh Family from the beginning of the eighteenth century* (Llundain, 1893). Ceir achau cyfleus fel atodiad i erthygl Beryl Thomas a D.O. Thomas, 'Richard Price's Journal for the period 25 March 1787 to 6 February 1791' yn *Cylchgrawn Llyfrgell Genedlaethol Cymru* xxi (4) (Gaeaf 1980), 366-413, gweler yn arbennig 402-3.

[2]G.A. Williams, 'South Wales Radicalism- the First Phase', yn S. Williams, *Glamorgan Historian*, 11 (1965), 30-9.

[3]C. Williams, *A Welsh Family*, 50.

[4]D.O. Thomas, *Richard Price and America* , ar ei hyd yn ymdriniaeth olau ar y pwnc.

[5]Ibid., 33.

[6]D.O. Thomas, *Ymateb i Chwyldro* (Caerdydd, 1989) yn enwedig tt 20-42. Ceir ymdriniaeth ardderchog yn yr un llyfr ag ymateb nai Richard Price, George Cadogan Morgan, i'r Chwyldro.

[7]Gweler Beryl Thomas a D.O. Thomas, erthygl yn *Cylchgrawn Llyfrgell Genedlaethol Cymru* xxi (4) (1980), 366-413 am destun dyddiadur Richard Price yn y cyfnod hwn. Mae'r llawysgrif law-fer yn y Llyfrgell Genedlaethol, NLW MS 19721 A.

[8]Martin Fitzpatrick, 'Heretical Religion and Radical Political Ideas in late eighteenth-century England', yn E. Hellmuth (gol.), *The Transformation of Political Culture: England and Germany in the late Eighteenth century* (Llundain, 1990), 339-74. Hefyd J. Fruchtman, Jr., *The*

*Apocalyptic Politics of Richard Price and Joseph Priestley: a study in late eighteenth-century Republican Millenialism (*Philadelphia, 1983).

[9]Beryl Thomas a D.O. Thomas, art. cit. , 375.

[10]G.A. Williams, 'South Wales Radicalism – the First Phase', art. cit.

[11]G.A. Williams, *When Was Wales?* (Llundain, 1985), 168.

[12]Philip Jenkins, 'Jacobites and Freemasons in eighteenth-century Wales', *Cylchgrawn Hanes Cymru*, ix (4) (1979), 391-406.

[13]P. Jenkins, *The Making of as Ruling Class – Glamorgan Gentry 1640-1790* (Caergrawnt, 1983), 185-7. Ceir syniadau tebyg gan Jenkins yn ei lyfr *Modern Wales* a gyhoeddwyd gan Longman yn 1990.

[14]Evelyn Waugh, *A Little Learning* (Llundain, 1964), 14, darlun o William Morgan yr Actiwarydd, hefyd tt 8-9 ar yr ach.

Pa mor Gymraeg oedd fy Nghwm? Cymreictod Cymoedd Garw ac Ogwr ar ddiwedd y Bedwaredd Ganrif ar Bymtheg

Philip N. Jones

Rhagymadrodd

I ddechrau, dyma ddyfyniad o'r *Bridgend Chronicle*, y newyddiadur pwysicaf a oedd yn cylchredeg yn y ddau gwm yn ystod blynyddoedd eu twf. Adroddiad llawn a theimladwy yw'r ffynhonnell wreiddiol ar dranc Lazarus Mitchell, 30 oed, a ddisgrifir fel hitsiwr iau, mewn damwain dan ddaear. Y mae'n gorffen trwy ddweud:

> Cydymdeimlir yn fawr â'r rhieni, gan nad oes ond ychydig fisoedd er pan ddaethant yma i fyw o'u lle genedigol, Langport yng Ngwlad yr Haf, ac y maent eisoes wedi claddu un mab. Dim ond am bedwar diwrnod y bu'r truan hwn yn y pwll.[1]

Yn ôl pob tebyg roedd y digwyddiad hwn yn un cyffredin y pryd hwnnw, ond y mae'n ein hatgoffa'n glir o ddwy ffactor hanfodol sydd wedi gadael eu hôl ar ddatblygiad cymdeithasol maes glo Morgannwg. Yn y lle cyntaf, fe ddatblygwyd y cymoedd gan boblogaeth arloesol a oedd yn gymysg ei thras a'i hiaith. Yn ail, fe fu i galedi a threialon y diwydiant glo ran ffurfiannol gyda'r bwysicaf yn llunio'r gymdeithas newydd a mowldio'i hagweddau a'i hopiniynau. O edrych o'r persbectif hwn, hwyrach mai cwestiynau ynglŷn ag ansawdd yn hytrach na maint yw'r cwestiynau allweddol y dylem eu gofyn i ni'n hunain nawr. Gallwn gynnig atebion i'r cwestiynau haws, megis pa faint a pha fathau o bobl a siaradai Gymraeg neu Saesneg. Ond gellid dadlau ei bod hi'n bwysicach gofyn i ba raddau, ac ym mha ffyrdd, yr oedd hi'n *bwysig* i'r bobl eu hunain pa iaith a siaradent yn ystod y cyfnod rhyfeddol hwn, yn enwedig o gymharu hynny â'r newidiadau enfawr eraill yr oeddent yn eu profi yn eu bywydau beunyddiol. Gwaetha'r modd, y rhain, hefyd, yw'r cwestiynau mwyaf anodd, amwys a dyrys i'w hateb.

Thema fras y bennod hon yw 'Cymreictod' cymoedd Garw ac Ogwr yn hwyr yn y bedwaredd ganrif ar bymtheg. Heb ddymuno tyrchu'n rhy ddwfn i gysylltiadau pigog iaith a hunaniaeth, y mae eisiau cofio nad cysyniad a dderbynir yn ddigwestiwn yw 'Cymreictod'. I lawer y mae cyswllt hanfodol rhwng 'Cymreictod' a'r gallu i siarad a darllen yr iaith Gymraeg. Fodd bynnag, yr oedd diffiniadau eraill o Gymreictod yn bod yn y gorffennol, fel sydd heddiw, ac o'r rheini genedigaeth oedd yr amlycaf. Yn sicr, canolir llawer o sylw yn y bennod hon ar gryfder yr iaith Gymraeg fel y cyfryw, ond ni ellir anwybyddu priodoleddau eraill. Fy ngofal blaenaf fydd dehongli'r gorffennol *yn ôl fel yr ymddangosai,* yn hytrach na fel y dylasai fod.

Teimlaf fod gofyn imi leisio rhybudd yma. Byddai ceisio gwerthuso'n llawn Gymreictod cymoedd Garw ac Ogwr yn y gorffennol, neu yn wir unrhyw un arall o gymoedd Morgannwg, yn orchwyl enfawr a fyddai'n gofyn ystod o sgiliau a diddordebau arbenigol – llenyddol, artistig, hanesyddol, cymdeithasegol ac ieithyddol i enwi ond y pwysicaf – ynghyd â gwybodaeth leol fanwl. At hynny, y mae'n amheus a geid at ateb terfynol wedyn! Byddai hynny'n rhannol oherwydd cymhlethdodau a gwahaniaethau main yr hyn yr ydym yn chwilio amdano, ond y mae'n rhaid i ni'n ogystal gymryd i ystyriaeth gyfyngiadau'r dystiolaeth sydd ar gael i ni. Y gwaethaf ohonynt, mae'n debyg, yw prinder dogfennau yn yr ystyr letaf, gan ein bod yn delio'n bennaf â bywydau pobl gyffredin. Fel arfer, prin fyddai'r sylw a gaent hwy ac anaml y gadawent dystiolaeth ysgrifenedig hawdd cael ati ynglŷn â'u teimladau a'u hymddygiad. Hyd yn oed pan roed i bobl gyffredin eu lle yng nghronicl ystadegol y wladwriaeth, mae'r diffygion ynglŷn â 'Cwestiwn yr Iaith' a ymgorfforwyd yn y Cyfrifiadau o 1891 ymlaen yn rhwystro'u dehongliad mewn sawl ffordd.[2] Yn olaf, rhaid wynebu'n ogystal broblem feunyddiol 'gwybodaeth yn erbyn defnydd', problem sydd o'r arwyddocâd cymdeithasol pennaf ym mhob sefyllfa sydd a wnelo â chyfnewid iaith. Pwy a *ddefnyddiai* pa iaith ac o dan ba amgylchiadau? Nid yw materion ieithyddol odid fyth yn benthyg eu hunain i ddehongli syml mewn termau du a gwyn.

Y mae'r bennod hon yn gwneud y gorau o'r hyn y gellir ei ail-greu o'r cofnodion cyfrifiad fel y'u diogelwyd yn llyfrau'r cyfrifwyr ar gyfer Cyfrifiadau 1881 ac 1891.[3] Y mae'r llyfrau hyn yn cynnig manylion personol am unigolion yn ôl trefn y grwpiau cymdeithasol y perthynent iddynt ar noson y cyfrif. Fe'u trawsgrifiwyd (ar ôl sicrhau cywirdeb rhai pethau) gan y cyfrifwyr o'r ffurflenni gwreiddiol a ddosbarthwyd i bob uned deuluol. Yng nghymoedd Garw ac Ogwr trigai mwyafrif y boblogaeth mewn teuluoedd cnewyllol a oedd naill ai'n unig breswylwyr annedd neu'n ei rannu ag eraill. Weithiau roedd yr uned deuluol yn ehangach, gan gynnwys ceraint eraill y penteulu, megis rhieni, plant priod, wyrion neu frodyr a chwiorydd. Mwy cyffredin oedd presenoldeb un neu fwy o letywyr a ychwanegai at incwm y teulu er iddynt wneud hynny ar draul gorlenwi'r tŷ. Yng Nghyfrifiad 1891 cynhwyswyd cwestiwn am y tro cyntaf ynglŷn â'r iaith a siaredid gan bob unigolyn. Yn yr hyn sy'n weddill o'r bennod hon felly, rhoir y pwyslais trymaf ar dystiolaeth y cyfrifiad hwn. Fodd bynnag, bu o fantais ar adegau i gyfeirio at agweddau arbennig ar strwythur cymdeithasol y cymoedd hydwf hyn fel yr ymddangosasant yng nghofnodion Cyfrifiad cynharach 1881.

Gwladychu cymoedd Garw ac Ogwr

Mae mater Cymreictod y ddau gwm yn annatod glwm â'u gwladychiad, oherwydd dyna'n wir yw'r unig derm priodol i ddisgrifio'u hymdarddiad yn glystyrau trwchus o egni diwydiannol wedi canrifoedd o ddilyn ffordd ddi-nod, fugeiliol o fyw gan boblogaeth denau iawn. Mewnfudwyr o bob lliw a llun ydoedd gwaed calon cymoedd de Cymru. Sut bynnag, y mae'n hollbwysig ein bod yn deall mai ystyriaethau economaidd yn hytrach na diwylliannol a oedd yn cyfrif cyn belled ag yr oedd y ddau gwm glo hydwf hyn yn bod (neu'n fwy cywir, cyn belled ag yr oedd eu diwydiant glo yn bod). Y gofyn cyntaf oedd dwyn gweithlu ynghyd a oedd yn ddigon da o ran maint ac ansawdd i ateb anghenion cyfalaf. Dibynnai hynny i raddau helaeth ar lefel y cyflogau a gynigid a'r gystadleuaeth yr oedd yn rhaid ei hwynebu o du gwaith ac/neu ardaloedd amgenach yn ne Cymru. Yn hanfodol, datblygai pob prif ranbarth diwydiannol ei ddalgylch eang ei hun, oddi mewn i ba un y cyflogai'r rhan fwyaf o'i weithwyr ac oddi mewn i ba un yr oedd fel arfer yn gallu ateb ei angen ei hun am weithwyr am y pris rhataf iddo'i hun. Yr hyn a oedd yn cyfrif oedd fod *digon* o ddynion yn dod i'r pwll am y cyflog a gynigid iddynt, nid pa iaith a siaradent. Wedi'r cyfan, iaith arian oedd iaith cyfalaf ac ymatebai pobl 'run fel, gan dueddu i ymfudo i'r ardaloedd diwydiannol agosaf lle teimlent y gallent wella eu rhagolygon. Yr oeddent wrth reddf yn ufuddhau i'r egwyddor economaidd a daearyddol a bwysleisiai 'least effort'. Nid oedd y sefyllfa real mor syml â hynny, fel y cawn weld, ond prin fod lle i amau crynoder hanfodol y rhan fwyaf o feysydd mewnfudo Prydain yn y bedwaredd ganrif ar bymtheg.

Erbyn 1891 roedd cymoedd Garw ac Ogwr[4] eisoes wedi dechrau ymdebygu i'w ffurf fodern, er nad oedd eu datblygiad wedi'i gwblhau o bell ffordd. Yn wahanol i Gwm Llynfi gerllaw, ni fu ganddynt erioed ran uniongyrchol yn y diwydiant haearn a'r cyfan a olygai hynny i raddfa buddsoddiad, lefel cyflogaeth ac amrywiaeth swyddi. Yn hytrach, roedd eu heconomïau hwy wedi'u seilio ar lo, ynghyd ag ystod gyfyng o swyddi cynorthwyol, megis y gyfundrefn reilffyrdd hanfodol. Adlewyrchid hynny gan y ffaith fod eu poblogaeth yn llai a'u haneddiadau yn symlach a mwy elfennol o'u cymharu â Chwm Llynfi. O'r ddau gwm, Ogwr oedd y cyntaf i'w ddatblygu dan arweiniad John Brogden a'i Feibion o Don-du, menter a droes yn ddiweddarach yn Gwmni Glo a Haearn Llynfi, Ton-du ac Ogwr; roedd eu diddordeb hwy'n bennaf yn y glo colsio.[5] Roedd y broses o ddiwydiannu Cwm Ogwr wedi mynd rhagddi tipyn pellach erbyn

Glyn Ogwr c. 1905.

Tyfodd Blaengarw ar garlam ar ôl dyfodiad y rheilffordd yn 1876.

1891, er fod Cwm Garw yn cau'r bwlch yn gyflym erbyn y flwyddyn honno. Yn bwysicach, o ran ein pwrpas ni, yw'r ffaith fod y ddau gwm, i fwy graddau nag oedd yn wir pan gyrhaeddodd eu datblygiad uchafbwynt yn yr 1920au, wedi ymffurfio'n gyfres o gymunedau ffisegol ar wahân. Roedd cymdogaethau megis Nant-y-moel, Price Town, Tynewydd a Glyn Ogwr yn fwy amlwg ar wahân; roedd Wyndham yn ei babandod. Roedd llawer cymuned yng Nghwm Garw, megis Pont-y-rhyl, hyd yn oed yn llai ac yn fwy gwasgaredig na'r rheini yn yr Ogwr. Ond yr oedd Pontycymer eisoes yn lle sylweddol, tra oedd Blaengarw, a oedd wedi'i ynysu ym mhen y cwm, yn ymffurfio'n ffrwydrol erbyn 1891! Fe fydd i'r strwythur anheddiad rhanedig hwn ran arwyddocaol yn y trafod sy'n dilyn.

Felly i grynhoi, yng nghyd-destun maes glo de Cymru ni fu'r rhanbarth sydd gennym dan sylw yn atyniad tra phwysig i'w gyfrif ochr yn ochr â mawrion megis Rhondda neu Daf. Fodd bynnag, yr oedd cyswllt clòs rhyngddo a Chwm Rhondda – drwy David Davies a chwmni'r 'Ocean'[6] – ac â Chwm Llynfi drwy Gwmni Glo a Haearn Llynfi, Ton-du ac Ogwr. Mae ffocws ein sylw ni ar flaenau cymoedd Garw ac Ogwr gan anwybyddu'r rhannau isaf mwy gwledig. Heb os, dyna lle y trigai trwch y 15,290 a gofrestrwyd yn Is-ddosbarth Cofrestru Garw ac Ogwr yn 1891.[7] Y mae'r mwyafrif o'r ystadegau manwl a ddefnyddir yn y bennod hon wedi deillio o sampl un-ymhob-pedwar o'r grwpiau cyd-drigiannol a gyfrifwyd yn yr adrannau hyn o'r cymoedd–sef cyfanswm o 2,767 o bersonau.

Cymreictod–tystiolaeth lle genedigol

Blynyddoedd o newid gwyllt fu'r blynyddoedd rhwng dyddiadau Cyfrifiadau 1871 ac 1891. Gwelsant gyfraddau uchaf y mudo o'r cefn gwlad yn Lloegr a Chymru. Gwelsant, yn ogystal, fewnfudo ar raddfa enfawr o fewn i faes glo de Cymru yn dilyn chwalfa'r diwydiant haearn, yn enwedig ar hyd y brig gogleddol (North Crop) rhwng Aberdâr a Blaenafon, o ganol yr 1870au ymlaen. Ond yn fwy na dim, gwelodd y blynyddoedd hyn ddechrau goruchafiaeth tra chyflym y diwydiant glo ager ym maes glo de Cymru. Yn naturiol, adlewyrchwyd y datblygiadau hyn yn natur poblogaeth ein cymoedd.

Dengys Tabl 1 darddiad holl boblogaeth samplu ein cymoedd yn 1891. Gwelir fod ymron 85 y cant ohonynt wedi'u geni yn Gymry, dros eu hanner yn hanu o Forgannwg; ychydig dros 15 y cant o'r sampl a aned y tu allan i Gymru. Pe dibynnid ar fesur mor amrwd â

TABL 1: MAN LLE GANWYD POBLOGAETH SAMPLU 1891

Sir enedigol	Nifer	%
Morgannwg*	1,444	52.2
Sir Fynwy	113	4.0
Sir Gaerfyrddin	153	5.5
Sir Benfro	257	9.3
Sir Geredigion	164	5.9
Sir Drefaldwyn	90	3.3
Siroedd Cymreig eraill	126	4.6
CYMRU (is-gyfanswm)	2,347	84.8
Gwlad yr Haf	145	-
Sir Gaerloyw	54	-
Dyfnaint a Chernyw	57	-
De-orllewin Lloegr	256	9.3
Rhannau eraill o Loegr etc+	164	5.9
Y TU HWNT I GYMRU (is-gyfanswm)	420	15.2
CYFANSWM	2,767	100.00

* gan gynnwys cymoedd Garw ac Ogwr
+ gan gynnwys Iwerddon, Yr Alban, tramor e.e. UDA, India

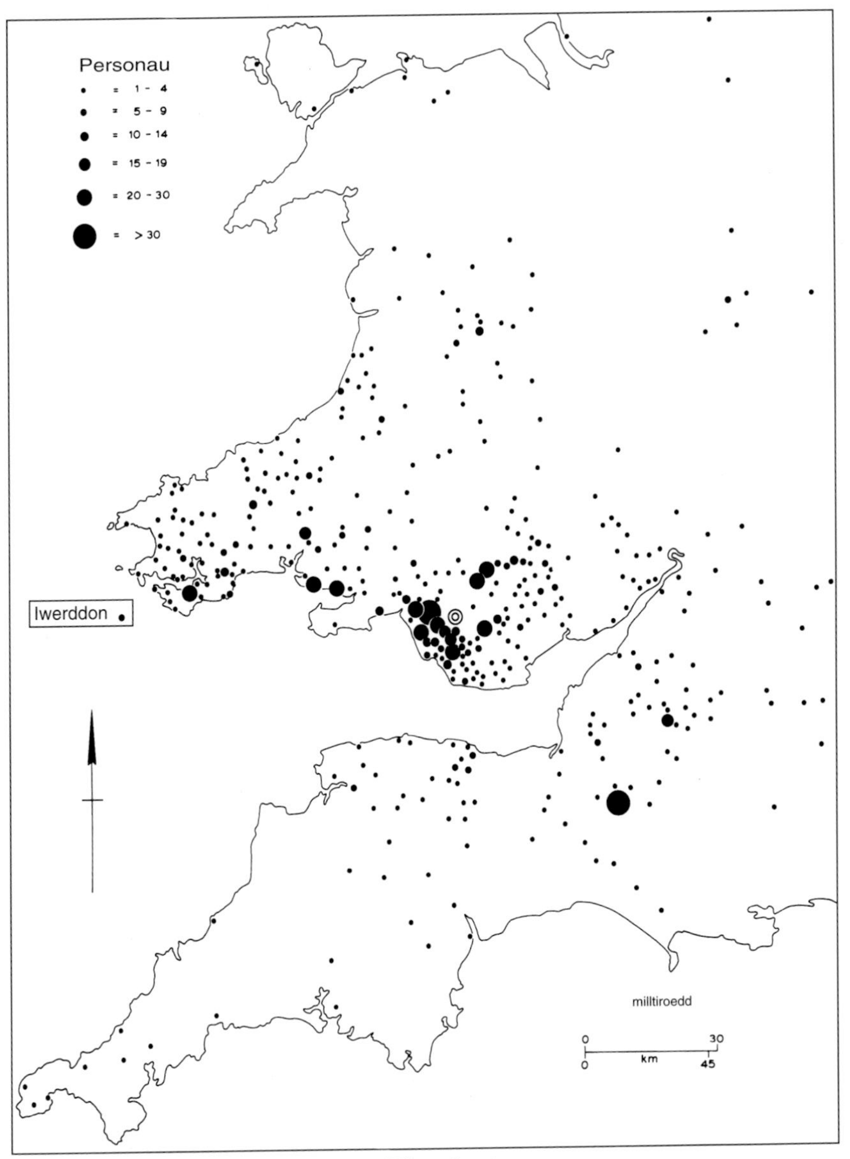
Personau
= 1 - 4
= 5 - 9
= 10 - 14
= 15 - 19
= 20 - 30
= > 30
Iwerddon
milltiroedd
0
30
km
0
45

Ffigur 1

hwn, prin y gellid amau Cymreictod y ddau gwm! Y mae, wrth gwrs, lawer cwyn y gellir, ac y dylid eu gwneud yn erbyn y fath fesur. Nid oedd cyfran uchel (21 y cant) o'r boblogaeth samplu yn fewnfudwyr annibynnol eithr yn blant dan ddeg oed a aned ym Morgannwg. Fel y cyfryw, gellid disgwyl iddynt fabwysiadu iaith y penteuluoedd mewn oed. At hynny, ni ddywed y Tabl ddim ar bwnc yr iaith. Eto i gyd, y mae i'r ystadegau hyn eu defnydd arbennig hwy, ac y mae'r data yn tanlinellu pwysigrwydd mawr mudo byr-bellter oddi mewn i Forgannwg, gan fod oedolion a aned yn lleol yn rhifo llai na chant o bersonau.[8]

Mae cyfeirio at Ffigur 1 yn dynodi fod dechreuadau'r patrwm mudo i'w gweld yn 1881, fel y'u darlunnir gan leoedd genedigol ymfudwyr gwryw mewn oed. Yn arbennig felly, gellir gweld yn glir sut y tynnwyd yr ymfudwyr lleol a lleiaf pellennig o Forgannwg a Mynwy – ymfudwyr yr oedd yn rhaid eu cael i agor pyllau newydd ac ehangu ffas newydd – yn bennaf o ardaloedd neu gymoedd eraill lle'r oedd cloddio glo a/neu haearnfaen wedi'i hen sefydlu. Y trefi gweithiau haearn diffyniant ar y brig gogleddol a chymoedd cyfagos megis Rhondda, Llynfi ac Afan – y maent i gyd yn amlwg. Dengys Ffigur 1, hefyd, fod i'r maes ymfudo yn 1881 gymeriad deublyg, gan fod cryn dipyn o symud o bellter o orllewin a chanoldir gwledig Cymru ar y naill law, a de-orllewin Lloegr, yn arbennig Gwlad yr Haf, Dyfnaint a Swydd Gaerloyw, ar y llall. Cadarnheir y patrwm hwn hefyd gan Dabl 1, sy'n datgelu fod un rhan o bump o'r boblogaeth samplu yn 1891 wedi'u geni yn nhair sir gorllewin Cymru, ac ymron deg y cant yn siroedd de-orllewin Lloegr. Roedd Sir Drefaldwyn, oherwydd y cyswllt â David Davies yr 'Ocean',[9] yn dal i fod yn darddle arwyddocaol i ymfudwyr. Felly yr oedd sefydlogrwydd gwaelodol y dalgylch llafur yn 1881 ac 1891 yn nodwedd gymdeithasol ac economaidd bwysig.

Cymreictod – tystiolaeth Iaith

Dengys Tabl 2 yr iaith a siaredid gan y boblogaeth samplu yn 1891. Y mae'n didoli 244 o fabanod a phlant dan deirblwydd na ellir i sicrwydd briodoli'r un iaith iddynt. Dyma, o ran mesur cryfder siarad Cymraeg, neu o leiaf y gallu i siarad Cymraeg, yw'r dynodydd mwyaf sylfaenol. Yn fras, dengys fod cymhareb siaradwyr Cymraeg i'r di-

TABL 2: YR IAITH A SIAREDID GAN BOBLOGAETH SAMPLU 1891

Categorïau	**Nifer**	**(%)**
Plant dan dair oed *	244	n.a.
Saesneg	996	(39.5)
Cymraeg	941	(37.3)
Y ddwy	584	(23.1)
Is-gyfanswm	2,521	(100.0)
Ieithoedd eraill	2	n.a.
CYFANSWM	2,767	-

*ni chyfrifwyd unrhyw iaith a nodwyd

Gymraeg yn 60:40, sy'n dynodi mwyafrif o siaradwyr Cymraeg, er nad un sylweddol iawn. Yn wir, roedd y balans ieithyddol yn y cymoedd i gyd yn 1891 yn agos i'r ffigur yr awgryma Aitchison a Carter yw'r 'tipping point' peryglus o ran sicrhau parhad tymor-hir iaith leiafrifol ar hyn o bryd.[10] Yr oedd, i bob pwrpas, yn sefyllfa ieithyddol ansad. Pwynt arall yw fod y gyfran o'r boblogaeth a fynnai eu bod yn uniaith Gymraeg ychydig yn is na'r gyfran a fynnai eu bod yn uniaith Saesneg. Yr oedd lleiafrif sylweddol, ymron chwarter, a fynnent eu bod yn medru'r ddwy iaith. Fe fyddai gan y grŵp olaf hwn ddylanwad pwysig ar ddominyddiaeth gymharol y Gymraeg neu'r Saesneg o ran eu defnydd beunyddiol.

Cymhlethir pethau'n fwy eto gan y gwrthgyferbyniad mewnol *rhwng* cymoedd Garw ac Ogwr o ran cyfrannau'r boblogaeth a fedrai'r Gymraeg. Yr oedd twf economaidd cynharach a chryfach Cwm Ogwr wedi atynnu mwy o ymfudwyr Saesneg. Yn 1891 nid oedd cyfran Cymry uniaith y cwm hwn ond 29.5 y cant, tra oedd yn 46.2 y cant yng Nghwm Garw. Felly, yr oedd eisoes gryn wahaniaeth rhwng y ddau gwm; yr oedd cadarnach 'stamp' Cymreig ar Gwm Garw yn gyffredinol yn 1891. Fodd bynnag, y mae'n rhaid i'r honiad ymddangosiadol syml hwn wrth ddadansoddi pellach cyn y dehonglwn ei lawn arwyddocâd. Eto i gyd, a gadael o'r neilltu am foment gwestiwn y gwahaniaethau rhwng cymoedd, y mae Tabl 2 yn dal i'n hwynebu â phos. Pam mai dim ond cymhareb o 60 y cant o siaradwyr Cymraeg posibl (h.y. Cymraeg, a Chymraeg a Saesneg) a oedd i boblogaeth yr oedd o leiaf 85 y cant ohoni yn Gymry o ran genedigaeth? Mae'r ateb i'r pos hwn wrth wraidd ein problem ac y mae iddo sawl haen. Gallwn ddechrau trwy ddadbacio'r berthynas rhwng iaith a gwreiddiau.

I ymchwilio i'r berthynas hon rhaid cyfyngu ein sylw i'r boblogaeth mewn oed yn hanfodol felly. Yn yr adran sy'n dilyn, felly, y mae a wnelo'r data ag unigolion pymtheg oed a throsodd, sef rhyw 1,768 o bersonau i gyd. Ganed 356 o unigolion (20.1 y cant) y tu allan i Gymru, bron i gyd yn Lloegr, ac roeddent yn amlwg bron heb eithriad yn uniaith Saesneg.[11] Ganed y gweddill, 1,412 (79.9 y cant) yng Nghymru, 653 ohonynt yn hanu o Forgannwg. Felly roedd y gyfran o'r boblogaeth mewn oed a aned yng Nghymru ychydig yn llai nag ydoedd i'r boblogaeth yn ei chrynswth, fel y gellid disgwyl, ond nid yw'r gwahaniaeth yn ddigon i gyfrif am ddadansoddiad ieithyddol y boblogaeth mewn oed. Ymhlith y rheini, roedd 670 (37.9 y cant) yn uniaith Saesneg, 659 (37.3 y cant) yn uniaith Gymraeg, a mynnai 438 (24.8 y cant) eu bod yn ddwyieithog. Yng ngoleuni'r ffigurau hyn y mae'n amlwg fod nifer sylweddol (319 i fod yn fanwl), neu ymron hanner y siaradwyr uniaith Saesneg, o dras *Cymreig*. Yn amlwg, roedd un o'r allweddi pwysig i Gymreictod y ddau gwm yn nwylo'r grŵp hwn.

Dengys Tabl 3 ddadansoddiad o'r iaith a siaredid gan oedolion a aned yn y chwe sir a ddominyddai'r patrwm mewnfudo yn 1891. Fe ellir gweld fod nifer sylweddol o fewnfudwyr uniaith Saesneg yn dod o siroedd Morgannwg, Mynwy, Penfro a Threfaldwyn. Yn y tair sir olaf roedd o leiaf hanner yr holl fewnfudwyr mewn oed yn uniaith Saesneg. Gwyddys fod ynddynt 'Englishries' eang yn y bedwaredd ganrif ar bymtheg, os nad ynghynt.[12] Mae achos y rhai a aned ym Morgannwg hefyd yn ddiddorol, oherwydd cyfran gymharol fechan o'r cyfanswm oedd yn uniaith Saesneg. Mae'r sylw hwn yn cydgordio â'r hyn yn gymwys ydoedd patrwm yr ymfudo i'r ddau gwm. Fel y gwelsom eisoes, tarddle gwreiddiol yr ymfudo oedd y cymunedau glofaol lle'r oedd siaradwyr Cymraeg yn drwch y pryd hwnnw; ychydig iawn a ddaeth o'r porthladdoedd a'r dinasoedd arfordirol, megis Caerdydd ac Abertawe, a oedd wedi'u Seisnigeiddio i raddau helaeth. Fel y gellid disgwyl, roedd oedolion a aned yn siroedd Ceredigion a Chaerfyrddin bron i gyd yn uniaith neu'n ddwyieithog – y mwyafrif ohonynt yn uniaith. O'r safbwynt hwn, lluniant gyferbyniad

TABL 3: IAITH A SIAREDID GAN OEDOLION+
O SIROEDD CYMREIG DETHOLEDIG 1891

Man lle ganwyd	**Iaith a siaredid**			
	Cymraeg	**Y ddwy**	**Saesneg**	**Cyfanswm**
Morgannwg	301(46.1)	240(36.7)	111(17.0)	653(100.0)
Sir Fynwy	26(28.6)	17(18.7)	48(52.7)	91(100.0)
Sir Gaerfyrddin	91(66.4)	43(31.4)	3(2.2)	137(100.0)
Sir Benfro	59(28.6)	29(14.1)	118(57.3)	206(100.0)
Sir Geredigion	102(72.3)	37(26.3)	2(1.4)	141(100.0)
Sir Drefaldwyn	15(20.3)	22(29.7)	37(50.0)	74(100.0)
OEDOLION I GYD	659(37.3)	438(24.8)	670(37.9)	1,768(100.0)*

+ personau pymtheg oed a throsodd
* mae'n cynnwys un 'Iaith arall'

pwysig â'r ffigurau ar gyfer mewnfudwyr Morgannwg, sy'n cofnodi cyfran lawer uwch o rai'n siarad Cymraeg *a* Saesneg. Yn amlwg ddigon, roedd cyd-destun daearyddol yr oedolion a aned ym Morgannwg, a hwythau'n agored i brosesau diwydiannu cyflym, masnacheiddio a threfoli, yn wahanol iawn i gyd-destun yr ymfudwyr Cymraeg o'r cefn gwlad. Roeddent hwy eisoes wedi hen arfer â dewis rhwng Cymraeg a Saesneg, gan fynd yn fwyfwy dwyieithog. Y mae rhagrybudd sinistr arall o'r hyn a fyddai'n digwydd yn y dyfodol i'w gael o gymharu oedran cyfartalog yr oedolion a aned ym Morgannwg yn y ddau brif gategori ieithyddol. Ar gyfartaledd, roedd oedran y siaradwyr Saesneg uniaith yn 23.8 blynedd o'i gymharu â 31.2 blynedd y Cymry uniaith Gymraeg.

Bydoedd Cymdeithasol yng nghymoedd Garw ac Ogwr

Yn yr adran flaenorol gwelsom fod Cwm Garw, mewn termau cyffredinol, yn fwy 'Cymreig' yn 1891 na Chwm Ogwr, os mesurwn hyn yn ôl cyfran gyflawn y rhai a fedrai'r Gymraeg. Fodd bynnag, y mae'n bwysig deall fod defnydd iaith yn adlewyrchu dylanwadau amgen na chyfartaleddau ystadegol moel. Yn anad dim y mae iaith yn erfyn cymdeithasol syfrdanol o ystwyth. Ar ei gwastad mwyaf elfennol mae'n ymwneud ag anghenion beunyddiol cyfathrach gymdeithasol normal. Ond y mae'n ogystal yn gyfrwng cynnal

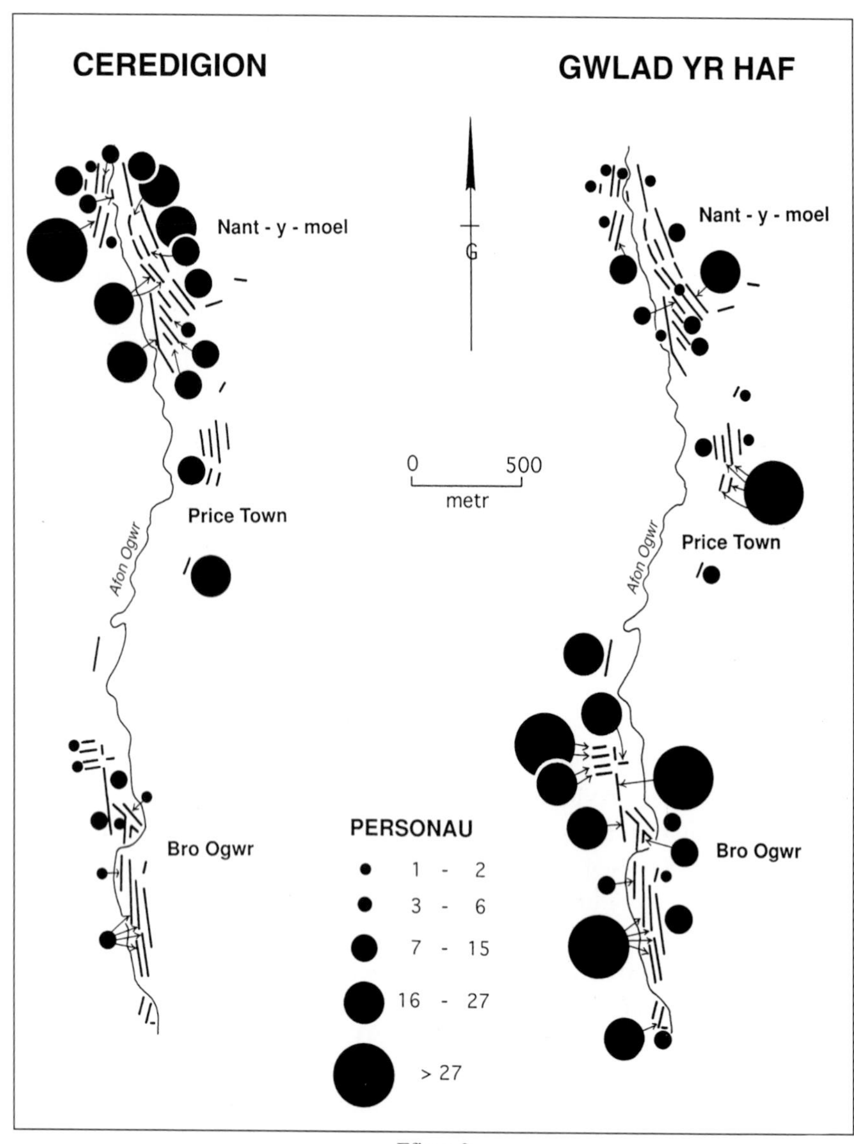
CEREDIGION
GWLAD YR HAF
Nant - y - moel
G
0
500
metr
Price Town
Afon Ogwr
Bro Ogwr
PERSONAU
1 - 2
3 - 6
7 - 15
16 - 27
> 27

Ffigur 2

disgwrs ar wastad uwch, mewn peuoedd megis uwch-ddiwylliant, crefydd neu weithgaredd economaidd. Rhaid ymholi ynglŷn â'r ddau wastad yng nghyd-destun y ddau gwm, ac y mae hwyrach yn briodol dechrau ym mhau beunyddiol y teulu a'i gymdogion agosaf.

Roedd mwyafrif mawr y boblogaeth yn 1891 naill ai'n ymfudwyr, petaent ddim ond wedi dod o gymoedd cyfagos megis Llynfi a Rhondda, neu'n blant i ymfudwyr. Roedd patrymau eu hymddygiad yn drwm dan ddylanwad y ffaith elfennaidd hon, oherwydd yr oedd ymfudo, ac yn wir deil felly o hyd, lawn cymaint o broses gymdeithasol ag ydoedd o benderfyniad a wnaed dan bwysau ystyriaethau economaidd. I ymfudwyr unigol a'u teuluoedd yn y bedwaredd ganrif ar bymtheg, mynegai hynny ei hun mewn un peth yn arbennig–awydd i ymgasglu ynghyd er mwyn byw mor agos â phosibl i deulu a ffrindiau a ymfudasai o'u blaenau. Yn ddi-ffael, canlyniad hynny oedd fod ymfudwyr yn clystyru'n batrymau trigiant ar wahân yn y ddau gwm. Fel canlyniad, arweiniai'r duedd honno at ymwahanu pendant rhwng ymfudwyr o darddleoedd gwahanol, boed y rheini'n siroedd neu ardaloedd o'u mewn. Unwaith eto, roedd dechreuadau'r patrymau trigiant hyn wedi'u sefydlu erbyn 1881,[13] ac yr oedd yr ymfudo cynyddol yn y degawd dilynol wedi cadarnhau'r patrwm erbyn 1891.

Golygai hynny i bob pwrpas fod pob cwm yn fosäig cymhleth o gymunedau a chymdogaethau wedi'u seilio ar grwpiau o fewnfudwyr o wahanol darddleoedd. Fe'u galwyd gan yr Athro Ieuan Gwynedd Jones yn '. . . distinct nuclear communities of their own in which close personal relationships could freely develop'.[14] Yn naturiol, nid oedd y cymunedau unigol hyn yn hollol gyfunrhyw. Roedd gan yr ymfudwyr a ddaethai o'r pellter mwyaf, y rhai pellaf oddi cartref, fwy o angen a rheswm dros ymgrynhoi. Roedd prinder cyson, ac fel arfer prinder dybryd llefydd i fyw, hefyd yn gorfodi teuluoedd unigol i gyfaddawdu wrth iddynt chwilio am lety. Er hynny, roedd y duedd i ymwahanu o wirfodd yn gryf y pryd hwn, ac yn broses gymdeithasol ac iddi ôl-effeithiau anorfod ar batrymau ieithyddol. Bydd yn rhaid i ddwy enghraifft yn unig wneud y tro i eglurebu'r pwynt cyffredinol hwn. Dengys Ffigur 2 ddosbarthiad trigiannol pob person yng Nghwm Ogwr yn 1891 a aned yng Ngwlad yr Haf a Cheredigion.[15] Dangosir nifer y personau a oedd yn byw ymhob stryd neu deras gan gylchoedd cyfrannol wedi'u harosod ar gefndir strydoedd. Dewiswyd y ddwy sir am eu bod yn cynrychioli eithafion y sbectrwm ieithyddol. Y mae'r mapiau yn cadarnhau'n drawiadol i gymaint graddau yr oedd ymfudwyr o wahanol dras, diwylliant ac iaith yn byw o ddydd i ddydd mewn bydoedd arwahanol, hunangynhwysol. Y mae'r ymfudwyr Saesneg eu hiaith a aned yng Ngwlad yr Haf wedi ymgasglu yn rhan ddeheuol y cwm, yn arbennig yn rhan Tynewydd o Glyn Ogwr. Ac eithrio clwstwr bychan ohonynt yn Price Town, anheddiad newydd a oedd ar gynnydd, prin yw eu presenoldeb ym mhen ucha'r cwm. O edrych ar y map sy'n dangos lleoliad ymfudwyr Cymraeg eu hiaith a aned yng Ngheredigion, gwelir fod eu dosbarthiad i bob pwrpas yn ddrych-ddelwedd – yn drwch lle mae'r ymfudwyr o Wlad yr Haf yn denau a 'vice versa'. Dim ond yn Price Town, y diweddaraf o'r cymdogaethau, y ceir unrhyw orgyffwrdd gwerth sylwi arno. Y mae Ffigur 2, hefyd, yn tystio fod 'cyfartaleddau' ystadegol o Gymreictod i'w trafod yn ofalus iawn! Roedd yng Nghwm Ogwr, er gwaethaf cyfradd gyffredinol is o siaradwyr Cymraeg, bocedi dwys o Gymreictod. Roedd y patrwm sylfaenol hwn o gymunedau lleol o ymfudwyr yr un ar gyfer pobl o darddleoedd daearydol eraill, gan sicrhau, felly, sail gymdeithasol gadarn i'r sefyllfa ieithyddol yn y ddau gwm.

Byd o drawsnewid – mabwysiadu hunaniaethau eraill

Fel yr amlinellwyd, roedd Cymreictod y cymoedd yn gynnyrch cyfansawdd o amrywiol ddylanwadau. Y mae dau o'r rhain, sef strwythur y boblogaeth ymfudol a lluosogrwydd y bydoedd cymdeithasol y trigent ynddynt, eisoes wedi'u trafod. Y trydydd prif ddylanwad, neu'n hytrach set o ddylanwadau, yw'r rheini y gellir eu crynhoi dan bennawd bras ymddiwylliannu (acculturation). Cynhwysai'r rhain gyfres dynamig o bwysau a oedd o'u cyfuno yn peri bod cynnal Cymreictod iaith a diwylliant yn amgylchfyd trefol a diwydiannol y cymoedd yn dasg gynyddol anodd.[16] Y pwysau allanol pwysicaf oedd y bri cymdeithasol ac economaidd a oedd ynghlwm wrth fedru siarad Saesneg.[17] Pwysleisid y statws uwch hwn o'r cychwyn gan y gyfundrefn addysg Saesneg ei chyfrwng. Fe'i cadarnhawyd gan ddominyddiaeth Saesneg yn y swyddi uwch-statws ym myd llafur. Byd hanfodol Saesneg ei iaith oedd y byd busnes a reolai godi, gwerthu a dosbarthu glo ager Cymru a holl weithgarwch diwydiannol de Cymru. Teflid pwysau pellach o blaid Saesneg gan y dylanwadau newydd, bras a darddai o feysydd megis diwylliant, chwaraeon a hamdden lle'r oedd Saesneg eto'n ben. Roedd eu rhan yn niwylliant dosbarth-gweithiol y maes glo yn tyfu'n gyflym tua diwedd y bedwaredd ganrif ar bymtheg fel y pwysleisiodd Dai Smith.[18]

Gellir yn deg ddisgrifio'r ffactor olaf a oedd yn prysuro ymddiwyll-iannu – o Gymraeg i Saesneg – fel un fewnol, sef hydreiddedd y ffiniau cymdeithasol rhwng y gwahanol grwpiau ethnig ac ieithyddol a oedd i'w cael yn y cymunedau a oedd yn dod i'r golwg yn y cymoedd. Ni olyga hyn nad oedd gan y gwahanol grwpiau ieithyddol lawer o sefydliadau arwahanol a gwerthfawr o'u heiddo'u hunain. Gwelir hynny gliriaf ym maes diwylliant crefyddol y capel lle gweithredid ar linellau hanfodol ieithyddol. Mae'r capeli a restrwyd yn *Kelly's Directory*, 1895, yn dangos perthynas glòs â'r balans ieithyddol hollgynhwysol a ddisgrifiwyd yn y bennod hon. Felly, yng Nghwm Garw, roedd chwe chapel mawr Cymraeg yn cydfodoli â dim ond tri chapel Saesneg llawer llai; roedd yno hefyd genhadaeth gan Fyddin yr Iachawdwriaeth. Yng Nghwm Ogwr roedd eto chwe chapel mawr Cymraeg, ond y tro hwn gynifer â saith capel Saesneg, hyd yn oed os oeddynt gan mwyaf yn gymharol fychan. Ond eto, hyd yn oed yn y pau hwn, pennaf nod capel ac eglwys fel ei gilydd oedd estyn allan yn bragmataidd ddiedifar i'r gymuned cyn belled ag y gellid, yn hytrach na cheisio diogelu un iaith arbennig. Felly, erbyn 1891, roedd yr eglwysi sefydledig yn addoli'n ddwyieithog, ac nid oes lle i dybio nad oedd rhai capeli Cymraeg lleol yn croesawu gwahanol fathau o gyfaddawdau ieithyddol a oedd yn ennill tir yn gyson mewn cymoedd eraill.[19]

Ym mhau'r personol a'r teuluol prin iawn yw'r dystiolaeth fod gelyniaeth rhwng ymfudwyr o Gymru a Lloegr; i'r gwrthwyneb, mae llawer o dystiolaeth fod cydweithredu a chytgord ar wastad y berthynas rhwng personau. Mae cofnodion Cyfrifiad 1881 yng nghymoedd Garw ac Ogwr yn dangos fod cryn dipyn o briodi ar draws ffiniau ethnig. Nid oedd dim llai na 40 y cant o ymfudwyr gwrywaidd priod a aned yn Saeson yn briod â gwragedd a aned yn Gymry, y mwyafrif ohonynt o Forgannwg a Mynwy.[20] Yn amlwg ddigon, yn y tymor hir nid oedd ffiniau cymdeithasol mor hylif â'r rhai a ddatgelir gan y ffaith ystadegol foel hon, yn mynd i hwyluso parhad arwahanrwydd ieithyddol. Ategir y pwynt hwn gan y dystiolaeth ynglŷn â throsglwyddo iaith y rhieni i'r plant yng Nghyfrifiad 1891. Ymhlith plant o briodasau cymysg eu hiaith roedd ymseisnigo yn mynd rhagddo ar garlam, a nodwyd enciliad bychan, ond nid diarwyddocâd, ymhlith plant i rieni Cymraeg dau deulu.[21]

Yn hyn o beth y mae Tabl 4 hefyd yn ddadlennol, gan ei fod yn canolbwyntio sylw ar yr iaith a siaredid gan grwpiau o oedran gwahanol o deirblwydd i fyny. Er nad yw'r patrwm ieithyddol yn hollol gyson, y mae tuedd amlwg i'r gyfran siarad Saesneg godi yn y grwpiau iau; y mae'r ganran uchaf, 44.7 y cant, yn y grŵp ieuaf (3-5 ml. oed). Y mae'r dirywiad yng Nghymreictod y grwpiau iau i'w weld hefyd os cyfunwn y canrannau a fedrai'r Gymraeg, o ymron dwy ran o dair yn y grwpiau dros ddeng mlwydd ar hugain i ychydig dros hanner yn y plant dan bum mlwydd oed. Yn ôl y mesur hwn, prin y gellir dweud fod dirywiad y Gymraeg yn ddramatig erbyn 1891, ond yr oedd arwyddion perygl yno i'w gweld serch hynny.

TABL 4: IAITH A SIAREDID YN ÔL OEDRAN 1891

Oedran	Cymraeg	Y ddwy	Saesneg	Cyfanswm	% Saesneg
3-5oed	79	38	96	215	44.7
6-9 oed	95	45	104	244	42.6
10-14 oed	109	63	126	298	42.3
15-19 oed	106	78	127	312	40.7
20-29 oed	210	152	251	613	40.9
30-39 oed	164	97	138	399	34.5
40-49 oed	108	64	87	259	33.6
50 a throsodd	62	40	53	155	34.2

I gloi

O edrych yn ôl, yr oedd yn amlwg fod 'Cymreictod' yng nghymoedd Garw ac Ogwr yn 1891 mewn cyflwr trawsnewidiol – amwys hyd yn oed; o edrych yn ôl ymddengys ei fod ar ymyl dibyn. Yn allanol, hwyrach yr ymddangosai fod popeth yn dda. Mae data'r Cyfrifiad yn ein galluogi i gydnabod fod mwyafrif o'r boblogaeth a allai o leiaf siarad Cymraeg; yng Nghwm Garw roedd yn fwyafrif sylweddol. Ond o edrych yn fanylach mae modd gweld fod hadau dirywiad eisoes i'w cael mewn diwylliant cyfrwng Cymraeg. Roedd y grwpiau oedran iau yn llai ymrwymedig, er mai graddol yn hytrach na sydyn oedd y dirywiad. Byddai hynny'n newid yn llwyr yn y ddau ddegawd dilynol rhwng 1891 ac 1914. Roedd y pwysau o'r tu allan a atgyfnerthai ymddiwylliannu Saesneg yn trymhau, gan eu bod ynghlwm wrth fanteision statws uwchraddol, bri a moderniaeth. At hynny, yr oedd natur ethnig yr ymfudo i oleddfu hyd yn oed yn fwy chwyrn at Seisnigrwydd, gan brysuro trai Cymreictod.

Cydnabyddiaeth

Ymddangosodd Ffigur 1 yn wreiddiol yn fy mhennod yn *Glamorgan County History. Volume VI: Glamorgan Society 1780-1980*, 193. Rwy'n ddiolchgar i'r golygydd, y Dr. Prys Morgan, Adran Hanes Prifysgol Cymru, Abertawe am ganiatâd i'w atgynhyrchu yma. Lluniadwyd Ffigur 2 yn gampus gan Mr. K. Scurr, cartograffydd yn Adran Ddaearyddiaeth Prifysgol Hull, ar sail fy mraslun gwreiddiol i.

NODIADAU

[1]*Bridgend Chronicle*, 17 Meh. 1881.

[2]Aeth Adroddiad Cyfrifiad 1911 i'r afael â rhai o'r problemau hyn mewn difrif, gan gynnwys camddeall y cwestiwn sylfaenol.

[3]Am fanylion llawn gw. Edward Higgs, *Making sense of the Census* (London, 1989).

[4]Dim ond â'r Ogwr Fawr y mae a wnelo'r bennod hon; cyfeirir ati o'r dechrau i'r diwedd fel Cwm Ogwr.

[5]T. Bevan, *The Industrial Development of the Llynfi, Ogmore and Garw Valleys* (Traethawd MA, Prifysgol Cymru, 1928).

[6]Yr oedd Cwmni David Davies, er fod ei brif ddiddordebau glofaol ym mlaenau'r Rhondda Fawr, wedi agor pyllau yn Nant-y-moel a Blaengarw erbyn 1891.

[7]Cyfrifiad 1891.

[8]Hynny yw, oedolion a nodai fan eu geni yn un o'r tri phlwyf – Betws, Llangeinor a Llandyfodwg.

[9]Ganed David Davies, diwydiannwr Cymreig tra dylanwadol, yn Llandinam ac yr oedd iddo wreiddiau dwfn yn y wlad tra fu byw.

[10]John Aitchison a Harold Carter, *A Geography of the Welsh Language 1961-1991* (Caerdydd, 1994), 113. Pwysleisia'r awduron nad yw mwyafrif bychan yn ffafrio'r Gymraeg yn ddigon i warantu '. . . (a) true Welsh-language community'.

[11]Dynododd nifer fechan iawn o unigolion ieithoedd eraill, gan gynnwys Gwyddeleg, Rwsieg a Chymraeg.

[12]W.T.R. Pryce, 'Welsh and English in Wales, 1750-1971: a spatial analysis based on the linguistic affiliation of parochial communities', *Bwletin y Bwrdd Gwybodau Celtaidd*, Cyf. XXVIII (1978), 1-36.

[13]Philip N. Jones, *Mines, Migrants and Residence in the South Wales Steamcoal Valleys: the Ogmore and Garw Valleys in 1881* (Hull, 1987), 53-77.

[14]Ieuan Gwynedd Jones, *Communities: Essays in the Social History of Victorian Wales* (Llandysul, 1987), 144.

[15]Seiliwyd y mapiau hyn ar grynswth y boblogaeth, ac nid ar y sampl.

[16]Dwysawyd yr anhawster hwn gan berthynas glòs y Saesneg a'r Gymraeg mewn cyd-destun trefol; gw. Aitchison a Carter, *A Geography of the Welsh Language*, 112.

[17]Ar fater gor-gysylltu'r Gymraeg er colled iddi ag Anghydffurfiaeth gul yn ail hanner y bedwaredd ganrif ar bymtheg, gw. John Davies, *Hanes Cymru* (Harmondsworth, 1990), 481-2; hefyd Ieuan Gwynedd Jones, *Mid-Victorian Wales: the Observer and the Observed* (Caerdydd, 1992), 71-2.

[18]David M. Smith, 'The Valleys: landscape and mindscape', *Glamorgan County History. Vol. VI: Glamorgan Society 1780-1980*, gol. Prys Morgan (Caerdydd, 1988), 129-50.

[19]Philip N. Jones, 'Baptist chapels as an index of cultural transition in the South Wales Coalfield before 1914', *Journal of Historical Geography*, Cyf. 2 (1976), 347-60.

[20]idem., *Mines, Migrants and Residence*, 83-5.

[21]Y patrwm dominyddol mewn teuluoedd lle siaradai'r ddau riant yr un iaith oedd fod y plant yn mabwysiadu iaith eu rhieni, ond yn 8 y cant o'r teuluoedd Cymraeg eu hiaith cofnodwyd y plant fel siaradwyr Saesneg. Mewn teuluoedd lle'r oedd y rhieni o gefndir ieithyddol cymysg, siaradai'r plant Saesneg yn 70 y cant o'r achosion.

Thomas Richards a John Walters: Athrawon Geiriadurol Iolo Morganwg

Richard M. Crowe

Hwyrach yr ymddengys yr ymadrodd 'bwrlwm geiriadurol' yn wrtheiriad ond dyna a welwyd ym Mro Morgannwg yn hanner olaf y ddeunawfed ganrif. Yn 1793 cyhoeddodd Thomas Richards, curad Llangrallo, ei eiriadur Cymraeg-Saesneg *Antiquae Linguae Britannicae Thesaurus*, rhyw ddeng mlynedd yn ddiweddarach bu'r Dr John Richards, rheithor Coety, yn cynorthwyo Thomas Richards i lunio geiriadur Saesneg-Cymraeg, yn 1770 dechreuodd John Walters, rheithor Llandochau, gyhoeddi ei eiriadur Saesneg-Cymraeg *An English-Welsh Dictionary* y daeth ei ran olaf allan yn 1794, ac erbyn 1806 gallai'r Dwyfundodiad o Drefflemin, Iolo Morganwg, ymffrostio fod ganddo gasgliad o ryw 25,000 o eiriau.

Gwir fod Thomas Richards a John Walters yn feibion Sir Gâr, ond ym Morgannwg y prifiasant yn eiriadurwyr. Ac nid yw'n amhosibl fod natur ieithyddol gymhleth y Fro yn ystod y ddeunawfed ganrif wedi cyfrannu at ddiddordeb y gwŷr hyn mewn geiriadura. O raid mae'r dwyieithog neu'r sawl sy'n byw mewn ardal ddwyieithog yn gorfod meddwl am iaith i raddau mwy na'r unieithog. Ar sail y defnydd a wnaed o'r Gymraeg yng ngwasanaethau'r Eglwys yn y Fro, yn fras gellir canfod tair cylchfa ieithyddol: cylchfa Gymraeg yn y gogledd, cylchfa ddwyieithog sy'n rhedeg drwy ei chanol ac yn cyrraedd yr arfordir mewn pedwar man ac yn torri i mewn i'r gylchfa Gymraeg yn nwyrain y Fro, a thair poced o Saesneg o gwmpas trefi'r arfordir.[1] Ond wrth reswm nid oedd cymeriad ieithyddol y Fro yn unffurf drwy'r ddeunawfed ganrif, ac yn annisgwyl efallai, nid treio a wnaeth y Gymraeg, ond ennill tir yn ystod ail hanner y ganrif. Cymreigiwyd yr ardaloedd dwyieithog a Saesneg nes i'r Gymraeg ddod yn iaith arferol y Fro erbyn dechrau'r bedwaredd ganrif ar bymtheg.[2] Mewn llythyr a dadogir ar Rys Morgan o Bencraig-nedd, sylwa Iolo Morganwg fod y 'Gymraeg ym Morganwg ar ei mawr gynydd'.[3] Dywed fod rhai plwyfi ym Morgannwg yn cynnal gwasanaeth naill ai'n ddwyieithog neu'n Gymraeg, lle gynt y byddai'r gwasanaeth yn uniaith Saesneg.

Priodola'r newid hwn i ddylanwad Ymneilltuaeth ac i'r ysgolion Cymraeg.[4] Yn yr ateb i'r llythyr a dadogir ar Lewis Hopkin o Landyfodwg fe ddywed na ŵyr am:

> nemawr o blwyfau lle mae'r Gwasanaeth Eglwysig oll yn Saesoneg o *Lan Wysg* i *Lynn Nedd*, oddierth Caerdyf, Casnewydd, y Bontfaen a Lanilltyd fawr.[5]

Ac fe ychwanega fod y bobl gyffredin yn arfer mwy o Gymraeg nag o Saesneg hyd yn oed yn y trefi a nodwyd.

Eto i gyd, Saesneg oedd iaith aelwydydd Iolo Morganwg a John Walters. (Saesnes oedd gwraig Walters.) Ni wyddys am sefyllfaoedd Thomas Richards a John Richards. Roedd sawl un a gyfarfu ag Iolo Morganwg wedi sylwi nad oedd ei Gymraeg mor raenus â'i Saesneg.[6] Dichon fod Cymry Gwyneddig Llundain yn gwgu ar Wenhwyseg Iolo. Digon dirmygus o'r geiriau tafodieithol o Forgannwg a gynhwysodd Thomas Richards yn ei eiriadur oedd Goronwy Owen. Mewn llythyr at Richard Morris fe ofynnodd:

> what has *Glam.* words to do with Welsh? I had rather he had made use of any Gibberish, and authoriz'd with a *Hottentoticè*.[7]

Nid ystyriai Richard Morris fod y Dr John Richards yn 'hanner Cymreigydd'.[8] Yn wir roedd yn 'poor Welshman' ond 'eat up with zeal for ye language!'[9] Sylweddolodd William Morris mai'r De a oedd yn arwain yn ysgolheictod y Gymraeg a gresynai at hynny:

> Wale, wale, fe fu dydd pan allai Wynedd ymffrostiaw oi 'scolheigion Cymroegaidd, a bâs a fai gan y Gwenhwysiaid glywed sôn fod neb un Ddeaudiryn yn rhyfygu dodi allan na geirlyfr, na gramadeg, neu'r cyffelyb, ac yn awr pwy ond Dr. Richards a Gambold, a bagad o'r cyfryw sydd yn llenwi ein celloedd au llediaith?[10]

Ond nid rhagfarn ogleddol yn unig a welai fai ar Gymraeg Iolo Morganwg. Roedd David Rhys Stephen (1807-1852) yntau o Ferthyr Tudful o'r farn fod Iolo'n sgwrsio'n rhwyddach yn Saesneg nag yn Gymraeg.[11] Saesneg yw iaith bron y cwbl o'i ysgrifau ieithyddol er iddo fathu termau lu ar gyfer y pwnc. Saesneg hefyd oedd prif iaith ei lythyrau at Gymry Llundain – ffaith a enillodd gerydd oddi wrth Owain Myfyr ar un achlysur.[12] Ond nid oes dim byd anarferol yn hynny – cofier mai yn Saesneg yn gymysg â'r Gymraeg y gohebai'r Morrisiaid â'i gilydd yn bennaf. Beth bynnag am ei *ddefnydd* o'r iaith, yn y Gymraeg yr ymserchodd Iolo Morganwg. Roedd o'r farn fod Saesneg yn angenrheidiol er mwyn addysg a dyna'r iaith a ddefnyddiai wrth ymdrin â gwyddorau fel ieithyddiaeth, amaethyddiaeth a phensaernïaeth, ond dengys ei eirfâu ei fod yn ceisio darparu termau addas i drafod y pynciau hynny yn Gymraeg.[13]

Heb amheuaeth, roedd y ddau eiriadurwr mawr o Fro Morgannwg, Thomas Richards, Llangrallo a John Walters, Llandochau yn ddylanwadau ffurfiannol ar yrfa ieithyddol Iolo Morganwg. Mae'n debyg i Thomas Richards gael ei eni yn 1709 yn Sanclêr, Sir Gaerfyrddin, yn fab i Richard a Mary Phillips.[14] Roedd ganddo frawd o'r enw Lewis a hwyrach mai hwnnw oedd y 'Mr. Lewis Richards, of Margam' a danysgrifiodd i eiriadur Richards.[15] Ychydig iawn a wyddys am ei fywyd cynnar. Ymddengys na chafodd addysg prifysgol a rhestra Iolo Morganwg ef ymhlith y 'Self educated persons in Glamorgan Vale'.[16] Cyn iddo gymryd urddau eglwysig roedd yn ysgolfeistr mewn ysgol elusennol yn Llandysul a noddid gan Brifathro Coleg yr Iesu, Rhydychen. Fe'i hurddwyd yn ddiacon yn yr Eglwys ym Medi 1733 ac ar yr un pryd fe'i trwyddedwyd i guradaeth Llanismel a Llansaint yn Sir Gaerfyrddin ar gyflog o ddecpunt y flwyddyn. Flwyddyn yn ddiweddarach fe'i hurddwyd yn offeiriad. Arhosodd yn Llanismel tan Awst 1737 ac erbyn Tachwedd 1737 symudasai i Forgannwg i fod yn gurad yn Llanilid. Yno yr arhosodd nes mis Ebrill 1738. Ym mis Mai y flwyddyn honno symudodd i Langrallo, lle gweinidogaethai'n achlysurol yn ystod ei gyfnod yn Llanilid, i gymryd curadaeth Llangrallo a Llanbedr-ar-fynydd, ac yn Llangrallo yr arhosodd nes iddo farw yn 1790. Aeth Richards i Langrallo er mwyn cynnal y gwasanaethau yn Gymraeg gan na allai Daniel Durel, a oedd yn rheithor yno o 1727 hyd 1766 (ac yn brifathro'r Ysgol Ramadeg yn y Bont-faen) wneud hynny. Roedd yn enedigol o ynys Jersey a chyflogai gurad Cymraeg i weinidogaethu yno.[17]

Priododd â Beatrice Evans ym mis Hydref 1740 a chawsant bedwar o blant: Thomas a anwyd yn 1741, Mary a anwyd yn 1743, David a anwyd yn 1744, a Beatrice a anwyd yn 1746. Bu farw Beatrice, gwraig Thomas Richards, ychydig o ddyddiau wedi genedigaeth eu merch

Beatrice a bu farw hithau ym mis Mawrth 1747. Dilynodd Thomas ôl traed ei dad a mynd yn glerigwr, ond ni wyddys dim am y plant eraill. Priododd Richards eto, y tro hwn â Rachel Lewis, ar 24 Mai 1759. Ganwyd iddynt un mab y rhoddwyd iddo yr enw Cymreigaidd Einion yn 1765. Credir fod Einion yn dioddef o salwch meddwl.[18]

Yn 1777 cafodd Thomas Richards ficeriaeth Eglwysilan, er iddo aros yn Llangrallo a thalu curad i wasanaethu eglwysi Eglwysilan, Caerffili a Llanfabon ar ei ran. Tua diwedd 1780 hysbysodd Richards y rheithor ei fod yn dymuno rhoi'r gorau i'r guradaeth. Ddechrau 1781 ceisiodd y rheithor berswadio clerigwr ifanc o'r enw Thomas Charles i dderbyn y guradaeth ond ni ddymunai dyweddi hwnnw ymadael â'r Bala.[19] Bu farw gwraig Richards yn Ebrill 1781 ac fe adawodd ei ddyletswyddau clerigol yn Llangrallo gan fyw ar ei incwm o Eglwysilan a'r fferm fach a oedd ganddo yn Llangrallo hyd nes iddo farw.

Gellir tybio fod Richards yn arddel syniadau gwrth-Gatholig am ei fod wedi cyhoeddi cyfieithiad o lyfr Philip Morant, *The Cruelties and Persecutions of the Romish Church Displayed*, o dan y teitl *Creulonderau Eglwys Rufain gwedi eu Tannu ar Led* yn 1746. Yn sgil Gwrthryfel Jacobaidd 1745 ymledodd ofn y byddai'r Ymhonnwr, Charles Edward Stuart, yn dod i orsedd Prydain ac ailsefydlu Catholigiaeth Rufeinig fel crefydd swyddogol y wlad. Roedd Richards o'r farn fod digon o lyfrau ar gael yn Saesneg i rybuddio'r Saeson am beryglon Pabyddiaeth, ond ofnai na wyddai'r Cymry uniaith ddim oll am 'greulonderau Eglwys Rufain'. Ymddengys fod Richards wedi cael blas ar gyfieithu gan iddo, fwy na thebyg, fwriadu cyhoeddi fersiwn talfyredig o *Book of Martyrs* Fox. Yng nghefn ei *Antiquae Linguae Britannicae Thesaurus* (1753) ceir hysbyseb am gyfieithiad o lyfr Fox – 'a just Representation of the cruel Effects of Superstition and Popery' – ond ni ddywedir pwy fydd y cyfieithydd. Fodd bynnag, nodir y gellir rhoi tanysgrifiadau i'r argraffwr Felix Farley ym Mryste a Thomas Richards yn Llangrallo. Ond rhaid casglu na chafwyd digon o danysgrifwyr i'r fenter gan na chyhoeddwyd y llyfr.

Wrth gyfieithu'r llyfrau hyn y mae'n sicr y bu angen arno ddefnyddio geiriaduron. Yn y gwaith hwn, geiriaduron Saesneg-Cymraeg fyddai o gymorth mwyaf iddo, ac un yn unig oedd ar gael iddo, sef *English and Welch Dictionary* (1725) Siôn Rhydderch.

Gwyddom fod Richards yn lled wybodus am hanes geiriadura yng Nghymru gan iddo grybwyll ei ragflaenwyr yn llythyrau annerch ei eiriadur. Gwna un camgymeriad amlwg, fodd bynnag, drwy sôn am eiriadur William Salesbury (1547) fel geiriadur Saesneg-Cymraeg. Mae'n bosibl na welodd gopi ohoni a'i fod wedi ei ddrysu gan y teitl, *A Dictionary in Englyshe and Welshe*. Yn nes ymlaen, wrth gyfeirio at ddiffygion geiriadur Salesbury, y mae'n cytuno ei bod hi'n amhosibl i un dyn 'ddwyn gwaith mor galed ac anhawdd ac yw Geirlyfr Cymraeg i unrhyw berffeithrwydd ar unwaith'.[20] Gall pob geiriadurwr hyd heddiw amenio disgrifiad Thomas Wiliems o'i eiriadur llawysgrif yntau fel 'llavurboen anorphen' ac ailadroddodd John Davies, Mallwyd, deimladau tebyg pan ddatganodd mai 'tasg anodd . . . yw cyfansoddi geiriadur, yn enwedig eiriadur unrhyw iaith frodorol, a chael hwnnw i fodloni'r genhedlaeth bresennol'.[21]

Gwelodd Iolo Morganwg yr angen am eiriadur da:

> In the first place, we want a good Dictionary of the words, and idiomatic expressions of the Language.[22]

Awgrymodd y dylai'r geiriadur hwn fod yn waith dyn dysgedig a oedd wedi treulio ei holl fywyd yng Nghymru, ac wedi teithio'n helaeth o gwmpas y Dywysogaeth yn unswydd er mwyn casglu geiriau ac idiomau a hynodion tafodieithol. Er mwyn hwyluso'r gwaith awgrymodd fod y Gwyneddigion yn noddi ei gynllun casglu a byddai hyn yn ei dro yn creu angen am academi ohebol. Dichon fod Iolo yn ei weld ei hun yn gymwys i'r gwaith ond gwelir hefyd sylweddoliad fod angen cydweithredu ag eraill i lunio geiriadur.[23] Yn wir, mewn llythyr at y geiriadurwr hynod hwnnw, William Owen Pughe, noda broblemau'r geiriadurwr unigol:

> No Lexicographer can ever be intimately acquainted with all arts and sciences. Of course it will infallibly happen that he will err in many of them, where he is not acquainted with the peculiar use and application of a Term . . . for reasons hence arising I would have a Great Master in every branch of science to compile a vocabulary or Dictionary for his own department of knowledge.[24]

Maes arbennig Iolo Morganwg oedd geirfa dechnegol hanes y beirdd ac yn ei lythyr fe ddywed ei fod wedi gosod sylfeini'r fath eirfa.

Iolo Morganwg.

Ar sail profiad Thomas Richards o gyfieithu llyfr Saesneg i'r Gymraeg y mae'n naturiol inni feddwl y dymunasai gyfansoddi geiriadur Saesneg-Cymraeg. Ond yr hyn a wnaeth ef oedd cyfieithu ac addasu'r rhan Gymraeg-Lladin o *Dictionarium Duplex* (1632) John Davies, ynghyd â darnau eraill o'r geiriadur, megis y rhestr ddiarhebion, y rhestr o flodau a'r rhestr o gampau. At hynny fe luniodd ramadeg a oedd yn seiliedig ar *Cambrobrytannicae Cymraecaeve Linguae Institutiones et Rudimenta* (1592) Siôn Dafydd Rhys, *Antiquae Linguae Britannicae . . . Rudimenta* (1621) John Davies a *Grammar of the Welsh Language* (1727) William Gambold. Cyhoeddwyd y gramadeg ynghyd â'r geiriadur a'r rhannau atodol a hefyd fel llyfr ar wahân.

Dichon fod Richards wedi cyfieithu ac addasu'r rhan Gymraeg-Lladin o eiriadur Davies am mai dyna oedd y rhan gyntaf yn y geiriadur. O safbwynt ymarferol dyna oedd y rhan hawsaf i weithio arni. Roedd y rhan Gymraeg-Lladin tua hanner maint y rhan Ladin-Gymraeg ac o gyfieithu ac ychwanegu at y rhan Gymraeg-Lladin ni fyddai rhaid newid trefn y dangoseiriau. Yn ychwanegol at yr ystyriaethau ymarferol hyn gwelai Richards werth ehangach mewn llunio geiriadur Cymraeg-Saesneg. Am un peth, byddai geiriadur o'r math hwn yn gymorth i'r Saeson ddeall mwy am hanes Prydain. Ystyriai Richards y Gymraeg fel gwir iaith frodorol Prydain gyfan a phetai ysgolheigion yn dymuno deall rhywbeth am hanes Prydain byddai rhaid iddynt ddeall rhywbeth am iaith gynhenid yr ynys. Ond ar gyfer y Cymry y bwriadwyd y geiriadur yn bennaf. Roedd Richards yn awyddus i'r Cymry ddeall eu hiaith eu hunain yn well. Gwelodd fod llythrennedd yn Gymraeg ar gynnydd ymhlith y Cymry hwythau ond bod llawer o'r darllenwyr newydd hyn yn cael anhawster i ddeall rhai geiriau a oedd yn y llyfrau a oedd ganddynt. Deallodd fod llawer o eiriau yn y Beibl yn ddieithr i glustiau llawer o Gymry a'i bod hi'n bwysig eithriadol fod pobl yn deall y Beibl ar y lefel ieithyddol o leiaf. Wrth gwrs, ni allai geiriadur Cymraeg-Saesneg fod o help ond i Gymry dwyieithog. Ni fyddai'r Cymro uniaith a gâi anhawster gyda rhai geiriau yn ei Feibl yn cael dim cymorth gan eiriadur Richards.

Yn ogystal â'r dymuniad i'r Cymry ddeall eu hiaith ysgrifenedig yn well roedd Richards hefyd yn argyhoeddedig fod geiriadur yn gallu bod yn fodd i gadw iaith rhag 'llygredd a myned ar goll'.[25] Fel y mwyafrif o eiriadurwyr yn y ddeunawfed ganrif roedd o'r farn fod geiriaduron yn gallu sefydlogi, neu hyd yn oed rewi ieithoedd drwy ddangos sillafiad cywir ac ystyr geiriau. Ond er bod Richards yn dymuno 'ymgeleddu a choledd' yr iaith, nid oedd hynny'n ei rwystro rhag dymuno i'r Cymry ddysgu Saesneg. Gobeithiai y byddai'r geiriadur yn cyfrannu at eu 'more easy and expeditious Attainment of the English Tongue'.[26]

Nid Thomas Richards oedd y cyntaf i addasu rhan Gymraeg-Lladin geiriadur John Davies. Gwnaethai Thomas Jones, yr Almanaciwr, hynny yn 1688. Ychwanegodd Jones at eirfa Davies, ond hepgorodd ddeunydd tarddiadol a'r dyfyniadau llenyddol. Addasodd y rhestr o flodau drwy ychwanegu ambell flodeuyn ond hepgorodd beth o ddeunydd Davies hefyd.

Cydnabyddid *Dictionarium Duplex* John Davies yn gampwaith ysgolheigaidd ac ni allasai neb cyn Richards ragori arno'n sylweddol. Ond fel y sylweddolodd Thomas Jones, nid oedd pob gair Cymraeg ynddo. Gwnaethpwyd y diffyg geirfaol yn fwy amlwg byth pan gyhoeddodd Edward Lhuyd gasgliad o eiriau nad oeddent yng ngeiriadur Davies fel rhan o'i *Archaeologia Britannica* yn 1707.[27] Diffyg arall, o leiaf yn llygaid trwch poblogaeth Cymru yng nghyfnod Richards, ar eiriadur Davies oedd ei fod yn un Cymraeg-*Lladin* a *Lladin*-Cymraeg ac er bod y Lladin wedi dal ei thir fel iaith dysg yn y ddeunawfed ganrif, byth oddi ar y Dadeni defnyddid yr ieithoedd brodorol fwyfwy at ddibenion dysg a chyfyngedig oedd yr wybodaeth o Ladin. At hynny, fel y dengys Richards ei hun, hyd yn oed i'r lleiafrif dysgedig a wyddai Ladin, nid oedd geiriadur Davies ar gael yn rhwydd iawn. Sonia am:

> y prinder o'r Llyfr odiaeth hwn sydd yn awr yn ein plith; – nad oes un i gael er arian, oni ddigwydd gael ambell un o ddamwain weithiau, ym mhlith Llyfrau rhyw Wr dysgedig, a font yn myned ar werth, ar ôl ei farwolaeth; a chyda hynny, nad oes dim argoel chwaith gael ei ail-argraphu.[28]

Felly, yn wyneb y ffaith nad oedd y geiriadur yn hawdd i'w gael ac nad oedd gobaith am ei ailargraffu, cymerodd Thomas Richards arno'i hun i gyfieithu, diwygio a chyhoeddi fersiwn newydd ohono. Gan ddefnyddio geiriadur Davies yn sail, fe ychwanegodd Richards ddeunydd o *Archaeologia Britannica* (1707) Edward Lhuyd, yn enwedig y rhestr o eiriau nas ceir yn y *Dictionarium Duplex*, yn ogystal â deunydd tarddiadol o'r ieithoedd Celtaidd ac ychwanegiadau Lhuyd at *Britannia* (1695) William Camden a darnau eraill o'i waith. Y gwaith mawr arall y dibynnodd Richards yn drwm arno oedd geirfa Dr Wotton, sy'n eirfa i'w *Leges Wallicae* (1730), sef golygiad o Gyfreithiau Cymru a gynullwyd gan William Wotton ac a olygwyd gan Moses Williams. Bu Richards yn pori mewn llyfrau printiedig eraill, ac unrhyw lawysgrifau y gallai gael gafael ynddynt yn ogystal ag unrhyw sylwadau o'i eiddo ei hun er mwyn ychwanegu at ei gasgliad. Daw rhai o'r ychwanegiadau o'r Beibl, ac y mae hynny i'w ddisgwyl gan fod Richards yn dymuno esbonio'r geiriau dieithr, anarferedig. Cafodd ryw ddeg a thrigain o eiriau gan Richard Morris a oedd yn byw yn Llundain ar y pryd. Ni wyddys i sicrwydd pa lawysgrifau a welodd ond mae'n ddigon posibl iddo weld casgliadau Siôn Bradford a'r gramadegyddion eraill, copïau o lawysgrifau a wnaethpwyd gan Ieuan o Dre'r-bryn a chasgliad teulu'r Poweliaid yn Llanharan.[29]

Un o'r agweddau mwyaf diddorol ar yr ychwanegiadau i'r geiriadur yw'r rheiny a ddaw o'r iaith lafar ac yn fwyaf arbennig o Gymraeg llafar Morgannwg y cyfnod. Gellir olrhain rhai o'r geiriau a nodir fel geiriau o Forgannwg yn ôl i *Archaeologia Britannica* Lhuyd, ond mae'r mwyafrif ohonynt, mae'n debyg, yn eiriau mae Thomas Richards ei hun wedi sylwi arnynt. Bob hyn a hyn deuir ar draws gwybodaeth bwysig ynglŷn â hanes y tafodieithoedd yn y nodiadau hyn. Er enghraifft, nodir mai *baili* yw gair Morgannwg am 'fuarth o flaen tŷ' ond mai *clos* yw gair Sir Gaerfyrddin am yr un peth ac fel brodor o'r sir honno roedd Richards mewn lle i wneud sylwadau cymharol.

Rhywbryd yn ystod chwarter cyntaf y flwyddyn 1751 daeth gwaith Thomas Richards ar y geiriadur i ben. Dyddiwyd y llythyr annerch at y Cymry yn Galan Mai, 1751. Mae'n rhaid fod y geiriadur yn ei ffurf lawysgrif wedi cyrraedd argraffdy Felix Farley yn Small Street, Bryste rywbryd yng ngwanwyn 1751 gan fod yr hanner dalen gyntaf wedi ei chywiro gan Richard Morris erbyn 11 Mai 1751.[30] Chwaraeodd Richard Morris a'i frawd William rannau pwysig yn hanes cyhoeddi'r geiriadur. Cynigiodd Richard Morris eirfa ychwanegol i Thomas Richards ac ysgrifennai at ei frawd William i ofyn iddo hel tanysgrifwyr ym Môn i'r gwaith ac i benodi asiant i fod yn gyfrifol am y tanysgrifiadau. Yn y diwedd, bu'n rhaid i William ei hun weithredu fel asiant gan na ellid dod o hyd i ddyn cymwys ac o'r herwydd gorfu iddo wynebu llid y tanysgrifwyr wrth iddynt aros am gael gweld y *Thesaurus*. Erbyn gwanwyn 1752 roedd anobaith wedi cydio ym mhobl Môn na welent byth y geiriadur yn dod o'r wasg. Ni ddaeth unrhyw newydd o gwbl am ei hynt a'i helynt. Yn Awst y flwyddyn honno ysgrifennodd William at Richard gan ofyn:

> Ymhle mae llyfr Richards? Mae'r bobl ymron tynnu fy llygaid am naill ai arian ai llyfrau. Er mwyn dyn gadewch glywed yr hanes.[31]

Erbyn Tachwedd roedd pethau'n waeth byth:

> Yn y Bala bo'r Richards yna efo ei eirlyfr. Bu edifar gennyf erioed gymeryd arian dynionach i'm llaw. Mae rhai mor ddrwg dybus a meddwl, mi wranta, fod im enill mawr or achos.[32]

Daeth tro ar fyd yn 1753. Ar 12 Chwefror 1753 ysgrifennodd William at Richard i ddweud fod y geiriadur yn barod yn ôl pob tebyg. A cheir cadarnhad o hynny oherwydd bod William yn gwneud trefniadau gyda Richard i anfon y geiriaduron i Sir Fôn. Byddai'n rhaid eu hanfon i Gaer ac oddi yno i Lannerch-y-medd ond meddyliai William efallai y byddai'n haws eu hanfon ar long o Fryste i Gaernarfon neu i Gaer. Ym mis Ebrill 1753 cyrhaeddodd bocs o orenau, lemonau a geiriaduron Lannerch-y-medd. Anfonwyd y bocs ryw ddau fis ynghynt gan Richard at William. Y geiriaduron oedd copïau o *Antiquae Linguae Britannicae Thesaurus* Thomas Richards ond gwaetha'r modd roedd bron pob un o'r ffrwythau wedi pydru ac eithrio tri neu bedwar ac roedden nhw wedi staenio'r geiriaduron.[33] Blwyddyn cwblhau geiriadur Thomas Richards bu farw'r argraffydd Felix Farley a beiodd William Morris yn chwareus y geiriadur am ei farwolaeth.[34]

Ni werthwyd y cyfan o'r copïau yn syth. Roedd digon ohonynt ar ôl i deulu Farley drosglwyddo eu stoc i lyfrwerthwr o'r enw Benjamin Dodd yn Ave Maria Lane, Llundain. Argraffwyd dalen deitl newydd iddo a'i dyddio'n 1759. Ailargraffwyd y geiriadur yn 1815 yn Nhrefriw a Dolgellau ac eto yn 1839 ym Merthyr Tudful.

'Poor plodding Richards'[35] oedd disgrifiad Goronwy Owen ohono ac roedd Lewis Morris o'r farn ei fod ef yn 'laborious, but very ignorant and heavy'.[36] Mae'n wir na ellid dweud fod Richards wedi arloesi ym myd geiriaduraeth. Ei nod yn syml oedd cyfieithu a diwygio geiriadur John Davies. Byddai'n hawdd ei gollfarnu am beidio â bod yn uchelgeisiol a llunio geiriadur hollol newydd ond rhaid cofio faint o barch oedd i eiriadur Davies yn y cyfnod hwnnw. Bron y gellid dweud nad oedd modd gwella arno. Roedd yn glasur geiriadurol. Bwriad Richards oedd cyflenwi diffygion cydnabyddedig y geiriadur o safbwynt geirfa a'i gyflwyno i gynulleidfa ehangach drwy ei gyfieithu i'r Saesneg. Fel y mae Griffith John Williams wedi dangos, roedd cyhoeddi geiriadur Thomas Richards wedi dylanwadu'n fawr ar fywyd llenyddol Morgannwg. Roedd yn drysorfa o eiriau at ddefnydd beirdd ac roedd y gramadeg a gyhoeddwyd gydag ef yn gyfrwng i'r beirdd hyn feistroli'r iaith lenyddol.

Antiquæ Linguæ Britannicæ

THESAURUS:

BEING

A BRITISH, or WELSH-ENGLISH

DICTIONARY:

CONTAINING

Some Thouſands of BRITISH WORDS more than any WELSH Dictionary hitherto publiſhed. All the *Authorities* or *Examples* which the learned Dr. DAVIES gives, in his *Britiſh-Latin* Dictionary, from ancient Poets, Hiſtorians, &c. are inſerted in This, as they are *accurate Proofs* of the *Significations* aſſign'd to thoſe Words; and the Words which are added, are often exemplified in the ſame Manner.

AND to make this Work more compleat, beſides the *Explications* and *Etymologies* of Words, many valuable *Britiſh* ANTIQUITIES are interſperſed through all the Parts of it.

To which is prefix'd,

A compendious WELSH GRAMMAR,

With all the RULES in ENGLISH.

Beſides the AUTHOR's Collections from his own Reading and Obſervations, and what is contain'd in Dr. DAVIES's *Britiſh-Latin* Dictionary, This Work hath been greatly Improved out of Mr. EDWARD LHWYD's *Archæologia Britannica*, Dr. WOTTON's *Gloſſary*, &c.—And there is likewiſe added,

A large COLLECTION of BRITISH PROVERBS.

By *THOMAS RICHARDS*,

CURATE of COYCHURCH.

BRISTOL:

PRINTED AND SOLD BY FELIX FARLEY IN SMALL-STREET:

SOLD ALSO IN LONDON, BY MESSRS. KNAPTON, INNYS, HITCH, DAVIS, CLARKE, OWEN, &c.—BY R. RAIKES IN GLOUCESTER; W. WILLIAMS, BOOKSELLER IN MONMOUTH; AND BY ALL THE BOOKSELLERS OF THE PRINCIPALITY OF WALES.—MDCCLIII.—[PRICE 6s.]

Beth bynnag am farn y Monwysion cyfeiriodd Iolo at Thomas Richards fel 'My greatly respected and highly honour'd friend and instructor'.[37] Roedd mam Iolo yn frodor o Langrallo a dywed ei fod wedi cwrdd â Richards yn sgil yr ymweliadau â'i deulu yno. Nid yw'n hollol gyson ynghylch pryd yn union y cyfarfu ag ef am y tro cyntaf. Weithiau dywed ei fod wedi cwrdd ag ef yn ei fachgendod pan oedd Iolo tua phedair ar ddeg neu bymtheg, weithiau tua 1765 pan oedd yn ddeunaw. Dywed fod Richards wedi ei annog i ddyfalbarhau yn ei astudiaethau o farddoniaeth y Gymraeg a'i fod yn cael edrych ar lawysgrifau Richards ac weithiau eu benthyg.[38] Y tebyg yw fod Richards wedi cyflwyno Iolo i *Archaeologia Britannica* Lhuyd ac ym marn G.J. Williams, cysylltiad Iolo â Thomas Richards a ysgogodd ei ddiddordeb yng ngeirfa'r Gymraeg.

Wedi i Richards gwblhau ei eiriadur Cymraeg-Saesneg, gwyddys ei fod wedi dechrau gwaith ar eiriadur Saesneg-Cymraeg a'i fod wrth y gwaith yn 1759 am fod Richard Morris yn hysbysu ei frawd Lewis o'r ffaith drwy lythyr.[39] Awgrymodd hefyd y byddai geiriadur llawysgrif William Gambold o fudd mawr iddo ond nad oedd gobaith ei gael. Bu William Gambold (1672-1728) yn rheithor ac yn athro ysgol yng Nghas-mael a Llanychâr, Sir Benfro a rhwng 1707 a 1722 bu'n llunio geiriadur Cymraeg-Saesneg a Saesneg-Cymraeg ond ni lwyddodd i'w argraffu. Mae ei ramadeg Cymraeg, *Grammar of the Welsh Language*, yn nodedig fel y llyfr Saesneg cyntaf i gael ei argraffu yng Nghymru. Ni chytunai Lewis Morris y byddai gwaith Gambold yn gymorth mawr i Richards. Awgrymodd y gallai Richards ddefnyddio geiriadur Saesneg-Lladin yn sail gan gyfieithu'r cyfystyron Lladin i'r Gymraeg ac ymgynghori â geiriadur llawysgrif Lladin-Cymraeg Thomas Wiliems pan oedd mewn amheuaeth ynghylch ystyr y Lladin. Nid oedd gan Lewis Morris fawr o feddwl o Gambold fel ysgolhaig, 'Gambold was not such a deep man as to be greatly assisting to any body'.[40] Erbyn hanner cyntaf 1760 daw'n hysbys fod John Gambold, mab William, wedi cynnig geiriadur ei dad i ryw Dr Richards am £16 ond ei fod heb gael ateb a'i fod bellach yn ei gynnig am £13.[41] Y gŵr hwn oedd Dr John Richards, Ll.D, rheithor Coety. Ni wyddys pryd y ganwyd ef ond roedd yn fab i James Richards, un o'r panwyr olaf yn Llanfihangel-y-pwll. Yn ôl Richard Morris bu'n athro ysgol yn Nyfnaint ac ymddengys fod ei ddiddordeb mewn addysg wedi aros gydag ef gan ei fod yn cyfarwyddo rhoi £50 at sefydlu ysgol yng Nghaerdydd yn ei ewyllys.[42] Cawsai reithoriaeth Coety gan yr Arglwyddes Mansel.[43] Disgrifia'r dyddiadurwr William Thomas ef fel:

> A very arbitrary sort of unjust man, continually with somebody other in law. He had now an old man in Cardiff's Jail for Tythe potatoes. This was he that bought a mare of Philip John of Coggan, deceased, which went astray and holded a suit in Cardiff Session for anither man's mare. Few lamented his Death but the most was Joyous of his room.[44]

Ceir cofnod o achos llys rhwng John Richards a David Philip ynghylch caseg gan William Thomas ar gyfer 17 Awst 1762. Dechreuodd yr achos am naw yn y bore ac aeth yn ei flaen tan ddeg yn y nos. Gwrandawyd ar dystiolaeth dros ddeugain o dystion. Barnwyd o blaid yr achwynydd ond mynegodd Richards ei fwriad i fynnu achos arall yn Henffordd neu yn Llys y Canghellor 'which he may if he will go to that expense, but it is all wind'.[45]

Ymddengys fod John Richards wedi ysgrifennu at Richard Morris gyda manylion am eiriadur Saesneg-Cymraeg roedd yn ei gyfansoddi ar y cyd â Thomas Richards. Dywedodd wrtho ei fod yn casglu deunydd ar ei gost ei hun i'w roi i Thomas Richards a chrybwyllodd ei fod wedi cynnig ychydig o ginis i John Gambold am eiriadur ei dad, ond ei fod yn mynnu £13 amdano. Ym marn Richard Morris 'nid yw'r Doctor hanner Cymreigydd'.[46] Ond cydnabu ei fod yn selog iawn dros yr iaith hyd oed os na fedrai hi yn dda.[47] Nid oedd Lewis Morris fawr caredicach amdano gan iddo sôn am 'merthyrdod y geirlyfr o gynygiad y Doctor Richards o'r Coyty', gan ychwanegu, 'Wfft i'r fath ddyn! Assist him indeed, what assistance can he himself give?'[48] Ac nid yn annisgwyl efallai y cwynodd William Morris amdano gan alaru am 'Dr. Richards a Gambold, a bagad o'r cyfryw sydd yn llenwi ein celloedd au llediaith?'[49] Bu farw John Richards ar 9 Mawrth 1769 heb lwyddo i gynhyrchu'r geiriadur Saesneg-Cymraeg a fwriadasai ei gyfansoddi gyda Thomas Richards. A'r unig waith geiriadurol a gyflawnodd Thomas Richards wedyn oedd diwygio geiriadur Cymraeg-Saesneg William Evans (1771) mewn fersiwn a ddaeth allan yn 1812.

Os cyflwynodd Thomas Richards Iolo Morganwg i eiriaduraeth, gyda John Walters y datblygodd Iolo ei ddiddordebau geirfaol. Fel

Thomas Richards, ganwyd John Walters yn Sir Gaerfyrddin, yn ôl traddodiad lleol mewn tŷ bychan yn Y Fforest, ger Llanedi. Fe'i bedyddiwyd ar 22 Awst 1721. Masnachwr coed oedd ei dad, John Walters. Bu farw ei rieni yn ystod ei laslencyndod. Ni wyddys llawer am ei addysg. Cadwai ysgol ym Masaleg, Sir Fynwy ac yna aeth i Ysgol y Bont-faen i wella ei Roeg a'i Ladin o dan Daniel Durel a oedd hefyd yn rheithor Llangrallo. Galluogodd ei astudiaethau pellach ef i gael swydd fel athro ym Margam ac yno enillodd gefnogaeth teulu Mansel Talbot. (Gwaith llenyddol cynharaf John Walters oedd ei 'The History of the Noble Family of the Mansels' (1752) anghyhoeddedig.) Dywedir fod Walters wedi bod yn gymaint o lwyddiant ym Margam fel bod ei hen athro, Daniel Durel, yn ei genfigen wedi cwyno wrth yr Esgob ei fod yn dysgu Lladin a Groeg heb drwydded. Ond ymyrrodd yr Arglwydd Mansel ac fe allai Walters fynd rhagddo.[50] Fe'i hurddwyd yn offeiriad yn 1750 a chael curadaeth Baglan ac yna fe'i penodwyd yn gurad parhaol yn Llanfihanegl-ynys-Afan yn 1754. Ceisiodd am brifathrawiaeth Ysgol Abertawe ond ni fu'n llwyddiannus.[51] Priododd â Hannah Clark, merch i John Clark, ficer lleyg yn eglwys gadeiriol Wells yng Ngwlad yr Haf, yn 1758. Gweithiai fel meistres tŷ i deulu'r Talbotiaid. Cawsant bump o feibion, sef: John (1760-1789), Daniel (1762-1787), Henry (1766-1829), William (1770-1789) a Lewis (1772-1844). Ystyriai Iolo John Walters yn 'severe Father' a honnodd ei fod yn cadw ei blant yn rhy bell oddi wrtho.[52] Ar 1 Mawrth 1759 cafodd reithoriaeth Llandochau ac ar 10 Awst ficeriaeth Saint Hilari. Gwasanaethai hefyd fel curad ym mhlwyf Llan-fair ac yno y priododd Iolo â Margaret Roberts yn 1781. Ceir cofnod am y briodas yn llaw John Walters ac ef a fedyddiodd eu merch Margaret yn 1782. Gwnaethpwyd Walters yn gaplan i Uchel Siryf Morgannwg yn 1783, yn brebendari i Eglwys Gadeiriol Llandaf yn 1795 a gwasanaethai fel caplan domestig i deulu'r Manseliaid.

Yn 1771 cyhoeddodd lyfryn sy'n dwyn y teitl *A Dissertation on the Welsh Language, Pointing out it's Antiquity, Copiousness, Grammatical Perfection, with Remarks on it's Poetry*. Dyry syniad eithaf clir inni o syniadau Walters am y Gymraeg a'i resymau dros ymddiddori mewn llunio geiriadur. Yn nhraddodiad gorau'r dyneiddwyr dadleuai dros hynafiaeth y Gymraeg a dangosai na allai neb a wir ymddiddorai yn hanes Prydain ddeall ei hanes heb wybod y

Gymraeg, iaith gynhenid Prydain. Credai Walters y dylai pob Cymro ymfalchïo ynddi ac fel ei ragflaenwyr geiriadurol cymerodd y cyfle i ladd ar y Dic-Siôn-Dafyddion na hidient amdani. Ond yn ogystal â bod yn hynafol, roedd y Gymraeg hefyd yn iaith helaeth iawn. Yn wahanol i'r Saesneg a oedd yn chwannog i fenthyg geiriau o ieithoedd eraill, gallai'r Gymraeg gynhyrchu geiriau newydd o'i hadnoddau brodorol a thrwy hynny gynnig geirfa gyfoethog i bob ysgrifennwr a siaradwr a chadw ei phurdeb ar yr un pryd. Unwaith eto, mynegi un o brif syniadau geiriadurwyr a gramadegwyr y Dadeni a wnaeth Walters yn hyn o beth. Erbyn 1794 roedd y *Dissertation* allan o brint ac roedd nifer o bobl wedi mynnu bod Walters yn cyhoeddi fersiwn diwygiedig ohono ond ni ddaeth dim o'r syniad.[53] Cyhoeddodd *Dwy Bregeth ar Ezec., xxxiii.-11, etc.*, yn 1772 ac 'An Ode to Humanity' a gynhwyswyd fel atodiad i *An Ode on the Immortality of the Soul* (1786) gan ei fab John Walters.

Eithr ei eiriadur Saesneg-Cymraeg oedd ei *magnum opus*. Argraffwyd hysbysiad i *An English-Welsh Dictionary* yn 1769 gan Rys Thomas ond mewn llythyr ato a yrrodd Walters cyn ei fod wedi ymgymryd â'r gwaith, soniodd am gyflawni ei 'Addewidion cyhoedd' ac am foneddigion a roes arian iddo ar gyfer y gwaith, sy'n awgrymu fod Walters eisoes wedi gwneud un hysbysiad.[54] Symudodd Rhys Thomas o Lanymddyfri i'r Bont-faen er mwyn argraffu'r geiriadur gan sefydlu'r wasg gyntaf ym Morgannwg – y *Glamorgan Press*. Y bwriad gwreiddiol oedd argraffu'r geiriadur ym Mryste, lle argraffwyd geiriadur Thomas Richards. Ond clywsai Rhys Thomas am gynlluniau Walters ac fe gynigiodd ymgymryd â'r gwaith. Poenai Walters am anghyfleustra Llanymddyfri fel lleoliad y wasg, ond dywedodd wrth Thomas y byddai'n well ganddo roi'r gwaith i gyd-Gymro na'i roi i estron. Eto i gyd, pwysleisiodd na fynnai siomi'r boneddigion a roes nawdd ariannol i'r gwaith. Cyn penderfynu rhoi'r gwaith i Thomas yn derfynol gofynnodd iddo argraffu darn prawf. Rhoddodd gyfarwyddiadau ynghylch y teip, gan nodi, ymhlith pethau eraill, y dylai fod ychydig yn frasach na theip geiriadur Thomas Richards.[55]

Rhaid fod Walters wedi'i blesio gan y gwaith prawf. Argraffwyd yr hysbysiad ynghyd â thudalen enghreifftiol o'r geiriadur o *A* hyd *Abortively* gan Rys Thomas yn 1769 yn Llanymddyfri.[56] Daeth y geiriadur allan mewn pymtheg o rannau rhwng 1770 a 1794. Fel sy'n digwydd yn aml yn hanes geiriaduron o'r math hwn, nid ymddangosai'r rhannau yn hollol reolaidd. Rhwng 1770 hyd 1776 deuai un neu ddwy ran allan bob blwyddyn. Ond yn 1776, gyda'r degfed rhifyn, bu'n rhaid i Walters ymesgusodi am arafwch y cynnydd. Fel geiriadurwr da, roedd yn awyddus i gynhyrchu geiriadur mor gyflawn ac mor ddibynadwy ag oedd modd, ac felly ni allai ruthro'r gwaith heb ostwng safonau academaidd. Cawsai ei ddal mewn cylch seithug. Prin fod ganddo'r modd ariannol i gynnal y gwaith o gwbl ond oherwydd yr oedi roedd rhai o'r tanysgrifwyr yn gwrthod talu am y rhifynnau fel y cyhoeddid hwy rhag ofn na fyddai'r gwaith yn dod i ben. A heb eu taliadau, âi'n fwyfwy anodd i fynd ymlaen â'r gwaith. Oherwydd problemau dybryd dosbarthu'r rhifynnau, hawdd deall amharodrwydd rhai i barhau i danysgrifio iddo. Gwelir y math o broblemau ymarferol a wynebai Walters mewn set o nodiadau ar rai tanysgrifwyr lle nodir fod un dyn wedi derbyn chwe rhifyn a'i fod yn gwrthod tanysgrifio ymhellach, fod un wedi talu am y rhifyn cyntaf yn unig, fod un wedi talu am y rhifyn cyntaf ac yna bu farw, fod un wedyn derbyn rhifynnau 1, 2 a 4 yn unig a bod Esgob Bangor wedi rhoi gini i John Walters ond ei fod yn gwrthod talu am y rhifynnau wrth iddynt ddod o'r wasg.[57] Mewn llythyr at Iolo Morganwg dyddiedig 27 Ebrill 1771, siarsiodd John Walters ef i ddarlunio pethau fel yr oeddent mewn gwirionedd mewn perthynas â'r geiriadur i Richard Morris.[58] Ysgrifennodd Iolo Morganwg at John Walters o Lanrwst, fis Tachwedd 1772, gan ddweud fod llawer o danysgrifwyr i'r geiriadur yn colli amynedd. Ceisiodd Iolo esbonio'r rhesymau dros yr oedi. Gwrandawai rhai â chydymdeimlad ond daliai eraill ddig.[59] Erbyn yr adeg hon nid oedd rhannau pedwar a phump wedi cyrraedd gogledd Cymru. O ddiwedd Awst hyd 24 Hydref roedd y llwyth wedi aros ym Mryste cyn cael ei roi ar fwrdd llong i Gaer.[60] Mae un stori fod llwyth o rannau wedi diflannu mewn llongddrylliad.[61] Diolcha Walters i Mr Vaughan am ddod i'r adwy pan oedd dyfodol y fenter yn y fantol.[62] Ym mis Mawrth 1774 cysylltodd Walters ag Owen Jones ('Owain Myfyr') yn Llundain, gan ddweud fod Iolo Morganwg wedi ei hysbysu fod Owain Myfyr a Mr Hughes, wedi cynnig dosbarthu'r gwaith yn Llundain. Roedd Walters eisoes wedi llwyddo i gael dosbarthwyr ledled Cymru yn ogystal â Chaerfaddon a Bryste. Anfonasai hanner cant o gopïau o rifyn chwech a'r un faint o rifyn saith mewn wagen i Lundain ac roedd yn ffyddiog y byddai rhifyn wyth yn barod erbyn y Pasg. Soniodd hefyd am 'printed letter' yr amgaeasai gyda'r rhifynnau a allai fod o help wrth ddosbarthu'r geiriadur.[63] Ym mis Mai bu'n rhaid i Walters anfon yr wythfed rhifyn i Lundain ynghyd â rhifynnau i wneud yn iawn am 'the unaccountable Deficiency of No. 7', deg copi o'r ail rifyn, ac wyth copi yr un o rifynnau tri a phedwar.[64] Diolcha i Owain Myfyr am ei garedigrwydd gan fynegi ei siom ei hun ar yr un pryd:

> I cannot but admire the uncommonness of that Benevolence, that could dispose you voluntarily to take upon you an office that subjects you to become acquainted with the capriciousness of mankind, which, to my mortification, I have often experienced since the commencement of this Publication, and which has made me at times heartily wish I never had engaged in it.[65]

Lleisir teimladau tebyg ganddo mewn llythyr, yn Gymraeg, at ei gymwynaswr yn 1776. Diolcha iddo am ei gymorth 'dan fy maich anhydwyth, ac yn fy Ngorchwyl maith ac anorphen, yn yr Oes hunangar hon'.[66] Yn 1777 bu'n rhaid i Walters brynu'r wasg oddi wrth Rhys Thomas oherwydd ei drafferthion ariannol. Parhâi Thomas i weithio yno pan nad oedd yn Llundain yn ceisio datrys ei anawsterau. Yn yr un flwyddyn bu farw'r cysodydd ac oherwydd hynny ni wnaethpwyd fawr o gynnydd ar yr unfed rhifyn ar ddeg.[67] Yn 1779 ysgrifennodd Walters at Owain Myfyr i ddatgan ei bryder na chawsai brawd Owain Myfyr rai o'r rhifynnau a dywedodd na wyddai sut y gallai eu hanfon ato gan fod ei ddosbarthwr yng Nghaernarfon wedi symud i'r Bermo a marw'n fuan wedyn. Ychwanegodd na dderbyniodd ffyrling ganddo erioed. Cyngor Walters yw i'r brawd anfon i Gaer amdanynt.[68] Nid oedd rhifyn deuddeg yn barod a gellir teimlo rhwystredigaeth Walters pan ddywed wrth Owain Myfyr:

> I am tired and ashamed of making apologies; but I beg leave to assure you that I shall not be at rest myself, nor shall I suffer the indolent Printer to be at rest, 'till the number is out, when it shall be immediately dispatched to you.[69]

Os oedd Rhys Thomas wedi gwneud argraff ar Walters ar ddechrau'r prosiect, erbyn hynny nid oedd ond yn 'indolent Printer'. Mae

AN

ENGLISH-WELSH DICTIONARY,

WHEREIN, NOT ONLY THE

WORDS,

BUT ALSO, THE

IDIOMS AND PHRASEOLOGY

OF THE

ENGLISH LANGUAGE, ARE CAREFULLY TRANSLATED INTO WELSH,

BY PROPER AND EQUIVALENT

WORDS AND PHRASES:

WITH A

REGULAR INTERSPERSION OF THE ENGLISH PROVERBS, AND PROVERBIAL EXPRESSIONS, RENDERED BY CORRESPONDING ONES IN THE

WELSH TONGUE.

BY THE REV. JOHN WALTERS,
RECTOR OF LANDOUGH, GLAMORGANSHIRE.

LEXICON HOC TANDEM VULGATUM (EN ACCIPE) CURAT
NE TENDAS DUBIO TRAMITE, LECTOR, ITER.

LONDON:

PRINTED FOR THE AUTHOR.

M.DCC.XCIV.

trafferthion y geiriadur i'w priodoli i raddau helaeth iawn i aneffeithiolrwydd Rhys Thomas. Yn ystod un o'i ymweliadau â Llundain, diffygiodd yr inc yn yr argraffdy yn y Bont-faen.[70] Yn 1779 cwynodd Walters wrth Owain Myfyr fod yr argraffydd yn ymgymryd â phob math o fân orchwylion yn hytrach nag ymroi i argraffu'r geiriadur.[71] Ni ddechreuodd Rhys Thomas weithio ar rifyn deuddeg tan 1783, ond unwaith eto daeth yr inc i ben a bu'n rhaid i Walters archebu inc o Lundain i ddod i'r Bont-faen ar goets Abertawe.[72] Yn ddiweddarach yn y flwddyn aeth yr argraffydd i garchar Caerdydd, am ddyled mae'n debyg, a methodd y wasg. Ceisiodd gael argraffydd o Fryste i gymryd ei le ond ni lwyddodd.[73] Anfonodd Walters ei fab, Henry, i hyfforddi fel argraffydd yng Nghaerloyw. Daeth yn ôl i'r Bont-faen ac ymsefydlu fel argraffydd ond mae'n rhaid nad oedd fawr o gamp ar ei grefft gan nad argraffwyd gweddill y geiriadur yn y Bont-faen.

Prynwyd y wasg gan John Bird, Caerdydd yn 1791. O'r diwedd, ym mis Mawrth 1793, fe orffennodd Walters ysgrifennu'r geiriadur. Ei broblem nesaf oedd argraffu'r rhifynnau oedd yn weddill. Gan nad oedd argraffdy yn y Bont-faen a chan fod y teipiau wedi treulio'n ormodol i fod o unrhyw ddefnydd awgrymodd wrth Owain Myfyr y posibilrwydd o argraffu'r gweddill yn Llundain, a dyna fel y bu hi.[74] Roedd ei lafur bron drosodd a hawdd synhwyro ei ryddhad:

> I hope it will not appear, upon a candid examination, that the Author has flagged in the tedious prosecution of the Undertaking. I long to see it out of the Press; and my mind will then be much more at ease, under the weight of years, affliction, and disappointment.[75]

Ym mis Gorffennaf ysgrifennodd Walters at Owain Myfyr i holi faint fyddai cost yr argraffu a'r mis canlynol, wedi cael amcangyfrif ganddo, anfonodd Walters y llawysgrif ato gyda'r goets (a ystyriai braidd yn ddrud) gan ei gyfarwyddo y deuai o hyd i'r 'Hints & Directions to the Compositor, &c.' wedi iddo dynnu'r naddion pren yn y bocs.[76] Erbyn diwedd y mis pryderai Walters na chyraeddasai'r llawysgrif gan na chlywsai ddim gan Owain Myfyr.[77] Yn Rhagfyr 1793 anfonodd Walters ddeugain punt ar gyfer Edward Jones, yr argraffydd, yn ogystal â'r cyflwyniad, y rhagair, a'r ddalen deitl drwy law y parchedig Ddr Jonathan Morgan. Addawodd yr *addenda corrigenda* yn fuan.[78] Yn Ionawr 1794 ysgrifennodd Iolo Morganwg ato ar ran Owain Myfyr i ofyn am y cywiriadau. Awgrymodd y dylid argraffu enw llyfrwerthwr yn Llundain ar y cloriau gleision a bod Walters yn cael gan un o'i gyfeillion i ysgrifennu pwt am y geiriadur i un o'r cyfnodolion Saesneg. Esbonia wrth Walters mai dyna'r arfer yn Llundain a bod pawb yn deall hynny yno.[79] Mor nodweddiadol o gydwybodol oedd Walters fel y lluniodd restr faith o *errata*. Ysgrifennodd Iolo ato eto, ar ran ei argraffydd, Mr E. Jones, Owain Myfyr a William Owen Pughe, i'w berswadio i gwtogi'r rhestr. Gellid tybio mai'r prif reswm oedd y draul ychwanegol y byddai rhestr o'r fath yn ei ddwyn i Owain Myfyr ond dadleuodd Iolo y byddai tynnu sylw at gynifer o gamgymeriadau yn sicr o ddibrisio'r gwaith yn llygad y cyhoedd a niweidio gwerthiant. Cyflwynodd gyngor y llyfrwerthwyr, Mr Nichols a Mr Johnson, na ddylid tynnu sylw at wallau oni bai eu bod yn newid ystyr darn o ysgrifennu yn sylweddol. Diwedda drwy ofyn yn syml, 'Will you sir permit us to dash out some of your errata? Some pounds will be saved.'[80] Cododd problem ariannol gyda'r rhifyn olaf am ei fod yn hirach na'r disgwyl ac ar raddfa o ddwy geiniog y ddalen byddai'n costio pum swllt a thair ceiniog, sef tair ceiniog yn fwy na'r pris arferol. Gofynnodd Walters am farn Owain Myfyr a'i gyfeillion.[81] Awgrymodd Edward Jones yr argraffydd y dylid codi saith swllt a chwe cheiniog am y rhifyn ond ystyriai Walters hynny'n ormod a chynigiodd chwe swllt.[82]

Cawsai Walters y geiriadur llawysgrif o waith William Gambold y bu'r Dr John Richards yn ceisio ei brynu oddi wrth John Gambold. Ni wyddys a lwyddodd Dr John Richards yn ei ymgais ond y mae G.J. Williams fel petai'n awgrymu fod Walters wedi pwrcasu'r llawysgrif ei hun oddi wrth Esgob John Gambold yn Hwlffordd rhywbryd rhwng 1768 a 1770.[83] Yn 1770 anfonodd John Gambold hanes cryno o fywyd a gwaith ei dad William Gambold at John Walters gan ddymuno pob llwyddiant iddo yn ei 'public-spirited undertaking', sydd siŵr o fod yn gyfeiriad at y geiriadur.[84] Rhagoriaeth geiriadur Gambold oedd ei fod nid yn unig yn rhoi cyfystyron i eiriau unigol ond ei fod hefyd yn cyfieithu ymadroddion a phriod-ddulliau Saesneg. Dilynodd Walters y patrwm hwn gan greu geiriadur defnyddiol o'r safon uchaf. Ei fwriad oedd galluogi ysgrifenwyr y Gymraeg i drafod pob cangen o ddysg a'r celfyddydau yn Gymraeg a chyflawnodd Walters ei nod drwy dynnu ar adnoddau'r Gymraeg yn ei holl amrywiaeth – yr iaith lenyddol a'r iaith lafar, gan fathu geiriau newydd yn ôl yr angen. Mae llawer o fathiadau Walters wedi plwyfo yn yr iaith erbyn hyn, megis: *adloniant, beirniadaeth* (yn yr ystyr 'criticism'), *cylchgrawn, dylanwadol, etholiadol, ffurfioli, gwasg argraffu, hanesyddiaeth, llenyddol, meddygfa, oriawr* (sydd braidd yn hen ffasiwn mae'n wir), a *papuro*.[85] Cyhoeddwyd dau argraffiad arall o'r geiriadur, un yn 1815 ac un gan wyres Walters, Hannah, yn 1828.

Yn ei hunangofiant dywed Iolo iddo gael ei gyflwyno i John Walters am y tro cyntaf tua'r flwyddyn 1766, pan oedd yn bedair ar bymtheg, ond daeth i'w adnabod yn dda tua 1769 (neu 1770).[86] Gwyddom o'r dyddiadur a gadwai mab Walters, Daniel, ar gyfer y blynyddoedd 1777-8 fod Iolo'n ymweld yn gyson â Walters. Rhaid eu bod wedi cael cryn hwyl yn bathu geiriau newydd. Roedd gan Walters feddwl uchel o alluoedd Iolo Morganwg ond roedd yn hen gyfarwydd â thuedd Iolo i grwydro ymhell oddi ar lwybrau cydnabyddedig ysgolheictod. Ac roedd gan Iolo yntau barch mawr at Walters. Tystiodd iddo dreulio llawer awr a diwrnod yn ei wasanaeth a thybiai ei fod yn ddigymar ymhlith ei gyfoedion o ran ei ddealltwriaeth o briod-ddulliau'r Gymraeg. Fe'i dyfarnwyd ganddo 'the very best Critic in the Welsh language'.[87]

Yn yr un flwyddyn ag y cyhoeddwyd y rhan gyntaf o eiriadur Walters (1770), aeth Iolo ati i gasglu geirfa ym Mlaenau Morgannwg. Fel Thomas Richards, rhoes John Walters sylw i'r iaith lafar yn ei eiriadur gan gynnig cyfystyron llenyddol a rhai llafar, wedi eu nodi â *vulgo*, sydd yn aml iawn yn enghreifftiau o iaith lafar Morgannwg y cyfnod. Drwy ei gysylltiad â Richards a Walters nid yw'n syndod yn y byd fod Iolo Morganwg wedi ymserchu mewn geiriau, ond yn wahanol i'r ddau glerigwr diwyd, ni lwyddodd Iolo Morganwg i wneud mwy na chasglu a bathu geirfa. Gwelwyd eisoes ei fod wedi cynnig math o gynllun i'w fabwysiadu gan y Gwyneddigion. Yn 1781 fe ysgrifennodd Iolo at Owain Myfyr gan ddweud:

> Yr wyf weithiau yn coleddu rhyw ledfeddyliau, am ysgrifennu geirlyfr Cymraeg nid iw argraffu, eithr iw gyflwyno i gymdeithas y Cymrodorion, neu i ryw Lyfreugell arall er gwasanaeth i ryw ddyn mwy celfyddgar yn yr Iaith na mi, ag yn berchen mwy o amser iw hystyried, a gaf fi ryw ychydig o gymhorth gennyd?[88]

Ateb Owain Myfyr oedd:

> Digrif ddigon dy glywaid yn son am ysgrifennu Geirlyfr. Bardd penxwiban yn myned i ymboeni a Geirlyfr! taw taw Iorwerth cymwysaf Gwaith yw hwnnw i hen Haiarn anghelfydd o fath *Myfyr* ai gladdu hefyd ai guddio mewn Llyfrgell – wfft iti bellax – ond oes eisoes ormodedd o ysgrifennadau Cymreig yn y cyfryw ddiwyg a xaethiwed – a xwanegu di ynfydrwydd?[89]

Roedd gan Iolo Morganwg gasgliad enfawr o eirfâu. Amcangyfrifodd fod ganddo gasgliad o 25,000 o eiriau yn 1806 ac y byddent yn llenwi pedair cyfrol ffwlsgap cwarto â cholofnau dwbl. Meddai:

> it will be a work of great labour to finish the collection . . . alphabetical in only the first letter.[90]

Gobeithiai y byddai'r casgliad hwn o lawysgrifau ynghyd â thua mil o lyfrau printiedig yn sylfaen i lyfrgell sirol. Ond oherwydd ei 'benchwibandod' ni allai Iolo setlo i eiriadura fel ei athrawon. Nid oedd ganddo'r amynedd i ddygnu arni ddydd ar ôl dydd i roi trefn ar ei gasgliadau. Chwilotwr ydoedd wrth reddf ac ymhyfrydai ym mhob darganfyddiad newydd boed yn air tafodieithol neu'n hen air mewn llawysgrif ond ni allai weithio'n drefnus. Mae ei hoffter o ffugio yn chwedlonol a gwelir yn ei gasgliadau geirfaol ddeunydd 'dilys' – wedi ei gasglu o ffynonellau eraill – yn gymysg â'i greadigaethau ei hun. Byddai Walters yn bathu geiriau er mwyn gwneud yn iawn am ddiffygion geirfaol tybiedig y Gymraeg, a dyna a wnâi Iolo yntau ond ar dro byddai'n bathu gair a cheisio rhoi dilysrwydd iddo drwy lunio cwpled i'w enghreifftio a'i dadogi ar fardd – dychmygol neu real – neu drwy ei briodoli i un o'r tafodieithoedd. Da o beth, efallai, nad ymroes o ddifrif i eiriadura.

NODIADAU

[1]Gw. Harold Carter, gol., *Atlas Cenedlaethol Cymru* (Caerdydd: Gwasg Prifysgol Cymru ar ran Bwrdd Gwybodau Celtaidd Prifysgol Cymru, 1980-), Map 3.1b.

[2]Brian Ll. James, 'The Welsh Language in the Vale of Glamorgan', *Morgannwg* 16 (1972), 24.

[3]LlGC 13089E, 256-7.

[4]Ibid.

[5]LlGC 21414E, 1.

[6]G.J. Williams, *Iolo Morganwg: Y Gyfrol Gyntaf* (Caerdydd: Gwasg Prifysgol Cymru, 1956), 99.

[7]Goronwy Owen at Richard Morris, 10 Awst 1753, *The Letters of Goronwy Owen (1723-69)*, gol., J. H. Davies, 1924, 68.

[8] Richard Morris at Lewis Morris, 'Merthyrdod y Brenhin Siarles, 1762', *The Letters of Lewis, Richard, William and John Morris, 1728-65*, gol., J.H. Davies, 1907-9, ii. 439.

[9]Richard Morris at Lewis Morris, 6 Rhagfyr 1761, id. 419.

[10]William Morris at Richard Morris, 1 Ebrill 1762, id. 460.

[11]Williams, *Iolo Morganwg*, 99-100.

[12]Owain Myfyr at Iolo Morganwg, 14 Hydref 1783, LlGC 21281E, 231.

[13]LlGC 13130A, 219.

[14]Gwyddys fod Thomas Richards wedi cael ei eni naill ai yn 1709 neu 1710 rhywle yn Sir Gaerfyrddin. Ceir cofnod o fedydd rhyw Thomas Richards yn Sanclêr ar 17 Awst 1709.

[15]G.J. Williams, *Traddodiad Llenyddol Morgannwg* (Caerdydd: Gwasg Prifysgol Cymru, 1948), 301.

[16]Ibid.

[17]Ibid a Brian Ll. James, *Thomas Richards 1710-1790: Curate of Coychurch, Scholar and Lexicographer*, Cyngor Cymuned Llangrallo Isaf, [1990], [1-2]. Cymerodd Durel bump ar hugain o gopïau o lyfr cyntaf Richards, *Creulonderau ac Herledigaethau Eglwys Rufain* (1746) a dau gopi o'r geiriadur.

[18]James, *Thomas Richards*, [10].

[19]Id. [10-11].

[20]Thomas Richards, *Antiquae Linguae Britannicae Thesaurus* (Bryste: Felix Farley, 1753), xx.

[21]*Rhagymadroddion a Chyflwyniadau Lladin 1551-1632*, gol., Ceri Davies (Caerdydd: Gwasg Prifysgol Cymru, 1980), 129.

[22]LlGC 13129A, 113.

[23]Ibid.

[24]Iolo Morganwg at William Owen Pughe, 1 Mawrth 1806, LlGC 13221E, 147.

[25]Richards, *Thesaurus*, [xix].

[26]Id. xi.

[27]Edward Lhuyd, 'Some Welch Words Omitted in Dr Davies's Dictionary', *Archaeologia Britannica* (1707), 213-21.

[28]Richards, *Thesaurus*, xxi.

[29]Ceri W. Lewis, 'The Literary History of Glamorgan from 1550 to 1770: The Eighteenth Century Lexicographers and Antiquarians', *Glamorgan County History*, IV, 630-1.

[30]E.D. Jones, 'Thomas Richards, Coychurch, and Thomas Richards', *Cylchgrawn Llyfrgell Genedlaethol Cymru*, viii, 114-15.

[31]William Morris at Richard Morris, Nos Awst 1752, *Morris Letters*, i., 207.

[32]William Morris at Richard Morris, 29 Tachwedd 1752, id. 216.

[33]William Morris at Richard Morris, Hen Ŵyl Farc 1753, id. 228.

[34]William Morris at Richard Morris, 22 Gorffennaf 1753, id. 235.

[35]Goronwy Owen at Richard Morris, 10 Awst 1753, *Goronwy Owen Letters*, 68.

[36]Lewis Morris at Samuel Pegge, 11 Chwefror 1761, *Additional Letters of the Morrises of Anglesey (1753-86)*, gol., H. Owen, *Y Cymmrodor*, xlix, 1947-9, 513.

[37]Williams, *Iolo Morganwg*, 133.

[38]Id. 134.

[39]Richard Morris at Lewis Morris, 24 Tachwedd 1759, *Morris Letters*, ii, 141.

[40]Lewis Morris at Richard Morris, 4 Ionawr 1760, id., 150-1.

[41]Richard Morris at Lewis Morris, 5ed Sul Wedi'r Drindod, 1760, id., 221.

[42]Ewyllys John Richards LL/1769/34, Llyfrgell Genedlaethol Cymru.

[43]Richard Morris at Lewis Morris, 6 Rhagfyr 1761, id., 419-20.

[44]*The Diary of Williams Thomas of Michaelston-super-Ely, near St Fagans Glamorgan 1762-1795*, gol., R.T.W. Denning (Caerdydd: South Wales Record Society and South Glamorgan County Council Libraries and Arts Department, 1995), 224.

[45]Id., 43.

[46]Richard Morris at Lewis Morris, 'Merthyrdod y Brenhin Siarles, 1762', *Morris Letters*, ii, 439.

[47]Richard Morris at Lewis Morris, 6 Rhagfyr 1761, id., 419.

[48]Lewis Morris at Richard Morris, 14 Chwefror 1762, id., 443.

[49]William Morris at Richard Morris, 1 Ebrill 1762, id., 460.

[50]LlGC 6515B, 48.

[51]Ibid.

[52]Williams, *Iolo Morganwg*, 146.

[53]John Walters at Owen Jones, 10 Rhagfyr 1794, LlGC 21283E, 522.

[54]G.J. Williams, 'Geiriadur Saesneg-Cymraeg John Walters (1770-1794)', *Llên Cymru*, iii, 188.

[55]Id.

[56]Aneirin Lewis, id., 189.

[57]BL Add 15030, 137b.

[58]John Walters at Iolo Morganwg, 27 Ebrill 1771, LlGC 21283E, rhif 517.

[59]Iolo Morganwg at John Walters, 1 Tachwedd 1772, LlGC 21285E, rhif 771.

[60]John Walters at Iolo Morganwg, 22 Tachwedd 1772, LlGC 21283E, rhif 513.

[61]William Rowlands, *Llyfryddiaeth y Cymry* (Llanidloes: John Pryse, 1869), iii, 685.

[62]John Walters at Iolo Morganwg, 22 Tachwedd 1772, LlGC 21283E, rhif 513.

[63]John Walters at Owain Myfyr, 3 Mawrth 1774, BL Add 15030, 184.

[64]John Walters at Owen Jones, 13 Mai 1774, BL Add 15030, 152.

[65]Ibid.

[66]John Walters at Owen Jones, 29 Tachwedd 1776, BL Add 15030, 156.

[67]John Walters at Owen Jones, 16 Ionawr 1777, id., 158.

[68]John Walters at Owen Jones, 28 Awst 1779, id., 161.

[69]Ibid.

[70]Cadrawd, 'John Walters and the First Printing Press in Glamorganshire', *The Journal of the Welsh Bibliographical Society*, i., 85.

[71]Id. 86.

[72]Ibid.

[73]Williams, *Iolo Morganwg*, 393.

[74]John Walters at Owain Myfyr, 28 Mawrth 1793, BL Add 5030, 165.

[75]Ibid.

[76]John Walters at Owain Myfyr, 2 Awst 1793, id., 169.

[77]John Walters at Owain Myfyr, 29 Awst 1793, id., 170.

[78]John Walters at Owain Myfyr, 4 Rhagfyr 1793, id., 174.

[79]Iolo Morganwg at John Walters, 9 Ionawr 1794, LlGC 21285E, rhif 824.

[80]Iolo Morganwg at John Walters, 21 Ionawr 1794, id., rhif 826.

[81]John Walters at Owain Myfyr, 22 Gorffennaf 1794, BL Add 5030, 177.

[82]John Walters at Owain Myfyr, 27 Gorffennaf 1794, id., 179.

[83]Williams, *Iolo Morganwg*, 143.

[84]John Gambold at John Walters, 25 Hydref 1770, LlGC 21286E, rhif 1048.

[85]Rwy'n ddiolchgar i Gareth A. Bevan, Golygydd *Geiriadur Prifysgol Cymru* am ei gymorth wrth chwilio cronfa ddata'r Geiriadur am yr wybodaeth hon.

[86]Id., 145.

[87]Id., 146.

[88]Iolo Morganwg at Owain Myfyr, 15 Chwefror 1781, BL Add MS 15024, 190a.

[89]Owain Myfyr at Iolo Morganwg, 5ed Sul o'r Grawys,?, LlGC 21281E, rhif 229.

[90]Iolo Morganwg at William Owen Pughe, 12 Ionawr 1806, LlGC 13221E, 144.

Pencerdd Gwalia

Carys Ann Roberts

Hawlia John Thomas, 'Pencerdd Gwalia' (1826-1913) statws unigryw yn hanes diwylliant cerddorol ein gwlad – yn sicr, byddai 'repertoire' y delyn yng Nghymru gymaint tlotach oni bai am ei gyfraniad ef. Gwelir fod ei ymarferiadau yn para'n boblogaidd heddiw ymysg athrawon ac nid yw'n anarferol clywed ambell un o'i gyfansoddiadau gwreiddiol yn rhaglenni rhai o delynorion amlycaf ein hoes ni. Ac er fod yr arddull flodeuog a welir yn ei drefniannau o'r alawon Cymreig yn arwydd efallai o'i barodrwydd i gefnogi chwaeth 'glasurol' y dydd yn hytrach na chyflwyno'r alawon traddodiadol hyn mewn diwyg briodol, y gweithiau swyngyfareddol hyn, yn anad dim arall, sydd wedi sicrhau i John Thomas anfarwoldeb ym myd y delyn yng Nghymru'r ugeinfed ganrif. Yr ysfa i ddarganfod mwy am yrfa liwgar y telynor dawnus hwn a'm hysgogodd i ymgymryd ag ymchwil pellach yn y maes. Gorchwyl gyntaf yr ymchwil hwnnw oedd cysylltu â phrif lyfrgelloedd Ynysoedd Prydain i ddarganfod natur a sylwedd y deunydd a oedd yn berthnasol i fyd a bywyd John Thomas. Pan gysylltwyd â'r Llyfrgell Brydeinig yn Llundain dywedwyd fod y llawysgrifau o eiddo John Thomas a oedd ganddynt wedi'u rhestru yn y catalog, ond ychwanegwyd fod deunydd yn ymwneud â'r telynor Cymreig ar fin cael eu cyflwyno i'r Llyfrgell o ffynhonnell anhysbys. Pan ddaeth y deunydd hwnnw i law, sylweddolwyd fod y casgliad newydd hwn yn arwyddocaol o ran maint a chynnwys. Gan fy mod ar y pryd yn llunio traethawd MA ar y pwnc, cytunwyd i drosglwyddo'r llawysgrifau niferus hyn i ofal Llyfrgell Genedlaethol Cymru, Aberystwyth ym mis Mawrth 1995.[1] Ynddynt, ceir golwg fanwl ar sut y datblygodd telynor ifanc o Ben-y-bont ar Ogwr yn un o'r telynorion disgleiriaf a welodd Cymru erioed.

* * *

Ni ellir cwestiynu pwysigrwydd a statws Llundain fel prif ganolfan ddiwylliannol a chymdeithasol Prydain yn ystod y ddeunawfed a'r bedwaredd ganrif ar bymtheg. Yn wir, honnir gan Johnstone a

McGuiness ei bod yn gartref i fwy o weithgareddau cerddorol na'r un ddinas arall yn Ewrop.[2] Yn ddi-os, nid oedd cerddoriaeth gynhenid y tu hwnt i Lundain yn ffynnu yn yr un modd; dibynnu fwyfwy ar ymdrechion amaturiaid lleol, brwd a wnâi'r byd cerddorol y tu allan i'r brifddinas wrth i noddwyr hael yr ail ganrif ar bymtheg ddiflannu'n raddol erbyn diwedd y ganrif honno. Effeithiodd hyn ar gerddorion Cymru. Cred Ann Rosser mai ar lawr tafarn y teimlai'r telynor Cymreig fwyaf cartrefol, ac â ymlaen i honni fod hyn wedi parhau hyd at y bedwaredd ganrif ar bymtheg.[3] Digon naturiol felly oedd i delynorion mwyaf addawol ac uchelgeisiol Cymru ildio i'r demtasiwn i godi pac a throi eu golygon tuag at y ddinas fawr y tu hwnt i Glawdd Offa, gan obeithio ennill eu lle yn rhai o gylchoedd cerddorol mwyaf dylanwadol y ddeunawfed ganrif. Roedd realiti'r sefyllfa yn eithaf amlwg; pe dymunai'r cerddor wneud ei farc, rhaid oedd iddo fyw yn Llundain yng nghanol yr holl fwrlwm. (Yn anffodus, mae lle i honni fod hynny'n para i fod yn wir heddiw.)

Yr oedd John Parry 'Ddall' (ca. 1710-82) ac Edward Jones, 'Bardd y Brenin', (1752-1824), eisoes wedi creu argraff ddofn ar fywyd cerddorol Llundain y ddeunawfed ganrif, ac yr oedd John Thomas yr hynaf, tad y Pencerdd, yn awyddus iawn i'w fab ifanc efelychu llwyddiannau y telynorion hyn. Yn wir, yr oedd mor awyddus i'r telynor dawnus elwa ar bob cyfle fel y mentrodd symud ei deulu cyfan o dde Cymru i Lundain, gan efallai roddi mwy o bwys ar les cerddorol ei fab hynaf nag ar ystyriaethau teuluol.

Mynychodd John Thomas yr Academi Gerdd Frenhinol ym mis Medi 1840, yn bedair ar ddeg mlwydd oed, o dan nawdd yr Arglwyddes Ada Lovelace, merch yr Arglwydd Byron.[4] Ei athro telyn yno oedd John Balsir Chatterton. Bu yntau yn ddisgybl i Boscha a Labarre ond er gwaethaf ei statws fel athro telyn yn yr Academi er 1827 a'r ffaith iddo gael ei benodi yn delynor i'r Frenhines Fictoria yn 1840, nid ystyrir Chatterton yn un o ffigurau mwyaf dylanwadol byd y delyn yn y bedwaredd ganrif ar bymtheg.

Dengys ei adroddiadau blynyddol fod John Thomas yn fyfyriwr cydwybodol iawn; ymhob un o'r pump adroddiad sydd wedi goroesi, ceir sylwadau ffafriol ar ei ddatblygiad fel telynor.[5] Mae'n amlwg i'r holl ymarfer caled dalu ar ei ganfed oherwydd derbyniodd y llythyr canlynol gan un o arolygwyr yr Academi ym mis Rhagfyr 1842:

> Sir;
>
> I am instructed by the Committee of the Royal Academy of Music to express the gratification they received in reading the Report of the Board of Professors of the talent evinced by you at the Examinations for the King's Scholarships, and although you were not one of those, upon whom, according to their judgement, the Scholarship devolved, yet they feel it due to your Merit to make you acquainted with the favourable opinion of those distinguished Professors.[6]

Canmoliaeth yn wir o gofio mai'r ysgytwad fwyaf a gafodd John Thomas yn yr Academi oedd gorfod trosglwyddo o'r delyn deires i'r delyn bedal a hynny ond dwy flynedd ynghynt.

Mae'n werth nodi arwyddocâd a phwysigrwydd cyfraniad yr Arglwyddes Lovelace ym mywyd John Thomas tra oedd yn fyfyriwr yn yr Academi. Gwelir o'i llythyrau ato[7] nad oedd yr Arglwyddes yn barod i dalu ei gostau ar ddechrau pob tymor academaidd ac yna anghofio amdano. Disgwyliai iddo fod yn barod i ateb ei gofynion cerddorol hi fel cydnabyddiaeth am ei chefnogaeth hael. Fe'i gwysiwyd yn aml i'w chartref i gynnal cyngherddau, neu i roi gwersi iddi, a byddai hefyd yn trefnu iddo chwarae yn nhai ei chyfeillion a'i chymdogion bonheddig yn Llundain. Credai'r Arglwyddes fod hyn yn rhan bwysig o'i ddatblygiad fel perfformiwr a manteisiai yntau ar bob cyfle i chwarae'n gyhoeddus. Dangosodd yr Arglwyddes ddiddordeb brwd yn ei ddatblygiad cerddorol yn yr Academi hefyd. Cymaint oedd ei phryder am ddatblygiad y telynor ifanc fel iddi awgrymu yn 1844 nad oedd Chatterton bellach yn athro digon cymwys ar ei gyfer:

> It would be my wish, probably, if I continue to assist you after the expiration of June (1845) to place you under a Harpist of whom I have long known . . .
>
> And I believe you would agree with me on the subjects, were you to hear the player I allude to; which of course I should wish you to do, previous to inducing you to make up your mind to such a change of plans . . .
>
> It is not my opinion that you will now (after what you have already attained) advance much, unless you are assisted by persons of more genius than Mr. Chatterton. He is a very meritorious man, but has not the kind of talents that I allude to.[8]

Nid yw'r Arglwyddes yn enwi'r athro newydd yn ei llythyrau ac felly ni ŵyr neb yn sicr pwy yw'r telynor dirgel dan sylw. Ac er gwaethaf ei holl sôn amdano, ni cheir unrhyw dystiolaeth fod John Thomas wedi derbyn gwersi ganddo o gwbl. Hyd y gwyddys, J.B. Chatterton fu ei hyfforddwr hyd at ddiwedd ei gyfnod yn fyfyriwr yn yr Academi Gerdd Frenhinol yn 1846. Wedi chwe blynedd o addysg ffurfiol cafodd y fraint o gael ei urddo yn Gymrawd o'r Academi.

Ni cheir unrhyw dystiolaeth ychwaith i awgrymu fod John Thomas wedi ystyried dychwelyd i Gymru i ennill ei fywoliaeth wedi iddo gwblhau ei astudiaethau yn y brifddinas, ac mae'r ffaith fod ei deulu wedi treulio rhyw bymtheng mlynedd yno wedi i'r mab hynaf raddio yn cadarnhau hynny.[9] Yn wir, ceir prawf pellach yng nghasgliad y Llyfrgell Brydeinig o ohebiaeth y Gymdeithas Ffilharmonig Frenhinol. Blwyddyn yn unig wedi gadael yr Academi Gerdd yr oedd y telynor ifanc yn ddigon hy' i ysgrifennu at gyfarwyddwr y Gymdeithas honno i gynnig ei wasanaeth fel cyfansoddwr yn ogystal â pherfformiwr.[10]

A chan nad oedd y fath beth ag asiant artistig yn bod yn y cyfnod hwn yr oedd llwyddiant pob cerddor unigol yn dibynnu yn llwyr ar ymdrechion o'r fath. Ac yntau ond yn un ar hugain mlwydd oed dengys y fath fenter gryn benderfyniad ar ran John Thomas ac awydd afieithus i lwyddo ar y lefel uchaf posibl. Prin y byddai wedi gallu elwa ar sefyllfaoedd tebyg petai wedi dewis dychwelyd i'w famwlad – wedi'r cyfan rhaid cofio nad oedd yr un gerddorfa broffesiynol na chwmni opera yn bodoli yng Nghymru ar y pryd ac felly nid oedd fawr o obaith iddo ennill y math o fywoliaeth gerddorol y breuddwydiai amdani yng nghyffiniau Pen-y-bont.

Blynyddoedd anodd a llwm iawn fu'r cyfnod cynnar yng ngyrfa John Thomas. Mae'r prinder tystiolaeth am y cyfnod rhwng 1846 a 1851 yn ategu hynny. Petai rhyw ddigwyddiadau cerddorol o bwys wedi dod i ran y telynor ifanc, mae'n sicr y byddai cofnod ohonynt ar gael yn yr amlinelliad bywgraffiadol o'i waith sydd yng nghasgliad Llyfrgell Genedlaethol Cymru.[11] Wynebai John Thomas anawsterau oesol dilyn prentisiaeth fel cerddor ar ei liwt ei hun, a gellir cynnig sawl rheswm dilys dros hynny.

Pan adawodd yr Academi Gerdd Frenhinol yn Llundain yn1846 yr oedd gyrfa telynorion megis Parish Alvars a J.B. Chatterton yn ei hanterth. Fel y nodwyd eisoes yr oedd Chatterton wedi bod yn delynor i'r teulu brenhinol er 1840 ac wedi sicrhau gyrfa broffesiynol yn un o athrawon telyn blaenllaw'r wlad ar ôl ugain mlynedd yn yr Academi Gerdd Frenhinol. Ac yn 1846, wedi profi teithiau llwyddiannus ar y cyfandir, daeth Parish Alvars yn ôl i Lundain gyda'r bwriad o ymgartrefu mwyach yn y brifddinas. Yn ôl Ann Griffiths, fe'i siomwyd yn fawr gan agwedd negyddol y sefydliad cerddorol yno at y delyn fel offeryn unawdol: 'But finding the musical establishment unsympathetic to the harp as a solo instrument, he returned to Vienna, where in 1847 he was appointed chamber musician to the Emperor'.[12]

Yr oedd John Thomas, felly, yng nghysgod y telynorion adnabyddus hyn yn y blynyddoedd cynnar, ac os câi perfformiwr o allu anghyffredin Parish Alvars hi'n anodd i'w dderbyn gan gynulleidfaoedd Llundain, yr oedd sefyllfa cerddor ifanc cymharol ddibrofiad yn un anodd dros ben. Yn yr un modd, os nad oedd gan sefydliadau cerddorol y dydd fawr o olwg ar y delyn, ychydig iawn o waith fyddai i delynorion y brifddinas. Byddai'r gystadleuaeth rhwng perfformwyr yn un chwyrn.

Fodd bynnag, rhaid fod John Thomas wedi gwneud argraff ffafriol ar y sefydliadau cerddorol yn Llundain oherwydd ar 5 Chwefror 1851 derbyniodd ei swydd barhaol gyntaf fel telynor proffesiynol pan arwyddodd gytundeb i fod yn delynor swyddogol 'Her Majesty's Theatre' am gyflog o bymtheg swllt y perfformiad.[13] Soniwyd eisoes mai prin fyddai profiad cerddorfaol y telynor ifanc o Gymru cyn mynychu'r Academi, ac y mae'n dra thebygol y byddai'r penodiad hwn yn gyfrwng iddo adeiladu ar yr hyn a ddysgwyd iddo yn y sefydliad hwnnw ac yn rhoi cyfle iddo i gyd-berfformio a chyfarfod â cherddorion proffesiynol eraill yn Llundain. Yr oedd hefyd yn gyfle gwerthfawr iddo ddod yn enw cyfarwydd i gynulleidfaoedd opera Llundain.

Ond ymddengys, ysywaeth, nad oedd y cytundeb â 'Her Majesty's Theatre' yn ddigon i gymell John Thomas i aros yn Llundain oherwydd erbyn misoedd yr haf, 1851, ceir tystiolaeth ei fod am edrych dramor i hyrwyddo'i yrfa ar lefel ryngwladol. Mewn llythyr, dyddiedig 19 Mehefin 1851, mae'n troi at Augusta Hall, Arglwyddes Llanofer, am gymorth i ariannu ei gynlluniau uchelgeisiol.[14] Y mae naws ddefosiynol i'r llythyr sy'n gofyn am ganiatâd i ddefnyddio'i chartref i gynnal cyngerdd i godi arian tuag at ei gostau teithio.

Dengys hyn feddylfryd craff John Thomas – yn ogystal â chodi arian; fe sylweddolai fod cynnal cyngerdd yng nghartref yr Arglwyddes yn Llundain yn mynd i roi cyfle pellach iddo serennu o flaen aristocratiaid mwyaf dylanwadol y ddinas:

> June 19th, 1851.
> Madam,
> I should feel glad if your Ladyship would kindly permit me the honour of your advice concerning a matinee I intend giving early next month. I have the advantage of the intimate acquaintance of many very distinguished members of my profession, whose services and interest I can reckon upon with certainty – such as Mrs. Anderson, Pianist to Her Majesty, Mr. Balfe, conductor of Her Majesty's Theatre and Mr. Cipriani Potter, Principal of the Royal Academy of Music, who has pointed out to me the benefit I might derive thro' giving a morning concert previous to my departure to Germany: as it would make me better known in my own country before leaving it & also supply me with the means for going comfortably & continuing my studies there. I have observed of late that many of the Aristocracy have been very liberal to several members of the musical profession, in allowing them the honour of giving matinees at their private mansions & the tone it has given their Entertainment has enabled them to realise large sums of money.[15]

Yn ei hateb i'w lythyr mae Augusta Hall yn cyhuddo John Thomas o wadu ei wreiddiau Cymreig, ac o fod yn rhy barod i gyfaddawdu yr hyn a oedd wedi'i ddysgu pan oedd yn ifanc er mwyn plesio'r mwyafrif. Fe'i cyhuddir o lygru'r alawon Cymreig â'r ffasiynau cerddorol diweddaraf a oedd mor nodweddiadol o gerddoriaeth Fictorianaidd y dydd. Mae'n amlwg o'r ohebiaeth hon nad yw'r ddau bellach yn gweld llygad yn llygad, a'r anghydweld hwn a fyddai, maes o law, yn fygythiad i'w cyfeillgarwch:

> Lady Hall is glad to hear Mr. Thomas is going to Germany because the Germans (have no stealing merits) – they appreciate their own music & they neither disown nor allow it to be murdered or disguised – they also (generally speaking) honour the difference between real music – harmony and mere execution. Lady Hall thinks Mr. Thomas's visit there will bring him back to the musical taste of his early days & teach him to discriminate between that which is a result of practice & which may be acquired mechanically & that which is a gift from Heaven.[16]

Amddiffyn John Thomas ei arddull gerddorol a'i ddulliau perfformio drwy awgrymu mai bodloni cynulleidfa yw ei flaenoriaeth yn hytrach na glynu at egwyddorion cerddorol. Gallu technegol oedd yn denu cynulleidfaoedd y cyfnod (wedi'r cyfan, roedd y delyn bedal yn offeryn newydd a naturiol ddigon fyddai i'r gynulleidfa fod yn awyddus i glywed yr offeryn hwnnw yn cael ei chwarae i'w lawn botensial) ac yr oedd John Thomas yn ddigon parod i ddilyn chwaeth gerddorol yr oes petai'n unig er mwyn sicrhau bywoliaeth broffesiynol.

Diddorol, hefyd, yw'r ffaith mai fel 'your Welsh Melodies' y cyfeiria John Thomas at yr alawon Cymreig yn y llythyr hwn, yn union fel petai'n ceisio ymddieithrio oddi wrthynt; yn sicr nid yw'n sôn amdanynt fel rhan naturiol o'i etifeddiaeth gerddorol ei hun. Wedi'r cyfan, onid oedd yr alawon hyn yn eiddo iddo yntau lawn cymaint ag i Augusta Hall?

Er gwaethaf yr anghydweld, cafodd John Thomas ganiatâd yr Arglwyddes i gynnal cyngerdd yn ei chartref yn Llundain ar 9 Gorffennaf 1851. Yn anffodus, nid oes cofnod i'w gael o'r swm a godwyd yn y cyngerdd na phwy yn union a oedd yn bresennol, ond mae lle i gredu fod y *matinee* hwn wedi bod yn llwyddiant oherwydd ar 22 Hydref 1851 yr oedd yn barod i gychwyn ar ei daith gyfandirol gyntaf.

Ond teg gofyn pam y dewisodd John Thomas fynd i wlad dramor mor gynnar yn ei yrfa broffesiynol. Wedi'r cyfan, nid oedd mewn gwirionedd wedi ennill ei le fel telynor o'r radd flaenaf hyd yn oed ym Mhrydain. Mae'r ffaith iddo ddewis gadael y wlad yn ystod misoedd y gaeaf yn gadarnhad pellach fod diffyg gwaith parhaol i delynorion yn Llundain. Cytundeb tymor byr (hynny yw, o fis Mawrth hyd ddiwedd mis Awst) bob blwyddyn oedd ganddo yn 'Her Majesty's Theatre', a phrin y byddai wedi llwyddo i fyw yn gyfforddus ar chwe mis o gyflog yn unig. Gan nad oedd wedi profi unrhyw lwyddiant arwyddocaol eto, gellir tybio fod enw'r telynor o Gymru yn parhau i fod yn un lled ddieithr i'r rhai hynny nad oedd yn mynychu 'Her Majesty's Theatre'. Ni cheir unrhyw dystiolaeth sylweddol ychwaith i awgrymu ei fod yn derbyn gwahoddiadau i berfformio yng Nghymru. Tybed ai'r ffaith iddo droi ei gefn ar y delyn deires oedd yn bennaf gyfrifol am hyn a bod ei boblogrwydd yn pylu ymhlith Cymry'r cyfnod?

Ond hoffwn bwysleisio nad rhesymau negyddol yn unig a oedd gan John Thomas dros fentro i'r cyfandir. Yn ei dyb ef, Fienna oedd canolfan gerddorol fwyaf blaenllaw Ewrop y dydd, a naturiol ddigon fyddai iddo ddymuno gwireddu ei uchelgais i ymweld â'r ddinas honno, o gofio ei natur uchelgeisiol a phenderfynol fel cerddor. O deithio cyfandir Ewrop byddai modd iddo brofi diwylliant newydd yn ogystal ag ymgyfarwyddo â thraddodiadau dieithr. Yn bendant, yr oedd taith o'r fath yn gyfle arbennig iddo i ymestyn ei brofiadau cerddorol.

Fe ellir awgrymu fod hyn hefyd yn gam strategol cyfrwys ar ei ran. Byddai wedi darllen am lwyddiant Parish Alvars yn delynor proffesiynol ar y cyfandir a chan fod y delyn fel offeryn unawdol yn cael gwell derbyniad yno nag ym Mhrydain roedd y cyfle i ennill mwy o arian a statws fel unawdydd dros y môr yn atyniad cryf. Wedi marwolaeth Parish Alvars yn 1849 gadawyd bwlch mawr ym myd y delyn. Mae'n dra thebygol fod John Thomas yn ystyried ei hun yn ddigon cymwys i'w olynu fel telynor enwocaf y dydd yn Ewrop. Ac efallai mai bwriad John Thomas oedd dychwelyd i Brydain yn y man i olynu Chatterton yn athro yn yr Academi ac yn delynor i'r teulu brenhinol? Yr oedd digwyddiadau cerddorol y cyfandir yn cael cryn sylw gan y wasg Brydeinig bryd hynny hefyd a gwyddai y byddai unrhyw lwyddiant a ddeuai i'w ran mewn gwlad estron yn fodd i ledaenu ei glod drwy'r cylchoedd cerddorol yn Llundain.

Gellir dysgu llawer am natur teithiau cyfandirol John Thomas o'r disgrifiadau helaeth a geir yn y dyddiaduron sydd wedi goroesi. Ceir chwech yng nghasgliad Llyfrgell Genedlaethol Cymru,[17] sef:

Yr Almaen	Hydref 1851–Chwefror 1852
Yr Almaen a Rwsia	Medi 1852–Ebrill 1853
Paris	Tachwedd 1853–Ebrill 1854
Yr Eidal	Medi 1854–Rhagfyr 1854
Paris	Medi 1858–Ebrill 1859
St. Petersburg	Tachwedd 1873–Mawrth 1874

Yr oedd yn benderfyniad dewr i adael cartref am gyfnod o bum mis heb unrhyw sicrwydd pendant o gael gwaith ond mae'n amlwg fod John Thomas yn edrych ymlaen at y daith yn eiddgar, yn paratoi am liaws o brofiadau newydd ac yn awyddus i flasu cymaint ag y gallai o ddiwylliant y gwledydd estron:

> It was the first time I had been out of my own country & instead of feeling melancholy at the thought of parting with all my friends, everything that I saw wore so new an aspect to anything that I had ever seen before, that it distracted my mind from that channel.[18]

Fe ddangosodd y gŵr ifanc pa mor benderfynol ac uchelgeisiol ydoedd drwy ddewis treulio ei gyfnod cyntaf oddi cartref yn Fienna, y ddinas yr ystyriai ef ei bod yn ganolfan artistig amlycaf a mwyaf dylanwadol y byd. Er nad oedd y ddinas efallai mor flaenllaw yn natblygiadau Ewrop y Cyfnod Rhamantaidd (wedi oes Beethoven a Schubert), yr oedd yn para i fod yn ganolfan gerddorol o bwys. Ond mae'n sicr nad cyd-ddigwyddiad rhyfeddol yw'r ffaith i John Thomas fentro i Fienna ddwy flynedd yn unig wedi marwolaeth Parish Alvars yn yr union ddinas honno. Fel y dywedwyd, fe benodwyd Parish Alvars yn offerynnwr siambr i'r Ymerawdwr yn Fienna yn 1847 – prawf pendant fod y delyn erbyn hynny wedi'i derbyn yn offeryn unawdol ar y cyfandir. Y mae'n dra phosibl felly mai gobaith John Thomas oedd dilyn yr un trywydd a blasu'r un llwyddiant ag a ddaethai i ran ei ragflaenydd. Y mae'r ffaith iddo berfformio gweithiau Parish Alvars yn fynych yn awgrymu'n gryf fod John Thomas wedi sylwi ar y bwlch a adawyd ar ôl y telynor o Sais a'i fod yn awyddus i lenwi'r bwlch hwnnw.

Datganiad piano gan Franz Liszt yn 1842 yn cynhyrfu'r merched i gyd

Er fod ystyriaethau ariannol yn mynnu ei fod yn gorfod ennill bywoliaeth tra oedd yn teithio, ymddengys mai nod a bwriad pennaf y teithiau hyn oedd hyrwyddo ei yrfa fel telynor drwy chwarae i'r cylchoedd cymdeithasol uchaf posibl. Ei brif amcan wrth ymweld â'r gwahanol ddinasoedd oedd perfformio o flaen yr Ymerawdwr neu'r Brenin mewn partïon preifat dethol, yn hytrach na chynnal cyngherddau cyhoeddus; yr oedd statws ei gynulleidfa yn llawer pwysicach iddo na'r nifer a oedd yn bresennol. Ac yn aml ni cheir sôn am dâl wedi iddo berfformio mewn *soirées* o'r fath.

Yn ogystal â throi yng nghylchoedd cymdeithasol uchaf Ewrop, bu John Thomas yn ffodus i gyfarfod â rhai o gerddorion enwocaf y cyfnod tra oedd yn teithio, ond fe deimlir nad yw'r digwyddiadau hyn yn ei gyffroi cymaint â'r profiad o berfformio o flaen y bonedd. Yn Weimar, cyfarfu â Liszt, ond fe'i siomwyd gan berfformiad y meistr hwnnw ar y piano. Disgrifia'r noson honno yn bur fanwl:

> Liszt extemporised twice during the evening, & altho I much admired what he did, I could still have wished that he had performed something more connected & that had more meaning in it. It is wonderful what he does in the way of execution during his performances, but one requires more than that, for after all, such passages as he played emanate more from his fingers than from his brain. He is much delighted with my Autumn; & I begin to admire it more myself now. He extemporised upon my 'Adieu my Native Country' in a very clever manner, but such performances are seldom effective.[19]

Darn i'r delyn ar ffurf thema ac amrywiadau yw 'Adieu My Native Country' (Ffarwél y Telynor i'w Enedigol Wlad), ac wrth ystyried natur flodeuog ac ymffrostgar amrywiadau'r cyfansoddiad hwn efallai mai braidd yn ddauwynebog yw sylwadau John Thomas ar berfformiad Liszt y noson honno.

Ym Mharis ar 10 Ionawr 1854 y cyfarfu John Thomas â Hector Berlioz er nad yw'n manylu ar amgylchiadau'r cyfarfod.[20] Mae'n dra thebygol fod Liszt wedi rhoi llythyr cyflwyniad iddo wedi'r argraff ffafriol a wnaeth y telynor arno yn Weimar y flwyddyn flaenorol. Ym Mharis, hefyd, y cyfarfu John Thomas â Rossini bum mlynedd yn ddiweddarach. Ymddengys fod y cerddor o Gymro yn un o'r criw dethol hwnnw o artistiaid a âi i dŷ'r cyfansoddwr Eidalaidd yn rheolaidd. Yn 1855, dychwelodd Rossini i Baris wedi dioddef o afiechyd am flynyddoedd. Yn araf, ymdaflodd eto i fwrlwm y cylchoedd cymdeithasol a daeth ei bartïon cerddorol yn ei ystafelloedd ar gornel y Chausee d'Antan a'r Boulevard des Italiens yn enwog.

Mae lle i gredu fod John Thomas yn ystod ei daith i Baris yn 1858-9 yn ymwelydd cyson ag ystafelloedd Rossini oherwydd ceir dim llai nag wyth cyfeiriad yn ei ddyddiadur at nosweithiau yn nhŷ'r cyfansoddwr enwog, saith o'r rheini yn nosweithiau Sadwrn olynol.[21] Gwyddys iddo berfformio yno ar nos Sadwrn, 12 Chwefror 1859, ond ysywaeth ni fanylir ar bwy oedd yn bresennol y noson honno na'r argraff a wnaeth y telynor ar Rossini ei hun. Yn anffodus, ni fanylir ychwaith ar y math o gerddoriaeth a berfformiwyd yn y partïon hyn.

Ar 2 Chwefror 1852, fe gynhaliodd John Thomas ei gyngerdd cyhoeddus cyntaf ar y cyfandir.[22] O gofio ei fod wedi cyrraedd Fienna yn ystod wythnos gyntaf mis Tachwedd, mae'n amlwg iddo gymryd cryn amser i ymgartrefu ac i fagu'r hyder i fentro a chynnal cyngerdd cyhoeddus. Roedd y cyngerdd cyntaf hwn yn un arwyddocaol iawn yn ei olwg; fe deimlir y cyffro a brofodd y noson honno wrth iddo ddisgrifio'r achlysur. Soniwyd eisoes am bwysigrwydd statws y gynulleidfa iddo a sylwer fod yr un peth yn wir yma, er fod hwn yn gyngerdd lle y talai'r gynulleidfa i wrando arno. Ceir disgrifiad chwe thudalen i gyd sy'n disgrifio'r bobl a oedd yn bresennol, ei berfformiad cerddorol ef ei hun, ei gymhellion wrth gynnal y cyngerdd, a'i farn ef ynglŷn â llwyddiant yr holl fenter:

> I have also the good fortune to be able to say the success of the concert was not a little gratifying to me to see my Concert Room quite filled with the most distinguished aristocracy in Vienna, as well as the first musical persons in the place, & I felt also very much flattered by being visited by a great number of my acquaintances (both private and professional) previous to the commencement of my concert, to wish me every success; & I think it must have inspired me with a greater degree of confidence that I ordinarly have upon such occasions; for I was not half so nervous as I expected I should be; consequently I was able to play much better.[23]

Tair unawd yn unig a roddodd John Thomas yn y cyngerdd hwn ac mae'n amlwg ei fod yn fodlon iawn â'i berfformiad. Chwaraeodd *Montecchi*, trefniant i'r delyn gan Parish Alvars, cyfansoddiad o'i waith ei hun o'r enw *Spring*, a *La Danse des Fees* eto gan Parish Alvars; ni pherfformiodd yr un trefniant o alaw Gymreig yn y cyngerdd hwn.

Sylwer mai'r un darnau a berfformiai John Thomas yn ei gyngherddau. Wrth astudio'r rhaglenni sydd wedi goroesi gwelir mai cyfyng oedd 'repertoire' y telynor ifanc ar y cyfan, boed hynny oherwydd prinder darnau neu benderfyniad bwriadol i efelychu llwyddiant Parish Alvars drwy berfformio cymaint o'i weithiau â phosibl. Dechreuai 'Pencerdd Gwalia' y rhan fwyaf o'i berfformiadau â threfniant *Montecchi* neu *Le Danse des Fees* gan Parish Alvars, a gorffen â darn arall o'i waith, sef y *Mandolin Study*. Ymddengys fod gweddill ei 'repertoire' yn dibynnu ar ba fath o gyngerdd ydoedd. Petai'n digwydd rhannu'r llwyfan ag artist arall, dim ond dau neu dri darn fyddai eu hangen, ac yna byddai'n aml yn cyflwyno'r darnau uchod ynghyd â chyfansoddiad o'i eiddo'i hun. Gwelir mai dim ond yn y cyngherddau hynny a oedd yn galw am sawl eitem ganddo y byddai yn perfformio cadwyn o alawon Cymreig. Trist meddwl felly nad oedd John Thomas yn llysgennad teilwng i'r diwylliant cerddorol Cymreig pan oedd yn bell o'i famwlad.

Ond sut argraff a wnaeth Fienna a'i bywyd diwylliannol ar y Cymro ifanc? Awgrymir ei fod wedi'i siomi'n fawr gan yr hyn a brofodd oherwydd fe ddywed fod safon perfformiadau cerddorol Llundain gymaint yn uwch na Fienna, a hynny am fod yr Almaenwyr yn rhy barod i fodloni ar ddefnyddio artistiaid brodorol yn unig.[24] Fe gofir fod Augusta Hall wedi ei rybuddio yn ei llythyrau nad oedd gan yr Almaenwyr yr hyn a alwai hi yn 'stealing merits'. Ystyriai John Thomas hyn yn gulni meddwl a fyddai'n rhwystro'r Almaenwyr rhag ehangu eu gorwelion ymhellach. Fe gwestiynai'r ffaith fod Fienna yn para i fwynhau statws un o ganolfannau dylanwadol y byd cerddorol. Ond tybed nad oedd ei feirniadaeth o barodrwydd yr Almaenwyr i wrando ar eu cyd-wladwyr yn unig yn deillio o ryw siom bersonol? Er fod ei gyngerdd cyhoeddus wedi bod yn llwyddiant, hwnnw oedd un o'r ychydig gyngherddau cyhoeddus a roddodd John Thomas yn Fienna. Eglurwyd eisoes mai ei brif amcan wrth deithio'r cyfandir oedd perfformio mewn partïon dethol o flaen mawrion cymdeithas, ond prin y byddai wedi gwrthod unrhyw gyfle i berfformio'n gyhoeddus mewn cyngherddau. Mae lle i ddadlau, felly, fod John

Thomas yn ymlafnio ar gyrion digwyddiadau cerddorol arwyddocaol y ddinas ac mai hynny sy'n rhannol gyfrifol am ei barodrwydd i feirniadu safon y gerddoriaeth yn Fienna.

Ond er y siom, mynegir edmygedd o'r pwys a roddid ar gerddoriaeth glasurol ym mywyd cyhoeddus yr Almaen. Mae'n tristáu am nad yw Prydain yn hyrwyddo'r math hwn o gerddoriaeth yn yr un modd ac yn casglu mai diwylliant elitaidd yw cerddoriaeth glasurol yno. Ceir awgrym cyfrwys yma hefyd fod rhai o gerddorion blaenllaw Llundain gymaint tlotach eu gwybodaeth o'r maes na rhai o amaturiaid cerddgar yr Almaen:

> Where I am at present residing with a family, tho' in comfortable circumstancs, still not high in the world I find that they have piano-forte scores of all Mozart's operas, Beethoven's Fidelio, Webern's Oberon Eurianthe & Haydn's Seasons, Creation etc.and that they not only have copies in the house, but they are as well acquainted with them that open the scores wherever you will, they can tell you what pieces they are, a thing that would put to blush many a professor in London, who may stand high in public estimation.[25]

Ond ai eiddigedd sy'n sail i'r dyfyniad hwn? Roedd Parish Alvars wedi profi llwyddiant yn y ddinas hon, lle roedd y delyn wedi'i derbyn yn offeryn unawdol, a phetai'r llywodraeth Brydeinig yn barod i roi'r un gefnogaeth i'r celfyddydau yn Llundain, mae'n dra thebygol y deuai'r un sylw i offerynwyr megis John Thomas, hefyd: 'I admire their patriotism in supporting their own people: & could wish that a little more anxiety were shown on the part of the English to bring their own native talent to a greater state of perfection'.[26]

Y mae'n amlwg i John Thomas lwyddo yn ei amcanion i deithio'r cyfandir oherwydd ar 3 Mai 1852, mis yn unig wedi dychwelyd o'i ail daith, cafodd yr anrhydedd o berfformio 'Consertino' o'i eiddo ym mhedwaredd gyfres cyngherddau y Gymdeithas Ffilharmonig Frenhinol a'i comisiynodd i gyfansoddi'r gwaith. Fel y crybwyllwyd eisoes, yr oedd wedi gwneud cais i chwarae gerbron y Gymdeithas Ffilharmonig yn 1847[27], ond nid oes unrhyw dystiolaeth i brofi fod yr ymgais honno wedi bod yn llwyddiannus. Fe'i derbyniwyd yn aelod gohebol o'r Gymdeithas ym mis Gorffennaf 1849, ac efallai mai hynny a'i symbylodd i ailysgrifennu at gyfarwyddwyr y Gymdeithas ychydig flynyddoedd yn ddiweddarach.[28] Ar gais y Pwyllgor fe gyfansoddodd ar eu cyfer ei 'Gonsertino yn Eb' i'r delyn, a phan berfformiwyd y gwaith gan y cyfansoddwr ei hun ar 3 Mai 1852, ymunodd John Thomas â rhestr faith o delynorion nodedig iawn a oedd wedi derbyn yr un anrhydedd o gael perfformio eu gweithiau yng nghyngherddau'r Gymdeithas hon. Yn eu plith yr oedd Boscha, Labarre, Dizi, Godefroid, a Parish Alvars.[29] Er mai dim ond chwech ar hugain oed oedd John Thomas ar y pryd, ei 'Gonsertino' ef oedd y cyfansoddiad cyntaf gan gerddor Cymreig i gael ei berfformio yn hanes y Gymdeithas. Y cyngerdd hwn oedd dechrau'r cyswllt agos a fu rhwng John Thomas a'r Gymdeithas Ffilharmonig. O fod yn aelod gohebol fe'i hetholwyd yn aelod llawn ym mis Rhagfyr 1857, ac yn ystod ei oes bu yn un o gyfarwyddwyr y Gymdeithas. Gellir tybio i'r cyngerdd hwn fod yn sylfaen dda i'w yrfa broffesiynol yn Llundain.

Anrhydedd arall a ddaeth i'w ran rai blynyddoedd yn ddiweddarach oedd cael eu urddo yn 'Bencerdd Gwalia' yn Eisteddfod Genedlaethol Aberdâr yn 1861. Mae'n deg cwestiynu a oedd cyfraniad John Thomas i'r bywyd diwylliannol Cymreig hyd yn hyn wedi bod yn ddigon hael iddo haeddu'r fath anrhydedd. Er ei fod yn beirniadu yn gyson mewn eisteddfodau ac yn cynnal ambell gyngerdd ledled Cymru, mae'n sicr nad oedd ei brif orchestion fel telynor proffesiynol yn ystod pumdegau'r bedwaredd ganrif ar bymtheg wedi'u cyflawni yn ei famwlad, nac wedi bod o naws arbennig Gymreig ychwaith. Sylwyd eisoes na fu'n ymdrechu'n galed i ddatblygu ei grefft fel cerddor Cymreig pan oedd ymhell oddi cartref.

Ond cyfrannodd John Thomas fwy i draddodiad cerddorol Cymru yn ystod hanner cyntaf 1862 nag a wnaethai erioed cyn hynny, a daeth y cyfraniadau hynny ag ef i amlygrwydd ymysg ei gyd-Gymry yn ogystal â'i gyfoeswyr yn Llundain. Tybed ai ymgais i brofi i'w gyd-wladwyr ei fod yn llawn haeddu'r anrhydedd a dderbyniodd yn yr Eisteddfod Genedlaethol y flwyddyn flaenorol oedd hyn? Ar ddydd Gŵyl Dewi 1862 fe gyhoeddodd ddwy gyfrol o alawon Cymreig o dan y teitl, *Collection of Welsh Melodies with Accompaniment*. Casgliad o bedair alaw ar hugain ynghyd â chyfeiliant addas i biano neu delyn oedd y rhain ac ychwanegwyd dwy gyfrol arall at y gyfres, un yn 1870 a'r llall yn 1874.

Ychydig fisoedd yn ddiweddarach, ar 4 Gorffennaf 1862, fe gynhaliodd John Thomas y cyngerdd cyntaf o gerddoriaeth Gymreig

Pencerdd Gwalia ym mlodau'i ddyddiau.

yn Neuadd Sant Iago yn Llundain. Gellir dadlau mai dathliad o'r traddodiadau Cymreig oedd y cyngerdd hwn a wnaeth fwy i hyrwyddo enw da John Thomas ymhlith ei gyd-Gymry nag unrhyw anrhydedd a dderbyniasai gan gylchoedd bonedd y cyfandir. Yn ddios, roedd y cyngerdd hwn yn gyfrwng cyhoeddusrwydd da i'w gyhoeddiadau diweddaraf. Daeth cyngherddau Cymreig 'Pencerdd Gwalia' yn enwog yn y brifddinas, ac o ganlyniad i'w llwyddiant rhyfeddol fe'u cynhaliwyd yn gyson am 42 o flynyddoedd–o 1862 hyd at 1904.

Atyniad mwyaf y cyngerdd hwn yn ddiamau oedd y 'Band of Harps', sef grŵp o ugain o delynorion wedi eu gosod mewn hanner cylch yng nghanol y llwyfan. Dyna a roddodd i'r noson ei nodwedd unigryw gan arwyddo fod John Thomas yn awyddus i hyrwyddo achos y delyn yn Llundain yn ogystal â rhoddi blas o'r diwylliant Cymreig i gylchoedd cerddorol y ddinas. Mae'n rhaid fod y profiad o weld a chlywed ugain telyn yn perfformio fel côr wedi rhoi gwefr arbennig i'r gynulleidfa oherwydd, fel y nododd A.F. Leighton Thomas, '. . . he created "a great sensation" in London when he gave at St. James's Hall a concert of Welsh music involving 20 harps and a choir of 400 voices'.[30] Cynhwysai'r rhaglen amryw o alawon Cymreig a drefnwyd ganddo ond anodd gwybod ai yn Saesneg ai yn y Gymraeg y canwyd yr alawon gan fod rhaglen y noson yn ddwyieithog. Yn ogystal â chyfeilio i'r unawdwyr lleisiol a pherfformio'i ddeuawd, 'Scenes of Childhood', gyda Chatterton, rhoddodd John Thomas dair unawd, sef dehongliad o 'Morfa Rhuddlan', 'Per Alaw' a 'Merch Megan'. Sylwer ar y gwahaniaeth sylfaenol yn 'repertoire' y cyngerdd hwn o'i gymharu â'r hyn a chwaraeai pan oedd yn teithio'r cyfandir.

Ac felly y sefydlodd John Thomas yr arfer o gynnal cyngerdd Cymreig blynyddol yn Llundain. Yr oedd y perfformiadau hyn yn fodd i arddangos y traddodiad cerddorol Cymreig ar lwyfan rhyngwladol a bu Pencerdd Gwalia yn gyfrifol am ddangos i weddill Prydain fod gan Gymru ei hetifeddiaeth gerddorol unigryw. Fel y bu'r eisteddfod yn ffenestr siop i gerddoriaeth Gymreig yng Nghymru yn ystod y bedwaredd ganrif ar bymtheg, daeth cyngherddau blynyddol John Thomas yn gyfrwng i'r Cymry arddangos eu doniau a'u gallu cerddorol yn Llundain. Ac os mai dangos i'w gyd-Gymry ei fod yn llawn haeddu bod yn Bencerdd ei famwlad oedd y nod, fe lwyddodd yn hynny o beth. Gellir dadlau hefyd ei fod wedi manteisio i'r eithaf ar newydd-deb y syniad o gael grŵp o ugain telyn ond ni ellir cwestiynu llwyddiant y fenter na'r hyn a wnaeth dros gerddoriaeth Gymreig yn y brifddinas. Cymaint oedd apêl noson o'r fath fel y'i mabwysiadwyd gan liaws o Gymdeithasau Cymreig yn Llundain a thu hwnt. Blwyddyn y ddiweddarach, ar 28 Chwefror 1863, fe gynhaliwyd cyngerdd yn Neuadd Sant Iago yn ystod yr ŵyl Gymreig Genedlaethol i gydnabod cyfraniad eithriadol John Thomas i ddiwylliant ei wlad.[31] Ymysg y cyfranwyr yr oedd Edith Wynne a J.B. Chatterton, ynghyd â llawer o'r rheini a ymddangosodd yn y cyngerdd ar 4 Gorffennaf 1862 –prawf pellach o'r parch a'r edmygedd cynyddol a oedd iddo yn y byd cerddorol.

Er fod ei ddygnwch ym myd y delyn yn parhau, yr oedd Pencerdd Gwalia yn dechrau blasu llwyddiant cynyddol fel arweinydd a chyfansoddwr corawl. Mae'n debyg mai hyn a'i symbylodd i sefydlu'r Gymdeithas Gorawl Gymreig (Welsh Choral Union) yn Llundain yn 1872. Yr oedd i'r Gymdeithas hon oddeutu dau gant o aelodau wedi'u dwyn o amrywiol eglwysi Cymraeg Llundain. Nod y Gymdeithas oedd gwella safon y canu corawl ymhlith Cymry'r brifddinas a bu'n fenter lewyrchus am ryw chwe blynedd pan ddaeth i ben, ysywaeth, oherwydd diffyg cefnogaeth. Er hynny, ni fu'r holl waith yn ddiffrwyth oherwydd wedi profi'r gallu cerddorol a oedd yn y côr, aeth John Thomas ati i sefydlu ysgoloriaeth a fyddai'n galluogi cerddorion unigol addawol i dderbyn addysg lawn-amser yn yr Academi Gerdd Frenhinol. Cymaint y teimlai ef oedd ei ddyled i'r sefydliad hwnnw am roi sail i'w yrfa gerddorol fel yr oedd yn awyddus iawn i Gymry ifanc gael pob cyfle i ddatblygu eu doniau i'r eithaf. Efallai fod yr anawsterau a'r caledi a brofodd ei deulu ef pan aeth i'r Academi yn 1840 yn ffactor yn ei benderfyniad. Casglodd swm o £90 yn 1873 ac enillydd yr ysgoloriaeth gyntaf oedd Miss Mary Davies, a fu yn ei thro yn llysgennad teilwng ar ran cerddoriaeth Cymru ac yn un o seolgion Cymdeithas Alawon Gwerin Cymru yn ystod blynyddoedd cynnar ei sefydlu.

Penderfynwyd yn fuan wedi hyn fod angen ysgoloriaeth barhaol yng Nghymru ac aeth ati i gasglu swm o £1,000 o bunnau i sefydlu'r ysgoloriaeth barhaol Gymreig gyntaf yn yr Academi. Yr oedd yn freuddwyd ganddo i weld cerddorion Cymreig dawnus yn dychwelyd i Gymru wedi'u haddysgu yn yr Academi ac yn mynd ati i drosglwyddo'u dysg i Gymry dawnus eraill. Eto, ychydig yn ddauwynebog efallai oedd hyn o gofio nad oedd Pencerdd Gwalia ei hun erioed wedi'u ystyried dychwelyd i'w famwlad i rannu ei wybodaeth na'i allu. Er hynny, llwyddodd i gasglu'r swm sylweddol a chynigiwyd yr ysgoloriaeth barhaol gyntaf ym mis Awst, 1883.

Derbyniodd John Thomas liaws o anrhydeddau fel telynor – rhai ohonynt yn profi iddo gyrraedd pinacl ei yrfa ym Mhrydain, yn enwedig yn Llundain, a rhai eraill na fyddai wedi eu derbyn mae'n siŵr petai wedi dychwelyd i Gymru. Ar farwolaeth ei hen athro, J.B. Chatterton, yn 1871, fe'i gwnaed yn athro telyn yn yr Academi, penodiad a'i bodlonai'n fawr o gofio'r parch a'r edmygedd a oedd ganddo i'r sefydliad hwnnw. Un mlynedd ar ddeg wedi ei benodi'n athro fe'i gwahoddwyd i fod yn arholwr yn yr Academi yn ogystal ag yn athro telyn yng ngholeg y Guildhall. Derbyniodd, hefyd, yr anrhydedd o fod yn athro telyn cyntaf y Coleg Cerdd Brenhinol pan agorwyd y sefydliad hwnnw gan Dywysog Cymru yn 1883. Mae'n sicr ei fod felly yn un o'r athrawon telyn mwyaf dylanwadol ym Mhrydain yn ail hanner y bedwaredd ganrif ar bymtheg.

Mae'n sicr mai un o'r anrhydeddau mwyaf gwerthfawr a gafodd John Thomas yn ystod ei yrfa, o gofio'i hoffter o chwarae gerbron bonedd ac aelodau o'r teulu brenhinol, oedd cael ei benodi'n delynor swyddogol i'r Frenhines Fictoria.[33] Bu'n gychwyn cyswllt hir rhyngddo â'r frenhiniaeth, oherwydd ar 31 Mawrth 1885, o ganlyniad i farwolaeth un o aelodau'r gerddorfa, fe gynigiwyd swydd iddo yn 'Her Majesty's State Band'.[34] A cheir tystiolaeth yn ei raglenni cyngerdd iddo berfformio ym Mhalas Buckingham yng nghwmni artistiaid megis Adelina Patti.[35]

Ond er yr holl anrhydeddau a dderbyniodd John Thomas yn ystod ei yrfa lwyddiannus rhaid nodi ei fod wedi aros yn driw i rai o'r achosion hynny a oedd yn agos iawn at ei galon. Ceir enghreifftiau ohono'n dychwelyd i dde Cymru i gymryd rhan mewn cyngherddau er budd achosion da. Ar 7 Medi 1865 fe ymddangosodd mewn cyngerdd yn Aberteifi yng nghwmni Brinley Richards ac Edith Wynne i godi arian i adnewyddu capel Blaen-porth.[36] Ac ym mis Tachwedd 1877 bu'n perfformio yn ei dref enedigol gyda Mary Davies er budd cronfa llifogydd Pen-y-bont.[37] Yr oedd lles cerddorol ei fyfyrwyr hefyd yn hollbwysig iddo. Yn ddiarwybod i rai, byddai'n cynnal cyngherddau anffurfiol ar ddiwedd tymor yn ei gartref yn Welbeck Street i roi cyfle i'w fyfyrwyr berfformio'n gyhoeddus yng ngwydd ei gilydd. Ei gyfansoddiadau ef a Parish Alvars a berfformid fynychaf ar yr achlysuron hynny.[38]

Uchelgais y telynor ifanc oedd cyrraedd y brig yn ei broffesiwn a manteisiodd i'r eithaf ar bob cyfle a ddaeth i'w ran er hyrwyddo'i ddibenion ei hun ac er mantais i'r delyn fel offeryn. Mae'r ffaith iddo fod yn troi yn yr un cylchoedd â Rossini, Liszt a Berlioz yn tystio iddo lwyddo i gyrraedd yr entrychion hynny. Ac y mae'r troeon niferus pan chwaraeodd yn llysoedd godidocaf Ewrop yn brawf pellach o'i ragoriaeth fel telynor.

Mae'n amlwg iddo fod yn flaengar fel perfformiwr yn Llundain hefyd o ystyried y llu anrhydeddau a ddaeth i'w ran fel athro, yn ogystal â pherfformiwr. Adlewyrcha'r ffaith iddo allu llenwi neuadd gyngerdd fawr, megis Neuadd Sant Iago, yn flynyddol am dros ddeugain mlynedd ei boblogrwydd yn y brifddinas. Yn ddios, gwnaeth y cyngherddau blynyddol hyn fwy i hyrwyddo'r etifeddiaeth Gymreig y tu hwnt i Glawdd Offa na'r un gyfres arall o gyngherddau yn Llundain.

Yr oedd Pencerdd Gwalia a Brinley Richards gyda'r cyntaf i gael y cyfle i feithrin eu dawn yn yr Academi Gerdd Frenhinol. Agorodd y ddau y llifddorau ar gyfer cannoedd o Gymry sydd wedi dilyn yr un trywydd ar hyd y blynyddoedd. Ond er cystal y profiad a'r elw a ddaeth i ran yr unigolion hyn o ganlyniad i'w haddysg yn y sefydliad hwn, ar ei cholled y bu Cymru. Fel y dywedodd D. Emlyn Evans mewn erthygl yn *Y Cerddor* ym Mehefin 1896:

> Y cyntaf i gael ei ddwyn i fyny yn athrofaol oedd Brinley Richards, ac er ei fod yn sicr yn caru ei wlad yn fawr, â'r brif-ddinas yr oedd ei brif gysylltiad ac ychydig fu ei ddylanwad yntau ar gerddoriaeth 'Gymreig'. Y mae John Thomas (Pencerdd Gwalia), yn perthyn i'r un cyfnod, ond gan ei fod ef, yn ffodus gyda ni eto, ni wnawn ddweud rhagor na bod prif faes ei lafur ef hefyd yn gorwedd yn y brif-ddinas.[39]

Dyma lle y gwelir y ddeuoliaeth amlwg yng nghymeriad John Thomas. Er iddo symud o Gymru yn bedair ar ddeg mlwydd oed yr oedd y fagwraeth gerddorol a gafodd ym Mhen-y-bont yn gyfrwng i'w drwytho yn y traddodiadau Cymreig. Eto i gyd, Llundain fu ei gartref am dros ddeng mlynedd a thrigain. O'i gymharu â'r cyfnod presennol, pan all Cymru ymffrostio yn ei cherddorfa, ei chwmni opera a'i choleg cerdd, rhaid oedd i gerddorion y bedwaredd ganrif ar bymtheg fynd i Lundain i chwilio am gyfleoedd nad oeddent i'w cael yng Nghymru. Naturiol i gerddor mor uchelgeisiol â John Thomas oedd manteisio i'r eithaf ar bob cyfle ac ymhen amser nid oedd dychwelyd i Gymru yn ddewis realistig iddo.

Yn anffodus, fodd bynnag, er gwaetha'r ffaith ei fod wedi'i amgylchynu gan Gymry yn y brifddinas – yn yr Academi, yng nghapeli ac eglwysi'r ddinas, ac yng nghymdeithasau Cymreig Cymry Llundain – yr oedd ar adegau yn barod i wadu ei wreiddiau er mwyn gweddu i'r amgylchiadau ac er mwyn elw personol. Yn ystod blynyddoedd cynnar ei yrfa pan ddibynnai ar gymorth Arglwyddes Llanofer bu'n driw i'r diwylliant cerddorol Cymreig, ond fe'i bradychodd hi a'i gyd-wladwyr pan oedd ar daith yn St. Petersburg yn 1874 wrth gyflwyno'i hun fel cerddor Seisnig er mwyn budd personol:

> Madam,
>
> Availing myself of the permission graciously accorded to me, I beg to solicit, as an English Musician, the honour of Your Imperial Highness' acceptance of the accompanying volume of my compositions, as a humble but sincere token of my most fervent prayers for Your Imperial Highness as the Illustrious Bride of our beloved Prince Albert . . .[40]

Fe urddwyd John Thomas yn 'Bencerdd Gwalia' – un o'r anrhydeddau pennaf yng nghylchoedd cerddorol Cymru'r bedwaredd ganrif ar bymtheg. Dyletswydd pob 'Pencerdd' oedd sicrhau ei fod yn manteisio ar bob cyfle i gefnogi a hyrwyddo Cymru a diogelu ei hetifeddiaeth ddiwylliannol i'r dyfodol. Trist nodi, felly, nad oedd John Thomas yn cyflawni'r dyletswyddau hynny ar bob achlysur.

Serch hynny, ni ellir gwadu fod cyfraniad y cerddor amryddawn hwn i'r diwylliant cerddorol Cymreig yn ystod y bedwaredd ganrif ar bymtheg wedi bod yn arwyddocaol ac allweddol. Ond cynnyrch ei oes oedd John Thomas 'Pencerdd Gwalia'. Fel aml i Gymro Fictorianaidd diledryw, roedd yn bleidiol i'w famwlad ac eto'n ymgreinio i'r frenhiniaeth. Y mae'r teip hwn yn un anodd iawn i rai ohonom ar drothwy'r unfed ganrif ar hugain (ac ar drothwy sefydlu ein Cynulliad Cymreig) ei ddeall, gan fod y ddau deyrngarwch yn ein taro'n wrthun o anghyson. Ond wrth osod John Thomas yn ei gyd-destun priodol gellir deall yr hyn a'i symbylai ac yn y man ddod i werthfawrogi ei gyfraniad i'r diwylliant cerddorol Cymreig ac i fyd y delyn.

NODIADAU

[1]Llsg. Ll.G.C.23389E-23406/7A. Casgliad sylweddol o lawysgrifau John Thomas sy'n cynnwys llythyrau, rhaglenni cyngerdd a dyddiaduron o'i deithiau ar y cyfandir. Trosglwyddwyd y rhain o'r Llyfrgell Brydeinig i Lyfrgell Genedlaethol Cymru ym mis Mawrth 1995. Y mae ffynhonnell wreiddiol y casgliad yn anhysbys.

[2]Rosamond McGuiness a H. Diack Johnstone, 'Concert Life in England', *The Eighteenth Century*, goln., Johnstone a Fiske (Rhydychen, 1990), 31.

[3]Ann Rosser, *Telyn a Thelynor* (Caerdydd, 1981), 35.

[4]Arglwyddes Ada Lovelace (1815-1852). Yn ferch i'r bardd, yr Arglwydd Byron, priododd â'r Iarll Lovelace cyntaf. Er iddi ddangos gallu mawr ym maes gwyddoniaeth, ei phrif ddiddordeb oedd cerddoriaeth. Cytunodd i dalu trigain punt y flwyddyn ar yr amod fod ei dad yn dod o hyd i'r gweddill, sef ugain punt y flwyddyn.

[5]Llsg. Ll.G.C.23398F: 'Miscellaneous Papers' ff.1-6.

[6]Llsg. Ll.G.C.23391E: 'Letters to Pencerdd Gwalia', f.122. Llythyr oddi wrth Frederick Hamilton. 24 Rhagfyr 1842.

[7]Llsg. Ll.G.C.23391E: 'Letters to Pencerdd Gwalia', ff.21-55. Yng nghasgliad Llyfrgell Genedlaethol Cymru ceir gohebiaeth rhwng John Thomas a'r Arglwyddes Lovelace sy'n dyddio o 3 Ebrill 1844. Yn anffodus, nid oes dyddiad ar bob llythyr.

[8]Ibid., f.25. Llythyr oddi wrth yr Arglwyddes Lovelace at John Thomas, 28 Mehefin 1844.

[9]Anhysbys, 'King's Harpist', *Glamorgan Gazette*, 22 Ebrill 1904.

[10]'Letters to the Philharmonic Society', British Library Loan 48. Cyf. 34 (T-Ve) f.75.

[11]Llsg. Ll.G.C. 23398F: op. cit. ff.107-113.

[12]Ann Griffiths, 'Parish Alvars', *The New Grove Dictionary of Music and Musicians*, Cyf.14 (Llundain, 1980), 226.

[13]Llsg. Ll.G.C. 23398F: op. cit. f.7.

[14]Llsg. Ll.G.C. 23390C: 'Letters to Pencerdd Gwalia' ff.45-105. Gohebiaeth rhwng John Thomas ac Augusta Hall, Arglwyddes Llanofer, Mehefin 1851-Hydref 1869.

[15]Ibid. ff.44-5. Llythyr oddi wrth John Thomas at Augusta Hall, 19 Mehefin 1851.

[16]Ibid. f.48-9. Ateb dyddiedig 'Friday 20th, 1851'. Sylwer fod yr Arglwyddes yn ateb ei llythyrau yn unionsyth – arwydd pendant ei bod yn cymryd diddordeb brwd yng ngyrfa John Thomas.

[17]Llsg. Ll.G.C. 233922-23402E: 'Journals of Concert Tours on the Continent'.

[18]Llsg. Ll.G.C. 23392iA: 'John Thomas: Journal of Tour', f.1. 22 Hydref 1851.

[19]Llsg. Ll.G.C. 23393A: 'John Thomas: Journal of Tour', f.18. 9 Hydref 1852.

[20]Llsg. Ll.G.C. 23394A: 'John Thomas: Journal of Tour', f.9. 10 Ionawr 1854.

[21]Llsg. Ll.G.C. 23394A: op.cit. f.7.

[22]Llsg. Ll.G.C. 23392iA: op.cit. ff.35-6. 2 Chwefror 1852.

[23]Ibid. f.35-6.

[24]Ibid. f.40. Ni cheir dyddiad penodol i'r cofnod hwn.

[25]Ibid. f.24.

[26]Ibid. f.40.

[27]'Letters to the Philharmonic Society', British Library Loan 48, Cyf 34 (T-Ve) f.75.

[28]Llsg. Ll.G.C. 23391E: 'Letters to Pencerdd Gwalia', f.72. Llythyr oddi wrth G.W. Budd, ysgrifennydd y Gymdeithas Ffilharmonig, 10 Gorffennaf 1849.

[29]'Press Cuttings of the Royal Philharmonic Society', British Library Loan 48, Cyf.34 (T-Ve) 15/2 'Musical Courier'.

[30]A.F. Leighton Thomas, 'A Forerunner of the Guild', *Welsh Music,* Cyf.III, Rhif 6, 21.

[31]Llsg. Ll.G.C. 23402E: op. cit. f.13. Rhaglen o gyngerdd yn Neuadd Sant Iago, 28 Chwefror 1863.

[32]Llsg. Ll.G.C. 23391E: op.cit. f.40. Llythyr oddi wrth George Grove, cyfarwyddwr y Coleg Cerdd Brenhinol, 21 Mawrth 1883.

[33]Llsg. Ll.G.C. 23391E: op. cit. ff.208-9. Llythyr gan John Thomas yn derbyn yr apwyntiad, 11 Ebrill 1872.

[34]Llsg. Ll.G.C. 23389E: op. cit. f.97. Llythyr oddi wrth W.Cuisins, 20 Ebrill 1885.

[35]Llsg. Ll.G.C. 23402E: op. cit. ff.43-7.

[36]Llsg. Ll.G.C. 23402E: op. cit. f.17.

[37]Ibid. f.40.

[38]Ibid. ff.52-4 a f.59. Y mae pedair rhaglen i gyd sydd yn dyddio o 16 Gorffennaf 1892, 13 Gorffennaf 1895, 11 Gorffennaf 1896, 8 Gorffennaf 1899.

[39]D. Emlyn Evans, 'Y Cerddor Newydd', *Y Cerddor*, Cyf.8, Rhif 90, Mehefin 1896, 57.

[40]Llsg. Ll.G.C. 23389: op. cit. f.122. Llythyr oddi wrth John Thomas dyddiedig Ionawr 1874. Ni wyddys i bwy y'i danfonwyd

Wil Ifan: Bardd 'Bro fy Mebyd'

Mari George

Dywedodd y Parch. D. Carey Garnon mewn erthygl yn *Y Cymro* adeg marwolaeth Wil Ifan fod coelaid o ddiddordebau eang wedi dod ynghyd mewn un person.[1] Y mae Wil Ifan, neu'r Parchg. William Evans (1882-1968), yn adnabyddus fel bardd, colofnydd, ysgrifwr, dramodydd ac Archdderwydd. Fe'i ganed ef ar 22 Ebrill 1882 mewn tŷ o'r enw Vale View yng Nghwm-bach, Llanwinio, Sir Gaerfyrddin. Roedd ei dad, y Parchg. Dan Evans, D.D., yn ysgolfeistr lleol cyn ei ordeinio'n weinidog ar eglwys yr Annibynwyr ym Moreia, lle'r oedd yn aelod ffyddlon, ar ôl marw y Parchg. John Davies (Shôn Gymro) yn 1885. Symudodd y teulu yn 1889 pan oedd Wil Ifan yn saith oed i Gwmafan ar ôl i'r tad dderbyn galwad i fugeilio eglwys Seion, ac ar droad y ganrif yn 1901 dychwelwyd i'r wlad, i odre Ceredigion, lle bu'r Parchg. Dan Evans yn bugeilio eglwysi Hawen a Bryngwenith tan ei ymddeoliad yn 1927.[2]

Dywedodd Wil Ifan mewn sgwrs â T.H. Parry-Williams iddo gael ei eni i deulu darllengar: 'O'r braidd y gallai neb sôn amdanom fel teulu o lenorion ond yr oedd gennym lond tŷ o lyfrau Cymraeg a Saesneg, a phob aelod o'r teulu â'i drwyn mewn rhyw lyfr neu'i gilydd.'[3] Bu nifer yn dyfalu ar hyd y blynyddoedd sut y cafodd yr enw barddol Wil Ifan. Mae'r stori sy'n egluro'r enw yn tanlinellu cymeriad diymhongar y bardd. Roedd academigion yn ymosod ar Orsedd y Beirdd a Dyfed oedd yr Archdderwydd ar y pryd. Ymunodd Wil Ifan â'r Orsedd er cefnogaeth iddo fel hen ffrind. Cyn hynny, roedd wedi osgoi'r syniad gan nad oedd ganddo lawer i'w ddweud wrthi. Pan ymunodd â hi yn Eisteddfod Genedlaethol Y Fenni, 1913, roedd mor ddidaro ynglŷn â'r peth fel nad oedd wedi meddwl am enw barddol. Yn y seremoni, pan oedd J.J. Williams yn ei gyflwyno, bu tawelwch mawr pan ofynnwyd iddo beth oedd ei enw gorseddol, ac felly dyma 'J.J.' yn rhoi'r enw cyntaf a ddaeth i'w feddwl iddo – Wil Ifan. Yn ôl Elwyn Evans, mab Wil Ifan, 'Fel yna, yn ddamweiniol ac yn "ddi-fyfyr", y cafodd 'nhad yr enw barddol a ddaeth ymhen blynyddoedd yn bur adnabyddus.'[4] Ymhen blynyddoedd daeth yr Eisteddfod yn bwysig yn ei fywyd. Enillodd y Goron deirgwaith yn 1913, 1917 ac 1925 ynghyd â nifer o wobrau eraill, yn bennaf am delynegion. Bu'n feirniad nifer o weithiau ac yn 1947 olynodd Crwys yn Archdderwydd a chael y pleser yn ystod ei dymor o groesawu'r Brifwyl i'r dref lle trigai, sef Pen-y-bont ar Ogwr, yn 1948.

Soniwyd uchod am ei amryw ddoniau. Yr oedd yn artist arbennig o dda. Arferai ef a'i fab, Elwyn, fynd o Eisteddfod i Eisteddfod a thynnu cartwnau o enwogion y dydd i'w cyhoeddi yn y *Western Mail*, enwogion megis R.G. Berry, Clem Lewis, Huw Menai ac Afan Thomas. Hoffai, hefyd, beintio lluniau dyfrlliw ac mae rhai ohonynt, lluniau o Ben-y-bont a'i ardal enedigol, i'w gweld yn harddu tudalennau'r gyfrol o gerddi, *Unwaith Eto* (1946). Derbyniodd Wil Ifan ei addysg ar ôl dyddiau ysgol ym Mhrifysgol Cymru, Bangor, Coleg Diwinyddol Bala-Bangor a Choleg Manceinion, Rhydychen. Yn 1905 ordeiniwyd ef yn weinidog ar Eglwys Annibynnol Saesneg Dolgellau ac yno cyfarfu â'r un a ddaeth yn wraig iddo, sef Nesta Wyn

Wil Ifan a'i briod, Nesta Wyn.

Edwards a oedd yn organyddes yno ar y pryd. Roedd hi'n wraig ddiwylliedig a gawsai radd dosbarth cyntaf mewn Hanes yng Ngholeg Prifysgol Cymru, Aberystwyth. Priodwyd y ddau yn 1910 ar ôl iddo ef dderbyn galwad yn 1909 gan Eglwys Gynulleidfaol Saesneg Pen-y-bont ar Ogwr, a magodd y ddau bedwar o blant, sef Elwyn, Mari, Nest a Brian. Buont ym Mhen-y-bont ar Ogwr tan 1917 pan dderbyniodd Wil Ifan alwad i Eglwys Richmond Road, Caerdydd ac yno y bu tan Ionawr 1925. Dychwelodd i Ben-y-bont ac yno y bu tan ei ymddeoliad yn 1949, yn uchel ei barch gan ei eglwys ac iddo enw fel gŵr ffeind a charedig, parod iawn ei gymwynas. Gwnâi ei waith bugeiliol yn drylwyr, yn ystyriol a gofalus o bawb a phopeth, ac fel y tystiodd y *Glamorgan Gazette* bu llawenydd ym Mhen-y-bont pan ddychwelodd yn 1925:

> His return to Bridgend, where his winning gifts of rich humour, geniality and kindliness have endeared him to so large a circle, should infuse fresh literary and religious fervour into the town which, on Sunday next, will welcome the return of her prodigal son.[5]

Yr oedd yntau'n meddwl y byd o bobl ei eglwys ac yn barod i gyfaddef ei fod yn tueddu i'w gweld trwy sbectol rosynnog. Mewn ysgrif disgrifiodd ei gyfaill ac yntau'n cyrraedd y capel yn hwyr ac yn edrych i mewn drwy'r ffenestr: 'Yr oedd y cwarel y syllwn drwyddo o liw rhosyn coch a dywed rhai mai drwy'r cwarel hwn yr edrychaf bob amser ar gapelwyr fy mro.'[6] Yr oedd yn driw i'w natur waeth beth am ei ddisgyblaeth eglwysig. Fe'i câi hi'n anodd gweld bai ar ei aelodau ac ni fedrai wneud digon drostynt. Ymwelai'n gyson ag ysbytai'r ardal, gan gynnwys dau ysbyty'r meddwl, er nad oedd ganddo gar ac roedd yn ddi-ffael garedig wrth gardotwyr y wlad. Dywedid amdano na fyddai'n gwrthod yr un trempyn a ddeuai i'r drws; byddai'n rhoi bwyd i bob un. Roedd hefyd yn garedig tu hwnt wrth anifeiliaid. Y mae un peth a ddywedwyd amdano gan un o drigolion yr ardal sy'n ei gofio, yn crisialu anwyldeb ei bersonoliaeth i'r dim: 'Pe bydde Wil Ifan yn gweld cleren ar y llawr, bydde fe'n mynd mâs o'i ffordd i gerdded o'i chwmpas.'

Pan ymddeolodd yn 1949 gwnaed ef yn 'Pastor Emeritus' yr eglwys (teitl na hoffai oherwydd ei ffurfioldeb) ac mewn teyrnged adeg ei farwolaeth, 16 Gorffennaf 1968 – ymhen ychydig wythnosau ar ôl colli ei briod a fuasai'n ymgeledd gwiw iddo am 56 blynedd – dywedodd y Parchg. Lloyd Woodhouse: 'His genius has shown to us the wonder of the commonplace and revealed to us the glory in the grey'.[7] Ar ôl ei farwolaeth enwyd heol ar ei ôl ym Mhen-y-bont ar Ogwr, sef 'Heol y Bardd', a chanodd S.O. Thomas, Caerfyrddin ei glod mewn englynion a gyhoeddwyd yn *Y Genhinen*:[8]

> Baroted ei air, berted oedd! – rhin byw
> I'r werin-bobl ydoedd;
> Llywiai'n gynnil y miloedd
> Gan gyhoeddi'r Gwir ar goedd.
>
> . . . Bardd, llenor, dan bridd llonydd, – ond ei lân
> Delyneg ni dderfydd,
> Ei bêr awen drwy'r bröydd
> Fydd fel mêl yr awel rydd.

Ar raglen deledu, 22 Gorffennaf 1968, fe fu Brinley Richards, T.J. Morgan a'r Parchg. Cyril Bowen yn talu teyrnged iddo ac yr oedd Brinley Richards i ailadrodd ei sylwadau yn *Y Genhinen*.[9] Ysgrifennai fel un a'i hedmygai gan bwysleisio'i unplygrwydd piwritanaidd, ei addfwynder a'i wyleidd-dra, serenedd ei fywyd priodasol a'i amryw ddoniau creadigol fel bardd, llenor, arlunydd a darlledwr. Yn wir, barnai fod Wil Ifan yn un o feirdd mwyaf yr ugeinfed ganrif nid yn unig yn rhinwedd swm ei gynnyrch ond ei ansawdd hefyd. O ddarllen ei gerddi niferus ymddengys y farn honno braidd yn orfrwdfrydig.

Ganed Wil Ifan yn 1882 i gyfnod tra chyffrous yn hanes Cymru pan welwyd cynnydd rhyfeddol yn y boblogaeth o 1,163,139 yn 1851 i 2,523,550 yn 1914, yn bennaf yn sgil twf maes glo'r De. Tyfodd yn ddyn mewn gwlad ddiwydiannol lle'r oedd hen werthoedd y Gymru wledig, ymneilltuol, ryddfrydol dan fygythiad syniadau a ffasiynau newydd o du gwleidyddiaeth, addysg a diwylliant torfol Saesneg. Yng ngeiriau John Davies:

> I'r lliaws yn 1850, yr oedd y byd yn llawn o hud ac argoelion, o wyrthiau Duw a gwyrthiau'r diafol, ac yr oedd arwyddocâd ffwythiannol i lawer defod ledrithiog. Erbyn 1914 yr oedd grymoedd moderneiddiad – addysg, symudoledd, peiriannau, plismyn, gwyddoniaeth – yn cyflym ddat-gyfareddu'r byd, hyd yn oed yn y broydd mwyaf anhygyrch wrth i gyfriniaeth ildio i resymoliaeth.[10]

O 1910 ymlaen yr oedd Wil Ifan i dreulio'i fywyd yn y De diwydiannol yn bugeilio eglwysi Saesneg tra oedd yn byw trwy enbydrwydd dau Ryfel Byd a thorcalon y Dirwasgiad a'u gwahanodd, pan gollodd Cymru ymron hanner miliwn o'i phobl gyda chanlyniadau trychinebus i'r Gymraeg yn y cymoedd poblog. A'r syndod yw, er i Wil Ifan gael addysg prifysgol pan oedd dadeni llên y Gymraeg yn ysbrydoli beirdd, llenorion a dramodwyr i greu'n fwy mentrus, er iddo yntau brofi gwewyr Rhyfel Mawr 1914-18 a oedd i newid y byd am byth, iddo fel bardd a llenor beidio, i bob pwrpas, ag ymateb i'r cyffroadau hyn. Fel eos Alun, os oedd pigyn dan ei fron roedd yn well ganddo yntau ganu a gadael iddo, i ddyfynnu o'i ragair i *Unwaith Eto* (1946):

> Anadlwyd llawer llinell ar adeg rhyfel: yn rhai o'r rhain gellir clywed sŵn y drin, ond am y lleill, eu gor-lawenydd di-hidio yw'r unig ddadleniad o'r galon bryderus yn cymryd arni ei bod yn anghofio.[11]

Y mae ei gerddi lluosog yn llawn o gariad gwladwr o'r groth at brydferthwch natur ond nid yw'r cariad hwnnw yn ennyn ei ddicter at raib diwydiant. Mae'r cerddi yn *Unwaith Eto*, er enghraifft, yn moli hyfrydwch 'y wlad' yn Sir Gaerfyrddin a godre Ceredigion, a'r 'wlad' o gwmpas Caerdydd a Phen-y-bont. Telynegwr bryniau a dolydd, coedydd ac afonydd, dail a blodau, gwyntoedd a moroedd oedd Wil Ifan. Mewn ysgrif, 'Y Gwcw nas clywodd Ceiriog',[12] gallai droi siwrne trên diesel o Frynmawr i Gasnewydd yn rhamant, a barnu y byddai Ceiriog, pe clywsai ddeunod yr injan, wedi canu telyneg iddi, megis y canodd i'r gwcw gynt, 'a'i gosodai yn rheng flaenaf ein beirdd modern'. Ceiriog, sylwer, ac nid Wil Ifan ei hun.

Er iddo dreulio deuddeng mlynedd o fachgendod llawen yng Nghwmafan, deuddeng mlynedd 'o gynnwrf hapus y Gweithiau', ni allai ddod o hyd ond i un gerdd y gallai ei lleoli yno. Ei unig esboniad oedd fod ei serch at y cwm wedi'i fynegi yn ei gyfrol goffa i'r cerddor Afan Thomas a oedd yn 'gymaint teyrnged i'r Cwm ag i arwr y Cwm', ac y mae'n arwyddocaol ei fod yn barotach i gydnabod daioni na drwg diwydiannaeth fel y prawf gosodiad fel hwn: 'Much has been said of the evils of the industrialisation of our Welsh Valleys, but from the educational point of view I believe that Cwmafan owed much to these English industrial pioneers, as they owed all to Cwmafon, for it was they who had built such a fine school for the children of their

Cwmafan c. 1920.

workmen.'[13] Dyna'r math o safbwynt y gellid ei ddisgwyl gan William Abraham (Mabon), yr undebwr llafur capelgar o'r cwm a adeiladodd ei bolisïau ar sail cyfaddawd a chymedroldeb.

Os oedd gan Wil Ifan ddaliadau gwleidyddol, os oedd ganddo farn ar dwf sosialaeth a'i her i'r eglwysi, fe'u cadwodd yn dawel. Yn ôl Brinley Richards, sychedai am sgwrs Gymraeg yn ei Gymru Seisnigedig fel truan mewn anialwch yn sychedu am ffynnon, ond ni phleidiodd achos y Gymraeg yn agored ar lwyfan nac mewn pulpud na cherdd. Yn hytrach, fe'i defnyddiodd yn gyfrwng llenydda dros gyfnod maith gan adael 'ymgyrchu' drosti i genedlaetholwyr fel ei frawd yng nghyfraith, D.J. Williams. Fel heddychwr yr ymatebodd i helynt llosgi'r Ysgol Fomio yn Llŷn yn 1937, gan ddadlau yn y *Western Mail*[14] nad oedd achos i neb laesu dwylo yn yr ymgyrch dros heddwch a'r Gymraeg am eu bod yn anghefnogi dulliau Saunders Lewis, Lewis Valentine a 'DJ': 'Anhegwch atynt ac angharedigrwydd wrthynt fyddai hynny . . . Gan nad beth yw ein barn am y weithred a wnaed ym Mhenrhos, os ydym yn wir genedlaetholwyr ac yn wir garwyr heddwch rhyngwladol dylem ddyblu ein diwydrwydd.' Yn ôl Brinley Richards byddai'n dadlau â 'DJ' am Blaid Cymru heb ddigio yn wyneb ei bendantrwydd haearnaidd a thystiodd Elwyn Evans mewn sgwrs mai i gartref ei dad yn Park Street, Pen-y-bont ar Ogwr yr aeth 'DJ' i orffwys y noson y'i rhyddhawyd o garchar wedi helynt Penyberth. I ddyfynnu Brinley Richards eto, yr oedd Wil Ifan 'yn dangnefeddwr wrth reddf ac nid ymdaflodd i fyd gwleidyddiaeth gan fod ymryson yn rhywbeth atgas iddo.'[15] Y mae'n hawdd credu mai 'DJ' oedd yn ei orfodi i ddadlau, oherwydd fel Crwys, ei gyfaill mawr, yr oedd gwleidyddiaeth Cymreictod yn trwblu Wil Ifan a dweud y lleiaf. Pan fu Crwys farw ar 13 Ionawr 1968 teimlodd ei golli i'r byw; yr oeddynt yn ddau enaid hoff cytûn.

Yn wyneb ei swildod cyhoeddus a'i amharodrwydd i 'gymryd ochr' ar bynciau llosg, tybed a oedd Wil Ifan yn byw yng nghysgod ei dad, Y Parchg. Dan Evans, D.D., a oedd yn ddigon parod i ddangos ei ochr? Pan ymddeolodd ef o'r weinidogaeth yn 1927, nododd y Parchg. T. Davies mewn teyrnged ei fod wedi'i eni yn Nhy'nywaun, Ffaldybrenin a bod ei rieni ar ôl eu 'troi allan' o'u cartref adeg helynt Etholiad hanesyddol 1868 wedi mynd i fyw i Felin-fach, Pumsaint. Roedd y Parchg. Dan Evans, felly, yn fab i rai o ferthyron radicaliaeth Cymru Henry Richard, ac yn ôl ffynhonnell arall yr oedd ef ei hun, er pan ddygwyd ei deisi gwair oddi arno adeg Rhyfel y Degwm, wedi chwarae'i ran 'in all struggles for freedom and equality.'[16] Yng Nghwmafan, lle cafodd amser dedwydd, bu'n golygu'r *Celt* (a unwyd wedyn â'r *Tyst*) ac yn ôl y Parchg. T. Davies fe'i defnyddiodd i bwrpas:

> *Y Celt* oedd wyntyll a chyllell ddigarn yr Annibynwyr – ie, gyd â phwyslais neilltuol ar Annibyniaeth. Llef un yn llefain ydoedd, ac yn llefain am bethau sydd heddiw, trwy drugaredd, wedi dyfod i feddiant y werin . . . Er yn llym, mor amddifad o wenwyn â mêl, ac mor llawn o ddireidi â chwarae plant.[17]

Ar ôl dychwelyd i dawelwch y wlad i fugeilio eglwysi Hawen a Bryngwenith nid enciliodd. Fe'i hetholwyd yn Gynghorwr Sir, bu'n gadeirydd Cyngor Sir Ceredigion am dymor ac fe'i dyrchafwyd yn henadur. Pwysleisiodd y Parchg. T. Davies mai pregethwr ydoedd yn gyntaf dim ond ni olygai hynny ei fod yn fyddar i alwadau'r byd hwn:

> Nid dyn yw efe a'i grefydd mewn un ystafell a'i wleidyddiaeth yn yr ystafell arall – un yw bywyd iddo. Nid dau o ddynion yn byw dan yr un to yw'r crefyddwr a'r gwleidyddwr i Dan Evans, yr un yw'r ddau. Fe'i rhoddodd ei hun o blaid purdeb a santeiddrwydd, ac nid oes ball ar ei ymroddiad o blaid dirwest.[18]

Wrth ddyfalu fod Wil Ifan yn byw yng nghysgod ei dad a oedd yn ffigur cyhoeddus dylanwadol, nid y bwriad yw awgrymu fod arno'i ofn mewn unrhyw fodd, ond ymddengys nad oedd am gystadlu ag ef wedi iddo yntau fynd i'r weinidogaeth. Yn wir, y mae'r Parchg. T. Davies yn pwysleisio hapusrwydd aelwyd y Parchg. Dan Evans ond yn ddiddorol ddigon y mae hefyd yn nodi mai perthynas plant ag athro hoffus oedd perthynas ei feibion a'i ferched ag ef:

> Eu dysgu yw ei hoff waith, ac ni phrotestia'r un ohonynt yn erbyn hynny. Eto pa blant sy'n meddwl mwy o'u rhieni, a pha rieni sydd yn meddwl mwy o'u plant? Eto plant ysgol ydynt ar aelwyd eu cartref.[19]

'Filial obligation' yw'r geiriau sy'n dod i'r meddwl wrth ddarllen y cerddi a'r ysgrifau sy'n cyffwrdd â magwraeth Wil Ifan, ac y mae'r gerdd, 'Oedfa Bryngwenith,' a gyhoeddwyd yn *Y Dysgedydd*[20] yn 1943 yn tystio i afael y fagwraeth honno arno ar hyd ei oes. Adeg cyfarfodydd yr Undeb yng Nghastellnewydd Emlyn aeth ar ei ben ei hun i'r 'capel llwyd ar y bryn' i gymuno eto â'i orffennol a cheisio peidio â syllu o amgylch wrth i'r gynulleidfa grynhoi 'Rhag ofn y pregethwr tal'. Nid oes amau dwyster ei deimlad:

> Ber oedd yr oedfa a gafwyd,
> Rhyw funud neu ddwy yn wir;
> Ni allaf tra yma'n y cnawd
> Ddal un gogoniant yn hir.
> Hwy a aeth allan gyntaf,
> Yn gwmni distaw tlws
> A minnau'n dilyn gan ŵyro 'mhen
> I agor a chloi y drws.

Y mae 'Oedfa Bryngwenith' yn nodweddiadol o gywair Wil Ifan wrth ysgrifennu am grefydd mewn cerdd ac ysgrif. Ar lefel emosiwn hiraeth am a fu neu ryw ddyheu am fywyd gwell, bywyd symlach a glanach, y mae'n ymwneud â phosibiliadau crefyddol fel arfer. Y mae mor amharod fel bardd a llenor i wynebu hanfodion ei gred ag ydyw i roi'i farn ar faterion gwleidyddol ac nid yw hynny'n syndod gan fod ei fab, Elwyn Evans, wedi tystio fod 'credu' wedi bod yn fater anodd iawn i'w dad ar hyd ei oes. Ei fwriad yn y lle cyntaf oedd mynd yn athro, fel ei dad o'i flaen, ond dan berswâd ei fam, un o ferched Cwm-bach, aeth i'r weinidogaeth. Ymgymrodd â'i ofalon yn betrus ond yn rhyfeddol o gydwybodol gan fod yn ystyriol a gofalus o bopeth ac yn garedig tuag at bawb. Mae Brinley Richards yn nodi stori amdano'n ysgrifennu at ffrind ac yn ymddiheuro am fod y llythyr yn hir gan ddweud na chafodd amser i ysgrifennu un byr. Yr oedd, heb os, yn ddyn ystyriol, da, hawdd ei barchu a'i hoffi.

Cofiai Brinley Richards ef fel piwritan solet a wrthwynebai gynnal pwyllgor mewn gwesty ac y mae'r modd y condemniodd Orsedd y Beirdd adeg Eisteddfod Genedlaethol Castell-nedd, 1934, am fynychu gwledd ganoloesol yng Nghastell Sain Dunwyd, caer-dros-dro Randolph Hearst, yn lle dod i wrando ar y perfformiad cyntaf yng Nghymru o *Gwledd Belsassar* William Walton, yn rhan o saga ein Prifwyl. Fe ddylai wybod na fyddai Crwys a Chynan yn debygol o wrthod gwledd yng nghwmni Lloyd George![21] Yn ôl ei fab, Elwyn, nid gwedd aflawen ar weinidogaeth ei dad oedd ei biwritaniaeth; barnai y byddai wedi rhoi'r un pwys ar fyw yn lân a phiwritanaidd beth bynnag fuasai'i alwedigaeth ac yn sicr ni allai neb ei gyhuddo o fod yn ddyn diflas:

> . . . doedd o'i gwmpas ddim o'r ffugbarchusrwydd trwyṇsur a gysylltir (yn gyfeiliornus mae'n debyg) â Phiwritaniaeth. Ond o feddwl rwy'n gweld fod rhai o'u rhinweddau'n perthyn iddo'n bur amlwg. Hunan-ddisgyblaeth, er enghraifft – 'Self Restraint and Calm'. Codai'n blygeiniol, bwytâi'n gynnil, atebai lythyron gyda throad y post. Beth bynnag fyddai'n ei boeni anfynych y codai'i lais, a byddai'n siarad â'i blant yn gwrtais fel y siaradai â phobl mewn oed.[22]

Gellir diolch i'r piwritan ynddo, mae'n siŵr, am ei holl gynnyrch llenyddol sy'n fwy na digon o brawf o'i ddiwydrwydd mawr, ond o safbwynt gwerth ei lenyddiaeth y mae lle i amau fod y piwritan, trwy gael y gorau ar y Cristion ansicr ei gred, wedi cadw'r bardd yn gaeth. Ble mae cerddi'r gweinidog a fyddai'n osgoi rhannau 'anodd' o'r Beibl ar Sul y Pasg neu'r beirniad ar gystadleuaeth y Goron yn Eisteddfod Genedlaethol 1932 a obeithiai, yn ôl Brinley Richards, na fyddai'r beirdd wrth ganu ar y testun, 'A ddioddefws a orfu', yn rhoi gormod o bwyslais ar ddioddefaint Y Gwaredwr?[23] Y mae'n rhaid, a derbyn tystiolaeth ei fab, fod Wil Ifan wedi dioddef gwewyr meddwl trwy gydol oes o bregethu:

> Pe gallai fod wedi derbyn yr haniaethau traddodiadol heb 'iwso'i ben' o gwbl, fel y mae cynifer wedi gwneud, neu, ar y llaw arall, pe bai wedi sylweddoli, ar ôl astudiaeth hir a manwl, eu bod yn dal dŵr, buasai pregethu'n haws iddo; ond nid oedd y naill gwrs na'r llall yn ei natur. 'Roedd ei onestrwydd yn gomedd iddo ddweud gair o'r pulpud nad oedd yn ei olygu, a byddai ei ofal yn hyn o beth yn peri trafferth nid bychan iddo ar brydiau.[24]

Y mae'n ddiau mai gofal am ei braidd ym Mhen-y-bont ar Ogwr oedd wrth wraidd 'onestrwydd' y gweinidog – a gofal am ei etifeddiaeth bersonol wrth gwrs – ac y mae'n hawdd cydymdeimlo ag ef. O safbwynt ei lenyddiaeth, fodd bynnag, fe fu'r un onestrwydd yn rhwystr i'w awen ac o gofio fod gan Wil Ifan brofiad cyfoeswr o'r modd yr oedd dadeni llenyddol dechrau'r ganrif yn sbarduno beirdd, llenorion a dramodwyr i gwestiynu a herio safonau a gwirioneddau etifeddol, y mae'n resyn na fu yntau'n ddigon dewr i 'ddweud y gwir' amdano'i hun yn ei lên. Er iddo arbrofi ychydig o ran mesurau'i ganu, fe fu'n geidwadol ei syniadau a'i agweddau llenyddol hyd y diwedd, fel petai heb wybod, dyweder, am T. Gwynn Jones, W.J. Gruffydd, T.H. Parry-Williams, Gwenallt a Caradog Prichard. Yn lle onestrwydd amddiffynnol y pulpud yr oedd angen onestrwydd ymosodol yr artist i'w wneud yn fardd o bwys. Bu'n llawer rhy dawedog i gyfrif mewn difri. Gallasai wneud y tro â'r 'scathing pen' a ddefnyddiai ei dad pan fai angen dweud y gwir plaen ar dudalennau'r *Celt* a'r *Cronicl Bach.*

Y mae'n wir fod ganddo argyhoeddiadau cryfion fel heddychwr a bu colli'i frawd, Eben,[25] yn y Rhyfel Mawr, 'yn ddyn ifanc hardd ei gorff, a chyn hardded â hynny yn ei gymeriad, ac yn byrlymu o hiwmor tawel,' yn loes calon iddo. Mynegodd arswyd teulu dyn yn swatio rhag gwae rhyfel yn ei gerdd drawiadol, 'Atgof', a ymddangosodd yn *Dail Iorwg* (1919), cerdd sy'n fyw gan brofiad o'i chyferbynu â'r gerdd Saesneg hir, orymdrechgar a gyfansoddodd ar gyfer Eisteddfod Genedlaethol Castell-nedd, 1918.

Yn yr Eisteddfod honno[26], cynigiodd y *Western Mail* wobr o ganpunt am gerdd hyd at 300 llinell ar 'Wales in the War' a phenodwyd Syr William Watson yn feirniad. Ni chafodd ei blesio a'i ddyfarniad oedd bob o ddecpunt i Sarnicol a Wil Ifan a phumpunt i A.G. Prys Jones. Rhag colli gormod o wyneb penderfynodd y *Western Mail* ddyblu gwerth y gwobrau, ond yr oedd yn boenus o amlwg nad oedd y wobr fawr wedi dwyn ffrwyth. Nid ymddangosodd Hedd Wyn arall – heb sôn am Siegfried Sassoon neu Wilfred Owen. Sylwodd Watson ar 'serene flow' cerdd Wil Ifan, a dyna'r cyfan. Yn ei farn ef, 'A short, compressed lyric would, in my judgement, have met the occasion far better', ac y mae 'Atgof' yn profi ei fod yn iawn. Y mae'r delyneg yn lân o'r ymffrost yng nghampau'r Cymry a'u gwelodd yn 'Wales in the War' yn cyrraedd Caersalem megis gwaredwyr. Ôl-nodyn yw'r heddychiaeth ynddi; seiniau'r drwm a'r utgorn sydd uchaf o ddigon. Y mae 'Atgof',[27] ar y llaw arall, yn cyfleu diymadferthedd dyn wyneb yn wyneb â'i ddrwg ei hun, yn rymus, a'r 'cudyll coch o'r Ciliau', megis cudyll I.D. Hooson, yn troi'n ddinistriwr sy'n 'cuddio'r nen'. Dyma un o gerddi gorau Wil Ifan.

Atgof

Mis Awst, a'r grug o'n cylch, a'r môr
Odanom heb na gwg na chas,
Ac un cwch draw ar adain wen
Fel glöyn byw'n y glas.
Chwedleua'n llon wnawn ninnau;
A chudyll coch o'r Ciliau
Yn yr asur wrtho'i hun,
A'i ddisyfl adain yn gwneud y byd
i gyd
'Yn llonydd fel mewn llun!'

Er cilio o Awst, a llawer Awst,
O hyd mwyneiddiaf atgof yw
Porffor y grug uwch glesni'r môr,
A'r cwch fel glöyn byw.
Ond ambell ddunos effro,
Ofnadwy nos fel heno,
'Dyw'r tlysni i gyd ond rhith a ffug;
Mae disyfl adain uwch fy mhen
Yn cuddio'r nen
A minnau a phawb sydd annwyl im
Yn ddim
Ond cryndod yn y grug.

Pan ddaeth yr Ail Ryfel Byd aeth un o'r meibion, sef Elwyn, yn filwr i'r Dwyrain Canol ac ymrestrodd y llall, sef Brian, yn wrthwynebydd cydwybodol. Er cymaint y tyndra y mae'n rhaid ei fod yn gwasgu arno bob dydd, o'r braidd fod cerddi Wil Ifan yn bradychu unrhyw straen. Rhyw dristwch dwys sy'n eu nodweddu yn hytrach nag angerdd dicter neu ddolur a gofid. Yn eu rhagymadrodd i'r antholeg, *Gwaedd y Lleiddiaid* (1995), dywed Alan Llwyd ac Elwyn Edwards iddynt gribo'r cyfnodolion a'r papurau newydd am ddefnyddiau a chael fod beirdd Cymru yn dal i delynegu er gwaethaf Hitleriaeth. Yr oedd W.H. Auden[28] wedi dweud y byddai Ffasgiaeth, petai'n gorchfygu Ewrop, yn creu 'an atmosphere in which the creative artist and all who care for justice, liberty and culture would find it impossible to work or even exist,' ond yn ôl Llwyd ac Edwards, 'Roedd beirdd Cymru ar y pryd yn byw drwy un o'r argyfyngau mwyaf yn hanes y ddynoliaeth, ond dim ond rhyw lond dwrn a sylweddolai hynny. At ei gilydd, roedd beirdd Cymru yn nes at Afallon nag Armagedon.'[29] Fel y dangosir nes ymlaen nid oedd Wil Ifan yn un o'r llond dwrn hwnnw, ond yr oedd ei fab, Elwyn, am fod. Daeth ei bryddest, 'O'r Dwyrain', yn ail i bryddest fuddugol Euros Bowen yn Eisteddfod Genedlaethol Pen-y-bont ar Ogwr, 1948, a gallai Wil Ifan, yr Archdderwydd ar y pryd, fod wedi cael ei hun yn coroni ei fab am gerdd yn sawru'n drwm o'r Rhyfel yr oedd ei awen ef ei hun wedi cadw draw oddi wrtho.

Yr Archdderwydd Wil Ifan ym Mhrifwyl Pen-y-bont, 1948.

Wrth ystyried doniau Wil Ifan a'i ddiwydrwydd, ac wrth ystyried y pethau a oedd ynddo i'w dweud, y mae'n anodd peidio â theimlo nad yw ei gynnyrch yn gwneud cyfiawnder â'i botensial. Ni newidiodd ei gân fawr ddim dros y blynyddoedd ac y mae'n bwysig nodi cymaint fu swm ei gynnyrch, yn Saesneg, heb sôn am y Gymraeg. Dôi'r Saesneg yn rhwydd iddo gan mai hi fu iaith ei bregethu dros y blynydoedd, a chyhoeddodd bum cyfrol o gerddi, sef *Songs of the Heather Heights* (1914), *A Quire of Rhymes* (1918), *Short Poems* (1943), *Where I Belong* (1946) a *Further Poems* (1955); tair cyfrol o ryddiaith, sef *The Tyranny of the Figure* (1915), *Afan: A Welsh Music Maker* (1944) a *Here and There* (1953); ac un ddrama, *Dreams Come True* (1916). Nid oedd ronyn fwy mentrus yn Saesneg nag ydoedd yn Gymraeg.

Cyhoeddodd ddeg cyfrol o gerddi Cymraeg rhwng 1915 ac 1946, sef *Dros y Nyth* (1913), *Dail Iorwg* (1919), *Plant y Babell* (1922), *O Ddydd i Ddydd* (1927), *Darnau Adrodd* (1932), *Y Winllan Las* (1936), *Darnau Newydd* (1944), *Unwaith Eto* (1946), *Difyr a Dwys* (1960), a *Haul a Glaw* (d.d.). At y rhain gellir ychwanegu chwe drama, sef *Y Dowlad* (1922), *Yr Het Goch* (1933), *Helbulon Llenor* (1938), *Flynyddoedd o Flaen Adda* (1938), *Etifedd Arberth* (d.d.), a *Lowri'r Coleg* (d.d.) – dramâu pur ddiniwed onid anobeithiol yn wir – ac ni ellir ond rhyfeddu a gresynu fod *Yr Het Goch* – cawdel o ddrama hanes – wedi'i hactio yn Eisteddfod Genedlaethol Castell-nedd, 1934, yn lle drama 'dramgwyddus' Kitchener Davies, *Cwm Glo*. Cyhoeddodd yn ogystal ddau gasgliad o ysgrifau, sef *Y Filltir Deg* (1954) a *Colofnau Wil Ifan* (1962), a llyfryn i gynganeddwyr a oedd yn dysgu'r grefft ar *Gweithio Englyn* (1948). At hynny, cyfansoddodd a chyfieithodd nifer o emynau ac fel awdur y garol swynol, 'Tua Bethlehem Dref', y mae ei awen i'w chlywed bob Nadolig. Y mae'n anodd meddwl am ddim a rôi fwy o bleser iddo.

Bardd 'Bro fy Mebyd'

Yn 1925 enillodd Wil Ifan ei drydedd Goron am ei bryddest, 'Bro fy Mebyd', a daeth tro ar fyd barddoniaeth Gymraeg. Sut bryddest yw hi? Pryddest delynegol ei naws ydyw, a'i bywiogrwydd yn taro dyn ar unwaith o'i chymharu â'i bryddestau blaenorol, 'Ieuan Gwynedd' (1913) a 'Pwyll Pendefig Dyfed' (1917). Y mae'n adrodd profiad henwr sydd ar drywydd ei orffennol. Ail-fyw ei blentyndod a wna yn

Bardd Coronog 'Bro fy Mebyd' gyda'r Archdderwydd Pedrog, Gwallter Dyfi (Ceidwad y Cledd) ac aelodau o Orsedd y Beirdd.

yr adran gyntaf, 'Yr Afon', lle mae sŵn yr afon yn ei dywys yn ôl i'w fro enedigol. Yn yr ail adran, 'Gallt Pen-craig', mae'n cofio chwarae yn yr allt a chael ofn wrth glywed cri'r dylluan ar ôl iddo fynd i'r gwely. Mae'r dylluan hon yn aderyn gwae a'i chri yn rhybudd fod pethau'n mynd i newid. Gellir gweld pryddest Wil Ifan yn yr un golau. Mae'r drydedd adran, 'Y Cwrlid Coch', yn dwyn yn ôl hanes Rhyfel y Degwm pan gododd tad y bachgen gynt gwrlid coch yn yr ardd yn faner brotest yn erbyn anhegwch. Moliant i'r fro a'i lluniodd yw byrdwn y bryddest, moliant sy'n frodwaith o atgofion cysegredig am 'Santaidd ddaear' y bu'n rhaid iddo'i gadael. Ac ar ddiwedd y bryddest, gwrandawn ar yr henwr yng ngafael anghofusrwydd blin yn ymladd hyd y diwedd i geisio gweld trwy'r mwswg' sydd 'Wedi tyfu dros y cyfan i gyd erbyn hyn'.

Y mae 'Bro fy Mebyd' yn gerdd hyfryd i'w darllen ac o ran ei harddull mor wahanol i'r hyn a gafwyd cyn 1925 yng nghystadleuaeth y Goron. Fel y dywedodd un o'r beirniaid, Y Parchg. H. Emyr Davies:

> Pryddest yn taro dyn yn rhyfedd ar yr olwg gyntaf yw hon ar gyfrif newydd-deb ei harddull. Bron nad adwaenwn y fro gan y lledrith sydd yn ei gorchuddio; eithr wrth ymgynefino â hi daw ei thegwch yn amlycach. Rhaid i mi ddweud nad wyf yn hoffi rhai geiriau a ddefnyddir, gan nad ydynt o drâs llenyddol. Nid wyf yn hoffi ychwaith y diystyrwch o'r mydr sydd i'w weld yn y gerdd. Ymddengys fel pe na bae yn malio dim mewn hyd, mesur, ac odl wrth gyfansoddi. Yn wir, aiff o'i ffordd i'w hanwybyddu; ac oni bai dyfais y bardd, a swyn diledryw y syniadau, aethai llawer rhan o'r bryddest yn rhyddiaith noeth.[30]

I Cynan, nid newydd-deb y mesur yn gymaint â llwyddiant y newydd-deb a oedd yn bwysig:

> Perthyn y gerdd i'r canu a elwir yn Vers Libre. Yn fy marn i, nid yw dewis arddull felly yn ffaeledd nac yn rhinwedd ynddo'i hun. Gwnaeth y Bardd Cocos hynny – a chawsom gocos. Gwnaeth Walt Whitman hynny, ac adnabuasom lef proffwyd . . . Y cwestiwn ydyw – A lwyddodd 'O'r Frest' i gynnyrchu (sic) barddoniaeth, er ymwrthod â'r hên (sic) ddulliau – a lwyddodd i'w fynegi ei hun yn awenyddol, ac yn felodaidd? A oes ganddo rywbeth gwerth i'w ddywedyd? A fyddai'n amhosibl iddo ddywedyd y peth hwnnw yn well yn yr hen ffordd? Dyna'n unig a gyfiawnhâi ei wrthryfel. Credaf ei fod wedi ei gyfiawnhau ei hun yn llwyr. Er bod yr iaith yn rhydd, nid yw byth yn 'rhyddiaethol', ac er bod y mydr yn ddi-reol, nid yw byth yn amhersain . . .
>
> Er mai ecsperiment ydyw, a dieithrwch ac ansicrwydd ecsperiment o'i chwmpas ar brydiau, eto teimlaf mae (sic) hon yw'r bryddest fwyaf awenyddol, a gwreiddiol, a thestunol yn yr holl gystadleuaeth, ac yn sŵn ei miwsig rhyfedd hi y cerddais bellaf yn ôl i gyfaredd bro fy mebyd i fy hunan.[31]

Cerdd wahanol iawn i'r arfer oedd hon am mai hi oedd y bryddest 'vers libre' goronog gyntaf erioed yn y Gymraeg. I ddyfynnu'r *Western Mail*: 'Wil Ifan, the poet whose works Professor Gruffydd once described as "Heine run Riot", has, with the poem of his which won the National Eisteddfod Crown on Tuesday, brought into Welsh Literature a new poetic form – that of free verse.'[32] Roedd H. Emyr Davies yn amheus o'r ffordd y mentrodd y bardd i dir newydd, ac roedd y gerdd yn sioc i feirniaid llenyddol y cyfnod gan fod Wil Ifan yn canu ar hen, hen thema mewn ffordd mor annisgwyl. Yng nghystadlaethau'r Eisteddfod Genedlaethol ni chawsai'r gerdd dafodiaith fawr o barch er pan gafodd fynediad yn Abertawe yn 1907, fel y dangosodd Hywel Teifi Edwards.[33] Yn 'Bro fy Mebyd', fodd bynnag, yr oedd tafodiaith a rhyw ychydig o fratiaith i'w hystyried yn dderbyniol mewn pryddest goronog – geiriau megis 'net', 'crwtyn', 'cwnsela', 'tincl', 'eco', 'clos', 'swp', 'campro', 'biwglau', a 'waled' – a mân siarad megis:

> Pe bai modd . . . ond be waeth ble bo bedd dyn?
> 'Ydw,' 'rwy'n teimlo'n gryfach bob dydd, thenciw.'
> 'Ydych, yn siŵr, 'rych chi'n gwella'ch gwedd, dyn!'
> Pe bai modd . . .'a'n ana'l i'n fwy rhydd, thenciw. . .'

Nid oedd T.H. Parry-Williams hyd yn oed wedi mentro canu fel yna am y Goron!

Wrth gwrs, cyfoeth 'vers libre' yw y gellir ei ystwytho at unrhyw ddiben. O'r gair cyntaf mae bywiogrwydd bardd 'Bro fy Mebyd' yn ffres ac yn tynnu sylw. Mae henwr Wil Ifan fel pe bai'n siarad â'r darllenydd:

> Dyna fe eto! Sŵn y Dŵr.
> O'r diwrnod y tynnais o'm hen fro,
> Dros gefn Bronowen,
> Ni chlywais ef o'r blaen ond unwaith.

Llwyddodd i amrywio hyd ei linellau i greu'r naws priodol a pheri bod ei gerdd fel awel iach yn chwythu trwy gystadleuaeth y Goron. Wrth i gof yr henwr ailafael yn y gorffennol daw'r naill 'vignette' ar ôl y llall yn fyw gerbron llygaid ein dychymyg, megis hwn:

> Sipsiwn a chŵn ac ebolion,
> A charafan simsan yn gwasgu ei ffordd
> Drwy wledig lôn yn gul gan haf:
> 'Bysedd y cŵn' yn dalach na'r Romani tàl wrth ben y ceffyl;
> A'r rhedyn gwladaidd yn synnu o gael eu hunain
> O dan fonheddig lygaid miloedd y ddinas.

Neu hwn sy'n dwyn yr 'wyni bach' i'n golwg:

> Yr oeddwn innau, yn wir, fel gwirion gyda hwy,
> Eisteddwn ar wreiddiau noethion ffawydden lefn,
> I weld eu campau, yn ôl a blaen, dros briddyn melyn yr
> hanner clawdd:

Mor wyllt eu neidio a'u campro,
Braidd na ddisgwyliem weld
Eu 'sanau duon di-ardysau yn dod lawr!

Mae sigl y llinellau mor wahanol i gerddediad y bryddest rythmig, reolaidd, hen-ffasiwn, megis 'Pwyll Pendefig Dyfed'.

Mae Derwyn Jones yn gweld tebygrwydd rhwng rhythmau 'Bro fy Mebyd' a rhythmau rhai o gerddi Walt Whitman. Cymhara ddarnau o'r bryddest â'r darn hwn yn 'A Song of Joys':

O! to go back to the place where I was born,
To hear the birds sing once more,
To ramble about the house and barn and over the fields once more
And through the orchard and along the old lanes once more

Yn ôl Derwyn Jones, 'Yn sicr, byddai Whitman wedi apelio at Wil Ifan, oherwydd ei syniadau radicalaidd a'i bwyslais ar ddemocratiaeth, petai ond am ddim byd arall.'[34] Ond nid yw'n ymddangos bod Wil Ifan yn hoff o Whitman. Dywedodd ei fab wrthyf mewn llythyr: 'Fe sylwch fod Derwyn Jones yn ei ragair yn bwrw bod dylanwad Walt Whitman i'w weld ar "vers libre" Wil Ifan. Rwy'n amau'r gosodiad yn fawr iawn. Roedd fy nhad yn siarad yn aml â mi am lenyddiaeth, a 'dwy ddim yn ei gofio'n sôn erioed am Walt Whitman. At hyn, tybed nad yw arddull rethregol Whitman yn hollol groes i gynildeb canu Wil Ifan?'[35]

Y mae 'Bro fy Mebyd' yn sicr yn gynnil. Erbyn heddiw, wrth gwrs, gellid bod yn fwy beirniadol a dweud y dylai'r bardd fod wedi bod yn fwy cynnil. Nid oes gwadu, fodd bynnag, ei apêl at y synhwyrau a'r sioc bleserus o glywed 'melyn furmur gwenyn' yn dwyn hafau plentyndod yn ôl. Fel yr henwr yn y gerdd, dim ond i ni gau ein llygaid yn dynn ar ôl darllen gallwn gadw'r lluniau yn ddiogel dan ein hamrannau.

Y pwynt sy'n rhaid ei bwysleisio, fodd bynnag, yw fod Wil Ifan wedi defnyddio'r 'vers libre' i ailwisgo hen thema. Nid cerdd i beri sioc megis sioc 'The Waste Land' gan Eliot yw 'Bro fy Mebyd'. Yn ei thraethawd MA, '*Datblygiad y "Vers Libre" yn Gymraeg*', dadleuodd Einir Jones na chafodd 'Bro fy Mebyd' fawr ddim dylanwad am fod mater y gerdd yn hen, yn rhy hen i'r 'vers libre' fedru peri chwyldro dros nos. Aeth pum mlynedd heibio cyn i Gwilym Myrddin yn 1930 ddilyn ôl troed Wil Ifan yn yr Eisteddfod Genedlaethol. Telynegwr o'r un anian ag Eifion Wyn a Chrwys a ganodd 'Bro fy Mebyd' ac nid oedd mater y bryddest yn hawlio mesur newydd. Yn ôl Einir Jones nid yw darnau ohoni yn ddim ond rhyddiaith blaen am fod Wil Ifan yn colli rythm mor rhwydd, yn enwedig wrth droi oddi wrth yr amgylchfyd naturiol at 'faterion y dydd'. Iddi hi, 'Nid yw "Bro fy Mebyd" yn gerdd fawr am nad oes iddi undod mesur na chynnwys'. Er eu bod yn brinnach o'r awen na Wil Ifan, yr oedd Aneirin Talfan Davies a W.H. Reese wedi gwneud gwell defnydd o'r 'vers libre' yn *Y Ddau Lais* (1937) am fod ganddynt reswm sicr dros ei ddefnyddio: 'Lle bu Wil Ifan yn ysgrifennu heb gredo arbennig nac amcan pendant, mae awduron *Y Ddau Lais* yn dewis eu mesur i gyfleu nodweddion yr oes'.[36]

Tybed petai cynnwys 'Bro fy Mebyd' mor sioclyd ag 'Atgof' Prosser Rhys yn 1924 y byddai Cynan, Elfed a H. Emyr Davies wedi'i gwobrwyo? Tybed a fyddai'r cyfuniad o gynnwys a mesur heriol wedi rhoi gormod o straen ar eu radicaliaeth? Y mae'n arwyddocaol nad oedd gan Elfed fawr i'w ddweud drosti er mor ddiniwed oedd ei chynnwys. Fodd bynnag, ni chododd mo'r broblem. Cerdd bathetig ydyw 'Bro fy Mebyd' yn ei hanfod, cerdd yr henwr anghofus ymhell o'i fro enedigol sy'n ceisio dal gafael yn ei wynfyd boreol ac yntau bellach yn unig mewn byd sydd wedi newid er gwaeth. Y mae mor hen â chlaf Abercuawg ac yn ei unigrwydd ffwndrus yn gymeriad 'universal'. Wrth ailadrodd y mae'n mynegi tristwch y ddynoliaeth:

> 'Dw i ddim yn siŵr o ddim byd, erbyn hyn;
> Mae'r mwswg'
> Wedi tyfu dros y cyfan i gyd erbyn hyn.

Byddai gofyn bod yn llai na dynol i beidio ag ymglywed â thristwch yr henwr ac yng Nghymru 1925 nid anodd fyddai'i weld yn symbol o'r Gymru a ddiflannodd am byth wedi chwalfa Rhyfel 1914-18. Fel i lawer o'i gyd-wladwyr yr oedd y Gymru a garai yn llithro o gof a phob hen sicrwydd yn darfod gyda hi.

Fel y sylwodd Einir Jones, y mae'n syn cyn lleied o drafod a fu ar 'Bro fy Mebyd'. Rhyw ymateb digon di-fflach a gafwyd. Tystiodd un o feirniaid y gystadleuaeth yn 1925 mai 'rhyddiaith' oedd rhannau ohoni. Sylwodd R. Williams Parry yn frathog mewn erthygl yng 'Ngholofn y Beirdd' yn *Y Genedl Gymreig*: 'Eleni gofynnir, gyda gwawd a ystyria gwawdiwr yn ddeifiol, a ydyw'r goron i'w dyfarnu o hyn allan am Ryddiaith?'[37] Roedd peth amwysedd ynglŷn â beth yn union oedd 'vers libre'. Yn y *Western Mail*, drannoeth y seremoni ar 5 Awst 1925, cafwyd esboniad mabolgampaidd:

> Wil Ifan has been most successful in his handling of free verse for it is a difficult form to handle well and effectively. It is not prose. For though formless, it is not void; its thought is great. Its expression is beautiful . . . The Unit of this free verse is not a line consisting of a definite number of feet or beats . . . It is like running round a track in a given time. You may rush ahead, and then loiter; you may pause, and then hurry on; you may take many steps or few; but you must finish the round in the time appointed. This is what Wil Ifan does. He changes his pace to express the change and sequence of thought in his mind.[38]

Dros y blynyddoedd bu dadlau ynglŷn â'r canu 'vers libre'. Credai llawer, megis Iorwerth Peate, nad yw'n farddoniaeth ac nad yw'n galw am lawer o ddawn gan ei fod yn rhy debyg i ryddiaith. Mae Jonathan Raban yn *The Society of the Poem* (1971) yn trafod barddoniaeth yn gyffredinol a'r modd y mae'n ddull o drefnu geiriau er mwyn argyhoeddi'r darllenydd mewn rhyw fodd. Cymhara iaith barddoniaeth â iaith hysbysebion. Cyfosod gwahanol eiriau i gyfleu'r union neges yw'r gamp. Mae cynodiadau geiriau'n golygu na fydd unrhyw un darllenydd yn darllen cerdd yn yr un ffordd. Bydd y neges a'r darlun yn wahanol i bawb. Mae'r 'vers libre' yn ymestyn rhyddid y bardd gan nad oes rheolau o ran odl a mesur. Wrth gwrs, y perygl yw y bydd rhai beirdd yn mynd dros ben llestri ac yn canu'n rhy ryddieithol nes i'r darn beidio â bod yn farddoniaeth. Rhaid i'r geiriau mewn cerdd rydd ateb eu pwrpas a gan nad oes rhaid i'r bardd chwilio am eiriau llanw er mwyn ateb gofynion mesur nid oes perygl iddo ddefnyddio geiriau llanw er mwyn odli. Ond eto, mae'r 'vers libre' yn fwy anodd gan fod y bardd yn gorfod ei ddisgyblu ei hun a ffrwyno ei deimladau fel nad ydyw'n rhy hirwyntog neu'n rhyddieithol ei arddull. Mae defnyddio'r geiriau perthnasol mor bwysig os am gynnal effaith y gerdd. Erbyn heddiw mae'r 'vers libre' yn ffurf boblogaidd iawn gan feirdd Cymru ond nid yw'r gorau ohonynt heb eu problemau, a phan draddododd D. Tecwyn Lloyd 'Y Ddarlith Lenyddol' yn Eisteddfod Genedlaethol Caernarfon, 1979 ar 'Y Wers Rydd a'i Hamserau', aeth i'r afael â'u diffygion yn ddidrugaredd.

Nodwyd i Wil Ifan fod yn feirniad sawl gwaith yng nghystadleuaeth y Goron. Yn 1928, yn Eisteddfod Genedlaethol Treorci, roedd yn un o'r tri a wobrwyodd bryddest Caradog Prichard, 'Pennyd', cerdd seicolegol hollol wahanol i lawer o bryddestau buddugol y cyfnod. Gwahanol iawn ydoedd o ran thema i 'Bro fy Mebyd' gan ei bod yn trafod gwewyr meddwl a phoen gwraig a gollodd ei gŵr ac a aeth yn wallgof. Pryddest ddwys ydyw ac mae'n ganmoladwy bod Wil Ifan, y telynegwr rhamantaidd, wedi gweld rhagoriaeth cerdd rydd a oedd mor wahanol i'w waith ef. Wrth sylwi ar ei chryfderau dywedodd: 'Yn wir y mae pob cân sydd yn y gyfres, yn ei ffordd ei hun, yn hynod bwerus. Efallai y teimlir nad yw'r pethau'n hollol glir ymhobman, ond fel rheol arnom ni'r darllenwyr y mae'r diffyg.'[39] Mae hwn yn bwynt diddorol. Doedd darllenwyr y cyfnod ddim yn hoff o bryddest Caradog Prichard am nad oeddent yn ei deall. Doedd canu dyrys a dwfn fel hyn ddim yn apelio rhyw lawer. Roedd y gynulleidfa Gymraeg yn gyndyn i dderbyn newydd-deb. Cyffyrddodd Wil Ifan â'r pwynt hwn yn ei sgwrs â T.H. Parry-Williams pan ofynnwyd iddo am y gwahaniaeth rhwng ysgrifennu yn Gymraeg a Saesneg. Meddai:

> Pan ddêl y cyffro, nid wyf erioed, am wn i, oddieithr rhyw unwaith, fe ddichon, wedi holi 'P'run o'r ddwy iaith?' ac nid wyf wedi gwybod beth sy'n penderfynu'r dewis . . . sylwaf nad llawer o bethau Saesneg a sgrifennaf pan fyddwyf ar fy ngwyliau yn y wlad. Pan fo'r peth yn fy nharo fel rhywbeth newydd a phur anghyffredin, efallai bod y syniad am fy narllenwyr yn fy nhueddu at y Saesneg oherwydd y mae mwy o Saeson nag o Gymry a all ddygymod â rhywbeth allan o'r hen rigolau.[40]

Na, nid oedd derbyniad da i newydd-deb yn gyffredinol yng Nghymru. Ac mae hynny'n drueni yn achos Wil Ifan. Mae'n drychineb mewn gwirionedd oherwydd gellir gweld ynddo anian arloeswr. Os astudiwn y themâu a oedd yn dechrau datblygu yn y pryddestau eisteddfodol gwelwn yr ymofidio am ffawd yr unigolyn truenus a oedd yn symbol o gymdeithas ar chwâl mewn dyddiau du. Yn 1932 llwyfannodd Caradog Prichard y frwydr yn erbyn bywyd ac angau yn 'Y Briodas', gan gyfleu seithuctod ymdrechu ym mherson y wraig wallgof. Drysu'n naturiol yn ei henaint a wnâi'r henwr yn 'Bro fy Mebyd' ond gwallgofi wnâi'r wraig yng nghanu Prichard. Dryswch meddwl, hefyd, oedd yn poenydio'r llanc yn 'Atgof' Prosser Rhys.

Gellir gweld hyn i gyd fel rhagargoel o dywyllwch y blynyddoedd a fyddai'n arwain at Ffasgiaeth a cholledigaeth Ail Ryfel Byd. Ond yn fwy na hynny, y mae'r ddau unigolyn hyn yn rhagredegwyr cymeriadau a fyddai'n amlwg yn llenyddiaeth yr ugeinfed ganrif yng Nghymru yn y blynyddoedd dilynol. Mae'r gŵr yn 'Adfeilion', pryddest T. Glynne Davies yn 1951, yn atseinio'r un byrdwn, sef hiraeth am orffennol. Ond cyfleir yr hiraeth yn drawiadol gan fod yr unigolyn bellach yn gweld ei gynefin trwy gyfrwng darluniau sinistr, fel y 'plant ffiaidd ar redeg/Gyrrant bicellau eu llefain croch/Drwy'r nos sy'n pydru o'u cwmpas.' Chwilio am olion o'i berthynas â'i gariad coll a wna'r gŵr ond y cyfan a genfydd yw adfeilion ac fe'n hatgoffir ni o Gylch Heledd. Yn ôl E.G. Millward, 'Yn y cyfnod hwn yr oedd y beirdd gorau wrthi'n gwneud y bryddest yn foddion i chwilio meddwl dyn a deall ei le yn y gymdeithas fodern. I'r beirdd hyn, nid addurn ar fywyd oedd barddoniaeth, ond rhan ohono a ffordd i'w ddeall.'[41]

Yr un ffigur truenus ac unig mewn byd o ofn ac argyfwng a welir mor ddiweddar â 1987 ym mhryddest John Roderick Rees, 'Y Glannau', sy'n siartio chwalfa meddwl mam y bardd. Mae hithau megis Blodeuwedd ond am resymau gwahanol wrth gwrs, yn 'llong heb lyw ar fôr dynoliaeth' ac yn gymar enaid i henwr 'Bro fy Mebyd':

> Llong hwylio oedd hi
> o weithdy troad y ganrif
> cyn dyfod ager
> i esmwytho ysgwydd a meddalu llaw.
>
> Bellach
> ar drugaredd y gwyntoedd
> a'r corwynt croes
> weithiau'n crafangu glan
> y graig yn rhoi
> a'r tywod yn llithro
> broc môr.[42]

Dengys crefft y bryddest hon pa mor llwyddiannus y mae'r 'vers libre' yn medru bod yn llaw bardd sy'n gwybod sut i'w foldio i ateb ei destun. Yn 'Y Glannau' y mae'n gyfrwng mynegiant i angerdd mawr ac y mae'n llwyr argyhoeddi.

Yn Ewrop yr oedd y ddelwedd o'r unigolyn ansicr yn amlwg mewn nifer fawr o gampweithiau llenyddol. Cyhoeddwyd *Y Dieithryn* gan Albert Camus yn 1942 a chawn ynddo gyflead o gred yr awdur y dylai'r unigolyn ymladd yn erbyn ei dranc yn hytrach na bod yn was iddo gan mai angau yw terfyn popeth. Pan gyhoeddwyd y ddrama *Wrth aros Godot* gan Samuel Beckett yn 1952 crisialwyd ymdeimlad beirdd a llenorion y ganrif ag afresymoldeb bywyd. Ymglywir ynddi â diffyg ffydd a phryder am fod pethau'n dirywio ac yn mynd i golli fel tywod drwy'r bysedd. Y mae'n crisialu ansicrwydd dyn a'i ofn wrth weld pethau'n ymddatod. Fel y dywed Vladimir, 'Ond fan yma, y funud hon, ni yw'r ddynoliaeth, er ein gwaetha' ni. Manteisiwn ar hynny cyn i'r cyfle fynd heibio.'[43]

Gellir ystyried y pryddestau a grybwyllir uchod yn gampweithiau eisteddfodol, ond ar y cyfan mae lle i ofni fod yr Eisteddfod Genedlaethol wedi rhwystro beirdd rhag datblygu'n naturiol. Dim ond wedi bwrw ei brentisiaeth eisteddfodol y caiff bardd gyfle i arbrofi. Mae cydymffurfio â safonau beirniaid yn sefyllfa artiffisial i feirdd a ddylai fod yn ysgrifennu wrth reddf, ac wedi'r cyfan nid yw pob bardd arobryn yn haeddu ei ystyried yn fardd o bwys yn ôl safonau aneisteddfodol. Yn ôl y *Cydymaith i Lenyddiaeth Cymru*: 'Er bod yr Eisteddfod Genedlaethol wedi cynhyrchu gweithiau o bwys parhaol yn yr ugeinfed ganrif, cydnabyddir yn gyffredinol nad yw'r cynnyrch mewn un flwyddyn neilltuol bob amser o'r safon uchaf.'[44] Barn Wil Ifan ei hun am gystadlu oedd hyn:

> Rwy'n cyfrif bod rhyw dipyn bach o gystadlu'n help. Nid drwg i gyd i brydydd yw cael gwybod barn gŵr dieithr, cymwys, ar ei waith. Yn naturiol ei ganmol a wna'i ffrindiau; am y rhai nad ydynt yn ffrindiau, ni phoenant i'w ddarllen.[45]

Nid oedd T.H. Parry-Williams yn cyfrif ei gyfansoddiadau eisteddfodol yn ddim mwy nag arbrofion cynnar. Mynd ar ei liwt ei hun a wnaeth wedyn a datblygu ei arddull unigryw ei hun. Awn yn ôl at eiriau Wil Ifan; 'Coleg y prydydd' yw'r eisteddfod. Yn achos beirdd fel T.H. Parry-Williams ac R. Williams Parry aethant oddi wrth eu gwobr at eu gwaith. Ond yn achos Wil Ifan ei hun, fel y gwelwn yng nghyfrolau'i gerddi, ni ddatblygodd ei arddull ar ôl 'Bro fy Mebyd'. Er iddo fynnu mai datblygu'r grefft a ddysgwyd ar gyfer cystadlu y dylai beirdd ei wneud, rhaid cofio ei fod ef ei hun dros ei ddeugain yn ennill ei drydedd Coron yn 1925. Erbyn hyn mae'r rhod wedi troi ac mae'n ddiddorol bod llawer o feirdd tipyn ifancach yn ennill Cadair a Choron. Byddai geiriau Wil Ifan efallai'n gweddu i brifeirdd heddiw ond yn ei gyfnod ef roedd yr Eisteddfod fel petai o hyd yn binacl uchelgais.

Ar ddiwedd yr ugeinfed ganrif hwyrach nad yw 'Bro fy Mebyd' yn llawer mwy na disgrifiad rhamantaidd o gyfnod yn y gorffennol wedi'i ddarlunio'n gyfoethog a lliwgar. Fodd bynnag, o'i gweld yn ei chyd-destun ni ellir gwadu ei bod yn gerdd arloesol. Yn wir y mae'n arloesol ar ddwy lefel. Fel y bryddest 'vers libre' goronog gyntaf, torrodd dir newydd. Mae hefyd yn arloesol am ei bod yn un o'r pryddestau cyntaf i bortreadu'r unigolyn digyfeiriad sy'n colli gafael ar ei fyd. Symbol ydyw'r henwr o'r unigolyn ynysig sy'n colli adnabyddiaeth ohono'i hunan wrth iddo fethu cofio sut le oedd yr hen le lle dechreuodd y daith. Fel llawer o unigolion llên yr ugeinfed ganrif y mae'n darfod mewn dryswch. Dyma bryddest a allai fod wedi agor drysau newydd i'r bardd ac i lenyddiaeth Cymru. Heb os y mae'n un o gerddi gorau Wil Ifan ac yn ei phriod gyd-destun y mae'n gerdd o bwys. Ni ellir ond gresynu na fu'n ddechrau cyfnod newydd yn hanes ei farddoniaeth ef ei hun. Gallai fod wedi datblygu'n fardd trawiadol pe bai ond wedi mentro. Yn lle hynny llithrodd yn ôl at ei sonedau a'i delynegion swynol a apeliai gymaint at ei ddarllenwyr. Mae'r diffyg ymateb i'r bryddest a'r ffaith i Wil Ifan droi nôl at ei hen ffordd o ganu yn adlewyrchiad anffafriol ar agwedd trwch y Cymry at newydd-deb yn y dauddegau. Melystra oedd yn plesio. Mae deg cyfrol o'i gerddi yn tystio'n amlwg i hynny.

* * *

O fwrw golwg dros holl waith Wil Ifan gwelir mor gynhyrchiol y bu ac mor amryddawn ydoedd. Lluniodd gerddi lawer, ysgrifau newyddiadurol di-rif a dyrnaid o ddramâu, yn ogystal â dilyn gyrfa gweinidog yr efengyl a threulio tymor yn Archdderwydd. Yr oedd yn amlwg, fel un a gafodd ei eni yn Oes Fictoria, wedi etifeddu ffydd yr oes honno yng ngwerth moesol GWAITH.

Fel bardd, wrth gwrs, y cofir amdano'n bennaf, a bardd 'Bro fy Mebyd' yn arbennig. Ond yr argraff a gawn ohono o astudio'i farddoniaeth fel cyfanwaith yw ei fod rywsut wedi colli cyfle. Cyrhaeddodd ryw fan yn ei weledigaeth ac nid aeth ymhellach. Dywedodd Brinley Richards, a oedd fel y nodwyd yn ei ystyried yn fardd 'mawr', mai ef, hefyd, 'oedd bardd anwylaf di-ddychan Cymru, a'r llenor mwyaf diymhongar yn ei genhedlaeth'.[46] Gellir ychwanegu ei fod nid yn unig yn fardd di-ddychan ond ei fod yn ogystal yn fardd di-eironi, ac eironi yw un o brif arfau beirdd a llenorion arwyddocaol yr ugeinfed ganrif. Trwy lygaid syml y bardd Sioraidd hiraethus y gwelai Wil Ifan y byd bron yn ddieithriad.

Yn wir, ymgroesai rhag bod yn feiddgar; ei hoffter oedd encilio i'r dyffryn a'r goedwig a'r mynydd. Yn *Unwaith Eto* (1946), ei gyfrol orau o gerddi, efallai, ceir soned, 'Cysgodion', ac ynddi mae'n cydnabod ei fod yn feiddgar pan oedd yn iau, yn chwilfrydig ynglŷn â'r byd ac am fentro. Edrychai i'r dyfodol â'i gysgod o'i flaen yn ddewr. Y mae'n soned grefftus sy'n werth ei dyfynnu ar ei hyd am ei bod megis nodyn ymyl y ddalen yn sylwi'n edifar ar ddiffyg pennaf Wil Ifan y bardd a'r llenor, sef ei ddiffyg menter a'i orbarodrwydd i ddianc i dir ei hiraeth:

> Pan oedd y dydd a minnau'n ifanc oed
> Cyd-syllu a wnaem ar anchwiliedig fyd,
> Ac er nad own ond tamaid bach i gyd,
> Fe dyfai 'nghysgod dewr o flaen fy nhroed
> Yn eiddgar draw i lasaf bellter bro.
> Pan ddaeth prynhawn, a'r haul yn syth uwchben,
> 'Rown i'n rhy brysur i'r un antur wen,
> A'r holl gysgodion dan fy nhraed ers tro.
> Ond, a'r gorllewin heno'n wridog oll,
> Bwrw aml olwg drach fy nghefn a wnaf,
> I'm gweld fy hunan yn hir gysgod claf
> O hiraeth sydd yn graddol fynd ar goll
> Rywle yng ngrug yr hen eithinog fanc
> Lle safwn gynt yn wynfydedig lanc.[47]

Yn mae'n wir iddo ennill cynulleidfa gyson wrth daro ar ei hoff dant mor aml. Enillodd boblogrwydd diddanwr – diddanwr plant lawn cymaint â diddanwr oedolion – ond yr oedd pris i'w dalu am hynny. Bu farw yn 1968, yr un flwyddyn â marw Crwys, Isfoel a Gwenallt, beirdd y barnai W. Rhys Nicholas[48] y byddai 'ymhyfrydu yn eu cerddi am flynyddoedd lawer i ddod' er mor wahanol oeddynt i'w gilydd o ran arddull. Roedd y pedwar wedi llwyddo 'i ennill clust y werin Gymraeg'. Ar y llaw arall, i fardd fel Euros Bowen[49] nad oedd wedi ennill clust y werin honno, gyda'r beirdd confensiynol yr oedd lle Wil Ifan, cynhyrchwyr barddoniaeth 'sy'n troedio tir a gerddwyd gan eraill, canu talentog, dawnus, ond canu nad yw'n ehangu fawr ar diriogaeth barddoniaeth, nac yn dyfnhau ei weledigaeth hi . . .' Y mae'n sicr mai barn Euros Bowen yw'r un gywir.

Heddiw y mae'n anodd uniaethu â'i brofiad er bod modd gwerthfawrogi ei ddoniau o hyd. Mae hynny'n gyfystyr â dweud mai bardd diddanwch yn ei gyfnod ydoedd, yn hytrach na bardd sy'n para'n arwyddocaol ymhob cyfnod. Pe bai ganddo weledigaeth gyffrous i'w rhannu â ni, yna byddai ei waith yn destun astudiaeth heddiw ac yn hawlio ei gymharu â gwaith beirdd pwysig eraill. Ond hwyrach ein bod ar fai wrth synied felly amdano. Tueddwn i gymharu beirdd â'i gilydd yn lle eu gweld fel personoliaethau ar wahân. Gall fod ein syniadau am farddoniaeth Wil Ifan wedi eu seilio ar ein hadnabyddiaeth o waith beirdd eraill a'n gwybodaeth am y cyd-destun cymdeithasol a hanesyddol. Mae gennym ragdybiau ynglŷn â'r hyn y 'dylai' bardd fod yn ei greu a 'sut' y dylai fod yn ymateb i'w amgylchiadau.

Beth bynnag am hynny, y mae'r sawl sy'n disgwyl i fardd ymrwymo i ganu 'i'r oes sydd ohoni' yn mynd i gael ei siomi gan Wil Ifan. Profodd enbydrwydd dau Ryfel Byd a dirwasgiad economaidd a chwalodd gymoedd y De – ond fel bardd nid oedd ganddo fawr i'w ddweud am bethau felly. Rhaid deall nad digwyddiadau caled, 'go iawn' y ganrif oedd yn ei ysbrydoli yn gymaint â brathiadau'r cof, y pethau y dyheai am eu gweld drachefn fel yr oeddynt yn byw yn ei gof a'i ddychymyg. Mae ei ganu yn ein hatgoffa o ddiffiniad enwog Wordsworth o farddoniaeth – 'Emotion recollected in tranquillity'.

Mae detholiad Derwyn Jones o gerddi Wil Ifan wedi'i gyhoeddi bron ar drothwy Eisteddfod Genedlaethol Bro Ogwr, 1998, pan fyddwn, fwy na thebyg, yn edrych yn ôl dros hanner canrif ac yn cofio am waith Wil Ifan fel Archdderwydd yn Eisteddfod Genedlaethol Pen-y-bont ar Ogwr, 1948 – y brifwyl y bu'n rhaid ei gohirio yn 1940 oherwydd yr Ail Ryfel Byd. Byddwn, hefyd, yn siŵr o ystyried Wil Ifan y bardd. Tybed a oedd Derwyn Jones yn ateb gofyn wrth gyhoeddi'r detholiad hwn? Dichon nad oes digon o ddarllen barddoniaeth o gwbl heddiw yn oes y teledu heb sôn am farddoniaeth a gyfansoddwyd dros dri chwarter canrif yn ôl gan fardd mor wastad ei fryd. Ond o fwrw golwg dros y cerddi a ddetholwyd hawdd gweld bod i sentiment wedi'i fynegi'n gain ei apêl hyd yn oed heddiw. Ni ellir anwybyddu cerddi mor synhwyrus ag 'Atgof', 'Ym Mhorthcawl' ac 'Mewn Cylch', a darnau hudolus o 'Bro fy Mebyd'. Y mae swyn y gorffennol a gafael hiraeth yn parhau ac mae barddoniaeth Wil Ifan yn ein gwahodd i synhwyro, i deimlo

> . . . Rhyw ddwyster pêr
> A loes caethiwed, gofid cu,
> A chenedlaethau o hiraeth gwyllt
> Am rywbeth gollwyd, ddyddiau fu.[50]

NODIADAU

[1]*Y Cymro*, 18 Gorff. 1968, 5

[2]*Y Dysgedydd*, Ion. 1929, 380; *The Congregational Yearbook*, 1930, 258.

[3]T.H. Parry-Williams, *Y Bardd yn ei Weithdy* (Lerpwl, 1948), 37.

[4]Derwyn Jones (gol.), *Bro fy Mebyd a Cherddi Eraill* (Dinbych, 1996), 24.

[5]*The Glamorgan Gazette*, 21 Ion.1925, 5.

[6]Wil Ifan, *Y Filltir Deg ac Ysgrifau Eraill* (Abertawe, 1954), 19-20.

[7]*The United Reform Church. A Centenary Survey* 1873-1975, 5.

[8]*Y Genhinen*, 19, 1968-9, 182.

[9]Ibid., 18, 1967-8, 85-8.

[10]John Davies, *Hanes Cymru* (Penguin, 1990), 365.

[11]Wil Ifan, *Unwaith Eto* (Lerpwl, 1946), iv.

[12]*Colofnau Wil Ifan* (Llandysul, 1962), 17.

[13]Wil Ifan, *Afan: A Welsh Music-Maker* (Abertawe, 1944), 12.

[14]*The Western Mail*, 22 Ion. 1937, 11.

[15]*Y Genhinen*, 18, 1967-8, 85-8.

[16]*Y Tyst*, 15 Medi 1927, 2; *The Congregational Yearbook*, 1930, 258.

[17]Ibid.

[18]Ibid.

[19]Ibid. Pan fu farw'r Parchg. Dan Evans, 11 Tachwedd 1929, fe'i coffäwyd eto gan y Parchg. T. Davies yn *Y Tyst*, 21 Tach. 1929, 4 ac yr oedd ei deyrnged yr un mor gynnes i'r patriarch a anwylid gan ei deulu.

[20]*Y Dysgedydd*, 123, 1943, 155.

[21]*The Western Mail*, 31 Gorff. 1934, 11.

[22]Derwyn Jones (gol.), op. cit., 28.

[23]NLW MSS. Papurau Brinley Richards 37/42.

[24]Derwyn Jones (gol.), op. cit., 26.

[25]*Y Tyst*, 15 Medi 1927, 2.

[26]*Cofnodion a Chyfansoddiadau Eisteddfod Genedlaethol 1918 (Castell Nedd). Rhan I. Barddoniaeth a Drama* (Llundain, 1919), 142-3, 148-53.

[27]Derwyn Jones (gol.), op. cit., 51.

[28]Elwyn Edwards ac Alan Llwyd (goln.), *Gwaedd y Lleiddiaid* (Barddas, 1995), xvi.

[29]Ibid., xvii.

[30]*Cyfansoddiadau a Beirniadaethau Eisteddfod Genedlaethol Pwllheli*, 1925, 25-7.

[31]Ibid.

[32]*The Western Mail*, 5 Awst 1925, 7.

[33]Hywel Teifi Edwards, *Arwr Glew Erwau'r Glo* (Llandysul, 1994), Pd. 4.

[34]Derwyn Jones (gol.), op. cit., 7.

[35]Llythyr personol a dderbyniwyd oddi wrth Elwyn Edwards, mab Wil Ifan.

[36]Einir Vaughan Jones, *Datblygiad y Vers Libre yn Gymraeg*. Traethawd MA, Prifysgol Cymru, Bangor (Meh. 1978), 112-3, 124.

[37]Bedwyr Lewis Jones (gol.), *Rhyddiaith R. Williams Parry* (Dinbych, 1974), 160.

[38]*The Western Mail*, 5 Awst 1925, 7.

[39]*Cyfansoddiadau a Beirniadaethau Eisteddfod Genedlaethol Treorci, 1928*, 26-34.

[40]T.H. Parry-Williams, *Y Bardd yn ei Weithdy*, 46-7.

[41]E.G. Millward, *Pryddestau Eisteddfodol Detholedig 1911-1953* (Llys yr Eisteddfod Genedlaethol, 1973), 22.

[42]*Cyfansoddiadau a Beirniadaethau Eisteddfod Genedlaethol Y Rhyl, 1987,* 36.

[43]Samuel Beckett, *Wrth Aros Godot*, cyf. Saunders Lewis (GPC, 1970), 73.

[44]Meic Stephens (gol.), *Cydymaith i Lenyddiaeth Cymru* (GPC, 1986), 185.

[45]T.H. Parry-Williams, *Y Bardd yn ei Weithdy*, 40

[46]D. Ben Rees (gol.), 'William Evans (Wil Ifan)' yn *Pymtheg o Wŷr Llên yr Ugeinfed Ganrif* (Pontypridd a Lerpwl, 1972), 18.

[47]Wil Ifan, *Unwaith Eto*, (Lerpwl, 1946), 29.

[48]*Y Genhinen*, 19, Gaeaf 1968-9, 111.

[49]*Y Faner*, 2 Mawrth 1961, 3.

[50]Derwyn Jones (gol.), op. cit., 59.

Eisteddfod Genedlaethol Pen-y-bont ar Ogwr, 1948

Hywel Teifi Edwards

Ni fûm ym Mhrifwyl 1948. Bryd hynny, yr oedd Pen-y-bont yn ben draw'r byd i Gardi 14 oed. Ond un mlynedd ar ddeg yn ddiweddarach roeddwn yn athro Cymraeg yn Ysgol Ramadeg y Garw ym Mhontycymer ac erbyn haf 1960 yn briod ag un o gyn-ddisgyblion yr ysgol a fagwyd ym Mlaengarw. Gwnaethom ein cartref ym Mryn Llidiard ar gyrion Pen-y-bont ac yno y ganed ein plant, Huw a Meinir, cyn i ni symud i Langennech yn 1965.

Daethai teulu Rona 'o'r wlad' i fyw ym mhen uchaf Cwm Garw ac roedd hi a'i brawd wedi'u codi'n Gymry Cymraeg mor rhugl â phetaent wedi'u codi yn Aber-arth. Yr oedd nifer o Gymry Cymraeg yn dal i fyw ym Mlaengarw ar drothwy'r 60au ac fe'n priodwyd yn y Tabernacl lle'r addolai cynulleidfa gadarn bob Sul. Yr oedd naws Cymreictod iach i fywyd Blaengarw o hyd waeth pa iaith a siaradai'r trigolion. Roeddwn gymaint 'yng Nghymru' cyn belled ag yr oedd anian y bobl yn bod â phetawn i gartref yn Aber-arth.

Ac ysgol hanfodol Gymreig oedd Ysgol Ramadeg y Garw er na fu mwy na hanner dwsin o blant Cymraeg eu hiaith ynddi, mi gredaf, yn ystod y chwe blynedd dedwydd a dreuliais yno. Rwy'n dra balch imi gael y pleser o ddysgu plant un o gymoedd y De a chael cyfle i ymgydnabod â'r math o gymdeithas a'u magodd cyn i ruthr y blynyddoedd o'r 60au ymlaen ddatod clymau'r 'hen drefn' yn derfynol. Bellach y mae Ysgol Ramadeg y Garw gynt yn Ysgol Gynradd Gymraeg i ryw 250 o blant ac roedd gweld y newid dro'n ôl yn ysgytwad dymunol. Croes i hynny oedd sylweddoli fod diflaniad y pyllau glo – roedd tri yn dal i weithio ym Mlaengarw yn unig pan welais y lle gyntaf yn 1953 – wedi tlodi'r gymdeithas yn faterol a diwylliannol. Nid ar chwarae bach yr adenilla'i graen ond fe dâl cofio fod yn y Garw, fel yn y cymoedd eraill, wythïen solet o hyder a dycnwch i'w gweithio o hyd. Y mae'n rhaid fod i drawsnewidiad Ysgol Ramadeg y Garw a'r ennill i'r Gymraeg arwyddocâd lletach. Nid oes rheswm pam na all fod mwy o 'newid er gwell' i ddigwydd eto yn y cwm ac y daw'r hen harddwch yn ei ôl i gynnal bywyd yn faterol ac ysbrydol.

Roedd darllen cyflwyniad Eirian Edwards i Fro Ogwr yn *Rhestr Testunau* Prifwyl 1998 yn bleser. Aeth deugain mlynedd, fwy neu lai, yn 'megis ddoe' o atgofioni. Cofio teithio trwy'r cymoedd am y tro cyntaf a'r syndod yn troi'n bensynnu, ac ysblanderau Bro Morgannwg mor ddwyn-anadl fel na ellid dweud dim hyd yn oed petai geiriau i'w cael. Cloddio am wybodaeth yn *Traddodiad Llenyddol Morgannwg* G.J. Williams mor streifus â cholier yn y 'two foot six', gan resynu fod diléit awdur yn ei faes yn mynnu mynegiant mor llafurus. Ond cael bod Y Fro yn gwisgo'r wybodaeth drom yn ddi-ffael â'i hudoliaeth. Sefyll a dyfalu droeon a thro fy mod yn sefyll lle safodd Iolo, neu Siôn Bradford, neu Richard Price, neu Wil Hopcyn a'i ferch o Gefn Ydfa. Tybio, weithiau, wrth gerdded nôl o'r Six Bells yn y Coety ar ôl noson o ddartio gyda Moc Rogers fod Glyndŵr yn cyd-gerdded â ni i rannu hwyl aildaro'r 'double tops' a'r 'bulls' a loriodd Dai a Cei, Ellis bach a Roy, a Brian Cydweli. Mae clychau'r 'Six' yn dal i ganu yn y cof – diolch byth.

Fe ddylai fod yn ddigon amlwg bellach imi dreulio cyfnod difyr ym Mryn Llidiard a'r Garw. Difyr iawn a dweud y gwir. Ysywaeth, trodd y rhod a phan ymwelais â Phen-y-bont y llynedd ar ôl rhai blynyddoedd o fod 'yn ddierth', fe'm siomwyd gan y newid ym mhryd a gwedd yr hen dref farchnad radlon a gofiwn i. Y mae rhaib trafnidiaeth a thraha ffyniant diwydiannol wedi'i chreithio a'i hanffurfio hi ac wedi imi yrru'r car yn dalog i'w chanol, fel y tybiwn i, cefais fy mod ar goll. Roeddwn ar drugaredd y pla yr wyf i fy hun mor euog â neb o'i nerthu'n feunyddiol a doedd dim i'w wneud ond rhegi. Yr oedd Cae Glanogwr hyd yn oed (Newbridge Fields i'r brodorion), y maes braf lle bûm droeon yn rhodio ac yn cicio pêl socer gyda'r tîm lleol, fel petai wedi'i ddiraenu, ac yr oedd gweld hyfrydwch gwledig y Coety dan warchae gan dai a thraffig yn ddiflastod enaid. Fy ngobaith nawr yw cael profi peth o'r hen rin wrth geisio ailgynefino ar droed yn ystod wythnos Prifwyl 1998 ag ambell fan cynhesol gynt yn y dref ac ar ei chyrion. Doed yr awenau i'm tywys – a chadwed y glaw bant.

Yn Awst 1948 fe ddaeth glaw ail i ddilyw i fygwth rhwystro Prifwyl gyntaf Pen-y-bont eto fyth. Daethai'r Rhyfel Byd i rwystro'i chynnal yn 1940 ac ar brynhawn Llun, 2 Awst 1948, disgynnodd y glaw trymaf er

Disgyblion Ysgol Ramadeg Y Garw a fu'n cyflwyno 'Pasiant y Fro' ym Mhrifwyl Pen-y-bont, 1948.
(Fy ngwraig yw'r 6ed o'r chwith yn y rhes flaen ar lawr)

36 mlynedd ar y dref. Ildiodd y cystadleuwyr i dabyrddau'r glaw ar do'r 'ugly tin shanty' o bafiliwn a eisteddai ddeng mil o eisteddfodwyr ac unodd y gynulleidfa i ganu 'Yn y dyfroedd mawr a'r tonnau' ar Dôn y Botel. Aeth cerddor lleol, Mr. George Sparks, at y piano ac wedi morio 'Calon Lân', 'Cwm Rhondda' a chyffelyb emynau cyswyn am o leiaf awr, peidiodd y cenllif fel bod y cystadleuwyr o leiaf yn glywadwy. Y noson honno, pan oedd fy narpar wraig yn un o'r cannoedd yng Nghyngerdd y Plant ac yn cymryd rhan yn 'Pasiant y Fro', tabyrddodd y glaw drachefn nes bygwth boddi'r perfformwyr bach yn llythrennol, a da y cofiaf athro Ffrangeg Ysgol Ramadeg y Garw, doniolgi di-ail heb ganddo fawr o stumog at ddiwylliant Cymraeg ar y gorau, yn ufferno'n ysbrydoledig wrth ddwyn i gof enbydrwydd y nos Lun honno. Fe gâi Pontycymer mwy na'i siâr o law a phan fyddai'n wlypach diwrnod na'i gilydd nid oedd ond eisiau gofyn, 'Was it as bad as this in Bridgend, Rosser?' i godi'r fflodiart ar ryferthwy o ddisgrifiad. Priodol, yn wir, yw sôn am lansio Prifwyl 1948 ar Gae Glanogwr.[1]

Un rhwystr ymhlith cyfres o rwystrau y bu'n rhaid i griw Pen-y-bont eu goresgyn cyn ac yn ystod Prifwyl 1948 oedd y glaw mawr. Y mwyaf ohonynt o ddigon oedd 'Problem y Pafiliwn' – hen, hen broblem a fu bron â llethu trefnwyr 1948. Methwyd â chael *un* cwmni, yn ôl yr arfer, i godi'r pafiliwn yn ei grynswth. Bu'n rhaid cyflogi wyth cwmni i sicrhau fod pob dim yn ei le ac yr oedd gwneud elw yn fwriad gan yr wyth. Cafwyd cryn drafferth yn ogystal i gael y trwyddedau gofynnol ar gyfer y gwaith adeiladu mewn da bryd (cofier fod 1948 yn un o flynyddoedd yr 'austerity age'), ac o ganlyniad fe fu'n rhaid talu am oriau lawer tros ben i'r gweithwyr a oedd yn gosod y llawr a'r seddau. Rhwng popeth, cafwyd fod cyfanswm costau codi'r pafiliwn gymaint â £25,624.10.4 – sef rhyw £2,500 yn fwy na holl dreuliau Eisteddfod Genedlaethol Bae Colwyn yn 1947! O'r swm anferth hwnnw hawliwyd £15,222.8.4 gan Gwmni Mills Scaffolding a £790.12.4 gan Gwmni Dur Cymru ac yr oedd yn amlwg fod yn rhaid ceisio ymwared buan rhag y fath faich. Yn 1949 arwyddodd y Cyngor gytundeb pum mlynedd â Chwmni Woodhouse yn Nottingham i ddarparu pafiliwn i ateb holl ofynion y brifwyl heb orfod mynd ar ofyn contractwyr eraill. Ysgafnhawyd y baich dros dro ond ni setlwyd mo'r broblem.[2]

Llai o broblem ond problem serch hynny fu'r methiant i sicrhau lle i'r cystadlaethau drama ym Mhen-y-bont. Yr oeddynt i'w cynnal yn

1940 yn y Pafiliwn ym Mhorthcawl a'r gost am yr wythnos fyddai can gini. Yn 1948 hawliwyd £80 y noson a bu'n rhaid cefnu ar Borthcawl a derbyn gwahoddiad Cyngor Maesteg i gynnal y cystadlaethau yn Neuadd y Dref a oedd i'w chael yn rhad ac am ddim. Y mae'n wir fod hynny'n annerbyniol gan lawer a bu'r gynulleidfa denau ar nos Lun yn ddigon o esgus i rai gyhoeddi methiant y fenter yn ddi-oed. Ond pan beidiodd y dilyw fe ddaeth selogion y ddrama yn haid i gymeradwyo areithiau llywyddol Dan Matthews, D.O. Roberts, Y Parchg. E.R. Dennis, D.T. Davies, J.J. Williams a J.D. Powell ac i werthfawrogi perfformiadau cwmnïau Resolfen, Pont-rhyd-y-fen a Llangefni yn y brif gystadleuaeth. Dewis ddrama hir Cwmni Pont-rhyd-y-fen oedd *Pryd o Ddail* – drama am Biwritaniaid canol yr ail ganrif ar bymtheg gan J.D. Miller, un o drigolion Maesteg – ac fe'u dyfarnwyd yn orau ganddo ef, Cynan a Jack Jones.[3]

Er mawr foddhad cymwynaswyr Maesteg ni fu'n rhaid iddynt fynd ar ofyn Pwyllgor Canolog yr Eisteddfod Genedlaethol am help i glirio'r un ddyled. Nid aethant i ddyled. Rhwng popeth yr oedd swm o £500 wedi'i godi ym Maesteg a'r cyffiniau ar gyfer y brifwyl a hawdd y gallent gynnal cyngerdd yn ddiweddarach i ddathlu eu cyfraniad a llongyfarch eu cystadleuwyr llwyddiannus, megis Côr Bechgyn Maesteg, Ann Griffiths, 13 oed, a gafodd y wobr gyntaf am chwarae'r delyn dan 18 oed (ac a oedd i ddatblygu'n delynores o fri wrth gwrs) ac Alan Protheroe o'r Caerau a gawsai'r drydedd wobr i fechgyn rhwng 12 ac 16 oed am adrodd a'r wobr gyntaf am ganu deuawd dan 16 oed (ef oedd yr alto) gyda Gwynfor Humphreys. Fe fyddai'n mynd yn ei flaen i ymenwogi yng ngwasanaeth y BBC. Roedd teimlad cryf ym Maesteg iddynt fwy na gwneud eu rhan yn deilwng ac yr oedd y Cyngor lleol i'w canmol yn Adroddiad swyddogol Cymdeithas yr Eisteddfod Genedlaethol am swcro'r ddrama 'mewn ysbryd mor deyrngar a hawddgar'.[4]

Y mae'n bwysig nodi mai yn 1948 y pasiwyd Deddf Llywodraeth Leol a rôi'r hawl i awdurdodau lleol gyfrannu hyd at chwe cheiniog yn y bunt i hybu gweithgarwch diwylliannol ac adloniadol o fewn i gylch yr awdurdod ei hun, ond fe ddaeth yn rhy hwyr i Brifwyl Pen-y-bont elwa arni. Felly, yr oedd cael cefnogaeth ariannol barod cynghorau Maesteg, Ogwr, Garw, Pen-y-bont a Phorthcawl, er enghraifft, yn gryn galondid i'r trefnwyr. Yn wahanol iddynt hwy, cyndyn fu Cyngor Dosbarth Trefol

Pen-y-bont i gyfrannu heb ganiatâd y Gweinidog a chanddo ofal dros y Bwrdd Iechyd Cymreig, er iddynt basio fod swm o £250 i'w roi i'r gronfa. Gwrthododd y Gweinidog roi'r hawl iddynt gyfrannu gan ei fod yn disgwyl i'r brifwyl wneud elw, ac nid oedd dim i'w wneud wedyn ond ceisio hawl i drosglwyddo £250 i'r coffrau pe digwyddai iddi adael dyled i'w chlirio. Fodd bynnag, codwyd £7,905 yng nghylch Pen-y-bont at gynnal y brifwyl, y swm mwyaf erioed tan hynny i'w godi'n lleol, a phan gyhoeddwyd y fantolen gwelwyd fod cyfanswm incwm Prifwyl 1948 yn £39,162.6.3 a'r treuliau yn £39,007.17.10. Gwnaed elw o £154.8.5 er gwaetha'r tywydd, y pafiliwn, y llywodraeth a phrinder yr oes oedd ohoni. Cyflawnwyd camp. Yn ôl ffigurau'r *Western Mail*, rhwng Sadwrn, 31 Gorffennaf a Sadwrn, 7 Awst daethai 146,500 i'r Brifwyl heb gyfrif y miloedd a ddaeth i'r perfformiad o *Messiah* ar nos Sadwrn, 7 Awst gan Gôr yr Eisteddfod, Cerddorfa Ffilharmonig Lerpwl, Elsie Suddaby, Gladys Ripley, Frank Titterton a Trevor Anthony, a'r deng mil a ddaeth i'r Gymanfa Ganu ar nos Sul, 8 Awst. O gofio fod Prifwyl 1948 yn gorfod cystadlu ag ymddangosiad tîm criced anfarwol Don Bradman yn Abertawe ac â'r Gemau Olympaidd yn Llundain lle dangosodd Francina Blankers-Koen ac Emil Zatopek eu gorchest, ac o gofio i gymaint graddau yr oedd holl gylch Pen-y-bont wedi'i seisnigo erbyn 1948, ffaith i ryfeddu ati yw ei bod wedi denu'r fath dorfeydd i'w chefnogi. I'r *Glamorgan Gazette* yr oedd y llwyddiant i'w briodoli'n syml i frwdfrydedd lleol: 'Never has a town received a "National" with greater pleasure, excitement and appreciation of the deep cultural significance of the event'.[5]

Fe fu'n Brifwyl ddigwyddlon ar fwy nag un cyfrif. Am y tro cyntaf cynhaliwyd cystadlaethau'r bandiau ar y Sadwrn cyn dechreuad yr wythnos swyddogol a daeth 11,000 i'r maes i wrando ar 29 ohonynt – 10 yn Nosbarth C, 11 yn Nosbarth B ac 8 yn Nosbarth A. Ymddangosodd Cerddorfa Ieuenctid Cymru am y tro cyntaf dan arweiniad Clarence Raybould i berfformio darnau gan Weber, Bach, Saint-Saeus a Dvorák yng Nghyngerdd y Plant ar nos Lun. Daeth Undeb y Cymry ar Wasgar i'r maes am y tro cyntaf ac arweiniwyd yr alltudion gan Thomas Edwards, 86 oed o Vancouver – Cymry Vancouver a roes y Gadair a oedd i'w hennill gan Dewi Emrys. Ac i goroni pob 'tro cyntaf', teledwyd gan y BBC o Lundain ar nos Fawrth, 3 Awst, seremoni 'Agor yr Orsedd' y bore hwnnw yng Nghae Glanogwr. Dyna ddarllediad cyntaf y BBC o Gymru a hanner canrif yn ddiweddarach y mae'r Brifwyl a'r diwydiant teledu mor anwahanadwy a chyd-ddibynnol â deuawd cerdd dant – neu Barnum a Bailey gynt.

Yn Ysgol Heol-gam y cartrefwyd yr Arddangosfa Gelf a Chrefft lle'r oedd 2,000 o arteffactau i'w gweld. Tynnodd yr Adran Ffotograffiaeth, lle cynrychiolwyd celfyddyd ffotograffwyr o bymtheg gwlad gan 277 print a 52 sleid, lawer o sylw edmygus ac yn naturiol roedd cryn ddiddordeb ym mhaentiadau'r artist o Faesteg – Christopher Williams – y trefnwyd eu harddangos gan ei fab Ivor Williams. Heddiw, cawsai cartwnau Illingworth fwy o amlygrwydd nag a gawsant yn 1948 – nid yw'r brifwyl wedi gwneud hanner digon dros gelfyddyd odidog y cartwnydd dros ddegawdau ei hanes – oherwydd ym Mhen-y-bont fe roddwyd y lle canolog yn yr Arddangosfa i 61 o baentiadau a 65 o luniadau gan Augustus John a gynullwyd gan Bwyllgor Cymreig Cyngor y Celfyddydau i adlewyrchu hanner canrif o'i waith. David Bell, yr arlunydd a'r hanesydd celf a syniai am Gymru fel anialwch cyn belled ag yr oedd 'high art' yn bod ac a fynegodd ei ddirmyg wedi ymweld ag Arddangosfa Prifwyl Bae Colwyn yn 1947, oedd yn bennaf gyfrifol am ddod ag Augustus John gerbron y cyhoedd yn 1948, ac yr oedd y ffaith fod un o'r lluniadau wedi'i fenthyca gan y Teulu Brenhinol yn hwb i'w achos. Bellach, y mae Peter Lord wedi dangos mor snobyddlyd gibddall oedd agwedd Bell a'i debyg at gelfyddyd

Christopher Williams (1873 – 1934).

weledol y Cymry – pa mor anwybodus oeddynt yn wir – ond yn 1948 tyrrodd yr eisteddfodwyr i Ysgol Heol-gam i werthfawrogi'r union fath o gelfyddyd y barnai Bell a wnâi eu dyrchafu. Trefnwyd fod dau hanesydd yn bresennol yn ystod yr wythnos i ddehongli'r gweithiau ac ateb cwestiynau'r cyhoedd, a bu mawr ganmol y fenter.[6]

O Ben-y-bont a Maesteg, Pencoed a Phorthcawl, Garw ac Ogwr daeth 600 o gantorion ynghyd i ffurfio Côr Yr Eisteddfod a oedd i ganu dan arweiniad Hugh D. Roberts ym mhedwar o'r saith cyngerdd – yn fwyaf arbennig i ganu *The Music Makers* (Elgar) a *Stabat Mater* (Dvorák) gyda Cherddorfa Ffilharmonig Lerpwl a'r unawdwyr Victoria Sladen, Mary Jarred, Bradbridge White a Harold Williams – ar nos Iau, 5 Awst, ac yna ar nos Sadwrn, 7 Awst, i ganu *Messiah* (Handel) gyda'r un gerddorfa a'r unawdwyr – Elsie Suddaby, Gladys Ripley, Frank Titterton a Trevor Anthony. Cynhaliwyd dau gyngerdd cerddorfaol gan Gerddorfa Ffilharmonig Lerpwl dan arweiniad Dr. Reginald Jacques ar nos Fercher, 4 Awst a nos Wener, 6 Awst, gyda'r baswr Howell Glynne a'r feiolinydd Ida Haendel yn artistiaid yn y cyntaf a'r pianydd, Eileen Joyce, a'r soprano, Margherita Grandi, yn artistiaid yn yr ail. Ac ar nos Fawrth, 3 Awst, cynhaliwyd cyngerdd 'Cymreig' pan fu'r Côr gyda Cherddorfa Ddinesig Caerdydd ynghyd â Ceinwen Rowlands, Margaret Tann Williams, Emlyn Burns, Ivor Lewis a'r datgeiniaid cerdd dant – Ceciley Williams, Margaret Morris, Violet B. Davies a Janet Lewis gyda Thelynores Dyfed – yn 'cwrdd â chwaeth' y Cymry yn ôl arfer y brifwyl ers canrif dda.[7]

Ym Mhen-y-bont yn 1948 fe ddaeth dyddiau'r diwylliant cyngherddol Saesneg ei iaith a feddiannodd y llwyfan eisteddfodol mor gynnar ag 1819 i ben, ac o 1950 ymlaen fe fyddai'r Gymraeg yn iaith 'Gwlad y Gân' yn ei phrifwyl ar ôl degawdau o'i dibrisio – ac o'i halltudio ar adegau – rhag tramgwyddo'r bobol orau. Pan ystyfnigodd Pwyllgor Cerdd Prifwyl Dolgellau, 1949, yn wyneb y galw am 'ddarnau Cymraeg' i'w canu, galwodd *Y Faner* ar y Cyngor i weithredu 'yng ngrym yr awdurdod a roes y genedl i chwi heb ofni neb na dim. Y mae gennych gomisiwn i'w gyflawni; y mae gennych genhadaeth gysegredig dros ein hiaith a'n diwylliant – ewch rhagoch'. O'r diwedd, daethai dydd yr 'Egwyddor Gymraeg', chwedl Cynan, a'r un yw comisiwn Cyngor a Llys yr Eisteddfod Genedlaethol yn 1998 ag ydoedd yn 1948.[8]

Fe fu gweithredu'r 'Egwyddor Gymraeg' yn adferiad diwylliannol, yn ddatganiad o ffydd yng ngrym adnewyddol yr heniaith, ac y mae hi'n ddigon abl i drin y byd sydd ohoni heddiw – a'i drin yn fywiog gymen ac yn rhugl goeth dim ond iddi gael ei chyfle a'r parch sy'n ddyledus iddi gan y rhai sy'n pesgi arni. Y mae BBC Cymru a S4C yn byw'n fras ar y brifwyl bob blwyddyn. Byddai'n dda o beth pe cydnabyddent eu mawr ddyled iddi hi a'i lleng dilynwyr trwy fabwysiadu 'Rheol Gymraeg' yn ddi-oed, a honon'n rheol glir, gall, gyfrifol, hyderus a'n gwaredai rhag ffiloreg ambell ddirfawr resymwr o apolegydd sydd am i ni ddeall nad y rhai sydd yma heddiw yw'r rhai oedd yma ddoe – ac ati, ac ati, ac ati. Lle mae lles y Gymraeg yn bod fe fydd y 'rhesymwyr' gyda ni bob amser. Lladdwch hi oedd eu doethineb ddoe; llurguniwch hi yw eu doethineb heddiw – y mae'n talu. Rhyfedd ac ofnadwy o beth yw cynnydd.

Ychydig iawn ohono a welai'r Osian Ellis ifanc yn rhaglenni cyngherddau 1948. Fe'u cafodd, at ei gilydd, yn ferfaidd gonfensiynol. Ac yr oedd *Y Faner*, yn sgil sylwadau Syr Hugh Roberton, David de Lloyd ac E.T. Davies yn gofidio gymaint am gyflwr di-lewyrch 'Gwlad y Gân' nes galw am sefydlu Coleg neu Academi Gerdd cyn gynted â phosibl i roi addysg safonol i'w darpar gerddorion a chantorion.[9] Darparu llwyfan i dalentau oedd priod waith y brifwyl, nid eu haddysgu a'u hyfforddi. Gorau po gyntaf yr eid ati i gyflenwi'r angen oherwydd yr oedd Cymru mewn perygl o ddisbyddu cyfalaf y gorffennol ar ôl tynnu arno gyhyd.

Yn y brif gystadleuaeth gorawl dim ond tri chôr o Gymru a ddaeth i gystadlu am gwpan *Y Cymro* a gwobr gyntaf o £150 yn erbyn dau gôr o Loegr. Daeth corau Tonpentre, Sgiwen a Chaernarfon wyneb yn wyneb â Sale and District a Runcorn Orpheus a chafwyd perfformiad gan Sale nad oedd y brifwyl wedi clywed dim tebyg iddo er dyddiau concweriol Côr Mawr Ystalyfera dan arweiniad W.D. Clee rhwng 1928 ac 1936. O'r tri darn prawf yr oedd y ddau gyntaf, sef 'Towards the Unknown Region' (Vaughan Williams) a'r 'Sanctus' o'r *Offeren yn B Leiaf* (Bach) i'w canu i gyfeiliant cerddorfa, a'r trydydd, 'Close of Day' (Vincent Thomas) i'w ganu'n ddi-gyfeiliant. Y farn gyffredin oedd fod corau Cymru wedi cadw draw am eu bod yn ofni canu gyda cherddorfa ond y mae'n amheus a fyddai'r un côr arall wedi trechu Sale dan fatwn Alfred Higson ar brynhawn Mercher, 4 Awst. Cawsant 99 marc am y darn cyntaf, 98 am yr ail a 97 am y trydydd ac ni allai

Syr Hugh Roberton ond gresynu na allasai Vaughan Williams fod ym Mhen-y-bont i'w clywed. Daeth Côr Sgiwen yn ail iddynt – 96, 90 a 78 oedd eu marciau hwy – ond fe wyddai pawb yn y pafiliwn gorlawn mai Côr Sale oedd piau'r gân y diwrnod hwnnw.[10]

Rhoes Syr Hugh Roberton lais i hen gwynion yn erbyn y corau cystadleuol cyn diwedd yr wythnos. Condemniodd yr arfer o wneud i blant ganu fel oedolion: 'If we were a civilized people we would have a law against this kind of thing, with long terms of imprisonment, but we do not live in a civilized age'. Ac ar ôl clywed deuddeg o gorau yn yr ail gystadleuaeth i gorau meibion ar brynhawn dydd Gwener – pob un ohonynt ac eithrio Cymry Hammersmith o Gymru – a phump arall (i gyd o dde Cymru) yn y brif gystadleuaeth ar brynhawn Sadwrn a enillwyd gan Gôr Orffews Treforys dan Ivor Sims am y trydydd tro o'r bron, protestiodd yntau fel ei debyg droeon o'i flaen yn erbyn canu gor-ddramatig y Cymry a'u gorhoffter o ddarnau trystiog megis 'Storm Joy' (Nwyd yr Ystorm) gan Walford Davies. Mynnai glywed mwy o ganu graslon.[11] A dyna'r union fath o ganu y crefai David de Lloyd amdano ar ôl gwrando ar 45 tenor yn ymosod, gan mwyaf, ar 'Onaway, Awake Beloved' (*Hiawatha*, Coleridge Taylor): 'This wedding-feast song should have been sung seductively, but the attitude of many of the competitors was that of a cave man singing to an *Onaway* whose eardrums had been shattered'.[12]

Pa ryfedd fod *Y Faner* yn galw am sefydlu Academi i ledneisio 'Gwlad y Gân'! Fe gafwyd Coleg Cerdd a Drama, Caerdydd yn 1949 i feithrin a gloywi talentau ac y mae wedi gwneud gwaith clodwiw ers hynny. Yn 1998, heb neb ond Côr Meibion Llanelli yn dod i'r llwyfan yn y brif gystadleuaeth, fe danlinellir eto mor simsan, bellach, yw'r traddodiad corawl Cymreig a chymaint parotach yw nifer o'r corau sy'n weddill yn y wlad i borthi nostalgia mewn gwledydd tramor na defnyddio llwyfan y brifwyl i genhadu gartref dros draddodiad y byddai'i golli yn gadael Cymru'n wlad anhraethol dlotach. Eli Jenkins a ŵyr nad ar Stereophonics, Catatonia a Gorky's Zygotic Mynci yn unig y bydd byw 'Gwlad y Gân'! Fe fydd llwyddiant y brifwyl bob amser yn dibynnu ar roi i'r gynulleidfa ddogn helaeth o'r hyn y mae'n ei hoffi ynghyd â chyfleoedd i brofi celfyddyd heriol o anghyfarwydd ac ni bydd yn ddiwedd y byd pan gaiff y newydd y math o groeso a gafodd Symudiad Cyntaf Simffoni Daniel Jones gan ohebydd y

Glamorgan Gazette ar ôl clywed y cyfansoddwr yn arwain y gwaith yng nghyngerdd cerddorfaol nos Wener rhwng perfformiadau o *Consierto yn A leiaf* Grieg a *Simffoni Rhif 5* Beethhoven:

> Somehow it seemed slightly unfair to sandwich the composition of a new, undistinguished composer such as Daniel Jones, between the works of such great ones as Beethoven and Grieg. Compared with the creations of men such as these, the first movement of the Daniel Jones symphony, which was splendidly conducted by the composer, seemed unimpressive and not greatly inspiring. Listening, one could readily imagine the drab, unprepossessing interior of Army Nissen huts – which was where the larger part of the symphony was composed.[13]

Yng nghynnyrch cystadlaethau llên Prifwyl 1948 cafodd darllenwyr canol y ffordd fodd i fyw yn awdl fuddugol Dewi Emrys ('Mab y Ddrycin') ar 'Yr Alltud', englyn Thomas Richards, Llanfrothen ar 'Y Ci Defaid' sydd gyda'r mwyaf poblogaidd o englynion buddugol y brifwyl, ac ysgrif Islwyn Ffowc Elis ar 'Hyfrydwch y Gwir Grefftwr' na sicrhaodd ond hanner y wobr o dair gini iddo ond a oedd yn rhagargoel o'r ddawn a fyddai'n llunio casgliad o ysgrifau i gipio'r Fedal Ryddiaith yn 1951 a mynd yn 'best seller' dros nos – sef *Cyn Oeri'r Gwaed.* Yn wir, fe fu Prifwyl 1948 yn garedig wrth yr ysgrif oherwydd gwobrwywyd tair ysgrif bortread gan y Parchg. J. Seymour Rees ar 'Ben Davies yn yr Eisteddfod', 'Idwal Jones yn y Coleg' a 'Caradog Roberts mewn Cymanfa' sydd mor flasus â 'smarties', ac fe gafwyd ysgrifau campus gan Daniel Williams, Llangollen ar dri eisteddfodwr – sef Marchant Williams, W. Cadwaladr Davies a W.E. Davies – a blesiodd Cynan a D.R. Hughes yn fawr. Cynghorwyd ef i ychwanegu Vincent Evans at y tri cyn cyhoeddi'r gwaith ac yn 1949 fe ddaeth *Pedwar Eisteddfodwr* o'r wasg yn gyfrol bleserus fuddiol i'r sawl sy'n ymddiddori yn hanes y brifwyl ei darllen. Petai R.T. Jenkins wedi gallu gwobrwyo a chymell cyhoeddi yr un llawlyfr ar 'Crwydro Sir Gâr' a gafodd i'w feirniadu a phetai Elena Puw Morgan wedi cael un o'r pum nofel hanes a ddaeth i law yn deilwng o £50 a Medal yr Eisteddfod, fe fyddai llên Prifwyl 1948 wedi bod yn destun diolch cyffredinol.[14]

O'i chymharu â'r Coroni a'r Cadeirio fe fu 'seremoni' cyflwyno'r Fedal Ryddiaith i Dafydd Jenkins am y cyfansoddiad rhyddiaith gorau i'w wobrwyo rhwng 1945 ac 1947 – gwobrwywyd ei draethawd, *Y*

Nofel: Datblygiad y Nofel Gymraeg ar ôl Daniel Owen a ddyfarnwyd yn orau yn 1946 a'i gyhoeddi yn 1948 – yn anhrefn chwithig. Safai'r enillydd druan, ynghyd â Gwenallt, T.J. Morgan, G.J. Williams a J.O. Williams ar y llwyfan heb wybod pwy oedd i wneud beth ac fe gafodd y llenorion achos da i gwyno eto fod eu hurddas cymaint llai ei werth yng ngolwg y brifwyl nag urddas y beirdd. Ac yn unol â'r 'drefn' a oedd ohoni ar y pryd ni chafodd R. Ifor Parry, enillydd deuddeg gini am 'Draethawd Beirniadol ar Ddiwinyddiaeth Karl Barth' mo'i Fedal Ryddiaith tan 1951. O'r flwyddyn honno ymlaen roedd i'w dyfarnu'n flynyddol am weithiau rhyddiaith 'mwy creadigol' eu natur fel y dengys rhestr yr enillwyr.[15]

Nid oes ddwywaith mai'r enillydd a gyffrodd ddychymyg eisteddfodwyr 1948 oedd Dewi Emrys, y 'rebel' a gadeiriwyd am y pedwerydd tro er gwaetha'r ddeddf a oedd i rwystro'r sawl a enillasai'r Gadair deirgwaith rhag cystadlu mwy. Yr oedd Dewi Emrys yn hoffi'r ddelwedd ohono'i hun fel 'Mab y Ddrycin', gwerinwr o fardd a enillai lawryfon cenedlaethol yn rhinwedd ei awen er gwaethaf 'gelyniaeth' bwytawyr yr academig dost. Nid Dewi Emrys yw'r unig fardd i gredu fod y byd yn ei erbyn ond nid conyn hunandybus ei hunandosturi oedd ef. Mwynhâi'r 'rôle' a fabwysiadodd a mwynhâi'r werin ei weld yn ei chwarae. Plesiwyd y miloedd gan feirniadaeth T.H. Parry-Williams, Gwilym R. Jones a Simon B. Jones. Chwedl Neville Penry Thomas:

> It meant another chair for Dewi Emrys and his pseudonym 'Mab y Ddrycin' (Son of the Storm), had a poetic significance for those of us who knew the dark and chequered years to which it referred. He is an able and amazing man.[16]

Fel y dywedodd T.H. Parry-Williams, 'ni chafwyd dim arbenigrwydd mawr iawn' yn y gystadleuaeth a ddenodd 14 o awdlwyr i ganu ar 'Yr Alltud', ond fe gafwyd awdl a blesiai gan gymeriad o enillydd y disgwylid iddo rodresa ar ôl concro!

Ymhen pedair blynedd fe fyddai Dewi Emrys yn ei fedd. Ni chafodd fyw i anghymeradwyo barddoniaeth enillydd y Goron – fel y mae'n sicr y byddai athro beirdd *Y Cymro* wedi gwneud. Y Parchg. Euros Bowen oedd piau'r bryddest orau o'r 19 a gyfansoddwyd ar y testun 'O'r Dwyrain' ac yr oedd yn amlwg i Crwys, Saunders Lewis a T. Eirug Davies fod bardd o bwys wedi canu'r bryddest gynganeddol fuddugol.

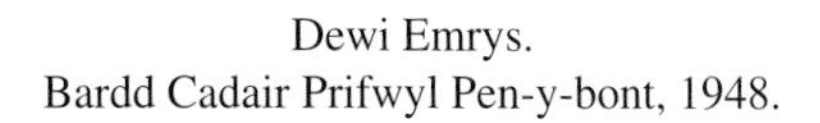

Dewi Emrys.
Bardd Cadair Prifwyl Pen-y-bont, 1948.

Yr oedd y tri beirniad, Saunders Lewis yn arbennig felly, wedi'u llygad-dynnu gan bryddest 'Mab y Bryn' a adroddai brofiad awyrennwr yn ystod y rhyfel yn y Dwyrain mewn '"vers libre" di-gogio, digoegni, effeithiol' heb betruso sôn am ei brofiadau rhywiol a'r noson a dreuliodd yng nghwmni 'Arabes ddi-omedd, anllad, wen'. Cerdd gan Elwyn Evans, mab yr Archdderwydd Wil Ifan ydoedd, a bu ond y dim iddi gipio'r Goron. Ni ellir ond dyfalu beth fyddai barn y tad gochelgar ei gân am bryddest ei fab ond gan i'r beirniaid farnu fod mwy o'r bardd ym mhryddest Euros Bowen a mwy o'r nofelydd yng nghanu Elwyn Evans, arbedwyd ef rhag gorfod dweud dim. Coronwyd Euros Bowen drachefn yn 1950 am ragorach pryddest hyd yn oed ar 'Difodiant', gan lwyr gyfiawnhau datganiad Saunders Lewis yn 1948 ei fod am goroni addewid. Yr oedd y Parchg. Euros Bowen yn 44 oed ond gan fanteisio ar hawl y brifwyl i anwybyddu ffeithiau calendraidd fe'i cyfarchwyd gan *Y Faner* fel 'un o feddylwyr ieuainc disgleiriaf yr Eglwys yng Nghymru'.[17]

Ym Mhabell y Cymdeithasau ar brynhawn Gwener, 6 Awst, agorodd J.D. Powell, MA, drafodaeth ar 'Safonau Beirniadaeth yr Eisteddfod Genedlaethol' dan lywyddiaeth yr Athro W.J. Gruffydd. Canolbwyntiodd ar dri chwestiwn:

1) A yw'r Eisteddfod Genedlaethol yn ystod y chwarter canrif diwethaf wedi llwyddo i greu safon, neu safonau, y gellir yn bur hyderus gyfeirio atynt a beirniadu wrthynt?

Euros Bowen dan ei Goron ym Mhrifwyl Pen-y-bont, 1948 a'r Archdderwydd Wil Ifan yn ei warchod.

2) A ellir dweud bod cynnydd cyson – pa mor araf bynnag yw – yn safon y cynhyrchion eu hunain, y cynhyrchion a wobrwyir o flwyddyn i flwyddyn?
3) A yw'r Eisteddfod heddiw, yn ei threfniadau a'r modd y cynhelir hi, yn datblygu'r cydbwysedd hwnnw sy'n angenrheidiol i ddatblygiad iachus ein bywyd cenedlaethol?[18]

Fel yn hanes llawer trafodaeth eisteddfodol gynt ac wedyn ni fu'r ymateb 'o'r llawr' yn frwd. Ym marn T.H. Parry-Williams yr oedd yn wirionedd anwadadwy fod safonau beirniadu'r awdl wedi codi yn ystod y chwarter canrif blaenorol er fod lle o hyd i wella, ac yr oedd J.D. Powell am weld cyhoeddi detholiad o'r beirniadaethau mwyaf adeiladol a fyddai'n gosod nod i ddarpar feirniaid y brifwyl ymgyrraedd ato. Ond ni ddaeth dim o'r awgrym goleuedig hwnnw hyd yn oed heb sôn am sylwadau hallt E. Morgan Humphreys, D.J. Williams, Dewi Llwyd Jones a Brinley Richards.

Nid oes sôn fod Saunders Lewis ym Mhabell y Cymdeithasau i gyfrannu at y drafodaeth ond yn *Y Faner*, trannoeth y brifwyl, yr oedd ganddo bethau pwysig i'w dweud am briod amcanion yr Eisteddfod

Genedlaethol a'r hyn y dylid ei wneud ar fyrder i'w sylweddoli. Hanfod ei swyddogaeth iddo ef, a oedd newydd roi *Blodeuwedd* i'w gyd-Gymry, oedd 'symbylu gwaith creadigol a gwaith datganol gloyw mewn llenyddiaeth, cerddoriaeth a chelfyddyd, a hefyd osod safon deilwng yn y pethau hyn a datblygu chwaeth y gymdeithas Gymraeg er mwyn harddu ei bywyd hi'. Nid rhywbeth o bwys i gystadleuwyr yn unig oedd codi safonau; yr oedd yn fater 'i werin bobl yr holl wlad Gymraeg' ei gymryd o ddifrif. Gan ddwyn i gof iddo ddweud dro byd yn ôl yn *Y Llenor* fod gwreiddiau'r Eisteddfod Genedlaethol yn Nyneiddiaeth y Dadeni Dysg, pwysleisiodd nad diogelu'r iaith a'r diwylliant Cymraeg oedd ei phriod orchwyl yn gymaint â 'gwneud yr iaith a'r diwylliant yn werth eu diogelu, yn deilwng o urddas cenedl a pharch gwladwriaeth'. Rhagwelai y byddai'r brifwyl yn wynebu dyddiau anodd mewn gwlad a fyddai fwyfwy ar drugaredd materoliaeth a Seisnigrwydd, ac iddo ef, 'Yr unig fodd i'w chadw hi a'i chadw yn Gymraeg yw ei dyrchafu'n ddrych ac yn batrwm i gelfyddyd ac yn symbyliad gwiw i waith creadigol'. I sicrhau hynny, dylai Cyngor yr Eisteddfod Genedlaethol sefydlu Comisiwn i adolygu ei holl weithgarwch ac argymell polisïau a allai ei throi 'yn ffestifal gelfyddyd genedlaethol a dynnai glod y gwledydd ac a symbylai fywyd diwylliannol Cymru achlân'. Yr oedd mawr angen cyfnewidiadau, 'cyfnewidiadau beiddgar, ysgubol, os yw'r sefydliad i ddal ei dir. At hynny, y mae angen am adroddiad cynhwysfawr ac eangfrydig a roddai raglen ac arweiniad i'r Eisteddfod ar gychwyn ail hanner yr ugeinfed ganrif'.[19]

Mewn tegwch ag awdurdodau'r brifwyl rhaid cofio fod yr awydd i ymwrthod â'r hen drefn ac alltudio'r iaith Saesneg wedi caledu'n benderfyniad yn 1937 pan wnaed y Rheol Gymraeg yn gonglfaen y Cyfansoddiad diwygiedig, a byddai gweithredu'r Rheol honno o 1950 ymlaen yn lladd ofnau Saunders Lewis ac eraill y gwelid troi'r brifwyl yn sefydliad dwyieithog, di-gymeriad. Dyna, gyda llaw, oedd dymuniad Jac L. Williams a fu wrthi'n rihyrsio'r dadleuon y byddai'n eu defnyddio mor anghymodlon yn ddiweddarach i wrthwynebu sefydlu S4C.[20] Cyn bod sôn am Syr David James yr oedd Jac L. Williams, cofier, ac y mae iddo epil sy'n disgwyl cyfle o hyd i anadlu bywyd newydd i'w ddaliadau. Diolch, a chanmil diolch am y Rheol Gymraeg ond gresyn na chafwyd erioed y math o Gomisiwn y galwodd Saunders Lewis amdano yn 1948. Hanner canrif yn ddiweddarach a'r Mileniwm wrth y drws onid da o beth fyddai edrych yn ddifwgwd ar bob agwedd ar swyddogaeth y brifwyl ac ystyried, yn bennaf dim, i ba raddau y mae'r diwylliant amrywedd y mae'n llwyfan iddo mor loyw ac anturus ag y carai Saunders Lewis gynt iddo fod.

Wrth wynebu Prifwyl 1998 y mae gennym yn sicr le i obeithio na fydd y Gymraeg yn wal ddiadlam rhwng eisteddfodwyr fel y bu yn 1948. Y mae'n dweud llawer am ansymudoledd y boblogaeth bryd hynny fod cynifer o Gymry Cymraeg wedi'u synnu gan Seisnigrwydd y De heb sôn am eu siomi gan y math o ddiffyg cydymdeimlad a barodd i A.G. Prys Jones orfod rhoi'r gorau i siarad Cymraeg pan lywyddai Gyngerdd y Plant. Yr oedd *Y Faner* wedi gobeithio y byddai Prifwyl 1948 yn brawf o undod Cymru:

> Wedi'r cwbl, un yw Cymru o Ben-ar-lâg i Benrhyn Gŵyr, ac o Gaergybi i Gasnewydd: un yw'r Gymru Gymraeg a'r Gymru Saesneg yn ddaearyddol ac yn economaidd, a brysied y dydd pan fyddant yn un yn ddiwylliannol ac yn gwbl-Gymraeg . . . Dyma gyfle felly i yrru gwersi pwysig i dref, i ddeffro mwy o ysbryd cyfrifoldeb tuag at y genedl yn ei phlant gwasgaredig a'i phlant a wahanwyd ar yr hen aelwyd. Gwell hynny na chwythu utgyrn clodforus i ganmol ein doniau.

Edrychai'r *Faner* ymlaen at ddathlu 'cymdeithasgarwch y Cymry', yn ffyddiog fod y 'cynulliadau sydd ym Mhen-y-bont yr wythnos hon yn gystal mynegiant o'r gyfeillach Gymreig ag ydyw o'n tuedd i ymhél â'r celfyddydau'.[21]

Fe'i siomwyd. Wedi'r brifwyl ymwrthododd â Phen-y-bont fel lle anghydnaws â'r Eisteddfod Genedlaethol[22] ac edliwiwyd ei 'carping criticism' i'r wasg Gymraeg gan y *Western Mail* a oedd ei hunan wedi sylwi ar y ffaith fod eisteddfota yn ddirgelwch i garfan helaeth o'r gynulleidfa: 'To them, it was no more than a bizarre grand concert'.[23] Yr oedd y *Glamorgan Gazette* wedi osgoi sôn am y Gymraeg wrth foli'r brifwyl lle cafwyd 'a surfeit of all things wonderful'. Os nad oedd y fwyaf llwyddiannus erioed 'it was, without a shadow of doubt, the *greatest* Eisteddfod ever', ac i'r bobol leol yr oedd diolch am hynny, y bobol yr amheuid eu Cymreictod:

> The people of Mid and East Glamorgan have been accused of becoming over-Anglicised. The influx of people from over the border has been said to have had such an influence on them that they no longer have any claim

to be called Welshmen. The events of last month should have disproved that argument conclusively.[24]

Yn ofer y ceisiodd Neville Penry Thomas wadu nad amharodd 'Problem yr Iaith' ar naws Prifwyl 1948. 'If', meddai, 'there was any rankling displeasure at the English versus Welsh controversy among the officials and the visitors it remained largely quiescent'.[25] Y gwir yw fod tyndra'r gwrthdaro i'w deimlo trwy gydol yr wythnos ac ni allai lai na nerthu'r ewyllys i weithredu'r Rheol Gymraeg cyn yr âi'r brifwyl i Gaerffili yn 1950. Ac y mae'n sicr i Gaerffili 'gael' y brifwyl y flwyddyn honno oherwydd fod Cymry mor bybyr â J.P. Richards, Ysgrifennydd Adran Caerffili o 'Undeb Cymru Fydd', yno i fynnu gweithredu'r Rheol yn llwyddiannus. Yr oedd ef wedi ymwrthod yn ddi-oed a diamwys â phle Jac L. Williams dros greu Eisteddfod Genedlaethol ddwyieithog ac nid ildiodd.[26]

O'r lleng Llywyddion y Dydd – yr oedd tri ar gyfer pob diwrnod – yr oedd gofid am stad a dyfodol y Gymraeg yn fwrdwn anerchiadau nifer ohonynt, megis Miss Jennie Thomas, MA; Mrs. Irene Myrddin Davies, BA; Yr Henadur Huw T. Edwards; yr Athro W.J. Gruffydd; yr Athro Idris Foster; yr Athro David Hughes-Parry ac yn fwyaf arbennig y tri a fu wrthi'n llywyddu ar ddydd Mawrth, 3 Awst, sef Ambrose Bebb, MA, yr Athro Ernest Hughes a'r Athro Griffith John Williams. Barnai Huw T. Edwards nad sefydlu Ysgolion Cymraeg oedd yr ateb i argyfwng yr iaith. Dylai gael ei lle haeddiannol ymhob ysgol a dylid mynnu hynny ar unwaith: 'Rhaid gafael yng ngwar pwyllgorau addysg y wlad yma. Yr wyf i'n barod i fynd yfory ar streic nes caiff yr iaith Gymraeg ei lle ar ei haelwyd ei hun'.[27] Y mae'n siŵr ei fod, hefyd, ac y mae'r un mor siŵr y byddai'n streiciwr o drethdalwr go unig.

Yn gefndir i'r consýrn dros dynged yr iaith yr oedd penderfyniad Pwyllgor Addysg Morgannwg i wneud y Gymraeg yn bwnc gorfodol ym mhob ysgol trwy'r sir, penderfyniad a groesawyd yn nerthol gan yr Athro Griffith John Williams pan draethodd yn angerddol am y modd yr ailgymreigiwyd Bro Morgannwg wedi'r goncwest Normanaidd yn yr unfed ganrif ar ddeg. Yr oedd newydd gyhoeddi ei gyfrol hyddysg, *Traddodiad Llenyddol Morgannwg*, ac yn ei fawr sêl dros ei genhadaeth barnai y gellid adennill Y Fro i'r Gymraeg ymhen deng mlynedd petai'r ewyllys yn bod i droi'r gyfundrefn addysg o'i phlaid.

Dylid ymroi i sefydlu Ysgol Gynradd Gymraeg ym Mhen-y-bont yn union sgil y brifwyl, fel y gwnaed ym Mae Colwyn flwyddyn ynghynt. Mater o chwyldroi agweddau oedd adfer yr heniaith ym Morgannwg a dyna, heb os, oedd y gwir.[28]

Camgymeriad Griffith John Williams oedd credu y gellid cyflawni'r gwaith yn ebrwydd. Ni sefydlwyd Ysgol Gynradd Gymraeg Bro Ogwr tan 1994! Wfftiodd yr Arglwydd Raglan at bolisi newydd-anedig Cyngor Sir Morgannwg fel petai am ragori ar hurtwch ymddygiad ei ragflaenydd yn Rhyfel y Crimea: 'The Society for the Prevention of Cruelty to Children ought to intervene to prevent both a fraud on the children and a fraud on the public.'[29] Ac ymhen ychydig wythnosau gwrthododd Cyngor Trefol Abertawe welliant y Dr. Iorwerth Hughes Jones yn argymell sefydlu Ysgol Gynradd Gymraeg yn Lôn Las o 34 pleidlais i 4. Yr oedd y cynghorwyr Llafur yn unfryd eu gwrthwyn-ebiad gan na fedrent gyfiawnhau cost sefydlu ysgol o'r fath ar gyfer dim ond 231 o blant.[30] Aeth llawer o ddŵr dan y bont ers hynny, y mae agweddau wedi newid er gwell ac nid oes amau cefnogaeth Plaid Lafur Ron Davies a Peter Hain i'r Gymraeg. Nid yw'r frwydr wedi'i hennill o bell, bell ffordd a phetai Griffith John Williams byw heddiw y mae'n ddiau mai galw y byddai ym Mhrifwyl 1998 am sefydlu Ysgol Gyfun Gymraeg ym Mhen-y-bont i hwyluso a chadarnhau addysg y nifer cynyddol o blant cynradd, o'r Bont-faen i Bontycymer, o Faesteg i Bont-rhyd-y-fen, sy'n tyfu'n Gymry dwyieithog – a thairieithog rai ohonynt. Ym Mhrifwyl 1998 y mae eisiau gosod Cymru 'naturiol' dairieithog yn nod i ymgyrraedd ato yng nghwrs y ganrif nesaf. Fe'i cyrhaeddir os mabwysiedir agweddau goleuedig at y Gymraeg mewn addysg a bywyd ledled Cymru.

Adeg cynnal Prifwyl 1948 yr oedd yr Athro A.O.H. Jarman yn olygydd *Y Ddraig Goch* ac y mae'r hyn a ddywedodd bryd hynny, er cael ohonom Fwrdd Iaith, a Chynulliad yng Nghaerdydd chwap, yr un mor bwerus berthnasol o hyd i'n cyflwr a'n dyfodol fel cenedl. Dylid gosod ei eiriau ar filoedd o daflenni llachar i'w dosbarthu'n feunyddiol i'r torfeydd a ddaw i Ben-y-bont eleni:

> Mae'r iaith yn colli tir am fod y meddwl Cymreig yn darfod amdano. Mae Cymru yn llai Cymraeg am ei bod yn llai Cymreig. Nid adferir iaith Cymru heb adfer Cymreictod meddwl Cymru. Rhaid i'r genedl feddwl yn Gymreig cyn y meddylia eto yn Gymraeg.

Ac eto:

> Nodweddir y meddwl Cymreig gan hunan-barch, nid parch at yr iaith yn unig ond at bopeth a berthyn i genedligrwydd Cymru. Ni fynnai urddas ieithyddol yn unig, ond hefyd yr urddas gwleidyddol a chymdeithasol na cheir mohono heb ryddid cenedlaethol.[31]

Diolch byth, er gwaethaf bryntni dirmyg cynifer o wrthwynebwyr y Cynulliad at ddawn a haeddiant y Cymry, y mae arwyddion sicr yn y tir fod yr hunan-barch a oedd i'r Athro Jarman yn anhepgor adferiad cenedlaethol ar gynnydd. Byddai'n braf iawn pe câi ei eiriau eu darllen o'r newydd gan filoedd a'u credu. A byddai'n ddwbwl braf pe darlledai Radio Cymru droeon bob dydd o'r ŵyl ac yr amlygai S4C hi'r un mor aml, y gerdd odidog gan Waldo Williams a ymddangosodd yn *Y Faner* yn Hydref 1948 – sef 'Yr Heniaith'.[32] Fe dalai i bawb ohonom yn ddiwahân ei dwys ystyried hi cyn i faw ein difrawder lygru ei ffynnon:

> Disglair yw eu coronau yn llewych llysoedd
> A thanynt hwythau. Ond nid harddach na hon
> Sydd yn crwydro gan ymwrando â lleisiau
> Ar ddisberod o'i gwrogaeth hen;
> Ac sydd yn holi pa yfory a fydd,
> Holi yng nghyrn y gorllewinwynt heno –
> Udo gyddfau'r tyllau a'r ogofâu
> Dros y rhai sy'n annheilwng o hon.
>
> Ni sylwem arni. Hi oedd y goleuni, heb liw.
> Ni sylwem arni, yr awyr a ddaliai'r arogl
> I'n ffroenau. Dwfr ein genau, goleuni blas.
> Ni chlywem ei breichiau am ei bro ddi-berygl
> Ond mae tir na ddring ehedydd yn ôl i'w nen,
> Rhyw ddoe dihiraeth a'u gwahanodd.
> Hyn yw gaeaf cenedl, y galon oer
> Heb wybod colli ei phum llawenydd.
>
> Na! dychwel gwanwyn i un a noddai
> Ddeffrowyr cenhedloedd cyn eu haf.
> Hael y tywalltai ei gwin iddynt.
> Codent o'i byrddau dros bob hardd yn hyf.

Nyni, a wêl ei hurddas trwy niwl ei hadfyd,
Codwn, yma, yr hen feini annistryw.
Pwy yw'r rhain trwy'r cwmwl a'r haul yn hedfan,
Yn dyfod fel colomennod i'w ffenestri?

NODIADAU

[1]*The Glamorgan Gazette*, 6 Awst 1948, 1.

[2]*Adroddiad Blynyddol Cymdeithas yr Eisteddfod Genedlaethol,* 1948, 30-1.

[3]*The Glamorgan Gazette*, 30 Gorff., 1, 6 Awst 1948, 5.

[4]Ibid., 3 Medi 1948, 5.

[5]Ibid., 2 Gorff. 1948, 5; 30 Gorff. 1948, 5; 6 Awst, 1; *Adroddiad Blynyddol CEG*, 1948; *The Western Mail*, 24 Gorff., 1; 30 Gorff., 3; 3 Awst, 1; 4 Awst, 1; 5 Awst, 1; 6 Awst, 1; 7 Awst, 1; 9 Awst, 1.

[6]*The Glamorgan Gazette*, 30 Gorff., 1; 6 Awst 1948, 4; Peter Lord, *Y Chwaer-Dduwies: Celf, Crefft a'r Eisteddfod* (Llandysul, 1992), 109-11.

[7]Gw. *Rhaglen Swyddogol Eisteddfod Genedlaethol Frenhinol Cymru, Penybont-ar-Ogwr*, Gorff 31 – Awst 7, 1948.

[8]*Y Faner*, 18 Awst 1948, 4.

[9]Ibid., 11 Awst 1948, 4.

[10]*The Glamorgan Gazette*, 6 Awst 1948, 4; *Y Faner*, 11 Awst 1948.

[11]*The Western Mail*, 7 Awst 1948; *Y Faner*, 11 Awst 1948, 4.

[12]*The Western Mail*, 7 Awst 1948.

[13]*The Glamorgan Gazette*, 13 Awst 1948, 5.

[14]Gw. *Cyfansoddiadau a Beirniadaethau Eisteddfod Genedlaethol Penybont-ar-Ogwr*, 1948.

[15]*Y Faner*, 11 Awst 1948, 4; John Rowlands, 'Y Fedal Ryddiaith 1937-1979', *Eisteddfota 3*, gol., Ifor ap Gwilym (Llandybïe, 1980), 113-115.

[16]*The Glamorgan Gazette*, 13 Awst 1948, 5; *Cyfansoddiadau a Beirniadaethau EG 1948*, 1-31.

[17]*Cyfansoddiadau a Beirniadaethau EG 1948,* 32-56; *Y Faner*, 4 Awst 1948, 4.

[18]*Y Faner*, 11 Awst 1948, 4. *The Western Mail*, 7 Awst 1948.

[19]*Y Faner*, 8 Medi 1948, 8.

[20]Ibid., 1 Medi 1948, 3.

[21]Ibid., 4 Awst 1948, 4.

[22]Ibid., 18 Awst 1948, 4.

[23]*The Western Mail*, 9 Awst 1948, 1-2.

[24]*The Glamorgan Gazette,* 6 Awst 1948, 5, 13 Awst 1948, 5.

[25]Ibid., 13 Awst 1948, 5.

[26]*Y Faner*, 8 Medi 1948, 4.

[27]Ibid., 11 Awst 1948.

[28]Ibid; *The Western Mail*, 4 Awst 1948, 1.

[29]*The Western Mail*, 2 Awst 1948, 2.

[30]*Y Faner*, 22 Medi 1948, 1.

[31]*Y Ddraig Goch*, Awst 1948, 5.

[32]*Y Faner*, 20 Hydref 1948, 4.

Your Towns and Cities i

Billericay in the Great War

Ken Porter

Stephen Wynn

Pen & Sword

MILITARY

First published in Great Britain in 2014 by
PEN & SWORD MILITARY
an imprint of
Pen and Sword Books Ltd
47 Church Street
Barnsley
South Yorkshire S70 2AS

ISBN 978 1 78346 340 4

A CIP record for this book is available from the British Library

Printed and bound in England
by CPI Group (UK) Ltd, Croydon, CR0 4YY

Typeset in Times New Roman by Chic Graphics

Pen & Sword Books Ltd incorporates the imprints of
Pen & Sword Archaeology, Atlas, Aviation, Battleground, Discovery, Family History, History, Maritime, Military, Naval, Politics, Railways, Select, Social History, Transport, True Crime, and Claymore Press, Frontline Books, Leo Cooper, Praetorian Press, Remember When, Seaforth Publishing and Wharncliffe.

For a complete list of Pen and Sword titles please contact
Pen and Sword Books Limited
47 Church Street, Barnsley, South Yorkshire, S70 2AS, England
E-mail: enquiries@pen-and-sword.co.uk
Website: www.pen-and-sword.co.uk

Contents

About the Authors

Stephen is a retired Police officer who served with Essex Police as a constable for thirty years between 1983 and 2013. Both his sons, Luke and Ross, were members of the armed forces, serving five tours in Afghanistan between 2008 and 2013 during which both were injured. This led to his first book, *Two Sons in a Warzone – Afghanistan: The True Story of a Father's Conflict'* which was published in October 2010. His daughter, Aimee, is currently at Secondary School.

Both Stephen's grandfathers served in and survived the First World War, one with the Royal Irish Rifles, the other in the Mercantile Navy and his father was a member of the Royal Army Ordnance Corps during the Second World War.

Ken and Stephen have corroborated on a previous book published in August 2012, *German POW Camp 266 – Langdon Hills* which spent six weeks as the number one best-selling book in Waterstones, Basildon in Spring 2013.

Stephen has also had three crime thrillers published. His hobbies are writing and watching sport. His days always begin with him and his wife Tanya walking their four German Shepherd dogs.

Ken is also retired, having spent his working life in accountancy as a finance director. He is a respected local historian of many years standing, born under the shadow of St Nicholas Church and he hasn't ventured far away from it over the years, still living in the Great Berry area of Langdon Hills today.

His maternal grandfather, James Fredrick Pitt, served with the 6th Battalion of the City of London Rifles during the First World War. He survived after having been invalided out due to his injuries.

Ken is an active member of the Laindon and District Community Archive and Basildon Heritage Group and regularly writes for historical websites and newsletters. His other main interest is cricket, having represented Laindon Cricket Club and for many years Southend-on-Sea Cricket Club as well as Essex over fifties and sixties. He was also an ECB advanced cricket coach for over thirty years.

Ken has been married to Carol for forty-eight years. They have three children and five grandchildren.

Prologue

It is estimated that the worldwide total number of casualties, both military and civilian, as a result of the First World War was a massive thirty-seven million. Of this figure an estimated thirteen million lost their lives. Astonishingly some three million military deaths weren't directly related to combat, instead being down to a combination of disease, accidents or whilst being held as a prisoner of war.

At the start of the First World War the British Army had an overall strength of just over 700,000 men including reservists. By the end of the war 5,397,000 million men had enlisted in the armed forces of the United Kingdom and Ireland, approximately one in four of the total male population.

Of these 703,000 men were killed and another 1,663,000 million were wounded. Roughly half of those who enlisted volunteered and the rest were conscripted. When compared to the 82,000 soldiers of today's British Army (2013) not only does it put them in perspective but it shows just how astounding these figures are.

The last military engagement which the British Army had been involved in prior to the First World War was in South Africa between 1899 and 1902 during the Anglo-Boer wars. Although it afforded the infantry regiments an opportunity to hone their shooting skills, nothing had really been learnt from a tactical point of view. The horse was still the main form of land-based transport in both a civilian and a military sense. It ruled supreme throughout the world which meant that the main battle tactic which the British Army was likely to deploy would be that of a cavalry charge. With the birth of the twentieth century bigger and more destructive weaponry was being developed sounding the death knoll for the cavalry as an effective tactic.

As in the society of the day, there was a well-established class system operating within the military which had a very defined 'us and them' attitude, and where a combination of arrogance and outdated ideas still prevailed. At the outbreak of the First World War, the officer class appeared to be top heavy with senior and elderly officers who, it quickly became apparent, were often incapable of making speedy decisions in the new age that came with the fast moving military environment of the twentieth century.

The only military tactic which the British military seemed to possess was an offensive one. This involved bombarding the enemy lines with artillery shells before sending thousands of soldiers, with bayonets drawn, across what had ironically become known as 'no man's land', head first in to enemy positions which were vigorously defended with heavy machine guns.

These same senior officers simply accepted that this meant they would unfortunately incur large numbers of casualties. This tactic was accompanied by a belief that a fast moving attack would overwhelm the enemy, especially when coupled with an offensive spirit and a moral belief that right, or perhaps God, was on their side.

There was no 'Plan B' mainly because British military doctrine of the day didn't think in such terms. Little, if any, consideration was given to the possibility that 'Plan A' wouldn't work. There were no immediate plans to review the tactics of the British Army, because there was a general feeling that the war would be over by Christmas 1914, a belief based on nothing more substantial than a hunch.

Throughout 1915 one and a quarter million men had enlisted. By the end of 1916 this number had reduced by nearly 100,000 and by the end of 1917 the number was down again to just over 800,000 men. By 1918 the British Army had a total strength of nearly four million men, nearly half of whom were 19-years-old or younger.

Without a doubt the First World War was one of the defining moments of the twentieth century. It wasn't just about a war which lasted four long bloody years, it was also about massive social and economic change for both the victors as well as the vanquished.

It didn't actually acquire the title 'First World War' until the beginning of the Second World War, in 1939. Then it was used to be able to distinguish between the two wars. Up to that point in time there had simply been a World War.

The British and the Canadians referred to it as the First World War, whilst the Americans decided upon World War One. It was even called the Great War, a term believed to have originally been 'coined' by elements of the press. Describing any war as being 'great' is a topic of discussion on its own!

The first time the term, First World War, was actually used was in September 1917, ironically, by the German philosopher, Ernst Haeckel, who claimed, 'there is no doubt that the course and character of the feared European War, will become the first world war in the full sense of the word'.

Billericay in the First World War, was a bustling, thriving and close knit community of some two thousand people, the nearest other towns being Laindon five miles to the south, Pitsea some eight miles to the south-east, Wickford five miles to the east and the quaint village of Stock slightly further along the Southend Road as it slowly meanders on towards Galleywood and the county town of Chelmsford.

Billericay has a long and interesting history dating back to the Bronze Age. There is evidence of Roman occupation including what was believed to have been the remains of a fort. There have also been Saxon settlements discovered at nearby Great Burstead. During the thirteenth and fourteenth centuries Billericay was an important route for pilgrims on their way to Canterbury before they crossed the River Thames at East Tilbury. Even today there are still six pubs in the half-mile length of the High Street, which was a strong indication of just how well trodden a route the town was for travellers passing through. Over the years there have been numerous pubs, hotels and 'watering holes', for both locals and travellers to use, with such descriptive names as, The White Hart, The Red Lion, The Railway Hotel, The Crown Inn, The Fox, The Chequers, The Temperance Hotel, The Rising Sun and The Bull, to name but a few.

Billericay's most notable historical footnote to date took place on 28 June 1381, when King Richard ll's soldiers defeated the Essex rebels at Norsey Woods in the town. Some five hundred rebels were slain in the battle, which in effect ended the Peasants Revolt.

The Pilgrim Fathers held meetings in Billericay before departing for the New World in the early sixteen hundreds. Four local residents from the town were amongst those who sailed on the *Mayflower* to start a new life in the Americas. For a short while during the mid-1600s Billericay even had its own money when local businessman and wool merchant, Joseph Fishpole, introduced a halfpenny token in 1669.

The road that ran from Billericay all the way across to Tilbury some fifteen miles away to the south, could be a treacherous journey, with the risk of footpads and highwaymen an ever present threat to law-abiding citizens going about their daily business.

In 1840 the town had a Union Workhouse built as part of the implementation of the Poor Laws Act. At the start of the First World War in 1914, the master of the workhouse was Walter Needham who lived there with his wife Elizabeth and their four children. The 1911 census shows that there were thirteen staff and 215 inmates staying at the workhouse but only one cook to feed all of those hungry mouths. The oldest inmate shown at the Union Workhouse was eighty-seven and the youngest just two months old.

When it eventually closed some of its old buildings remained to form what became St Andrew's hospital and when that closed its doors, the majority of the buildings were retained and turned into exclusive modern day housing.

Billericay Town football club was formed in 1880, making it one of the oldest in Essex. Up to the end of the First World War the team played in the Romford and District League, when they entered the Mid-Essex League, where they remained until after the Second World War in 1947.

Around 1896 the Isolation hospital came in to existence in Mountnessing Road, Billericay. It was maintained by the Billericay Rural District Council and dealt with diseases such as diphtheria and in 1914, a scarlet fever outbreak. Because of its function as an isolation unit it wasn't used during the First World War for returning wounded soldiers. In 1938, just before the outbreak of the Second World War, it was then acquired by the South East Essex Joint Hospital Board and in 1948, with the beginning of the National Health Service; it was taken over by the South Essex Hospital Management Committee. It later went on to become an annex for the nearby main St Andrew's hospital.

The railway finally arrived in the town in 1889 as part of the Great Eastern main line between London and Southend.

CHAPTER 1

Billericay at the Outbreak of the First World War 1914

One of the joys of researching and writing a book such as this is that every now and then you come across what can only be described as an absolute gem. The little gem in question this time, came in the shape of a nine-page booklet, entitled, *Billericay at the outbreak of the First World War*. It was written by Miss Mary Needham who in 1914 was only 6-years-old. She was one of the four children of Walter and Elizabeth Needham. Walter Needham was the Master of the Union Workhouse in Billericay which was where the family lived and where Mary was born. He took up his post in 1891 at the age of thirty which, for such a responsible position, was an extremely young age.

When Mary Needham published her booklet in 1993 she was 85-years-old, having lived in Billericay all her life. The booklet provides both clarity and realism of what Billericay was actually like back in 1914. The picture which Mary is able to create with her delicate and detailed prose, provides the reader with a clear understanding of Billericay and its people at that time. It was probably written from her diary entries rather than from her memory some seventy years after the actual events. The details and information she relates are precise and to the point. There's no uncertainty because she knew the people and the places that she talks about. She had seen them, spoken with them and had lived in the same close knit community. These were family friends and neighbours who ran shops in which her parents did business.

Mary has captured the essence of what made Billericay what it was back in 1914. She writes:

> 'In 1914 Billericay was a compact village of about 2000 inhabitants. There was the High Street, Back Street, which today is called Chapel Street, and Back Lane which is now Western Road. Within half a mile of the High Street there were groups of cottages; Sun Street had some, which are still there today. There were others in Laindon Road at the beginning before you come to the Roman Catholic Church, and Stock Road, most of which are still there, along with Norsey Road and Western Road.
>
> Apart from that there were the farms. In London Road there was Hodges Farm and others along Laindon Road where it verges on to Little Burstead, Norsey Road, Stock Road and Jacksons Lane. The roads back then were no more than dirt roads. They weren't flat and smooth and made of tar. They were just mud which was hard and dusty in the summer and wet and clingy in the winter with plenty of lumps, bumps and ruts. If you picked blackberries from the roadside hedges, they were usually covered in dust, especially in the summer.'

The picture this conjures up is so different from today with our busy, fast moving roads being driven along by ever increasing numbers of cars, buses, lorries and vans. Back then life just crept along at a nice slow, steady pace, where the king of the road was still the horse. Horses were used for riding, pulling delivery wagons, ploughing the fields and, for those who could afford it, carriages to be driven around in, much like a car today. Mary names three affluent residents who owned such carriages and who could also afford to employ coachmen to drive them about.

When it came to harvesting the fruit and vegetables they were collected from the surrounding farms, stacked up high in the big farm wagons and taken off to sell at the nearby markets, each of them pulled along on their journey by two large horses. There was a mill just up the road in the nearby village of Stock, so large wooden carts would be used to take the wheat there, which had been gathered from the farmer's fields, to be ground into flour.

Horses played a very important part in all aspects of daily life throughout the country. There were two blacksmiths in Billericay High Street, where the Post Office and Boots the Chemist are located today. Because of the number of horses there were lots of roadside ponds for them to stop and drink from.

During the First World War Britain sent 1,000,000 horses across the English Channel to help with the war effort. Over the course of the four years 500,000 of them were killed, only 65,000 of them made it back to these shores. The rest were sold in Europe to either farmers or the slaughter house, which isn't so readily recorded. There was actually more tonnage of animal foodstuffs shipped to France, than there was ammunition, so it would be fair to say that the horses were at least in part well looked after. Each horse was allocated 25lbs of grain a day.

> 'In the High Street there were lamp-posts with the little glassed-in lamps, which were actually produced in Billericay, at the gas works on the former site of Job Salters foundry. These little glass lamps had a pilot light with a chain and a ring and every evening the lamp lighter went round and pulled the chain with a hook on the end of a stick to set the lights going.
>
> It was only the High Street that was lit. There were no lights in Western Road or Norsey Road, in fact Norsey Road was very eerie because Mr Castleden's property had a black creosoted fence and there was something very peculiar about it, because if you walked past it in the dark it did the most un-nerving things. There was a strange echo to your footsteps and, of course there was no light around to get under, or any sort of refuge.'

It is easy to picture that little old man walking up and down the High Street with his long stick, starting the lights up each evening, no matter what the weather was like. It is almost possible to imagine the eeriness of Mr Castleden's house and its surrounding creosoted fence, because of the detail in Mary's writings.

> 'If you were to walk up the High Street you could have walked up the middle of the road if you had wanted to. You wouldn't

have needed to walk on the pavement. You could walk safely up the High Street and there would be very little traffic and what traffic there was would be the odd cyclist and horse traffic.'

Over the years I've seen lots of pictures of Billericay High Street which show that exact same scenario, with children playing in the street or adults going about their daily routine.

Mary effortlessly describes the quaintness and simplicity of life for the people of Billericay during the First World War, which was most definitely a pleasant contrast to how life was for the thousands of soldiers in the trenches on the Western Front. Here are a few examples:

> 'Once a week the drovers, old Harry Totman was the drover in Billericay, drove their cattle to Chelmsford Market, nine miles away, so you can imagine how early they had to be up to get there, and can you imagine the state of the cattle when they arrived.'

> 'Every Saturday morning there was the excitement of the Fox and Hounds meeting and very often they met outside the Red Lion pub. All the foxhounds, the horses and the huntsmen gathered outside in the High Street, and it didn't matter because there was no passing traffic to upset. Everybody turned out to see them off.'

> 'At first there was just one postman for the whole of Billericay, a Mr Ramsey, whose head nodded as he walked. He delivered the mail for the whole of Billericay. When it eventually became too much for one man to do on his own, Mr Collins and Mr Polley came along and they would take the north side of the town one week and the south side of the town the following week. That gives some idea of just how small and compact Billericay was then.'

In 1914, between the bottom end of the High Street, as it forks off into Stock Road and Norsey Road, and the top end at Sun Street, there were a total of fifty-four premises including private residences, shops, pubs, the bank, Post Office, the Police station, the undertakers, a school and a Church, which goes to show how self-contained village life was for the residents. The county town of Chelmsford, with many more shops was only nine miles away if anything more specialised was required.

Mary Needham writes about one shop in amazing detail, describing the staff, the layout of the shop and the many different items which they sold. She even describes the normality of the shop providing a delivery boy on a bicycle to drop off purchases to the customer's home if required.

Below gives a flavour of what the shopping experience was like in those days, especially when compared with the giant and impersonal supermarkets that have replaced those same shops today. Mr Moore's Grocer and Drapery shop was next door to where the current Police station is situated at the top end of the High Street, as it meets with the London Road.

> 'I would like to take you into one of the grocer's shops. The one in question is a family business which is owned and run by old Mr Dick Moore and his two sons, Lennie and Percy, all decked out in their white calico aprons and very attentive to their customers. Had you arrived in your carriage Mr Moore would have come out on to the pavement to receive your order.'

That paragraph alone conjures the values of yesteryear, when the word service actually meant what it said.

There were schools at either end of the High Street. At the top end as the road continues in to the Laindon Road, and in the area where Quilters Primary school is today, there was a school which mainly catered for children who lived in some of the outlying farm cottages. With no transport available to drop them off and pick them up, for most it was a very long walk which, in the winter months, meant arriving and leaving school in the dark. In those days all children left school when they were fourteen years of age to go out to work, for boys either some kind of manual/labouring work or an apprenticeship, For girls going in to service or shop work. There were opportunities for some of the brighter children to continue their education, but it meant travelling to schools in different towns such as Brentwood, Romford or Southend which for most was simply an impossible and unaffordable journey.

Discipline was strict as this was a time when children were 'seen and not heard'. The main part of the curriculum focused on reading, writing and arithmetic and in addition the girls did cookery and needlework whilst the boys were taught woodwork.

At the other end of the town was the Burstead House private school which was fee paying and mostly for the children of professional people or farm owners. The building which housed the school is still there today. This was Mary Needham's school before she left to attend the Ursuline Convent in Brentwood.

Interestingly the last page of the booklet talks about a couple of the regiments that were billeted in the town during the war, which were numerous due to the camp which was situated close to the town centre.

> 'The war began to put Billericay on the map. During the war of course, we had soldiers billeted here. There was a camp down Mountnessing Road opposite Station Road, but some of the soldiers, usually officers, were also billeted in people's houses. Right at the very beginning I clearly remember we had the 6th Warwickshire Regiment, they were the people who volunteered right at the very start of the war, eager young men. We had the Captain and the Lieutenants billeted with us. They were very kind and well-mannered people. I can see them now, if I'd have met them years later I would have recognised them, but sadly not one of those officers came back from the war.
>
> Then there were the Worcestershires who followed after them. On Saturday mornings the embarkation always began. It started with the men marching down Billericay High Street with their band playing as they made their way to the train station on the first stage of their trip to France. They would sing as they went, such songs as *It's a long way to Tipperary* and *Pack up your troubles in your old kit bag*. I still cannot listen to either of those tunes without dissolving into tears. I find it so sad to think that virtually none of those young men returned home, but no doubt they wrote letters home while they were here, so more people got to hear of Billericay.'

The photograph shows officers and sergeants from the 5th Warwickshire Regiment, which although slightly different from Mary's

Officers and sergeants of the 5th Warwickshire Regiment billeted at the Billericay Union Workhouse. (Cater Museum, Billericay)

account, is confirmation that men from the Warwickshire Regiment were in fact billeted at the Workhouse.

There must have been numerous similar personal accounts kept of those yesterdays in diaries and journals which have then unfortunately been either lost over the years or have just simply never come to light. These first hand historical accounts provide us with a window back in time.

Although the village of Stock is literally just a couple of miles up the road from Billericay on route towards Chelmsford, during the First World War the area actually came within the Metropolitan Police District and not Essex. In itself there is nothing too out of the ordinary about that as the border between the two police forces has changed a few times over the years.

Late on in the war, on 11 March 1918 to be precise, a ban on taking photographs, making sketches, drawing plans, models or any other representation of any place or thing came into force in certain areas within the Metropolitan Police District. This included the areas of both Stock and Buttsbury and meant it was prohibited to take a photograph, draw a sketch, or write a description in public. This could still be done indoors, inside the curtilage of one's own property or at a photographic studio. Just being in possession of a pencil in a public place could leave someone liable to be arrested. Imagine the problems that would come with trying to enforce such rules in today's world of mobile phone technology.

The British authorities felt there was a real risk of a German invasion as the document highlights. The date at the bottom of the page shows 14 May 1914, some three months before the war actually started.

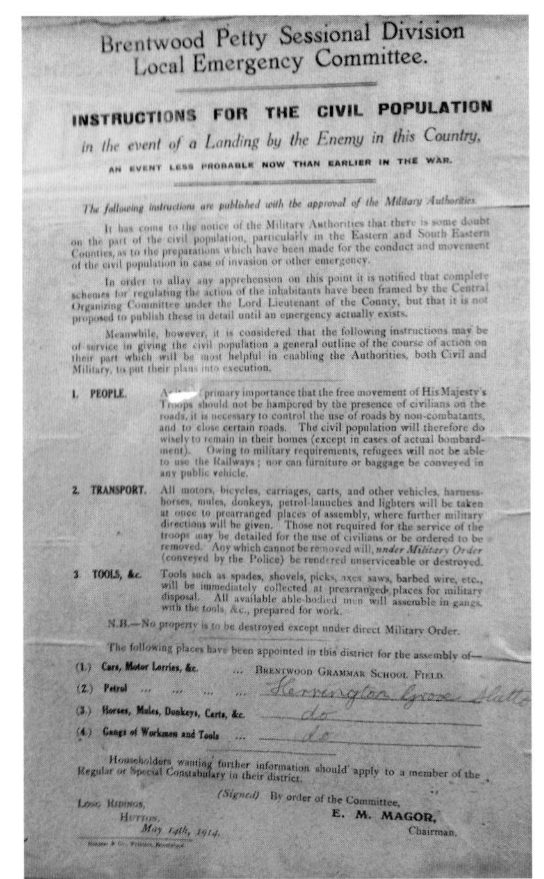

Brentwood Petty Sessional Division
Local Emergency Committee.

INSTRUCTIONS FOR THE CIVIL POPULATION

in the event of a Landing by the Enemy in this Country,

AN EVENT LESS PROBABLE NOW THAN EARLIER IN THE WAR.

The following instructions are published with the approval of the Military Authorities.

It has come to the notice of the Military Authorities that there is some doubt on the part of the civil population, particularly in the Eastern and South Eastern Counties, as to the preparations which have been made for the conduct and movement of the civil population in case of invasion or other emergency.

In order to allay any apprehension on this point it is notified that complete schemes for regulating the action of the inhabitants have been framed by the Central Organizing Committee under the Lord Lieutenant of the County, but that it is not proposed to publish these in detail until an emergency actually exists.

Meanwhile, however, it is considered that the following instructions may be of service in giving the civil population a general outline of the course of action on their part which will be most helpful in enabling the Authorities, both Civil and Military, to put their plans into execution.

1. **PEOPLE.** A[illegible] primary importance that the free movement of His Majesty's Troops should not be hampered by the presence of civilians on the roads, it is necessary to control the use of roads by non-combatants, and to close certain roads. The civil population will therefore do wisely to remain in their homes (except in cases of actual bombardment). Owing to military requirements, refugees will not be able to use the Railways; nor can furniture or baggage be conveyed in any public vehicle.

2. **TRANSPORT.** All motors, bicycles, carriages, carts, and other vehicles, harness-horses, mules, donkeys, petrol-launches and lighters will be taken at once to prearranged places of assembly, where further military directions will be given. Those not required for the service of the troops may be detailed for the use of civilians or be ordered to be removed. Any which cannot be removed will, *under Military Order* (conveyed by the Police) be rendered unserviceable or destroyed.

3. **TOOLS, &c.** Tools such as spades, shovels, picks, axes saws, barbed wire, etc., will be immediately collected at prearranged places for military disposal. All available able-bodied men will assemble in gangs with the tools, &c., prepared for work.

N.B.—No property is to be destroyed except under direct Military Order.

The following places have been appointed in this district for the assembly of—

(1.) **Cars, Motor Lorries, &c.** ... Brentwood Grammar School Field.
(2.) **Petrol** ... ... Herrington Grove Slatt[illegible]
(3.) **Horses, Mules, Donkeys, Carts, &c.** do
(4.) **Gangs of Workmen and Tools** ... do

Householders wanting further information should apply to a member of the Regular or Special Constabulary in their district.

(Signed) By order of the Committee,

Long Ridings,
Hutton.
May 14th, 1914.

E. M. MAGOR,
Chairman.

Instructions issued in case of an invasion.
(Cater Museum, Billericay)

CHAPTER 2

How the War Began

It's strange looking back all these years later and realising that although it was Britain who declared war on Germany, the reasons behind how matters escalated to that moment in time, weren't as straight forward as they might at first appear.

Europe was effectively split in two by 1905. On one side there were the countries which comprised what was known as the Triple Alliance – Germany, Austria and Italy – and on the other side were the countries which made up the Triple Entente – Britain, France and Russia.

In December 1905, what became known as the Schlieffen Plan came into existence. It was created by General Count Alfred Von Schlieffen, the Chief of the German General Staff, and was an operational plan for a designated attack on France once Russia had started to mobilize her forces close to the border with Germany. Schlieffen believed that the most likely theatre of war was going to be on the Western Front. He had also recognised that France posed more of a military threat to Germany than Russia. He concluded that a successful surprise attack on France by German forces, would serve to deter Britain from becoming involved in a European war.

Having defeated France, Germany could then re-deploy troops to the borders with Russia, defeating them as well. The Schlieffen plan was daring, but it also had some glaring weaknesses, the main issue being its implementation couldn't begin until Russia had begun the mobilization of her troops, which meant that Germany had absolutely no control over when that would be, the worst case scenario being that this might occur at a time when Germany wasn't ready in a military sense to implement the plan.

When Germany eventually did go ahead with it in August 1914, the first part of the plan didn't work due to their defeat at the Battle of the Marne between 5 -12 September 1914.

The assassination of Archduke Franz Ferdinand, the heir to the Austro-Hungarian throne, on 28 June 1914 set in motion a series of diplomatic events that eventually led to the outbreak of war in Europe at the end of July 1914.

The Archduke Ferdinand and his wife, Sophie, were killed by a Serbian nationalist and member of the notorious Black Hand Movement, Gavrilo Princip, while they were on a formal visit to Sarajevo. Princip shot Ferdinand at point blank range while the latter was travelling in his car from a town hall reception, having earlier that day already survived one assassination attempt, when a bomb was thrown at his car by another of Princip's associates. Some sections of Bosnian society questioned the timing of the Archdukes visit, falling as it did on Serbia's national day, believing it to be unnecessary and somewhat provocative. Tensions had been at fever pitch in the region for many years. From that one act, whatever the reason for it and whether it was just or otherwise, millions of people went on to die as a result of four years of bloody war.

The Archduke's death set off a series of events, exacerbated by the treaties and alliances already in place amongst most of the European countries, which within five weeks had seen the declarations of war turn in to an all-out conflict.

It culminated with Britain supporting her ally Belgium, who had refused Germany permission to take a route through her country to attack France. On 3 August Germany invaded Belgium regardless. At 2300 hours on 4 August Germany had still refused a request by Britain to remove its one million troops from Belgium, Herbert Asquith, the then British Prime Minister, announced that a state of war existed between the two countries.

Most Britons believed the war was going to be a short lived affair, being nothing more than a relatively minor altercation which would be all over by Christmas. On the evening of 4 August there were huge crowds of people cheering and singing about the beginning of the war outside Buckingham Palace, as if they were celebrating nothing more important than the dawning of a new year. It wouldn't be too long

G. R.

MEN OF ESSEX

YOUR KING AND COUNTRY NEED YOU.

LORD KITCHENER is appealing for another

100,000 MEN

AGE: 19—35 Years.
Ex-Soldiers: 19—45 Years.
Selected Ex-N.C.O's. up to 50 Years.

LET ESSEX LEAD THE WAY

Do YOUR part by joining your County Regiment

FOR THE WAR

You can join and obtain all particulars at the following Recruiting Offices:

Station:	Address:
Brentwood	Warley Barracks.
Braintree.	Moor End, Great Sampford.
Chelmsford.	Drill Hall, Chelmsford.
Colchester.	High Street, Colchester.
Grays	Drill Hall, Brook Street.
Harwich.	Drill Hall, Harwich.
Ilford.	325, High Road, Ilford.
Romford	28, Queen's Street.
Saffron Walden.	Drill Hall, Saffron Walden.
Shoeburyness.	Barrack, Shoebury.
Southend.	127, Salisbury Avenue.

E. FRENCH & SON, Steam Printers, The Westbury Press, Brentwood, Essex.

before the singing and cheering had been replaced by the crying and mourning of loved ones lost.

At the start of the war Germany had a battle ready army of 4.3 million troops at their disposal whilst Britain had only 750,000 regular troops in service.

On 7 August 1914, just three days after the beginning of the war, Field Marshall Horatio Kitchener, who was also the Secretary of State for War and who was seen fondly by most as the epitome of Britain's wartime resolve, called for 100,000 young men between the ages of nineteen and thirty to volunteer for the Army. By early October 1914 the number of men who had actually answered Kitchener's 'call to arms' stood at 761,824. By the middle of September 30,000 a day were enlisting. By the end of the year that number had passed the one million mark and by the end of 1915 had more than doubled to 2.46 million.

Men joined the armed forces for many different reasons. Those who made up the upper classes of British society filled the vast majority of the officer ranks. It could be said that they had the most to lose; they had ideals of honour, glory, self-sacrifice, chivalry and duty, virtues that had been instilled in them throughout their school years. The working class on the other hand made up the vast majority of the infantry soldiers. They too believed in the virtues of honour and duty, but for them it was also about getting caught up in the popular excitement that quickly followed the outbreak of war, it was about having a respite from the routine of a boring job, fear of being thought of as a coward, pressure to join up by their peers and a genuine belief it would be over by Christmas.

In the first five months of the war, up to the end of 1914, one million men from all sides had already lost their lives, quickly eradicating the mistaken belief in some quarters of society, that the war was no more than an inconvenient and irrelevant 'skirmish' that would soon be over with.

For a nation that had ruled an empire for so long, it was hard for most people to understand why it was taking so long to defeat our European neighbours. What was even harder to take was the enormous cost in human life, the loss of young men who were dying in their thousands. Young men who were brothers, sons and husbands from close-knit communities with families that depended on them.

There was no welfare state back in 1914 and it would be thirty-four years and another World War before the National Health Service (NHS) came into being in 1948.

In general terms more people supported the war than there were those against it. In towns and villages up and down the country, people gathered to show their support. History has shown that down the years during times of war people pull together, forget their differences and unite against a common enemy. The First World War was no different, neither were the British people.

This feeling of popular excitement at the announcement of war was perfectly illustrated in the book written by Lloyd Clark and first published in 2001, *World War 1 – An Illustrated History*.

> 'On August 5th 1914, I reported to my regimental depot, being an Army Reservist. What a meeting of old friends! All were eager to take part in the great scrap that every pre-war soldier had expected. At the depot all was bustle, but no confusion. In the mobilization stores, every reservist's arms and clothing were ticketed, and these were soon issued, with webbing equipment. About 300 men were then selected and warned to hold themselves in readiness to proceed to the south coast to make up the war strength of their battalion stationed there. There was great competition to go with this draft, the writer being one of the lucky ones to be selected.'

Private R.G. Hill, 'An Old Contemptible at Le Cateau', August 1914

Private 10060 Ralph Gordon Hill landed at Le Havre in France with the 1st Battalion Leicestershire Regiment, on 14 September 1914 and took part in the Battle of Mons as well as the Battle of Le Cateau.

In July 1915 Private Hill was with the 6th Battalion Leicester Regiment when they arrived in Gallipoli. On 6 August he took part in the landings and subsequent action in Suvla Bay. He was killed on 8 August 1915 whilst taking part in an attack on Scimitar Hill or Hill 90 as it was also referred to. There were 391 other ranks from the 6th Battalion who were killed that fateful August day in 1915.

War has always papered over the cracks of any political shortcomings that were apparent back home and the First World War was no different. The Liberal Party won a massive political victory when they came to power in 1906. However, during their election campaign they didn't promise to bring in any welfare reforms. In fact poverty and welfare were not big issues for any of the main political parties. Despite this the Liberal government brought in wide ranging, and what some saw as controversial, reforms almost as soon as they took office.

In 1908, old age pensions and school meals were introduced. In 1909, David Lloyd George brought in a new budget which 'stopped people in their tracks'. Its main aim was to pay for the pensions and the other welfare reforms that the Liberal party were bringing in. With it came these words of wisdom.

> 'This is a war budget. It is for raising money to wage implacable warfare against poverty and squalidness. I cannot help hoping and believing that before this generation has passed away, we shall have advanced a great step towards that good time, when poverty and the wretchedness and human degradation which always follows its camp, will be as remote to the people of this country as the wolves which once infested its forests.'

When the war began the Liberal Party was in power with Herbert Asquith as the Prime Minister, but with the military defeats and failings mounting up behind him, his hold on political prominence dwindled, particularly with the Gallipoli campaign in 1915 and the need to form a coalition government the same year. The horrors of the Battle of the Somme followed in 1916, and in a political sense Asquith was finished. He was ousted from power by factions within his own party and replaced by David Lloyd George.

In 1911 they brought in National Insurance, which gave workers sick pay and unemployment benefits. These were radical measures for the day, truly ground breaking, and as with anything that is both new and radical, people weren't always sure how to react. British society had for many years been based on a class system where everybody knew their place in its very foundations. Unexpectedly Asquith and the Liberal Party had come along and begun making drastic changes, which resulted in people becoming very nervous especially at the speed and the amount of changes that were taking place.

This is a snapshot of the political as well as public attitudes and beliefs that were held by the majority of society back in 1914, whether those same ideals prevailed as the war painfully continued for four more bloody years, will be a topic always open to debate.

On 10 November 1918 after four long years of bloody war, the Allies issued the German Government an eighteen-point list of demands for an Armistice to take place. It was accepted in its entirety without argument or discussion and at 1100 hours on 11 November 1918, the war in Europe was finally over.

CHAPTER 3

Kitchener's Address to the Troops 1914

By the time Britain had declared war on Germany on 4 August 1914 preparations were already well underway to send a British Expeditionary Force (BEF) across the English Channel to assist the French and Belgians. The man initially in charge of the BEF was Field Marshall Sir John French.

The Minister for War at the time was Lord Kitchener, who decreed that every member of the BEF should be handed a document which contained his personal advice and guidance as to how troops should conduct themselves whilst in France. The intention was to ensure that British troops behaved in a correct and professional manner, primarily so as not to damage Anglo-French wartime relations. The address given by Kitchener was as follows:

> 'This paper is to be considered by each soldier as confidential, and to be kept in his Active Service Pay Book. You are ordered abroad as a soldier of the King to help our French comrades against the invasion of a common enemy. You have to perform a task which will need your courage, your energy, your patience. Remember that the honour of the British Army depends on your individual conduct. It will be your duty not only to set an example of discipline and perfect steadiness under fire but also

to maintain the most friendly relations with those whom you are helping in this struggle. The operations in which you are engaged will, for the most part, take place in a friendly country, and you can do your own country no better service than in showing yourself in France and Belgium in the true character of a British soldier.

Be invariably courteous, considerate and kind. Never do anything likely to injure or destroy property, and always look upon looting as a disgraceful act. You are sure to meet a welcome and to be trusted; your conduct must justify that welcome and that trust. Your duty cannot be done unless your health is sound. So keep constantly on your guard against any excesses. In this new experience you may find temptations both in wine and women. You must entirely resist both temptations, and, while treating all women with perfect courtesy, you should avoid any intimacy.'

Do your duty bravely. Fear God. Honour the King.
KITCHENER, (Field-Marshal).'

Nearly one hundred years later that document doesn't come across as being particularly awe inspiring for young men just about to go off to fight in a war against an enemy on foreign soil. It certainly doesn't make the hairs on the back of our necks stand up. If anything, it seems slightly condescending. I believe it clearly showed how far apart the mind set was between the common soldier, senior officers and politicians.

To most it would have been an adventure. It would have been the first time some of them had even set foot outside their own communities let alone been in another country. For all of them it was an opportunity to be able to do what they would have seen as being their duty, to serve their king and country when called upon to do so. Behaving in a disrespectful manner to innocent civilians in their own country wouldn't have been high on the list of a soldier's priorities of how they should conduct themselves. After having been in the front line trenches for the first time, the only thought on any of their minds would have been making sure that they stayed alive and made it back home to their loved ones. After that first taste of trench warfare they would have quickly realized they weren't on any romantic adventure or holidaying in a foreign land, but living a nightmare on a horrifying and bloody journey where the next stop might well be their final destination.

When looked at in those terms, the more self-effacing and arrogant Kitchener's words become, but on balance it has to be remembered that was the attitude of the time and it is hard and maybe somewhat unfair to look back and judge yesterday by today's standards.

CHAPTER 4

Enlistment

The expansion of the British Army at the beginning of the First World War from a small professional unit to a larger and much more effective fighting machine, capable of defeating the world's most formidable military adversary, was a truly remarkable achievement. It had been built on the back of an overriding sense of national pride and a steely determination not to be defeated.

From 1908 it was been possible to join the British army in different ways. A man could join up as a full time professional soldier in the Regular Army or as a part-time member of the Territorial Force or as a soldier of either the Special Reserve or the National Reserve. Unlike a lot of her European neighbours, Britain did not have a system of national conscription in place at the start of the First World War.

It had long been a bone of contention amongst both politicians and senior military personnel as to whether or not Britain needed a programme of national conscription. There had been political tensions bubbling under the surface throughout Europe and beyond for quite a few years. With all of the different alliances that countries were signing with each other to help protect the most vulnerable, there was always the strong likelihood of a war at some time in the near future, it was really just a case of when.

The Regular Army was quite an appealing option for a lot of young men who otherwise only had a lifetime of hard manual labour or submissive service to look forward to.

Most wouldn't even get to venture out of the communities to which they had been born in to, let alone travel to a foreign country.

The allure of army life wasn't such an unattractive option in the circumstances. They would at least be provided with accommodation, a uniform, three square meals a day and a regular wage.

Recruits, aged between eighteen and thirty-eight, had to pass certain physical tests and be willing to sign up for a number of years although they could not be sent overseas to serve until they were nineteen years of age.

The man had a choice of the regiment he was assigned to. He would typically join the army for a period of seven years full time service with the colours, to be followed by another five in the Army Reserve.

There was also the Special Reserve which provided a form of part-time military service. It was introduced in 1908 as a means of building up a pool of trained reservists in addition to those of the regular Army Reserve. Special Reservists enlisted for six years and had to accept the possibility of being called up in the event of a general mobilisation and to undergo all the same conditions as men of the Army Reserve. This meant that it differed from the Territorial Force in that the men could be sent overseas. They had to undertake three to four weeks training per year. A man serving in the Special Reserve could not serve beyond the age of 40, whereas a former regular soldier whose period of Army Reserve obligation had been completed could also re-enlist as a Special Reservist and serve up to the age of 42.

The Territorial Force, which was the forerunner of today's Territorial Army, came into existence in April 1908 as a result of the reorganisation of the former militia and other volunteer units. It provided an opportunity for men to join the army on a part-time basis. These units were often recruited from within local communities which meant recruits had a choice of regiment, but because of the local nature of the Territorial Force, in general men would join their home unit. The training was generally undertaken at weekends or in the evenings and there was also a two-week summer camp that had to be attended once a year. Territorials were not obliged to serve overseas, but when they enlisted it was on the basis that in the event of war they could be called upon to undertake full-time military service.

The National Reserve was a register maintained by Territorial Force County Associations of all those men who had military experience, but who had no other reserve obligation. In October 1914 men of the National Reserve were formed into companies and attached to existing Territorial Force battalions, for guarding installations such as railways and other vulnerable points within Britain. In July 1915 there was an attempt to identify men from the National Reserve who were capable of marching ten miles with a rifle and 150 rounds of ammunition.

These men were formed into battalions of the Rifle Brigade and sent out to Egypt and India at the end of 1915 to replace Territorial Force units that were committed to fighting in Gallipoli and Mesopotamia.

When the war ended there was suddenly no longer any need to have so many men in the armed forces. When a soldier was demobbed, depended on what his individual terms of service were. Soldiers of the regular army who were still serving their normal period of service remained in the army until their contracted amount of years had been completed. Men who had volunteered or who were conscripted for war service were generally given priority. Understandably, everyone wanted to get back home as quickly as they could once the war was over, but it simply was not possible for everybody to just down tools and go.

Not only would it have been practically impossible to process such large numbers of men in such a short period of time, but the British Army still had military commitments to fulfil across Europe as well in garrisons throughout the Empire.

Before soldiers left their units they were examined by an Army doctor and then given a form which allowed them, if applicable, to make a claim for any form of disability which had arisen as a result of their military service.

On the outbreak of war in August 1914, Britain had 247,432 regular troops. About 120,000 of these were in the British Expeditionary Force and the rest were stationed abroad. It was clear that more soldiers would be needed to defeat the German Army.

On 7 August 1914, Lord Kitchener, the war minister, began a recruiting campaign by calling for men aged between nineteen and thirty to join the British Army. At first this was very successful with an average of 33,000 men joining every day. Three weeks later Kitchener raised the recruiting age to thirty-five and by the middle of September over 500,000 men had volunteered their services.

Meanwhile the leadership of the Women's Social & Political Union (WSPU) began negotiating with the British government. On 10 August the government announced it was releasing all Suffragettes from prison. In return, the WSPU agreed to end their militant activities and help the war effort instead.

With the men going off to fight in such large numbers, the jobs and work which they were leaving behind still needed to be done and not just for the benefit of the war effort. Regardless of whether there was a political will to provide women with the right to vote, having them 'on side' and in support of the war effort was an absolute necessity.

Emmeline Pankhurst announced that all militants now needed to fight for their country in the same way and with the same tenacity as they had previously fought for the right to vote. Ethel Smyth pointed out in her 1933 autobiography, *Female Pipings for Eden*:

> 'Mrs Pankhurst declared that it was now not a question of Votes for Women, but of having any country left to vote in.'

After receiving a £2,000 grant from the government, which was an extremely large sum of money in those days, the WSPU organised a demonstration in London. Members carried banners with slogans such as 'We Demand the Right to Serve', 'For Men Must Fight and Women Must work' and 'Let None Be Kaiser's Cat's Paws'. At the meeting, attended by an estimated 30,000 people, Emmeline Pankhurst called on the trade unions to let women work in those industries traditionally dominated by men.

At the beginning of the war the army had strict specifications about who could become soldiers. Men joining the army had to be at least five feet six inches tall with a chest measurement of thirty-five inches. By May 1915 the need for even more soldiers led to the criteria being changed. Now a man only had to be five feet three inches tall and the age limit was raised to forty years. In July the Army agreed to the formation of 'Bantam' battalions, composed of men between five feet and five feet three inches in height.

In 1914 David Lloyd George, the Chancellor of the Exchequer at the time, was given the task of setting up a British War Propaganda Bureau (WPB). He appointed the successful writer and fellow Liberal MP, Charles Masterman as head of the organization.

During the first few months of the war the WPB published numerous pamphlets, such as the report on alleged German outrages that gave credence to the idea that the German Army had systematically tortured Belgian civilians, all of which were penned by well-known writers of the day.

The government also began a successful poster campaign. Artists such as Savile Lumley, Alfred Leete, Frank Brangwyn and Norman Lindsay, helped to produce a series of posters urging men to join the British Army. The desire to fight continued on into 1915 and by the end of that year some two million men had volunteered to serve in the British armed forces, evidence enough that both the pamphlets and the posters had more than adequately proved their worth.

CHAPTER 5

Defence of the Realm Act 1914

The Defence of the Realm Act (DORA) which came into being in August 1914 at the outbreak of the First World War, brought about some of the most fundamental changes in British society. In 1914 Britain was concerned with two main issues, how to defend itself against the threat of possible internal enemies and how to mobilize the country behind the war effort.

With the Act came a raft of measures that would have been inconceivable to have even thought about, other than at a time of war, where national security was paramount. These included in no particular order, the following restrictions.

- It was illegal to photograph military bases and establishments.
- It was illegal to own or use telephones or telegraph without specific government permission.
- Civilians needed a permit to be able to keep homing pigeons.
- There were strict controls on the ownership and use of firearms, chemicals and film for moving pictures.
- The military could take control of any piece of land without needing the owner's agreement or permission.
- Local councils could take over land that wasn't being used for food production and grow crops on it.
- The sale of medical drugs and alcohol was strictly controlled.
- Shops had to close by 8pm each day.

- Lights had to be put out or their use kept to a minimum.
- No talk about naval or military matters in public places.
- No one was allowed to spread rumours about military matters.
- No one was allowed to buy binoculars.
- No one was allowed to trespass on railway lines or bridges.
- No one was allowed to melt down silver or gold.
- No one was allowed to light bonfires or fireworks.
- No one was allowed to give bread to chickens or horses.
- No one was allowed to use invisible ink when writing abroad.
- No one was allowed to buy brandy or whisky in a railway refreshment room.
- No one was allowed to ring church bells.
- The government could take over any factory or workshop.
- The government could try any civilians breaking these laws.
- The government could sensor any newspapers.
- As the war continued and evolved the government introduced more laws to the Defence of the Realm Act.
- The government introduced British summertime to give more daylight for extra work.
- Opening hours in pubs were cut.
- Beer was watered down.
- Customers in pubs were not allowed to buy a round of drinks.

The Act was varied and wide-ranging and whilst some of its restrictions were both obvious and understandable, some of them appeared to be equally obscure and confusing. The outbreak of war had certainly given the government the opportunity to give itself some extremely intrusive powers and control over its population.

In 1914 at the outbreak of the war Britain's Army was still relatively small. The government asked for one hundred thousand young men to volunteer, instead they ended up with five times that number, but by the latter part of 1915 they found that they needed even more.

In January 1916, compulsory military service was introduced, otherwise known as conscription, for all single males between the ages of 19 and 30. Three months later in April 1916 this was extended to include married men.

By using DORA the government tried to prevent unions and workers from taking strike action against their employers, but the idea was flawed from the outset. Some unions saw this as being extremely provocative and no more than a veiled threat to what they saw as being a worker's right. With this hanging over them some unions threatened to go on strike. The last thing the government could afford was a loss of productivity in any of its industries, especially in the areas of food, clothing, engineering or armaments, any of which could dramatically affect the war effort. The unions called their bluff and the government had folded like a pack of cards which gave the unions the upper hand where industrial relations were concerned, a position which they continued to enjoy until the mid-1980s.

Prior to the war there was a very specific structure to society, people knew their place and what was expected of them, but all of that changed with the First World War and there would be no going back to how it had once been.

The war didn't totally prevent industrial action from being taken by some unions, a tactic usually employed over pay, conditions and working practices. After the war industrial relationships between employer and worker became even worse in some quarters. After four years of bloody war, where hardly a single family had not made some kind of personal sacrifice, usually at the cost of a loved one, there had been a massive shift in the very fabric of society. People were no longer prepared to go back to how things had once been, to what had been a very class driven society. They now wanted and demanded more. Post 1918 saw the dawning of a new age not only in Britain but across the whole of Europe.

Under DORA, the government also took increasing control of industry and food production. When the war began, there were no clear plans to do this. However, as the war continued and became more intense it was clear that private companies could not cope. In 1915 there was a munitions crisis. Private companies were unable to produce enough munitions, partly because they were too small and partly because they could not get enough metal, coal or rubber. The government took control of co-ordinating the supply of materials. It also set up its own munitions factories and took control of the coal industry in 1917.

On the whole, it seems that most people accepted the somewhat harsh restrictions, the majority of arrests or cautions given by police or military authorities being for people who accidentally broke DORA

Regulations rather than those protesting about government restrictions on their freedom.

The government's biggest challenge was finding enough men to fight. When war broke out the British Army was nowhere near the size of Germany's, a country which had been preparing for war for years. Traditionally Britain had always relied on a large navy to defend itself from invasion and therefore hadn't seen the need to increase the size of its land army to any great degree, but this was a war that would ultimately be won and lost on the battlefields of Europe and not in the oceans of the world.

The First World War would be like no other war that had gone before it, the industrial revolution and subsequent technological revolution in weapon development had seen to that. Along with the artillery, machine guns, tanks, aircraft and other weapons that were all part of the new type of warfare, it also required millions of soldiers.

All the other great powers had systems of conscription. Men were called up for a few years compulsory military service. This meant that Russia, Germany, Austria and France all had large armies in 1914 and could call up thousands of men who had been provided with military training because they had recently finished their national service. Britain had never had a system like this because it had never needed one. There was also the fact that British people saw compulsory military service as a threat to their liberty and democracy.

At the outbreak of war Britain needed volunteers and by the end of 1914 and into 1915 the pace of volunteering had slowed. Many men simply did not want to go to war. Men could earn high wages in war-related industries. Many also had wives, children and in some cases parents, to support.

There was a suspicion that in some areas men were not being pressured to volunteer, while in other areas they were, and confusion over whether the government wanted workers like miners or shipbuilders to join up or stay in their jobs and produce much needed materials for the war effort.

All this added up to a crisis in the second half of 1915. As a result, Lord Derby, who had been appointed the government's director general of recruiting on 11 October 1915, was given the job of trying to boost numbers of men volunteering. He had some success and recruitment rose, but with thousands of casualties, predominantly on the Western

Front, Lord Derby's efforts were not enough to meet the Army's needs. In January 1916 Prime Minister Asquith introduced conscription for all single men aged between eighteen and forty. It was a tough decision. No members of the government wanted conscription, but they felt that it was the only way that Britain could get the troops it needed. It was also widely seen as the fairest and most organised way to recruit. Conscription was eventually extended to include married men in April 1916.

Not everybody felt this way. Around fifty Liberal and Labour MPs voted against conscription. The trade unions opposed it because they did not trust the government not to extend conscription to industrial work as well as military service. Conscientious objectors also opposed the measure.

On the whole, however, the evidence suggests that conscription worked. It was well organised and people felt that they were being treated equally. Some people were exempt, such as men in jobs which were vital to war industries which were referred to as 'reserved occupations'. Anyone called up could appeal and have his case heard by a Military Service Tribunal. (See Chapter 18).

Food shortages were not a major problem in Britain during the initial stages of the war. Not surprisingly, there was a lot of panic buying when the war started, which caused shortages, but this didn't last too long. A more important issue was that of rising prices, as the old scales of supply and demand kicked in with a vengeance, not helped by the greed of certain individuals who saw the war as an opportunity to make money. The government restricted the amount of food and other goods that could be imported, which meant the prices of certain items and products would increase. For most people, this was not too much of a problem because their wages went up as well. However, for the old and poorer paid unskilled workers, rising prices made life much harder.

The situation became worse in 1917 when the Germans adopted a tactic of unrestricted submarine warfare. They had done this for short periods in 1915 and 1916, but in 1917 it became a concerted attack. The tactic was simple, all ships that were on their way to the shores of Britain were fair game and were to be sunk on site, no matter which country they hailed from or flag they sailed under. The effects were devastating. Essential supplies began to run short and in April 1917

Britain was only six weeks away from running out of wheat. Prices began to soar, queues grew longer and shops ran out of food. The government introduced a voluntary rationing scheme, led by the King and Queen. The main aim was to save wheat by getting people to eat less bread. For the better off in society this wasn't too much of an inconvenience. However, for the less well off, bread was a major part of daily dietary needs.

By the end of 1917 resentment amongst the poorer working classes was on the increase against the better off who could still afford the rising prices as well as be able to purchase other items from what had become known as the 'black market'. In January 1918 the Government finally had to act and had to introduce rationing. At first it was limited to the Home Counties in the south-east of England. By April it had spread to the entire country. Every person was issued with a ration card, even the King and Queen. The weekly allowances were as follows:

15oz (425g) of meat.
5oz (142g) of bacon.
4oz (113g) of butter or margarine.

Sugar was also rationed, and the government controlled the availability of many other consumer goods. Rationing largely solved the problems of rising prices and food queues. The health of the majority of people, especially the poor, may have actually improved as a result of rationing. They received better food than they could have afforded before rationing came in.

Britain's second biggest trading partner in 1914 before the war began was Germany, so when the war started a lot of British firms lost customers to whom they could sell their goods. Lost trade meant a reduction in the need for so many workers and in some cases also meant closure for the smaller businesses. This situation did not last for long. As men were joining the Army in such large numbers, more jobs became available on the home front.

The First World War would be decided as much in the factories as it would on the battlefields. Although large numbers of men were needed to fight, they couldn't do it without equipment, such as rifles, machine-guns, bullets, artillery pieces and shells, medical supplies and uniforms, not forgetting the large and continuous quantities of food and animal feed that were required to feed an ever-increasing army and a growing stock of horses.

With workers in demand, employers had to pay higher wages to get them, as fewer and fewer men were available due to the war. Employers also had to compete for the materials they needed to make their goods. The down side was that even though workers' wages rose, the prices of goods also went up even faster. Eventually the government had to take control of industries like coal and munitions.

The shortage of workers was met by the recruitment of over a million women, employed to do what had traditionally been male jobs. Nearly one million went to work in munitions factories up and down the country and worked in many other areas like engineering, driving buses and taxis, while around 16,000 of them joined the Women's Land Army. This was a radical change in society which would never have come about if it hadn't been for the war. Of course, women were paid less than the men had been earning, although in most cases it was probably more money than women had previously been able to earn. There were two large munitions factories near to Billericay, the British Explosives Syndicate factory at Pitsea, eight miles away, and the other twelve miles away at Kynochtown which is today Coryton oil refinery.

With women workers being employed in such large numbers, many trade unions feared for the future, for a time after the war when the status quo of the employment market would resume. They did not trust the employers, many of whom had made a lot of money from the war. The concern was that when men returned from the war they might be sacked and replaced by women workers whose wages would be much lower.

CHAPTER 6

The Essex Regiment

The Essex Regiment was an infantry regiment in the British Army between 1881 and 1958, with the majority of its men recruited from within the county. Its headquarters and barracks were on a large site in Warley on the outskirts of Brentwood, which today houses the Ford Motor Company. Today the now defunct regiment lives on in the shape of C Company of The Royal Anglian Regiment.

During the First World War so many men joined the Essex Regiment that they were able to provide thirty battalions for the British Army. As we will see later, some of these men were from the Billericay area, a number of whom paid the ultimate price.

The 1st Battalion of the Essex Regiment was in Mauritius at the outbreak of the First World War, but they were brought back home by December 1914 and almost immediately began their training for deployment to the Western Front. However, instead of France they left for Gallipoli in March 1915, sailing from Avonmouth near Bristol, and landing at Cape Helles, Gallipoli on 25 April 1915, stopping en route in Malta, Alexandria and Mudros.

In Gallipoli they were involved in some heavy fighting before eventually being evacuated on the evenings of 7 and 8 January 1916 to the relative safety of Alexandria in Egypt, where they stayed until March before then sailing to Marseilles in southern France where they were redeployed on the Western Front.

They were involved in the action on the very first day of the Battle of the Somme on 1 July 1916. At just before 1100 hours, and after a two-hour delay due to heavy German bombardment of their positions, the order came through for W, X, Y and Z companies to go 'over the top'. Many didn't even make it out of the trenches as they were cut down by heavy German machine-gun fire. They lost nearly 1,000 men that day; the names of some of them are recorded on the Thiepval Memorial in France.

The memorial is reserved for those missing or unidentified soldiers who have no known grave. A large inscription on an internal surface of the memorial reads:

> 'Here are recorded names of officers and men of the British Armies who fell on the Somme battlefields between July 1915 and March 1918 but to whom the fortune of war denied the known and honoured burial given to their comrades in death.'

In 1917 men from the Essex Regiment took part in all three actions known as the Battle of the Scarpe during the Arras offensive. They also took part in the Battle of Langemarck as well as the Battle of Broodseinde. Their other battle honours from the First World War included actions at Le Cateau, Ypres, Loos, Cambrai and Gaza.

By 1881 numerous different regiments had evolved into what became the Essex Regiment, which saw active service in the Boer War and both the First and Second World Wars. The regiment was also involved in the Irish War of Independence during 1919 through to 1921, when it was stationed at Kinsale in County Cork. The 2nd Battalion was stationed in Constantinople in Turkey during the Greco-Turkish war in 1922.

The regimental barracks at Warley continued to serve as a training centre and depot for the Essex Regiment until after the Second World War, with many young men going there to serve the first few weeks of their National Service, but with the ending of conscription in 1960, the site was closed and sold off.

Although the regiment no longer exists, the Essex Regimental Chapel is still located in Eagle Way, Warley. It was built in 1857, originally for the East India Company, but with the establishment of the Essex Regiment Depot at Warley, the chapel became the regiment's 'home' church. The site of the old regimental depot has long since been demolished and is now the headquarters of the Ford Motor Company. Most of the original barracks have been knocked down and only the chapel, the officer's mess, which is now a nursing home, and one of the regimental gymnasiums, remain.

CHAPTER 7

5th Norfolk Regiment – Sandringham Pals – The Vanished Battalion

Although we are unable to come up with a definitive answer to the question, how many different regiments were billeted in the town of Billericay or even at nearby Stock during the First World War, we know enough to be able to establish that there were quite a few mainly because of the area's strategic geographical position in the event of a German invasion.

One such regiment was the 5th Norfolk or the Sandringham Pals, so named, as the 5th was predominately made up of men who worked on the crown estate at Sandringham in Norfolk and who were employed by the Royal Family. The battalion had been formed in 1908 at the personal request of King Edward the VII.

When war was declared and Britain started to mobilize its forces the 5th, which was part of the 54th Division, was originally billeted in Billericay but on 17 August 1914 moved to Colchester. Over the next year they moved to different locations around the UK, training and honing their skills in readiness for war. That day soon arrived and they left these shores and set sail for the Dardanelles on 29 July 1915 on board the SS *Aquitania* from Liverpool. There were 1,000 men in the battalion along with thirty officers of

Norfolk Regiment cap badge.

different ranks. Their Commanding Officer was Colonel Sir Horace G.P. Beauchamp, Bart, C.B. They eventually reached Mudros in Turkey on 5 August 1915 as part of the commitment to the Gallipoli campaign. Amongst the officers were the four Beck brothers and the three Cubitt brothers. On arrival the regiment was dispatched to Suvla Bay, where heavy fighting had already taken place.

It was very hot during the day and freezing cold at night, so extreme were the temperature changes. The men were still not fully recovered from the rigours of their long sea journey and were untried when it came to actual fighting, when on 12 August 1915, nearly the entire battalion was wiped out during an ill-conceived attack against a well-drilled Ottoman enemy. The attack was carried out in broad daylight across open ground which provided little, if any, cover.

What happened to the 5th is eloquently captured in Commander-in-Chief Sir Ian Hamilton's dispatch dated 11 December 1915, when he describes what he calls, 'A very mysterious thing':

> 'The 5th Norfolk's were on the right of the line and found themselves for a moment less strongly opposed than the rest of the Brigade. Against the yielding faces of the enemy, Colonel Sir H. Beauchamp, a bold self-confident officer, eagerly pressed forward, followed by the best part of the Battalion. The fighting grew hotter and the ground became more wooded and broken.
>
> At this stage many men were either wounded or grew exhausted with thirst. These found their way back to camp during the night, but the Colonel along with sixteen officers and 250 men, still kept pushing on, driving the enemy before them. Nothing more was ever seen or heard of any of them. They charged in to forest and were lost to sight or sound. Not one of them ever came back.'

It was not until some years later that any trace was ever discovered of the 5th Norfolks. Writing on 29 September 1919 the officer commanding the Graves Registration Unit in Gallipoli said:

> 'We have found the 5th Norfolks, there were 180 in all, 122 Norfolk and a few Hants and Suffolks with 2/4th Cheshires. We could only identify two Privates, Barnaby and Cotter. They were

scattered all over an area of about one square mile, at a distance of at least 800 yards behind the Turkish front line. Many of them had evidently been killed in a farm, as a local Turk who owns the place told us that when he came back he found the farm covered with the decomposing bodies of British soldiers which he threw into a small ravine.

The whole thing quite bears out the original theory that they did not get very far, but were mopped up one by one, all accept the ones who got in to the farm.'

For some reason, why we will never know, the officer concerned omitted from this report the fact that every single one of the bodies that had been discovered had been shot in the head, as if they had either been executed or finished off after having being discovered wounded.

The War Diaries of the 5th Norfolk, record that their total casualties at Gallipoli were twenty-two officers and about 350 men.

CHAPTER 8

Edith Cavell
1865 – 1915

Edith Cavell.

The major event in the War in August 1915 wasn't taking place on the Western Front but on the Gallipoli peninsula, which was then part of the Ottoman Empire. The allies had begun their main offensive on 6 April 1915 and after three months there was somewhat of a stalemate in place. Intense fighting had already resulted over 20,000 British and Commonwealth casualties.

Such losses were not seen by the British authorities as being good for morale. At the same time in Belgium a British nurse had been arrested by the German authorities and she was soon to become a household name.

We gave quite a bit of thought about whether to include this chapter or not as Edith Cavell has no direct association with Billericay, other than having a street in the town named after her. But having said that we believe it was right to include a little bit about her as it showed another side of the war, it showed the total inhumanity of it all. It made ordinary people ask the question how could a civilised nation kill a woman for what they saw and understood as her simply doing her job, which was to save lives.

Edith Louisa Cavell was born on 4 December 1865 in Swardeston, Norfolk. She was a nurse who whilst working in German occupied

Belgium, she gained a popular reputation as a humanitarian by saving the lives of soldiers on all sides without showing favouritism to anybody.

She also helped some 200 allied soldiers escape the area, which under German military law was seen as an act of treason. She was arrested by the Germans on 3 August 1915, held in prison for ten weeks before being charged with harbouring Allied soldiers, found guilty and sentenced to death.

Despite Allied pressure and pleas to the German authorities to show her mercy, she was shot by firing squad at 0700 hours on 12 October 1915 in Shaarbeek, Brussels, Belgium. She was only forty-nine years of age.

Her execution was met with world-wide condemnation. It was seen as being somewhat of a barbaric act even when compared with the slaughter and bloodshed that had been taking place almost on a daily basis for the previous year.

Ironically the German actions were supported by the first Geneva Convention of 1906, specifically article 7 of the act, thus giving the German decision to execute Edith Cavell, a somewhat warped kind of international credence and legitimacy.

The British government decided to use Cavell's heroic story as part of their propaganda machinery in an attempt to raise morale amongst troops and the civilian population, as well as trying to galvanise support for the war effort especially when it came to recruitment. Edith Cavell became the most prominent British female casualty of the First World War.

She had schools, streets as well as nursing facilities all named after her. Memorials were raised in her name. There is an Edith Cavell ward, which specifically cares for elderly patients, both male and female, at Basildon hospital.

Edith Cavell, executed 12 October, Brussels. (Wikipedia)

CHAPTER 9

Loyal North Lancashire Regiment

Billericay was not a happy place for the soldiers of the Loyal North Lancashire Regiment when they came to the town in May 1915. Within the space of three months, four men serving with the 11th Battalion would be dead, three of them as a result of water-related incidents, two of which still remain suspicious to this day and a fourth as a result of a heart attack. Another two men who were witnesses at two of the subsequent inquests would both transfer to the regiment's 6th Battalion, and be dead within the next nine months.

Private 21118 William Gregson died on 7 June 1915. He was found dead in a pond in Drummonds Wood, Mountnessing. The inquest into his death took place at the Billericay Union Workhouse on 14 June 1915. The Coroner was Mr C. Edgar Lewis.

On the evening of Saturday, 12 June Private G.B. Austin was out for a leisurely stroll on his own near the pond, when he noticed a uniform jacket and cap lying on the grass immediately by the side of the pond. He saw a body lying face down in the water, but rather than attempting to wade into the pool to retrieve the body – after all, the man may well have still been alive at that stage – he left to get assistance in the shape of Sergeant Major 4806 Walter Lassam and some other men from his battalion who recovered the body from the pond. Private Austin noticed blood round the deceased's nostrils, his left eye was blackened and his body had a noticeable amount of bruising on it.

Despite these observations the local GP, Dr W. Shakleton stated that it was the opinion of his colleague, Dr H. Cardin and himself that death was due to asphyxia probably caused by drowning. A verdict in accordance with the medical evidence was duly returned.

There was no comment or observation from the Coroner, that the soldier's death was in anyway suspicious, despite the injuries that had been witnessed by Private Austin, Sergeant Major Lassam and others, which gave strong grounds to believe that the death of Private Gregson was at the very least suspicious and quite possibly the result of foul play.

Lance Corporal 20847 Henry A. Nourse, was the soldier who identified the body to be that of Private William Gregson. He told the inquest that they were in the same section and slept in the same tent, although Private Gregson did not sleep there on the night of 7 June 1915 and was reported as being absent the following morning when he had not returned to camp. It would be another four days before his body was discovered.

Another colleague of Private Gregson, Private 21068 William George Berry, stated that Gregson, was a 23-year-old single man, the son of a farmer and had lived at Whittle-le-Woods, Chorley, Lancashire. He had given the impression of no longer wanting to be in the Army and had drifted into a morbid state of mind. How Private Berry had come to these conclusions had neither been explored by the Coroner nor explained in any detail.

Sergeant Major Walter Lassam was only 14 years of age when he joined the Army on 13th December 1895 in Dublin, having been born in the city in 1881. At just 19 years old he was promoted to the rank of lance corporal. On 5 January 1903 he transferred to the Foot Police before transferring back to the Loyal North Lancashire Regiment three years later. After having served for twelve years he decided to make it his chosen career and on 21 September 1907 re-engaged at the to complete twenty-one year's service which meant he had nine more years to go until he retired.

However, he would never see his well-deserved retirement. He transferred to the 6th Battalion on 14 November 1915 and was promoted to the rank of Company Sergeant Major on 2 December 1915, joining them to take part in the Gallipoli campaign and sailing from Liverpool on 15 November. Five days later he was killed in action having served for 19 years 360 days.

The sad irony was that Walter Lassam had previously sat before an Army Medical Board due to a knee injury which had led to rheumatoid arthritis, which he had originally sustained whilst training during the early months of the war. The recommendation of the Board was that he be allowed to continue his Army service but only in a clerical capacity and on the Home Front. There was even talk of him being medically discharged. He would appear to have been very well respected by his senior officers which might go some way in explaining how he managed to get this changed. He was allowed to return to active service overseas on 29 November 1915, a decision which would ultimately cost him his life, leave his wife a widow and their three children without a father, but he was a soldier and soldiering to a large extent defined who he was. He was awarded the 1914-15 Star, the British War Medal and the Victory Medal. The only blemish on his otherwise impeccable career was having been found drunk on duty on 5 February 1915 by a senior officer. He was severely reprimanded and returned to duty.

On 11 June 1914, the Coroner had held another inquest at the Billericay Union Workhouse in relation to the death of Private 16982 John Livesey who had drowned whilst bathing in the Moat in Billericay with a colleague, Corporal Robert Frangwill. They had not been given permission to leave camp, let alone be bathe in the moat, which was confirmed by Lieutenant Reiss, one of the battalion's officers.

Corporal Frangwill told the inquest that he and Private Livesey had only been in the moat for about ten minutes when the tragedy occurred. He had been swimming when he looked up and saw Private Livesey sitting on the bank about four or five yards from the water, he carried on swimming then a few seconds later he heard shouting, turned around and could no longer see the deceased. A young boy on the bank pointed out where Private Livesey had gone under the water. Corporal Frangwill swam to the location and dived several times to try and find his colleague but with no luck, eventually getting himself entangled in the weeds. He then sent the boy to get help.

The boy was William Loxley and he told the inquest that he was walking past the moat and saw the soldiers bathing. He heard shouting and saw one of the men struggling in the water before he disappeared. He confirmed that he had informed the other soldier before being told to get assistance, which he did, returning to the location a short time later with Private Lygtgoe, who then took off his uniform and dived in to the moat to search for Private Livesey. He did this several times before discovering his body under the heavy weeds.

A verdict of accidental death was returned.

The Coroner was certainly been kept busy by the Loyal North Lancashire Regiment because on 15 June 1914, he was once again opening an inquest into the deaths of one of the men from the Regiment's 11th Battalion – Private John Eccles who was 47 years old and had died suddenly the previous day.

Corporal Dalton told the inquest that the deceased was an old soldier who had re-enlisted at the beginning of the war having previously served with the Regiment in the Boer Wars.

Dr Fiddes gave evidence that the deceased had attended sick parade on Monday morning, complaining of pains in his chest. After examining the deceased he excused him from all military duties and gave him some medicine. Within half an hour of visiting Doctor Fiddes, Private Eccles had collapsed, dying a short while later. A post mortem examination revealed that the deceased's heart was about twice the size it should have been which was the result of his death. There was no treatment available that could have helped his condition. Death would have occurred regardless of what occupation he had been employed in.

Prior to the outbreak of the war, Private 19016 John Eccles had lived at number 20 Heatley Street, Preston, Lancashire with his wife Florence and was a furnace stoker by trade. They had a young son, John Allen Eccles who was only 5 years old at the time of his father's death. After the war Florence stayed in Preston but moved to number 2 Herbert Street with her son. John Eccles is buried at the Preston (New Hall Lane) Cemetery.

There were six other men with the name John Eccles who served in the Loyal Lancashire Regiment during the First World War.

James Nicholson wasn't from Billericay but it was the town where he spent the last six months of his life and where he was living, albeit temporarily, when he died. On 14 November 1914 James Nicholson enlisted in the Loyal North Lancashire Regiment and was posted to the 11th Battalion which had been formed the previous month at Felixstowe in Kent. The battalion came under the command of the 94 Brigade which had originally been in the 31st Division. On 10 April the following year the 11th became a reserve battalion and on 1 September 1916 it was converted in to the 17th Training Reserve Battalion of the 4th Reserve Battalion at Seaford.

At the time of joining the Army, Nicholson was 26-years-old and a newspaper vendor, where exactly is not known. He married Mary Ann McGovin on Boxing Day 1908 and they had three children. The family lived together at 45, Gomer Street, Soho, Liverpool. At his enlistment medical in Liverpool, he was described as being 5 feet 8 inches tall, weighing 112lbs, with brown hair and brown eyes. .

Nicholson's Army discipline record was far from being exemplary, it fact it was quite the opposite, as it had resulted in him receiving several official reprimands for his conduct and behaviour. On 1 March 1915, whilst his regiment was at barracks in Chichester he was discovered drunk at about 2230 hours. Nearly three weeks later on 24 March 1915, he was once again in trouble for being absent from the tattoo until 2235 hours as well as being drunk. As if that wasn't enough he managed to get himself in to further trouble on 23 May 1915 by overstaying his leave pass by four days, which was almost tantamount to desertion.

Soon after this last incident the regiment moved to Billericay, where it stayed until the end of September 1915 whilst undertaking training. The change of scenery didn't appear to have helped him at all. The regiment had only been in Billericay for less than a week when Nicholson was in trouble again. On 4 June 1915 he was charged with 'leading a disturbance and using obscene language to a Non Commissioned Officer' (NCO). Two months later he was at it again. On 3 August 1915 he was charged with 'overstaying his pass, remaining absent until reporting himself at 2200 hours on 6 August 1915'. There is no record of the punishments or fines which Nicholson received for his seemingly ever-growing list of misdemeanours.

On 8 August 1915 the body of Private 18189 James Nicholson was discovered lying face down in the River Wid near Wickford. His throat had been cut with such force that his windpipe had been completely severed. A newspaper article attached to his service record reported the findings of the inquest which had dealt with his death. Somewhat surprisingly most might feel, the jury managed to come to the conclusion that Nicholson had in fact committed suicide by cutting his own throat with a razor. The article was entitled, 'Soldier's Suicide in Buttsbury':

> 'The Coroner, Mr Lewis held an inquest at Billericay Union Workhouse on Monday regarding the death of Private James Nicholson, aged 26 of the Loyal North Lancashire Regiment, whose body was found in the River Wid at Buttsbury on Sunday.
>
> Private Joshua Malone, of the same regiment, stated that the deceased's home was at Liverpool. He last saw him alive at the guard tent between one and two o'clock on Sunday afternoon. He was then on the defaulters list for being late on a pass, a minor offence, and he had come to report himself.
>
> Deceased had previously been to see the doctor, and when witness asked how he had got on he replied, "Rotten. I will get my ticket properly", meaning his discharge.
>
> Stephen Sidney Shuttleworth, a boy who was not sworn and who lives in Bluebell Cottage, Buckwyns Estate, said he saw the deceased in the river at five o'clock the previous evening. He was face downward and the witness could just see his khaki uniform. He found a razor on the bank by the side of the river.
>
> PS Whiting said he received information from the last witness, and proceeded to the spot. There were bloodstains on the bank and on the razor. The water was about two feet six inches deep. With the assistance of three other men, witness got the body to the bank and then found that the throat had been cut, the windpipe being severed.
>
> Dr H.J. Shackleton, stated that he saw the deceased at noon on Sunday, and he then seemed depressed. When asked, 'What was the matter?' He said his mates had declared him consumptive. There was evidence that he had been drinking, although he was not actually drunk then. He admitted that while on leave his friends had treated him. Witness advised him to leave the drink alone.
>
> There was no doubt that the wound in the throat was self-inflicted. The jury returned a verdict that deceased committed suicide by cutting his own throat while suffering from the after effects of alcohol.'

Reading that verdict now, all these years later and with the benefit of the advances there have been in both the medical world and that of forensics, it's quite alarming to think that the jury at the coroner's inquest decided that Nicholson's death was no more than an act of suicide, a decision which if judged by today's standards could have possibly been determined quite differently.

Although it has to be taken into account that this is 1915 suicide still seems an very unusual conclusion to have reached. Without the benefit of being able to look at any pictures of the fatal wound, it is hard to be certain about any of this, but slitting one's own throat with such effort as to be able to slice through the windpipe, is not easily achieved by any stretch of the imagination. In 1915 we didn't have the advantages of being able to undertake DNA sampling to confirm the blood on the razor matched that of Nicholson's own blood, nor was there opportunity to determine whether the wound was made by a left or right-handed person and then compare that with which hand Nicholson used to write with.

From the inquest notes there is no mention of exactly how far away the razor was found from Nicholson's body, but from what we do know it certainly wasn't in the immediate vicinity. How that was so, does not appear to have been explored by those investigating the incident. Surely if someone had managed to cut their own throat they wouldn't have had the time or inclination to have thrown the knife any distance, on the contrary, they would have simply dropped it.

It is quite possible that Nicholson could have consumed more alcohol after he had been seen by the doctor but Shackleton himself, confirms that he was far from being drunk. Although he stated he thought Nicholson to be depressed, he didn't appear to be unduly concerned about his overall mental state of mind, simply telling him to 'leave the drink alone'. There was a time period of nearly five hours between when Nicholson left the doctor and when he was then discovered by young Stephen Shuttleworth, so it is possible that he'd consumed a lot more alcohol, but we have to be careful to make sure that we deal with the facts as they were and not what we think they might have been.

Unfortunately we don't know if the Police ever treated Nicholson's death as being suspicious. There are no Police records available today which have survived concerning the incident, so it is extremely difficult to look into the matter. All we are left with is supposition and guesswork about what actually happened.

It is difficult to believe that somebody was depressed to such a degree, who had the presence of mind to see a doctor would later decide that things were so bad he had no other option but to take his own life.

There had been no previous suggestions that Nicholson had ever suffered with any kind of depression and at the inquest although Dr Shackleton uses the word 'depressed', he doesn't elaborate as to why he thought that was in fact the case. His only advice to Nicholson is to stay off of the drink. He doesn't refer him on to a specialist, he doesn't offer him any medication and, as far as we know, doesn't inform Nicholson's regiment. If Nicholson was trying to 'work his ticket' and have himself discharged from the Army, he would have been seen by an Army Medical Board and needed to have convinced them of his state of mind and not a local doctor.

A letter from the War Office written shortly after the inquest stated that; 'In view of the circumstances of the death, his widow and children are not eligible for pensions from Army funds'.

It would appear that PS Whiting, the first Police officer on the scene, was in fact Police Sergeant 94 Henry A. Whiting. He was 38 years old at the time, having joined Essex Constabulary on 7 September 1899. He had worked at Billericay Police station since 1913, arriving there from his previous station at Grays. He eventually retired with the rank of superintendent on 4 July 1931 having served almost thirty-two years.

As well as being a doctor, Dr Shackleton, an ex-missionary to China, was also a lay preacher who delivered weekly sermons from his own church in the town. He set up his own medical practice in Billericay in 1912 and was much respected, described as, 'a man of prayer but somewhat eccentric', his main eccentricity being that he would always pray with the family before examining a patient he visited. He continued in general medical practice until 1940.

The Gospel Hall, which was already in existence when Dr Shackleton came to Billericay, was subsequently purchased by him from the original owner and for several years he oversaw the work which went on there. He often preached himself and he invited preachers of many different denominations to do so as well.

When war broke out in August 1914, Billericay had a regular and steady influx of soldiers who came to stay at the town's army camp in

Mountnessing Road whilst undergoing training. Whilst in town some of the soldiers would visit the Gospel Hall, which was open to them each weekday afternoon, for some peace and quiet but mainly as a reading room or somewhere they could go and write a letter home to a loved one. It was open at two o'clock each week day afternoon and Dr Shakleton's aunt, a Miss Shackleton, used to go there with other ladies until four o'clock and mend the soldiers' uniforms and socks.

During the First World War, the 6th Battalion of the Loyal Lancashire Regiment was raised in August 1914, as part of Kitchener's Army. Soon afterwards it moved to Tidworth barracks in Wiltshire and then in February 1915, on to Blackdown in West Sussex. Eventually it sailed as part of the 38th Brigade of the 13th (Western) Division, to join the Mediterranean Expeditionary Force. As part of the 13th (Western) Division, the battalion served in the Gallipoli Campaign. The division landed at Anzac Cove on 4 August 1915. After participating in the battles at Anzac Cove and Suvla Bay, the 6th Battalion along with the rest of the division were withdrawn from Suvla and moved to the Helles landing beaches. The division was finally withdrawn from Gallipoli and sent to Egypt to refit and guard the Suez Canal in January 1916.

In February 1916, the division was ordered to move to join the Tigris Corps in its operations to relieve the Anglo-Indian garrison which was being besieged at Kut.

They were initially deployed along the left bank of the Tigris River, and participated in the Battles of Fallahiya, on 6 April 1916, and at Sanniyat, on 9 April 1916, which is where Private 18181 Joshua Malone, who gave evidence at Private James Nicholson's inquest, was killed.

The 6th North Lancs managed to break into the Turkish positions at the Sanniyat, but because supporting forces were unable to link up with them they, along with the rest of the 38th Brigade, were eventually driven back by the Turks.

During the two world wars, the United Kingdom became an island fortress used for training troops and launching land, sea and air operations. Many of those who were involved paid the ultimate price.

There are more than 170,000 Commonwealth war graves in the United Kingdom, many of them being those of servicemen and women killed on active service, some who later succumbed to their wounds

Preston (New Hall Road) Cemetery. (Photograph Commonwealth War Graves Commission)

whilst others died in training accidents, because of sickness or disease. Their graves can be found in more than 12,000 cemeteries and churchyards.

Preston (New Hall Lane) Cemetery contains 324 burials from the First World War, some of them from Fulwood Barracks, the headquarters of both the Loyal North Lancashire and East Lancashire Regiments.

CHAPTER 10

Zeppelin Over Billericay 1916

Twenty-five major battles took place during 1916 as the war came to the end of its second year, including the infamous and bloody Battle of the Somme which started on 1 July 1916. On that day the British Army suffered the loss of some 58,000 troops, one third of whom were killed on the first day of the battle. To this day it remains as an unwanted and haunting record as the largest number of British and Commonwealth soldiers killed in a single day.

Trench warfare on the Western Front had become a way of life by the summer of 1916. Mainly because of this the war in France and

German Zeppelin somewhere over Great Britain.

Belgium had reached a stalemate, with both sides dug in and defending what they had already won. In essence it had become a war of attrition.

Back home in England, life was as normal as it could possibly be in the circumstances. Its citizens were going about their daily routines, and those with brothers, husbands, and fathers fighting in the war, were keeping their fingers crossed that they weren't going to receive a telegram with the dreaded news that they had lost a loved one. The newspapers were full of ever-increasing lists of those who had been killed, hardly a single family or a local community wasn't affected in some way. Then in 1916, the Germans introduced night-time Zeppelin bombing raids.

Powered flight had occurred only eleven years earlier, when the Wright brothers, Orville and Wilbur, inventors and aviators, carried out the first powered and sustained flight. The date was 17 December 1903. Before the outbreak of the war, airships had been used for non-military purposes. The well-heeled of French and German society were able to experience flight for recreational purposes, in Germany, something that can still be enjoyed today.

But Germany quickly realised the Zeppelin's potential use for military operations. The British on the other hand had been slow to understand the same potential benefits of military flight and had seen the main use of all aircraft as no more than in an observation capacity, for their artillery battalions. It was at the insistence of Winston Churchill, who at the time was the First Lord of the Admiralty, that both the Royal Navy and the Army started looking at aircraft as a viable and worthwhile option as an offensive weapon. The Navy had the Royal Navy Air Service and the Army, the Royal Flying Corps.

The first Zeppelin attacks on Britain took place as early as January 1915, when the Norfolk coastal town of Great Yarmouth came under attack, bringing the reality of war home to civilians for the first time. No longer was it simply something which they read about in their morning newspapers over breakfast or in a letter from a loved one overseas. These raids continued on and off throughout the war all the way through until the middle part of 1918.

Initially this simply wasn't something that had even been contemplated, so no preparations had been put in place to deal with such an eventuality. The authorities had been taken totally by surprise. As far as the civilian population were concerned the war was taking

Cartoon of Special Constable's nightmare. Notice his cap and truncheon at the bottom of the bed. (Essex Police Museum)

place somewhere across the Channel in places such as France and Belgium, but the bombing raids on civilian populations carried out by the Zeppelins had totally changed that perception.

The casualty lists which populated the daily newspapers, now for the first time started to include the names of civilians who had been killed as a result of Zeppelin raids as well, which by the end of the war had risen to well over five hundred. Being so close to London, Essex towns often fell victim to the Zeppelin's bombs either by mistake or design. Southend, Braintree, Maldon and Harwich were just some of the locations that were targeted by German bombs.

Billericay and the areas which surrounded it were fortunate that they had numerous airfields located nearby at Hornchurch, Rochford, Stow Maries and North Weald, to name but a few, which offered a degree of protection from the threat of Zeppelin raids. The Royal Flying Corps in the shape of the Essex Home Defence Squadrons numbers 37 and 39 flew out of these airfields in an attempt to prevent the Zeppelin's effectiveness. From the early months of 1916 the BE2C's (Blériot Experimental 2) were deployed as part of the Home Defence aerial system to deal in part with the ever-increasing threat.

On the night of 23 September 1916 four of the newly designed 6-engine M-Class super Zeppelins which could fly as high as 18,000 feet, set off from their home base in Germany to bomb London and the Home Counties. At 650 feet in length, 75 feet in diameter and with a maximum speed of 65 miles per hour, they were massive in comparison to the previous models which Germany had produced. Their only real weakness was that they were full of highly inflammable hydrogen gas.

In 1916 twenty-three Zeppelin raids took place over the United Kingdom. A total of 125 tons of bombs were dropped during these raids, killing 293 civilians, along with another 691 who sustained injures.

Zeppelins were employed by both the German Army as well as the German Navy to carry out their pre-determined raids over Britain. L32, one of the M-Class super Zeppelins, was captained by Oberleutnant Werner Peterson of the German Navy. As he piloted his airship towards London he began to encounter heavy anti-aircraft fire. Realising the potentially dangerous situation he decided to go no further and jettisoned his five tons of bombs and heavy weaponry along the River Thames near Purfleet. Before he could make his way back home to Germany he encountered Lieutenant Frederick Sowrey, who was flying a BE2C on a routine night patrol out of Hornchurch. On spotting the Zeppelin at just after one o'clock in the morning of 24 September, Sowrey commenced his attack, firing his machine guns continuously into the body of the airship. He continued his attack until it was obvious that the L32 was stricken. Within seconds it was engulfed in flames and had crashed to the ground at Snail's Hall Farm at Great Burstead, near Billericay. All twenty-two crew on board perished, although Werner Peterson jumped to his death rather than be burnt alive in the resulting inferno.

Oberleutnant Werner Petersen – Captain of L-32.

THE ZEPPELIN RAID.

MACHINE GUN FOUND.

Yesterday, harvest men engaged cutting a field of lucerne in an Essex parish near the coast where the Zeppelin came down on Sunday morning found a large machine gun, which had evidently been thrown overboard as the Zeppelin made its laboured journey towards the sea. On the upper side of the gun as it lay in the field the metal jacket of the water-cooler around the barrel had a hole blown into it, showing that the gun had been hit and damaged by the anti-aircraft fire. The gun, which weighed half a hundredweight, was handed over to the police. The earlier finds in the same locality included a heavy automatic pistol.

Newspaper cutting of the Zeppelin Raid.

Lieutenant Sowery was subsequently awarded a Distinguished Service Order (DSO) for his heroics on that September night. He survived the war and died in 1968.

Below is a poem that was taken from the *Essex Chronicle*, 'The Burning of a Zeppelin in Essex':

> 'Calm, cool and starlit was the autumn night while nature lay, wrapped in serene repose.
>
> From every quarter streamed a bright searchlight when on the late September air arose war's awful music – the deep bass of guns, the whistling shriek of shells hurtling o'erhead.
>
> The bursting shrapnel falling short of Huns. The thunder of earth-shaking bombs we dread, and looking up I saw through space, a modern battle cruiser of the air.
>
> A thing of beauty, all instinct with grace come shark-like with fell purpose from its lair, an elongated oval amber hued at times then like a silver fish immense.
>
> Floating majestic in disdainful mood, the guns ceased fire with interest intense, the watching crowds saw fairy lights on high. Turning and twisting in a giddy rout.

Like red and white stars dancing in the sky.

"Hurrah! She's hit" and mighty cheers break out from many thousand throats that did not tire as from her drooping head burst spurts of flames, a shapeless pile of jagged liquid fire, she headlong fell.

Now by God's sacred name I crave his pity for the souls of those whose burning bodies met so just a doom, that through their agonising and death throes they may find peace beyond their war-built tomb.'

The following is taken from a supplement of the *London Gazette* dated Tuesday 3 October 1916, which records the awards to both Sowery and 2nd Lieutenant Alfred de Bathe Brandon, for his valiant efforts in bringing down the Zeppelin, L33. Six months earlier he had been awarded the Military Cross for forcing another Zeppelin, the L15, to ditch in the North Sea.

'War Office 4th October 1916'.
His Majesty the King has been graciously pleased to appoint the under mentioned officers companions of the Distinguished Service Order, in recognition of their gallantry and distinguished service in connection with the successful attack on enemy Airships.

2nd Lieutenant Frederick Sowery R. Fus and RFC.

2nd Lieutenant Alfred de Bathe Brandon MC RFC Spec Res.'

Alfred de Bathe Brandon.

Alfred de Bathe Brandon became the first New Zealand airman to be awarded a Distinguished Service Order. He was born on 21 July 1893 in Wellington, New Zealand. When he enlisted in the Royal Flying Corps in December 1915, he was 32 years old and an established and respected solicitor. He came to England to study law at Trinity College, Cambridge, before returning to Wellington to work for his father's law firm. He was awarded the Military Cross, the Distinguished Service Order as well as being mentioned in despatches three times for his heroic exploits as a pilot during the First World War.

Immediately after the war, he was sent back to New Zealand, where he assisted in evaluating New Zealand air defences. In 1919 he quit the military and returned to practising law. He married Ada Mabel Perry at the Cathedral Church of St Paul, in Wellington on 2 January 1942. He was 48 and Ada was twenty years his junior. They had one child, a son whom they named Peter. Alfred died on 19 June 1974, aged 90, in Wellington.

Sowrey's achievement was all the more remarkable as he managed it in a plane that was considered by some to be the most controversial British aircraft of the First World War, having made its maiden flight on 30 May 1914. It was designed to be a stable reconnaissance platform and although it was a perfectly capable military aircraft its built-in stability and lack of any defensive armaments, made it a sitting duck, to the better equipped and easier to manoeuvre German aircraft. The BE2C was a two-seater aircraft which had been designed with the observer in the front and the pilot at the rear. It could therefore be used either single or double crewed but it also meant that when the observer was on board, his seat was surrounded by the struts and wires between the wings, making it difficult to mount a machine gun.

The most obvious thing would have been to swap the pilot's and observer's seats, a move that would have allowed the observer to be given a standard machine gun mounting. Although this change was eventually made to a number of BE2Cs that were operated by the Belgian Air Force, the British did not follow suit. The main problem with the BE2C was that it was designed before the era of the fighter aircraft that would eventually follow it. The lack of a suitable replacement meant that the BE2C remained in use on the Western Front well into 1917, steadily gaining a worse reputation as time went by.

Just three weeks before Sowery's achievement, Lieutenant W. Leefe Robinson, also flying a BE2C aircraft out of Hornchurch, had become the first man to shoot down a Zeppelin in similar circumstances. He was awarded the Victoria Cross and also given a prize of £4,200, from monies raised by a grateful public, an astonishing sum by today's standards.

One of the first people to arrive at the scene of the crashed airship

Lieutenant William Leefe Robinson VC, Lieutenant William J. Tempest DSO, Lieutenant Frederick Sowrey DSO. (From a contemporary postcard)

was Inspector Allen Ellis who had cycled there from Billericay Police station, then situated in the middle of the High street. He had seen the stricken airship ablaze in the skies overhead and watched as it slowly crashed to the ground. He was soon joined by police constables from nearby Brentwood and Hutton as well as special constables from Billericay and Little and Great Burstead, who were tasked with guarding the bodies of the dead German crew until the army arrived to take them away.

Inspector Ellis went on to become a superintendent which was no mean feat in those days. There was no such rank as chief inspector back then, which meant that there were fewer opportunities for officers to make their way up through the ranks.

He had joined Essex County Constabulary on 14 January 1892, when he was 23 years old and was as being 5 feet 9 inches tall with a 37-inch chest, which I found to be somewhat humorous as I'd had a waist bigger than that for most of my adult life. He had a fresh complexion, with blue eyes and short dark brown hair. Prior to joining the police he had been a blacksmith, working for Charles Edmund Eagle at Park Hall farm in Wix, near St Osyth. He went on to serve with Essex Police for over thirty-three years, retiring on 31 March 1925 aged fifty-six.

Zeppelin L-32 crashed at Billericay.

The location of the crashed airship soon became a haven for sightseers and souvenir hunters from far and wide. There were so many people turning up, some coming from as far away as London, that a few business-minded individuals set up stalls along the lane to the crash site, to sell their goods, including homemade lemonade.

Some of the more prestigious and welcome guests were, General Sir William Robertson, Chief of the Imperial General Staff, the Secretary of State for War, David Lloyd George, the First Lord of the

Above: a police property label attached to a piece of L-32.

Left: a piece of L-32 made into an ashtray.

(Photos by Stephen Wynn with permission from Essex Police Museum)

Admiralty, Arthur Balfour and Commodore Murray F. Sueter, Director of the Air Department and Officer Commanding the Royal Navy Air Force. The War Office Press department took full advantage of their collective appearance by filming it for posterity.

Armed soldiers, bayonets at the ready, a fearsome sight to those in attendance, along with a small group of police officers who had been drafted in from the surrounding towns and villages, did their best to protect the wreckage of the airship from the hordes of souvenir hunters.

The bodies of the crew were initially buried in the cemetery of the St Mary Magdalene Church in Great Burstead, with full military

St Mary Magdalene Church in Great Burstead. (Photo by Stephen Wynn)

honours. The only grave with a name was that of the Zeppelin's captain, Werner Peterson, as his was the only body that was identifiable, all the others were too badly burnt. Fifty years later in 1966 they were exhumed from their resting place and re-buried, not back home in their native Germany, but at the Cannock Chase cemetery in Staffordshire. This is the last resting place for the majority of German prisoners of war who died whilst in PoW camps in the UK in either the First or Second World Wars, as well as the crews of crashed German aircraft from the same wars.

There are 2,143 Germans laid to rest at the cemetery who perished during the First World War, five of whom have no known name. There are a further 2,786 from the Second World War, 90 of whom are similarly unknown. The cemetery, which only opened in 1964, was named Deutscher Soldatenfriedhof (German Soldiers Cemetery). It had been a royal hunting forest back in Tudor times and during the First World War home to two massive army camps, housing some 40,000 British soldiers.

The names of the dead crewmen from the crashed L32 Zeppelin were:

Werner PETERSON (Oberleutnant Zur See)
Adolf BLEY (Obersignalmaat)
Albin BOCKSCH (Obermaschinistmaat)
Karl BORTSCHELLER (Funkentelegrafieobermaat)
Wilhelm BROCKHAUS (Oberheizer)
Karl BRODRUCK (Leutnant Zur See)
Paul DORFMULLER (Maschinistenmaat)
Richard FANKHANEL (Obermaschinistenmaat)
Georg HAGEDORN (Obermaschinistenmaat)
Friedrich HEIDER (Oberbootsmannsmaat)
Robert KLISCH (Funkentelegraphieobergast)
Herman MAEGDLFRAU (Obermaschinistenmaat)
Bernhard MOHR (Obersegelmachersgast)
August MULLER (Matrose)
Friedrich PASCHE (Bootsmannmaat)
Karl PAUST (Obermaschinistenmaat)
Ewald PICARD (Obersignalmaat)
Walter PRUSS (Maschinistenmaat)

Paul SCHIERING (Obermatrose)
Bernhard SCHREIBMULLER (Steuermann)
Karl VOLKER (Obermaschinistenmaat)
Alfred ZOPEL (Oberbootsmannsmaat)

The same evening that L32 was shot down saw the demise of another of the new super Zeppelins, L33, which took part in the same raiding party. It was attacked by 2nd Lieutenant Alfred de Bath Brandon MC with such ferocity that he forced its captain, Alois Blocker, to crash land his airship near Little Wigborough, near Colchester in Essex. Earlier in the year De Bathe Brandon had also been involved in the demise of Zeppelin L15 on 31 March 1916, although it has always been open to conjecture as to who was ultimately responsible for bringing the aircraft down.

Sometime after 1932 De Bathe Brandon gave his own account of the fate of L15 and his part in it. He felt compelled to speak out on the matter after the Zeppelin's Commander, Captain-Lieutenant Breithaupt, gave a lecture about it which was subsequently printed in *The Listener* magazine on 8 June 1932. His words cast doubt on De Bathe Brandon's being the one responsible for shooting down his ship, and appeared to suggest that it was a ground based anti-aircraft battery instead.

Understandably somewhat annoyed at what can only be assumed was an unintended blight on his achievement, De Bathe Brandon gave his own account and stated:

> 'I was always of the opinion that I brought down the L15. Officially the guns (ground located anti-aircraft battery) were credited with it. I got the credit publicly and was decorated for dropping bombs on it.'

Werner Peterson has been described as a gay youngster with a reputation of being the best ship-handler in the service. His first command was the Zeppelin L7, which was used for naval patrols over the North Sea. In June 1915, he took command of the L12. In August he flew on his first bombing raid over England. He got lost, like many other airship commanders, and he reported dropping a load of bombs on 'Harwich'. In fact they fell in the sea off Dover. The ground-based defences opened fire and the ship received a direct hit. Because of the leaking gas the L12 came down in the English Channel. A German boat towed it to Ostend where it was destroyed by fire.

His next airship was the L16 and on 13 October 1915 the eighteen explosive and thirty incendiary bombs he believed he had dropped on Stratford, East Ham and West Ham killed nine people and injured fifteen. The following January the planned target was Liverpool, but he had to turn back for technical reasons.

Peterson claimed to have dropped two tons of bombs on 'Great Yarmouth' but ground-based reports only record that two bombs fell at Swaffham, some 43 miles away. At the end of March the bombs he dropped on 'Hornsey' actually fell north of Brentwood, in Essex. On 2 May the Zeppelin L23 dropped an incendiary bomb on an empty part of the North York moors, setting the heather alight. Peterson, following in the L16, unloaded his bombs onto open moorland, thinking that Stockton-on-Tees was ablaze. On his return to Germany he optimistically claimed 'well-placed hits on buildings at the site of the fire, as well as clearly recognisable railroad tracks and embankments'.

The L32 was one of fifteen giant R-type Zeppelins, the first of which became operational at the end of May, 1916. These huge airships had an overall length of 644 feet, maximum diameter of 78.4 feet and had nineteen gas bags with a total capacity of nearly two million cubic feet of hydrogen gas. It had six engines. One was on the rear of the 50 foot long control car, two were amidships on either side, while the three-engine rear gondola had two of its propellers on struts to either side. On the top, near the bow, there was a machine gun to defend the airship against attack from aircraft.

Werner Peterson had assumed command of L32 on 7 August, his executive officer being Leutnant zur See Brodrück. The new ship was involved in patrols over the North sea during August and made its first raid on England on the night of 24 August. Because of strong head winds it was unable to reach London and bombed some ships off Dover before returning safely to Germany.

The following is taken from the Essex Police History Notebook number 7. 'Somewhere over Essex'. *The Zeppelin Raids on Essex* by Martyn Lockwood.

> 'The L33 was on its inaugural mission, but unlike L32, it managed to make it through the heavy anti-aircraft fire and to

drop its bombs on London, killing a number of civilians in the process. It turned to begin its journey back home to Germany, crossing high above the Essex countryside. As it reached Chelmsford the already damaged airship was attacked by a squadron of night fighters flying out of their base at Hainault.

Kapitan Alois Bocker, the Zeppelin's commander, managed to elude his attackers by having his crew jettison their machine guns and other non-essential equipment in an attempt to gain some much needed height. Bocker quickly realised his stricken craft was too badly damaged to make it safely across the North Sea and back home to its base in Germany.

Despite their best efforts to the contrary, the badly damaged airship continued to lose height and eventually crash landed near New Hall Cottages at Little Wigborough, on the outskirts of Colchester in Essex. In total comparison to the luckless crew of L32, all of the crew survived the impact unharmed. Safely on the ground they quickly set their airship on fire to save its design features from falling in to British hands. Fortunately they were unsuccessful in their attempts at destroying their airship and sufficient of it survived to be of valuable use to the British authorities in their own Zeppelin airship research.

Kapitan Bocker and his men marched off down the nearest lane not really knowing where they were heading, shortly coming upon Special Constable Edgar Nicholas cycling towards them, who had been attracted by the flames of the burning Zeppelin. He was initially startled by the sudden appearance of a large body of men marching along a lane at that time of the morning. Nicholas stopped and asked Bocker if he had seen a crashed Zeppelin. Bocker replied in perfect English that he hadn't and then proceeded to ask Nicholas how many miles it was to Colchester. Apparently not realising he was speaking with the crew of the crashed aircraft he was looking for, he replied, "About six miles".

Bocker thanked the shell shocked Special Constable and along with his crew, marched off. It's not known for certain when Nicholas recognised his mistake but he quickly did and followed behind.

As they approached Peldon they were joined by Special

> Constable Elijah Traylor and Police Sergeant Ernest Edwards from Hatfield Broad Oak, who was enjoying a few days rest in the area. The men considered their next move and eventually decided to escort the Germans to Peldon Post Office where they found the local Constable, PC354 Charles Smith, who was busy trying to contact the military garrison at Colchester.
>
> Even though PS Edwards was amongst their number, it would appear that it was actually PC Smith who took charge of the situation and formally arrested the German crew. Bocker asked Smith if he might use the telephone but the request was politely refused and he was told to march his men towards Mersea Island so they could be handed over to the military. PC Smith led the way assisted by eight special constables including Nicholas and Traylor. They were met on route by a military detachment and Bocker and his crew were formally handed over. PC Smith was rewarded for his prompt actions by being promoted in the field to the rank of sergeant by the Chief Constable Captain Unett, that very same day. He was also awarded the coveted Merit Star.'

Essex Police Force orders dated 24 September 1916 recorded the event:

> 'PC Smith is promoted to Sergeant and awarded the merit badge for coolness and judgement in handing over to the military authorities the commander and crew of a Zeppelin.'

From that day onwards he not surprisingly became known as 'Zepp' Smith. He lived to the ripe old age of 94, passing away in 1977.

Sergeant Edwards, having handed over Bocker and his crew to Smith then surprisingly decided to leave him and the special constables to get on with it before returning home, despite being the senior rank present. When told of this the Chief Constable, Captain Unett sent Sergeant Edwards a short and very terse memo. 'It is understood you did not accompany the escort to Mersea Island. Why?' Edwards' two page reply, the contents of which have not survived, appears to have saved him from losing his job. He eventually retired eight years later in 1924.

The newly promoted Sergeant Smith and the eight special constables were all presented with inscribed pocket watches for their actions that evening. The one presented to Edgar Nicholas can be seen in the Essex Police museum, together with other exhibits from that night in September 1916.

At nearby Little Wigborough a daughter was born to a Mr and Mrs Clark at about the same time as the stricken L33 Zeppelin was set alight. The doctor who delivered the baby, Dr Salter, also a Chief Special Constable, suggested to Mr and Mrs Clark that they might want to consider christening their newborn daughter, Zeppelina; amazingly they did just that.

In August 2013 there was a programme on TV's Channel Four entitled, *Attack of the Zeppelins*. It explained how Germany's Zeppelin programme affected the dietary needs of its people, a fact that was discovered by researchers for the programme.

These giant airships could only be built with the use of cow gut which made the cells that were then filled with gas to enable the Zeppelins to fly. Amazingly it took 250,000 cows to provide enough gut for just one airship. Although it had been known for some time about the use of cow gut by the Germans in the building of their airships, how that was actually achieved, wasn't. It took a British engineer from Cambridge University, Dr Hugh Hunt, to work out exactly just how the process was possible.

With the use of so many Zeppelins by both the German Army and Navy, cow gut became just as important to Germany's war effort as ammunition, so much so that Germany's leader, Kaiser Wilhelm had to bring in a law which made it illegal for his people to eat their favoured *bratwurst* or any other kind of sausage. The same ban was also imposed on the German occupied countries of Poland, Austria and France.

CHAPTER 11

Private Albert Victor Cooke Royal Field Artillery

The War memorial in Billericay High Street at the junction with the lower end of Chaple Street, includes the names of sixty-two young men who lost their lives whilst serving their country during the First World War.

One of them was Albert Victor Cooke. There is nothing particularly outstanding about Albert's story; he was an average young man, who was representative of his generation. When the call to arms went out, like thousands of other young men, he instinctively answered it.

A private and a driver in the Royal Field Artillery (RFA), he was by all accounts a happy young man, full of hope and expectation for a bright future. At the outbreak of the war in 1914, Albert was just 16-years-old and lived at 36 High Street, Billericay with his parents, Mary and Edward Cooke, along with his three brothers and a younger sister. In the 1911 UK census the family are shown as living at 86 Tappersfield Road, Nunhead, Camberwell in south-east London which is where they moved from to Billericay some time after 1911. Albert's father Edward, a telegraphic clerk, was not in good health which is the main reason why the family moved away from the East End of London, in the hope that by escaping the deprivation and squalor that was all around them, his

Royal Field Artillery cap badge.

health would improve in the clean fresh air of the Essex countryside and a slower pace of life.

Albert's brothers were Isaac who was the oldest at 20, George (18), Charles (11) and his sister, Elizabeth, who was 14. .

Albert joined the army soon after his eighteenth birthday in 1916, becoming Private 147366 Cooke. After having completed his basic training, he became a driver with the Royal Field Artillery. It was whilst serving with 'A' Battery of the 14th Brigade RFA, that he was killed during fighting on the Somme on 11 May 1918, just six months before the end of the war.

As neither of Albert's two older brothers, Isaac and George, appear on the Commonwealth War Graves Commission website or on the Billericay War Memorial it can only be assumed that they both joined up but thankfully survived the war. Neither Isaac nor George appear on the Roll of Honour of the members of the Billericay reading and recreation rooms who enlisted in the armed forces during the First World War, although its more than possible that's simply because they weren't members.

After the war the family remained in Billericay and mourned Albert's sad passing. When the War Memorial was unveiled in 1921 the rest of his family were able to walk the short distance to it from their home to pay their respects.

I've often thought what it must have felt like to have heard the sound of a bicycle rattling its way down the lane outside my home, only to look out of the window and see a 'telegram boy' propping his bike up against the white picket fence, realising he was just about to knock on the front door. What a truly horrible experience it must have been.

Throughout 2009/2010 I spent a year waiting to hear news of my own sons whilst they served six-month tours in Afghanistan. One was injured and the other was shot, but they survived and made it back home. I thank God every day for their safe return.

I found out by telephone, on each occasion it was one of my sons on the other end of the line waiting to tell me the news. It was still a shock, but once I'd heard their voices, what I can only describe as a sort of calmness descended over me. One of the calls was from my elder son Luke who had been shot. He phoned me just as he was about to go into the operating theatre to have his injuries attended to, but despite his condition he still wanted to tell me what had happened himself, rather than have me hear it from somebody else. Luke went on to do two more tours of Afghanistan without any similar incidents, whilst my younger son Ross, did one more tour in the same theatre of war, also returning home safely.

After those initial incidents I would be lying if I said I wasn't slightly apprehensive every time I received a phone call from them on their subsequent tours. An unexpected knock on the front door, especially in the evenings, caused a sudden dryness in the back of my throat. The look of relief on my face when it turned out to be nothing more than somebody trying to sell me something must have been confusing for whoever it was standing there.

CHAPTER 12

Corporal Oscar Sewell Ladbrook 16th Battalion The Welsh Regiment

Like so many other young men of his era, Oscar Sewell Ladbrook, willingly enlisted in the Army to serve his king and country. Initially he joined the local Essex Regiment whose headquarters were literarily just down the road at Warley on the outskirts of Brentwood. He became Private 35943 Ladbrook and settled in to his new life as a soldier. It isn't known when or why, but sometime later he transferred to the 16th Battalion of The Welsh Regiment where he became Corporal 59887.

He came from a big family being one of six children, five of whom were boys. They were reasonably well off with Oscar's father, Charles, being a hay and straw dealer, doing so well in fact that he could afford to have three 'live in' servants. Unfortunately Charles passed away in 1904 at the relatively young age of forty-three so it was then down to Oscar to carry on the family business.

When Oscar joined up soon after the outbreak of war, he was 28 years old, having been born in 1886. He was the eldest of the boys; his brothers were Joseph (26), Cecil (21), Percy (18) and Claud (16). All of them were old enough to have served during the war, but there is no sign of any of their names having been recorded on the Commonwealth

Langemark German Cemetery, Belgium. (Photo by Roy Facey)

War Graves Commission website. As with other similar stories in this book, that means they either served and returned home safely after the war, or that they simply didn't enlist, which seems unlikely.

Oscar was killed on 27 August 1917 at the Battle of Langemarck, in Belgium. His name is included on the Tyne Cot Memorial at nearby Zonnebeke. He is also commemorated on the Billericay War Memorial.

The main Battle of Langemarck took place between 16 and 18 August 1917, and was part of the Third Battle of Ypres, more often known as Passchendaele. The Allied attack succeeded in the north, from Langemarck to Drie Grachten but early advances in the south on the Gheluvelt plateau were forced back by powerful German counter-attacks. Both sides were hampered by the heavy rain, which was exceptionally bad for the time of year. It affected the British more because they occupied the lower lying areas and advanced onto ground which had been frequently bombarded by their own guns.

There were a few lines about Oscar's death in the *Essex Weekly News* dated 7 September 1917:

> 'Corporal Oscar Sewell Ladbrook, Cardiff City Welsh Regiment, eldest son of Mrs Ladbrook, Crescent House, Billericay, was killed in action on 27 August. He was 31 years of age.'

One of the soldiers in Oscar's section wrote a letter to one of his relatives outlining the details of how he died. Surprisingly enough the letter wasn't written by one his senior officers, instead it was eloquently written by one of the young privates who he was responsible for.

> 'Monday, September 10 1917
>
> Mrs I Smith
>
> Dear Madam,
>
> Your letter requesting news of the unfortunate death of your brother Corporal O.S. Ladbrook, has been handed to me (Private W. Stringer) to give you what details I can.
>
> I was in his section with seven others, and I feel sure I am voicing the general opinion in saying that we all found him more of a comrade than a commander. He was always ready with advice or assistance, to help any of us who cared to ask. At the time of his death he was about ten yards away from the shell hole in which I and two more were posted. He moved forward a little from the cover of his shell hole in order to give us the order of advance. As he rose to do so he was hit, either by a sniper or machine gun bullet. It is hard to say exactly which, as both were flying thickly around us. In either case his death must have been instantaneous and painless, and all that could be done for him was done, but it was to no avail. He died the death of a real soldier leading his men to the last, which anyone who knew him would have expected.
>
> Only three of his section came safely out of the advance but we miss a good comrade and commander. I do not think there is any more to say, except that I am personally very sorry for his death, but at the same time proud to be in the section of one who met his death in so brave and fitting a manner.
>
> I remain
> Yours sincerely
> W. Strainger'

The writing of a letter home to the next of kin on the occasion of the death of a soldier would usually be the responsibility of the battalion's commanding officer or that of a junior officer serving under him. It is highly unusual for a private soldier to be tasked with such a heavy responsibility. Maybe because of the circumstances of Oscar Ladbrook's death, it was felt that a colleague who was not only from the same section, but who was with him when he was killed, would be better suited for writing the letter. Reading his well structured and considerate prose it would appear that they picked the right man for the job. Private Strainger survived the war.

CHAPTER 13

The Sinking of the SS *Transylvania*

Between early 1917 and late 1918 the Mediterranean lines of communication for the British forces serving in Salonika ran from Taranto to Turin in Italy. As troop reinforcements were needed for the Salonika campaign, liners were often employed to carry these troops and one such liner was the SS *Transylvania*. With a top speed of 17.5 knots and launched in 1914 just before the outbreak of the war, the SS *Transylvania* had been built for the Cunard Steam Ship Company as a passenger liner. In May 1915 it was requisitioned by the government as a troop transporter and had accommodation for up to 200 officers and 2,860 men.

She was carrying nearly this number when she left Marseilles in France for Salonika, in Greece and Alexandria, in Egypt on 3 March 1917 with an escort of two Japanese destroyers, the *Matsu* and the *Sakaki*. We were not at war with Japan during the First World War.

At 10am on 4 May 1917 the SS *Transylvania* was near Genoa in Italy, when she was struck in the port engine room by a torpedo fired from the German submarine, U63, commanded by Kapitan Leutnant Otto Schultse. She immediately headed for land which was about two miles away and at the same time one of the two escort vessels, the *Matsu* came alongside to take off the troops, nurses and crew who were still on board, at great risk to herself.

In the meantime, the second escort ship, the *Sakaki*, tried to keep the submarine submerged. Twenty minutes later the U63 fired another torpedo, this time at the *Sakaki*, which took evasive action and avoid being hit, but inadvertently the SS *Transylvania* was hit for a second time. The explosion of the second torpedo was the killer blow for the *Transylvania* which sank very quickly soon afterwards. Lieutenant Brennell, one other officer and ten men of the crew along with twenty-nine military officers and 373 other ranks on board the SS *Transylvania* at the time, were lost, bringing the total to 414 who were killed as a result of the two explosions and the subsequent sinking of the ship.

The bodies that were recovered at Savona were buried two days later in a special plot in the town's cemetery at Zinola. Others who lost their lives are buried elsewhere in Italy, France, Spain and Monaco. Also at Savona cemetery is a memorial with the names of a further 275 casualties whose bodies were never found and who have no known grave.

The wreckage of the SS *Transylvania* was finally discovered by the Genoa Carabinieri, on the sea-bed at a depth of 630 metres on 5 October 2011, ninety-four years after it had been sunk.

There were members of four different regiments on board the *Transylvania* that fateful day: the 3rd Hampshire Regiment, the Royal Sussex Regiment and the Royal West Surrey Regiment. There was also a solitary member of the Essex Regiment. Private 13096 Joseph Keeling of the 3rd Battalion the Essex Regiment had already had an interesting war. He had enlisted very early on in December 1914 and been sent with the rest of his battalion as part of the forces involved in the Gallipoli campaign. During some fierce fighting at Sulva Bay he had been wounded in August 1915 and sent home. His wounds were not serious and by January 1916 he had returned to the fighting only to be wounded again a month later.

Unfortunately there was no third time lucky for Joseph, he was one of the 373 soldiers on board the SS *Transylvania* at the time of her sinking. His body was recovered and he was buried in the Savona town cemetery in northern Italy, along with 274 others who perished that day. Joseph Keeling is also remembered on both the Billericay and Stock War Memorials.

Unveiling of Stock and Buttsbury War Memorial. (Courtesy of John Westwood)

CHAPTER 14

Those Names on the War Memorials

The six war memorials in this chapter are located within the space of five miles of each other, but the main one we will be focusing on will be the one in Billericay High Street. The other five are the Stock Catholic Church memorial, the one on the village green in Stock, the one in Little Burstead, the Buttsbury church memorial and the one in the porch of St Mary Magdalene Church in Great Burstead.

Two men are named on three of the memorials and another twenty-five are named on two of them. Looking at all the names collectively there are quite a few who have no obvious connection to the town, village or parish where their name is commemorated. By using these war memorials as an example, it is easy to see how difficult research on the subject can be. Most were erected in the early 1920s and those responsible for the names inscribed on them are long since dead. Records other than the memorials themselves are very rare to find and quite often all that is available, with no explanation as to what the criteria for inclusion on the memorial was. Time most definitely blurs the memory somewhat.

There are sixty-two names commemorated on the Billericay War Memorial of those who lost their lives in the First World War. They are listed here for years in which they were killed, and not alphabetically and there were no casualties listed for 1914.

Unveiling of Billericay War Memorial. (Cater Museum, Billericay)

BILLERICAY WAR MEMORIAL
1915

Robert Harold Jervis **JOHNSON**, was the first man from Billericay, whose name is recorded on the memorial as having been killed during the First World War. He was a Second Lieutenant in the 2nd Battalion of the Essex Regiment. He was killed on 13 March 1915 aged 21, just south of Ypres whilst attempting to capture a cottage. The bullet which took his life had ricocheted, probably off of a wall, killing him instantly. Eighty other men from Johnson's 2nd Battalion were also killed in the same action that day. He was the son of Robert Baines and Florence Johnson of The Hope House, Little Burstead, Billericay, Essex. He is buried at the Calvaire (Essex Military Cemetery) in Hainaut, Belgium.

Harry **TYLER**, whose service number was 2322, died on 20 August 1915, aged 20. A Private in the 4th Battalion of the Essex Regiment, he was killed during the fierce fighting at Gallipoli. He has no known grave and is also commemorated on the Helles Memorial in Gallipoli.

Herbert William James **FANE**, service number S/331, was killed on 1 September 1915, aged 21. He was a rifleman in the 9th Battalion the Rifle Company. On the CWGC website he is shown as H.J. Fane, the son of the late James and Clara Fane, of 9 Piggott Street, Limehouse, London. Initially Herbert was wounded whilst serving in France before being brought back to Britain, where he later died of his wounds. He was buried at the City of London and Tower Hamlets cemetery. We can find no record of any connection between him, his family and the town of Billericay.

1916

A total of fifteen Billericay men were killed during 1916, three of them at the Battle of the Somme in July as the true effects of the war started to take hold.

Charles William **ARGENT**, whose service number was P/O11232, was a Private in the Royal Marines Light Infantry, and was on board HMS *Queen Mary* when he was killed on 31 May 1916 during the Battle of Jutland, aged 34. Again neither he nor any of his family seem to have had any connection with the town. His mother, who by now was Mrs Jeffery, having re-married, was shown as living in nearby Southend.

Percy Edward **HISLOP**, service number was 6696, was killed on 1 July 1916, aged 31. He was a Sergeant in the 2nd Battalion of The Border Regiment, the son of Hardy William and Marianna Hislop of Louisa Terrace, Mayland Road, Woodford, Essex. Percy arrived in France with his battalion on the 7 December 1915 and he was killed on the first day of the Battle of the Somme. His body lies in the Dantzig Alley British Cemetery in Mametz, France. Other than Percy's wife Beatrice coming from Billericay, they never actually lived there as a family, which once again throws up the question as to why he is included on the Billericay War Memorial.

Herbert Christopher **SMITH**, service number 1655, died on 7 July 1916, aged 39. He was a Lance Corporal in the 1st Regiment South African Infantry. Herbert was killed in fighting during the Battle of the Somme and has no known grave. He is commemorated on the Thiepval memorial in France. It is not known how he came to be serving with the South African Infantry.

Names on Billericay War Memorial. (Photos on this and following pages: Stephen Wynn)

George William **SMITH**, service number PS1915, died 15 July 1916, aged 24. He was a Private in the 16th Battalion of The Duke of Cambridge's Own (Middlesex Regiment). He was killed in action during the Battle of the Somme and is buried at Delville Wood military cemetery in Longueval, France. George and Herbert Smith were not related to each other.

Arthur Frederick **RAMSEY**, service number B/1788, died on 15 August 1916, aged 25. He was a Rifleman in the 9th Battalion the Rifle Brigade. He is buried in the Guards Cemetery in Lesboeufs, France.

William James **COPELAND**, service number 43355, was killed on 18 August 1916 at the Battle of the Somme. He was aged 26 and a Private in the 2nd Battalion of the Suffolk Regiment, the son of James and Alice May Copeland of Tye Common, Billericay, Essex. (Later of The Garage, Sun Street, Billericay, Essex). William has no known grave and is also commemorated on the Thiepval Memorial in France.

John Spencer **RICHARDSON**, service number 426921, died of his wounds on 9 September 1916 aged 22. He was a Private in the 3rd

Battalion of the Canadian Expeditionary Force. In May 1916 he was wounded and later that month, whilst still recuperating from his injuries, he contracted measles that had broken out amongst other members of his battalion and died. He is buried in the Puchevillers British Cemetery in France.

Richard **WOOD**, service number 21134, died on 15 September 1916, aged 23. He was a Private in the 32nd Battalion of the Royal Fusiliers (City of London Regiment). He has no known grave and is commemorated on the Thiepval Memorial in France.

Thomas Robert **PANNELL**, service number 5777, was killed on 23 September 1916 aged 20 years. He was a Private in the 23rd Battalion of the London Regiment. His parents, Robert and Emily Pannell lived in the High Street, Billericay. Thomas was buried in the Dantzig Alley British Cemetery, Mametz, France.

William **JARVIS**, service number 40048, was killed on 1 October 1916 during the Battle of the Somme. Aged 34, he was a Private in the 7th Battalion of the Leicestershire Regiment. He has no known grave and is remembered on the Thiepval Memorial, in France. He was the son of John and Celia Jarvis of Burstead Common Road, Great Burstead, Billericay. When William enlisted he did so at nearby Warley, which was the home of the local Essex Regiment and where they had their headquarters. Strangely enough though he didn't join them, but opted for the Leicestershire Regiment instead.

Arthur Henry **LAVER**, service number 40201, was killed on 16 October 1916 aged 26, a Private in the 2nd Battalion the Essex Regiment. He was the son of George and Hannah Laver who were living at Sudbury Farm Cottages, Little Burstead, Essex. He has no known grave and is commemorated on the Thiepval Memorial in France.

Henry **BUSH**, service number, 27323 was killed on 21 October 1916, aged 40. He was a Private in the 2nd Battalion the Essex Regiment and the son of Mr and Mrs Thomas and Emma Bush of Stock Road Cottages, Stock, Essex. The war diaries for the 2nd Battalion don't show any casualties at all for the date Henry died, so he must have been wounded previously and died of his wounds on 21 October. In the three days between Wednesday 18 October 1916 and Friday 20 October 1916, the 2nd Battalion incurred thirty-three casualties of which two were killed as well as another three soldiers reported missing. This wasn't down to enemy attacks, machine-gun fire or incoming artillery bombardments but from British artillery units getting their co-ordinates wrong and shelling their own front line trenches. So it would appear that Henry Bush was wounded by friendly fire on one of those days and subsequently died of his injuries on the 21 October 1916.

It is a strange anomaly that Henry is shown as having died of his wounds, which obviously indicates that he initially survived, yet he has no known grave and is commemorated on the Thiepval Memorial in France, which is for soldiers whose bodies have never been found. Henry had a sister, Louisa, as well as two older brothers, James and John neither of whom are shown on the CWGC website as having been killed. There is a Herbert John Bush, who was also a Private (40137) in the 2nd Battalion of the Essex Regiment who was killed on 15 October 1916, just six days before Henry.

On Monday, 16 October 1916 the 2nd Battalion the Essex Regiment had taken over the front line trenches at Flers from the Lancashire Fusiliers. The war diaries of the 2nd Battalion show that on that day they incurred enemy shelling which resulted in one other rank being killed. Although not named in the war diaries, that soldier must have been John Herbert Bush as the war diaries do not show any fatalities having taken place on Sunday, 15 October 1916. In another twist John Herbert Bush is commemorated on the Wickford war memorial in Essex, which is a town approximately five miles away from Billericay.

William John **LAVER**, service number 13209, was killed on 23 October 1916 during the later stages of the Battle of the Somme. Aged 23, he was a Corporal in the 2nd Battalion of the Essex Regiment and was the son of Hannah Dora Laver living at Sudbury Farm Cottages, Little Bursted, Essex. He has no known grave and is commemorated on the Thiepval Memorial in France. Arthur was William Laver's uncle in the same battalion of the same regiment. Uncle and nephew died less than seven days apart in the same battle. Another member of the family, Barney George Laver was killed during grenade throwing practice in the UK.

Charles **TUNE**, service number 21866, died of his wounds on 6 December 1916. Aged 40, he was a Corporal in the 10th Battalion of the Royal Welsh Fusiliers. Charles has no known grave and is commemorated on the Couin British Cemetery in France.

Jessie Alfred **COPPIN**, service number G/46389, died of his wounds on 19 December 1916, aged 31. He was a Private in the 13th Battalion of the Royal Fusiliers and was the son of Alfred John (deceased) and Catherine Coppin of Billericay, Essex. He is buried at Wandsworth Military Cemetery in London which suggests that he was initially wounded in action and because of the severity of the wounds was shipped back to Britain where he subsequently died.

1917

Silas George **CHAPMAN**, service number 102909, was killed on 28 March 1917. Aged 34, he was a Sapper with the 179th Tunnelling Company, Royal Engineers. He was the son of Mr and Mrs Sam Chapman of Norsey Road, Billericay, Essex. He also left a wife, Phoebe Clara Chapman of 59 Addison Way, Golders Green, London. They had two young children. Silas had five brothers who all served in the Army during the First World War. He is buried at Faubourg d'Amiens Cemetery in Arras, France.

Arthur Haydon **LETCH**, service number 766247, was killed on 9 April 1917 aged 20. He was a Private in the 20th (Central Ontario) Battalion of the Canadian Expeditionary Force. He is buried in the

Ecoivres Military Cemetery in France. Arthur had emigrated to Canada with his parents when he was 11 years old, but he was born in Billericay.

Arthur Edward **STEWART**, service number 32955, died on 14 April 1917, aged 35. He was a Private in the 1st Battalion of the Essex Regiment. He has no known grave and is commemorated on the Arras Memorial in the Faubourg d'Amiens Cemetery, France.

Frederick **WALDEN**, service number 29316, died of wounds on 16 April 1917, aged 28. He was a Private in the 1st Battalion of the Essex Regiment. He is buried in the Tilloy British Cemetery which is just outside the town of Arras.

Joseph **KEELING**, service number 13096 was killed on 4 May 1917, aged 29 and a Private in the 3rd Battalion of the Essex Regiment. He was the son of Peter and Mary Ann Keeling who at the time were living at Norsey Road, Billericay. Joseph was wounded twice before the occasion that led to his death. He was buried in the Savona Town Cemetery in Italy. The story surrounding his death can be read in the previous Chapter about the SS *Transylvania*.

William John **PUNT**, service number 75083, died of his wounds on 1 June 1917. Aged 37, he was a driver with the Royal Field Artillery. Before the war William and his family had lived at 4 Stanley Terrace, off Sun Street in Billericay. William is buried in the Barlin Communal Cemetery in France.

Arthur Wellesley **WOLVERTON**, service number 7936, died of his wounds on 4 June 1917, aged 26. He was a Private in the 65th Field Ambulance, Royal Army Medical Corps. Arthur enlisted in the Army on 7 August 1914 at Warley on the outskirts of Brentwood. His two brothers also fought in the First World War, his twin brother Charles and their younger brother George. Although George was severely wounded on 7 December 1917 and returned home to Britain, it would appear that both he and Charles both survived the war, as neither of them appears on the CWGC website. Arthur is buried in the St Leger British Cemetery in France.

Harry **KEELING**, service number 32998, was killed 7 June 1917, aged 32. A Private in No 4 Company, 1st Battalion, New Zealand Expeditionary Force, he was the son of Peter and Mary Ann Keeling, of Gooseberry Green, Billericay. Harry is commemorated at the New Zealand section of the Messines Ridge Memorial, at West Vlaanderen, Belguim. He had enlisted in the New Zealand Army less than a year before he was killed.

Barney George **LAVER**, service number 40203, died on 22 June 1917 of injuries sustained in a training explosion, aged 31, A Private in the 2nd Battalion the Essex Regiment, he was the son of George and Hannah Laver who lived at Chapel Street, Billericay.

A newspaper article taken from the *Southend Standard* dated 28 June 1917 states:

> 'An inquest was held on Saturday by Mr W. Brooks, coroner at the Cliff Military Hospital, Felixstowe, Kent, relative to the death of Barney Laver, aged 31 years, single, a Private in the Essex Regiment, whose home address was given as Rayleigh, and who died on Friday.
>
> 'Second Lieutenant G. Wheeler, Essex Regiment, gave evidence that he was in charge of a party practising bomb-throwing, in which the deceased was included. He was instructing him in throwing a bomb from the trench over a bank about fifteen yards distance. The trench was about six feet deep. Deceased threw a bomb which did not clear the top of the trench but struck parapet and fell back in to the trench. Deceased then tried to get hold of it again, but he told him to run round the corner. The deceased ran, but the bomb rolled along, and before deceased could get away, it exploded. He found deceased was injured and attended him with field dressings and had him removed at once to the Cliff Hospital.
>
> 'Replying to enquiries, the Lieutenant further stated that from the time the bomb was thrown till the explosion took place would be five seconds. The deceased had been to the front and been wounded. He had stated that he had experience of bomb throwing, and was given a lump of earth, which he cast all right.
>
> 'He was instructed to throw the bomb in the same way, but he must have held it a little too long, or got nervous. It was the first time the deceased had been under his instruction in throwing live bombs. The party had been throwing for about half an hour when the accident happened.'

Herbert Arthur **MEAD**, service number 225540, was killed 9 July 1917, aged 32. He was an Able Seaman in the Royal Navy and was part of the crew of HMS *Vanguard*. There was an explosion on board the ship when one of its magazines exploded taking the lives of over 800 members of the crew, including Herbert. He has no known grave and is commemorated on the Chatham Naval Memorial.

William Joseph Everett **BARKER**, service number 63735, was a Private in the 13th Battalion of The Royal Fusiliers (City of London Regiment). After being wounded on the first few days of the Third Battle of Ypres, he subsequently died of his wounds on 4 August 1917, aged 40. He had three younger brothers, Frank, Ernest and Harvey, none of whom appear on the CWGC website. They either survived the war or never enlisted, with the latter option being highly unlikely. Other than having worked in Billericay for a period of time after the turn of the century, William Barker had no real connection with the town. He was born in Burnham-on-Crouch and his mother was still living there after the war. He has no known grave and is commemorated on the Menin Gate Memorial, Ypres.

Frederick **ASHBEE**, service number 26040, was killed on 7 August 1917, aged 37. He was a Sergeant in the 126th Siege Battery, Royal Garrison Artillery when he died during fighting at the third Battle of Ypres. He was husband to Alice Elizabeth Ashbee who lived in Wiltshire. The previous Sergeant of the 126th Siege Battery, Charles James Percival Breach, had been killed a month earlier, on 5 July 1917. Frederick Ashbee's only apparent connection to Billericay was that he might have been born there, but official records are unclear about this.

John **CHAPMAN**, service number 45798 was killed on 16 August 1917, aged 22, at the Third Battle of Ypres. He was a Private in the 2nd Battalion, the South Wales Borderers and the son of William and Maria Chapman of Bridge Cottage, South Green, Billericay. He has no known grave, but is commemorated on the Tyne Cot Memorial in Belgium. John had seven brothers, William, James, Alfred, Frederick, Joseph, Robert and George as well as three sisters, Celia, Mary and Eliza. Three of these brothers were also serving in the Army and another was serving in the Navy.

Oscar Sewell **LADBROOK**, service number 54887, was killed on 27 August 1917. Aged 31, he was a Corporal in the 16th Battalion the Welsh Regiment. Oscar has no known grave and is commemorated on

Tyne Cot Cemetery. (Photo by Roy Facey)

the Tyne Cot Memorial in Belgium. A separate chapter earlier in the book gives more detail of how he died.

Lewis **BAYLISS**, service number 326107, was a Private in the 1st/7th Battalion Argyll and Sutherland Highlanders Regiment. He died on 20 September 1917 aged 25. He was elder son of William and Sarah Bayliss, of Norsey Road, Billericay. He is buried at the Tyne Cot Memorial Cemetery in West-Vlaaderen, Belgium.

Percy James **JEFFERIES**, service number 235079, died on 22 September 1917. Aged 42 years he was a Private in the 5th Battalion Oxford and Buckinghamshire Light Infantry. Percy was the son of John and Mary Ann Jefferies, who were living in the High Street, Billericay. He is buried in the St Sever Cemetery in France. He was originally injured in an explosion about a month earlier but subsequently died of his injuries and subsequent complications.

Frank Harry **BRIGHT**, service number J/54572 was serving as a 'Boy 1st Class' on HMS *Vivid*, when he fractured his skull in an accident. When he died on 27 September 1917, he was only 17 years old. He was the son of Frederick Sydney and Jane Bright of 6 Western Road, Billericay. Frank is the youngest person commemorated on the Billericay War Memorial as well as the Naval Memorial in Plymouth.

Thomas Frank **HILLS**, service number 40038, was killed on 6 October 1917 during the Third Battle of Ypres and was 36 years old at the time of his death. He was a Private in the 7th Battalion of the Leicestershire Regiment. At the time of enlisting he was living in Billericay. He has no known grave but is commemorated on the Tyne Cot Memorial, Belgium.

Joseph Peter **HOWLAND**, service number 27854, was killed on 18 October 1917 aged 38. He was a Private in the 2nd Battalion the Essex Regiment and was the son of Alfred and Mary Howland, of The Common, Billericay. He is buried in Dozinghem Military Cemetery, Belguim. One of Joseph's brothers also served in the war and survived.

Albert **SPELLER**, service number 26674, died 24 October 1917, aged 28. He was a Private in the 10th Battalion of the Essex Regiment. In actions that took place on 22 October 1917, the 10th were involved in the capture of Meunier House and Tracas Farm, just east of Poelcapelle in Belgium. They sustained over 200 casualties that day. Albert was one of those wounded and died of his wounds two days later. He is buried in the Dozinghem Military Cemetery in Belgium.

John Ward **BAYFORD**, service number 51882, was a Gunner in the 2nd Siege Battery Royal Garrison Artillery. He was killed on 30 October 1917, aged 24. He was the son of William and Mary Ann Bayford of 8 Sun Street, Billericay. He is buried at the Dozinghem Military Cemetery, West Vlaanderen, Belgium.

Leonard Sydney **PATEMAN**, service number 200569, was killed on 25 November 1917, aged 20. He was a Private in the 1st/4th Battalion of the Essex Regiment. He was the son of John and Annie Selina Pateman, High Street, Billericay and was buried in the Ramleh War Cemetery in Israel.

Walter **LEEDS**, service number 62031, died on 18 December 1917, aged 20, at the Royal Victoria Hospital. He ended up in the Eastern Command Labour Centre Labour Corps, after initially having enlisted in the Essex Regiment before then moving on to the 35th Battalion Royal Fusiliers. He is buried at the Netley Military cemetery in Hampshire. It is not known how or why he came to have been hospitalised.

James **HUMPHREYS**, service number 12565, was killed 27 December 1917, aged 24. He was a Lance Corporal in the 9th Battalion of the Essex Regiment. He died of pneumonia at Shorncliffe hospital whilst his battalion was training in Shorncliffe in Kent. His brother David died of his wounds on 24 April 1917. They were the sons of John and Hannah Humphreys. David was married to Mrs H.A. HUMPHREYS who lived in the High Street, Billericay. David is buried at Bethune Town Cemetery, Pas de Calais, France.

1918

George **LINDSELL**, was Private 40084 and a member of the 10th Battalion of the Essex Regiment. He was killed on 11 January 1918 aged 40. Both of George's parents had been dead for many years and he had never married. He is buried at the Dozinghem Military Cemetery in West Vlaanderen, Belgium.

Thomas Edward **BARKER**, service number 37335, was a Private in the 2nd Battalion of the Royal Fusiliers. He was killed on 22 January 1918, aged 31. He was the son of George and Julia Barker of Rettendon Common, Chelmsford and the husband of Lily who lived at Redmays, Western Road, Billericay. Thomas is buried at the Poelcappelle British Cemetery in West Vlaanderen, Belgium. We can only assume that Lily and their son, Gerald, moved to this address some time after Thomas was killed in action, because he is not shown on the Billericay War Memorial although it seemed appropriate to include him in this book.

Cecil James Lawrence **WHITE**, service number 608552, died on 21 March 1918, aged 34. He was a Rifleman in the 18th Battalion of the London Regiment (London Irish Rifles). He has no known grave and is commemorated on the Arras Memorial in France.

Edward William **COTTIS**, service number 69318, was killed on 28 March 1918 aged 38. He was a Private in the 1/2nd Battalion Royal Fusiliers (City of London Regiment). He was the eldest son of Mr and Mrs W.J. Cottis of the High Street, Billericay. Six months later Edward's younger brother, Cecil, was also killed whilst serving in France with the 11th Battalion of the Essex Regiment in September 1918, just two months before the end of the war.

Harold Wolstan **WEBSTER**, died of his wounds on 12 April 1918, aged 28. He was a Major in the 497th Field Company, Royal Engineers and he was killed by a bullet wound to the stomach. He is buried in the Lijssenthoek Military Cemetery, in Belgium.

Alfred William **AKERS**, service number 43504. A Corporal in the 2nd Battalion the Essex Regiment, he was killed on 22 April 1918, aged 28. He was the son of William and Francis Jane Ackers. The family are shown as living in Laindon Common in the parish of Laindon. In addition to his name appearing on the Billericay War Memorial he also appears on the Laindon Church Memorial. His father was a Police Superintendent with Essex Police. Alfred had an older brother Frederick but as there is no sign of him on the Commonwealth War Graves Commission (CWGC) website, it is assumed that he either didn't join up or if he did he survived the war. On the entry for Alfred on the CWGC website it only refers to his mother, Francis Jane Ackers, so the assumption must be that her husband William was dead by the time of Alfred's death in April 1918.

William Thomas **SCOTT**, service number 26675, died 23 April 1918, aged 30. He was a Lance Corporal in the 10th Battalion the Essex Regiment. William was wounded in September 1916 when he was shot in the head but recovered to return to duty. His brother, Private A.C. Scott, also in the Essex Regiment, was wounded by being hit in the head by shrapnel. William is buried in the Hangard Communal Cemetery in France.

Albert Victor **COOKE**, service number 146466 was killed 11 May 1918, aged 20. He was a Driver in A Battery, 14th Brigade of the Royal Field Artillery. There is an entire chapter in the book concerning Albert. He was the son of Edward Lewis and Mary Ann Cooke and the family lived in the High Street, Billericay. He is buried in the Blangy-Tronville Communal Cemetery on the Somme in France.

Thomas Edwin **SCALES**, service number 16758, died of his wounds on 23 May 1918. A Sergeant in the 9th Battalion the Essex Regiment, Thomas is buried in the Mailly Wood Cemetery in France.

Frederick John **PEASE**, service number 242251, was killed on 27 May 1918, aged 20. He was a Private in the 1st Battalion, Sherwood Foresters (Nottinghamshire and Derbyshire Regiment) and the son of Frederick and Elizabeth Pease. Frederick is commemorated on the Soissons Memorial in France.

Frederick Joseph **REEVE**, service number G/18752, a Private in the 7th Battalion Royal Sussex Regiment, died on 24 August 1918, aged 19. He enlisted at nearby Warley and is buried in the Meaulte Military Cemetery, France.

Herbert **STEWART**, service number 250466, a Sergeant in the 9th Battalion of the Essex Regiment, died of his wounds on 24 August 1918, aged 33. He is buried in the Daours Communal Cemetery in France. Herbert was actually born in Billericay's Union Workhouse in June 1985, a true son of the town.

Frederick **BAYLISS**, service number 204909, was a Private in the 2nd Battalion the Northamptonshire Regiment. He was killed on 29 August 1918 aged 21. He was the younger son of William and Sarah Bayliss, of Norsey Road, Billericay, Essex. He is buried at the Vis-en-Artois Memorial Cemetery, Pas de Calais, France.

Ernest **RILEY**, service number G/18922, died on 18 September 1918, aged 42. He was a Private in the 6th Battalion of the Buffs (East Kent Regiment). He met his death by being shot through the heart. Originally Ernest served with the Essex Regiment, enlisting at their headquarters at Warley. It is not known why he transferred regiments.

Cecil James **COTTIS**, service number 350668, died 17 September 1918, aged 23. A Private in the 11th Battalion of the Essex Regiment, he was the youngest son of Mr and Mrs W.J. Cottis of the High Street, Billericay.

Joseph **MARTIN**, service number 15985, was killed 30 September 1918, aged 36. He was a Private in the 2nd Battalion Queens Own (Royal West Kent Regiment). Prior to being killed he had previously been wounded on three other separate occasions. He is buried at the Unicorn Cemetery, Vendhuile, France.

William George **ELKINS** MM, (Military Medal), service number 65630, was killed on 4 October 1918, aged 20. He was a Private in the 104th Field Ambulance Royal Army Medical Corps. He was the son of Thomas and Augusta Elkins of Norsey Road, Billericay, although when he enlisted he gave an address of 3 Stock Terrace, Stock. It would appear that the family moved there from Norsey Road in Billericay. William had two older brothers, Frank and Thomas who do appear on the CWGC website, so either did not enlist or if they did, they survived.

William was awarded what was called a 'Card of Honour' for gallantry and devotion to duty on 6 May 1917 while carrying out stretcher bearer duties near Arras. He had arrived in France with his comrades on 9 January 1916 and was awarded his Military Medal for 'bravery in the field' on 29 August 1918. He was killed along with two of his colleagues when a German shell exploded right on top of their position.

Harry George WELHAM MC (Military Cross), died on 4 November 1918. Aged 27, he was a Lieutenant in the 9th Battalion of the Royal Sussex Regiment. He is buried in the Wargnies-le-Petit Communal Cemetery, in France. When George originally enlisted he did so with the 10th Battalion of the Royal Fusiliers, affectionately known as the Stockbrokers' Battalion.The citation for his Military Cross appeared in the *London Gazette* on 16 August 1917 and read as follows:

> 'For conspicuous gallantry and devotion to duty. During an attack he showed the greatest courage and skilled leadership, personally supervising the whole line of advance until he fainted from exhaustion. Later he took a platoon forward into shell holes during heavy bombardment, thereby saving many casualties.'

Percy John **PATEMAN**, service number 41106, was killed on 8 November 1918, aged 25. He was a Sergeant in the 15th Battalion of the Suffolk Regiment. Percy is buried in the Don Communal Cemetery, Annoeullin, France. Mr and Mrs Pateman were one of the many families who paid an extremely high price as a result of the First World War. Both of their sons were killed less than a year apart as well as their daughter's husband, David Humphreys.

W. **NEVILLE**, is the name and initial which is recorded on the Billericay War Memorial in the High Street. On the Commonwealth War Graves Commission (CWGC) website there are twenty-seven similar names. Of these there are only eleven direct matches with the name W. Neville. Having checked through all twenty-seven entries, not one of them has any direct connection with Billericay. To add to the confusion there is also a W. Neville shown on the Roll of Honour at the St Mary the Virgin Church in Little Burstead, but he is shown as having survived and returned from the war.

An article in the *Southend Standard* dated 9th January 1919 was headed, 'Wickford Man Dies of Wounds.':

> 'Private W.A. Neville, Northumberland Fusiliers, of Chapel Road, Wickford, who was missing and subsequently reported a prisoner in Germany, is now reported by the German Government to have died of wounds.'

Checking those details on the CWGC website, there is a W.A. Neville showing as being a member of the 25th Tyneside Irish Battalion of the Northumberland Fusiliers who died on 21 March 1918. He does not have any known connection to the Billericay area and has no known grave. His name is commemorated on the Arras Memorial in the Pas de Calais region of France.

There is an Arthur Nevill commemorated on the Stock and Buttsbury War Memorial, just to make matters even more confusing. Checking those same details on the CWGC website, only one direct match comes up. Private G/9645 Arthur Nevill of the 4th Battalion Royal Fusiliers. He has no known grave and is commemorated on the Arras Memorial in the Pas de Calais region of France. There is no connection shown between him and the Billericay or Stock areas.

To add to the confusion even further, when we added an 'E' on to the surname and so checked the name Arthur Neville, sixteen possibles came up, four of which were Arthur's.

Private 1191 Arthur Neville of the 2nd Battalion the East Surrey Regiment was the son of Cornelius and Alice Neville who lived at Potash Road, Billericay. which is right on the border of Billericay and the neighbouring village of Stock.

This just goes to show how difficult it can be for historians to accurately research any individual from the past. All that is needed is for a name to be spelt slightly differently and total confusion reigns all around. It is quite possible that W. Neville, W.A. Neville, Arthur Nevill and Arthur Neville are one and the same person, but then they could just as equally be four separate individuals. On the balance of probabilities Arthur Nevill who is shown on the Stock and Buttsbury War Memorial is the same as Arthur Neville, whose parents lived in Potash Road in Billericay.

Unfortunately we do not feel it is possible to identify with any degree of certainty, the W. Neville who is recorded on the Billericay War Memorial. War memorials, although helpful, can also be very confusing simply because we do not now know what criteria was used to decide which names were recorded on them. Some families moved from their original address between the time when their husband, brother, son or uncle went away to fight in the war and when they were subsequently killed. Some will have been born in one location and then moved elsewhere, some will have had no loved ones back home to mourn or record their loss.

Here are a couple of examples of local men who don't appear on the Billericay war memorial for reasons unknown.

William John **BRIDGMAN**, service number R/34334, was a rifleman in The Kings Own Rifle Corps. He was killed on 24 March 1918 aged 30. He has no known grave and his name is not recorded on the Billericay War Memorial. He is commemorated on the Pozières Memorial on the Somme in France. He was the son of William Hugh and Emma BRIDGMAN and the husband of Florence Jessie BRIDGMAN of Jessamine Cottage, London Road, Billericay, Essex. His home address is shown as being in Billericay and he lived in Billericay at the time he enlisted in the Army.

William **REVENING**, service number 10286, died on 3 August 1916 during the Battle of the Somme. He was aged 24 and a Private in the 8th Battalion the Royal Fusiliers (City of London Regiment). William was living in Billericay when he enlisted at Southend. He was later promoted to the rank of Lance Corporal and first arrived in France in June 1915. Just over a year later he was dead, one of the many casualties of the Battle of the Somme. He is buried in the Pozières British Cemetery in France.

As is mentioned elsewhere in this book, there were no officially agreed criteria as to why an individual's name was recorded on a particular War Memorial, it was purely decided by the individual or group who had raised the funds to pay for the memorial in the first place.

The unveiling of the Billericay War Memorial ceremony, took place on 16 October 1921. The unveiling was carried out by Major General Sir William Thwaites KCMG CB.

The memorial stands to the side of St Mary's Church at the junction of the Billericay High Road with Chapel Street. The dedication service for the memorial was carried out by the Reverend S.L. Brown, who was the Rector of Fryering. Also in attendance were a band, a choir, local dignitaries as well as the friends and families of some of those

Billericay War Memorial commemorations on Remembrance Day.

who are commemorated on the memorial. From the looks of the heavy coats, hats and scarves that everybody is wearing in the photograph, it must have been a particularly cold day.

The memorial, a Celtic cross, stands 14 feet high, weighs over two tons and cost £250, the cost of which was raised by public subscription.

General Thwaites had been commissioned into the Royal Artillery in 1887. He went on to serve with the Royal Field Artillery during the second Boer War between 1899 and 1902. During the First World War he served in both France and Belgium, in 1915 he was made the Commanding Officer of the 141st Infantry Brigade and then in 1916 he was made the General Officer Commanding the 46th Infantry Division.

After the war in 1922, he became Director of Military Intelligence. He went on to hold many similar prestigious posts before finally retiring from the army in 1933. He died on 22 June 1947 aged 79.

Stock War Memorial

Below are the names of the thirty-seven men of Stock who lost their lives during the First World War. They are commemorated on the Stock

On this and the following pages are the names on the Stock Memorial. (Photo by Stephen Wynn)

War Memorial which was unveiled on 20 November 1920 by Brigadier-General Richard Beale Colvin CBMP. Fortunately there was no rain to spoil the special occasion, although it was a typical November day, cloudy, overcast and cold.

Brigadier General Colvin, who had been born on 4 August 1856, was the MP for Epping at the time of the unveiling, a seat he held between 28 June 1917 and 6 December 1923. He certainly wasn't afraid to ask some searching questions during his time as an MP. Hansard records that on the 15 November 1917 he asked a question in the House on behalf of Acting Sergeant Cecil Boulton of the 3rd Battalion The Essex Regiment, who had been acting in an even higher rank for ten months and when the period of acting finished he was told he had to hand back £21.6s.2d, a substantial amount of money then, especially for a man from the 'other ranks'.

Prior to becoming a Conservative MP he had been a Colonel in the British Army in 1901 when he took command of the Essex Imperial Yeomanry in South Africa, during the Boer War of 1899-1902. The Yeomanry had been raised as mounted infantry to deal with the highly mobile Boer Commandos. Members of the Imperial Yeomanry were all volunteers skilled both as horsemen and marksmanship, and had the nickname of the 'Rough Riders'.

He had also held the positions of both High Sheriff and Lord Lieutenant of Essex, the latter at the time of his death in 1936.

On 24 November 1920, just four days before he presided at the unveiling of the Stock War Memorial, he asked another question in the House, this time of the Secretary of State for India. The question concerned pension rights for officers who had served as part of the Indian Army. The Secretary of State for India at the time was Winston Churchill. Brigadier General Colvin died just before his eightieth birthday, on 1 January 1936.

Here are the names of the men of Stock who fell during the First World War and who are commemorated on the village war memorial:

Stanley **BACON**
Fredrick Isaac **CAPON**
Robert John **CARPENTER**
Frederick **CLIFFORD**
William George **ELKINS** (MM)
Rae Adam **ELLIS** (Capt)
Charles Geoffrey **EVANS**
Charles **EVANS**
Arthur Newstead **FALKNER**
Charles N. **FULBROOK**
Pendarves C.F. **GIBSON**
Horace **GOULDSMITH**
Harry **HOWLETT**
Reginald **JARVIS**
Joseph **JENKINS**
Harry **KEELING**
Joseph **KEELING**
George **LOW**
John Alworth **MEREWETHER**
Arthur **NEVILL**
William **PARKER**
Victor **PLUME**
William Walter **PLUME**
Herbert **PRECIOUS**
William **PRECIOUS**
Harry **REYNOLDS**
John **REYNOLDS**
Frank **RIDGEWELL**
John **RIST**
Herbert **STEWARD**
Albert William **TAYLOR**
Alfred Edward **THOMAS**
Harold Robert **THOMASON**
Harry **TYLER**
William **WATTS**
Charles Frederick Norman **WEBB**
Harry **WEBB**
Bernard **WEBB**
Walter **WHYBRO**
Walter Joseph **WRIGHT**

[The names of both Joseph and Harry **KEELING** are also recorded on the Billericay War Memorial. It is interesting that two communities only a couple of miles apart both want to claim the men as their own. There are two addresses shown on the CWGC website, one in Norsey Road and the other in Gooseberry Green, both are quite clearly in the curtilage of part of Billericay, so it is not clear how their names came to be recorded on the Stock War Memorial as well.]

The Reverend Thomas Joseph Osborn, who had previously lived in Stock whilst the rector of the village's All Saints Church, had by the time of the First World War, already moved to Middlesex. Whether that was to work at another Parish or to retire, is not known. He lost his son, who was also Thomas Joseph Osborn, when he was killed on 4 July 1916 at the very beginning of the Somme offensive. Thomas enlisted at St Pancras in London and became a Rifleman in the 16th Battalion of the Prince Consort's Own Rifle Brigade and was 38 years old when he died. Although he was born in the village of Stock, at the time of his death his home address was 39 Grafton Street, New Bond Street, London, W1. He left behind a wife, Florence Osborn (formerly Clarke).

Thomas is buried in the Béthune town cemetery in the Pas de Calais region of France, which is situated 29 kilometres north of Arras. There are 3,004 Commonwealth soldiers from the First World War buried there, including eleven with no known identity.

One has to wonder how the Reverend reacted when he heard the tragic news of his son's death. Did it make him question his own Christian faith and beliefs?

We photographed Stock War Memorial early one June Sunday morning. There were clear blue skies, not a cloud to be seen and the sun was already up and working its magic. Not even a car passed by whilst we were there, it was as if time had stood still and we had been transported back to a bygone era. The quaint old buildings didn't look like they had changed much from when they were first built and the village still had a pleasing picture post card appearance about it.

On the other side of the village is the picturesque All Saints Church. In the graveyard there is only one of those whose name is recorded on

Above: Walter G. Whybro.
(John Westwood www.stock.org)

Right: his gravestone.
(Photo Stephen Wynn)

the war memorial, Walter George Whybro who was killed on 4 September 1916. He was 23 years old and a driver in the Royal Army Service Corps. The fact that he was buried locally indicates that he had been wounded and returned to England to for treatment, only to die subsequently.

Little Burstead War Memorial

The War Memorial in Little Burstead is carefully positioned on a neatly maintained island in the middle of the road, right in the very centre of the quaint old village. There are eight names commemorated on it of those who lost their lives during the First World War. At the bottom of the 12-foot high Celtic cross is a base that has the following inscription engraved on it.

> 'Sacred to the memory of the men of Little Burstead who made the supreme sacrifice in two World Wars that we might live in peace and freedom. Their names will live on forever.'

The names of those remembered on the memorial are as follows:

G. **COE**
R.J.H. **JOHNSON**
W. **JARVIS**
W. **LAVER**
A. **LAVER**
F. **PEASE**
J. **RICHARDSON**
W. **RIPPER**

Interestingly six of the names on the Little Burstead War Memorial, are also recorded on the Billericay War Memorial, only G. Coe and W.Ripper are not. J. Richardson and W. Jarvis are also recorded on the St Mary Magdalene Church porch plaque in Great Burstead which goes to show just how much of an inexact science, the naming of individuals on war memorials actually was. You would however think that as a new memorial was erected, somebody would have at least thought about checking on others in the surrounding towns and villages to ensure there was not a duplication of the names.

The War Memorial at Little Burstead is lovingly maintained by local residents for the benefit of all. It was unveiled on Saturday 18 June 1921 by Major Bowen DSO, who at the time was the Commandant of the Essex Regiment Depot at nearby Warley. The Reverend Leonard Payne gave the blessing during a dedication service. There was also a guard of honour as tradition demanded on such auspicious occasions. The Last Post, the National Anthem and Reveille were all played by a lone bugler.

Little Burstead War Memorial. (Photo Stephen Wynn)

On the Commonwealth War Graves Commission website W. Ripper is recorded as Thomas William Ripper, service number SS/109685 and he was a Stoker 1st Class in the Royal Navy. He was serving on the Cruiser, HMS *Hawke*, when on 15 October 1914 it was struck by a torpedo fired from the German U-Boat, U-9. Thomas was one of the 497 men, along with the ship's Commander, Captain Hugh Williams and twenty-six other officers who perished when one of the ship's magazines, which had been struck by the torpedo, exploded.

HMS *Hawke*, an Edgar Class Cruiser, was first launched in 1891. Between 1897 and 1898 it was involved in action in the Mediterranean during operations that led to the pacification of the island of Crete. During this time it was used as a troop carrier for Greek soldiers. On 20 September 1911 *Hawke* was involved in a collision with the White Star Liner, RMS *Olympic* in the Solent whilst undergoing steam trials after having been refitted.

At the outbreak of the First World War its Commander was Captain Hugh P.E.T. Williams. The *Hawke* became involved in various operations in the North Sea. On 15 October 1914 it was sailing in unison with its sister ship, HMS *Theseus*, when it was inadvertently torpedoed by the German Submarine, U-9. It would appear that the torpedo that was fired by U-9 was actually intended for the *Theseus*, but it missed, hitting the *Hawke* and igniting one of the ship's magazines which caused an enormous explosion, literarily ripping the ship apart.

Buttsbury War Memorial

Even though the war memorial in the village of Stock is officially the Stock and Buttsbury War Memorial, Buttsbury has its own memorial in the form of a Roll of Honour at Buttsbury Church. Not surprisingly, every name that appears on it is also included on the one in Stock. Here are the sixteen names recorded on it:

Stanley **BACON**
John **CARPENTER**
Frederick **CLIFFORD**
Charles **FULBROOK**
George **HUME**
Reginald **JARVIS**
Joseph **JENKINS**
Joseph **KEELING**
Harry **KEELING**
George **LOW**
Arthur **NEVILLE**
Herbert **PRECIOUS**
William **PRECIOUS**
John **REYNOLDS**
Harry **TYLER**
Charles **WEBB**

Stock Catholic Church Memorial

The church is situated off a road in the middle of the village's narrow High Street.

The following five names all appear on the war memorial inside the church. The five men are named on the memorial because they regularly attended Sunday services there before going off to war. All five men are also commemorated on the main Stock war memorial which is less than a mile away.

Joseph **JENKINS**
John **MEREWETHER**
Victor **PLUME**
Bernard **WEBB**
Harry **WEBB**

Repetition seems to have been a regular theme when it came to the recording of names on First World War memorials, especially when it comes to the Billericay, Burstead and Stock areas. There are some names that appear on three out of the four memorials.

St Mary Magdalene Church Porch Memorial – Great Burstead

When I went to see this memorial I initially walked straight past it. I continued on into the church thinking it must be on one of the inside walls instead of the porch. I walked round twice and still I couldn't see it. Confused, I purchased a pot of blueberry and apple jam that was for sale at the back of the church and as I left I spotted the memorial which consisted of two shiny brass coloured tablets low down on the right hand side of the porch.

The left hand tablet had the following quote on it.

> 'To the glory of God & sacred to the memory of the men of Great Burstead who gave their lives for king and country in the Great War, 1914-1918.'

The following names are recorded on it.

ACKERS, A.W.
CHAPMAN, J.
COTTIS, E.W.
COTTIS, C.J.
COPELAND, W.J.
HILLS, T.F.
HORNSBY, E.
JARVIS, W.
JEFFERIES, J.P.
MARTIN, J.

MEAD, H.A.
PATEMAN, P.J.
PATEMAN, J.S.
RAYMENT, J.W.
RICHARDSON, J.
STEWART, H.
STEWART, J.A.
TUNE, C.
WALDEN, F.

Seventeen of the nineteen names which appear on this memorial are also commemorated on the Billericay war memorial. The only names which don't are those of Rayment, J.W. and Hornsby, E. Edmund Mark Wiffen Hornsby, Private G/67440 of C Company the 6th Battalion The Queen's Royal West Surrey Regiment was killed on 29 August 1918 aged 19. He was the son of William and Mary Ann Hornsby of South Green, Billericay. He has no known grave and is commemorated on the Vis-en-Artois Memorial, Pas de Calais in France. The memorial has the names of 9,854 names of British, Irish, South African, Canadian, Australian and New Zealanders who fell in just three months between 8 August and 11 November 1918.

Edmund had three brothers, Christopher, Frederick and Herbert as well as two sisters, Edith and Mabel. Christopher Wennel Hornsby, Edmund's elder brother, was also killed during the war but is not recorded on any war memorial in the United Kingdom, which shows how difficult it was to properly record the names of those killed during the First World War on the correct war memorials. He was a Staff Sergeant (Service number S/1309) in the Royal Army Service Corps (Supply Office) and was 30 years old when he died on 12 November 1920 in Hong Kong. By this time his parents, William and Mary Ann Hornsby had moved back to Corringham in Essex. Christopher is buried in the Sai Wan War Cemetery in Hong Kong. Edmund's two other brothers, Frederick and Herbert also served their country during the war but survived and returned to their families.

On the same porch memorial in St Mary Magdalene Church are the names of H. Coldwell (Vicar), H.H. Vose and F.W. Faber (Church Wardens). These are located at the bottom of the right hand side tablet. Over time I believe this has caused some confusion, with some readers taking this to mean that they also served and were killed in the war. Having searched the CWGC website this seems not to have been the case and these were simply the names of the vicar and church wardens at the time the memorial was placed in the church porch.

CHAPTER 15

Campaign Medals, First World War

This chapter looks at the main campaign medals that UK military personnel were awarded for their service to king and country during the First World War 1914-18. They were earned the hard way and commemorate some of the bloodiest battles in the annals of British military history.

There were six individual campaign medals as well as the silver war badge which was first issued on 12 September 1916. It was originally issued to both officers and men who were discharged or retired from the military as a result of either sickness or an injury which had come about as a direct result of their war service. In April 1918 the eligibility for receipt of this badge was amended to include civilians serving with the Royal Army Medical Corps, as well as female nurses and other related staff.

The medals were:

The 1914 Star.
The 1914-1915 Star.
The British War Medal 1914-1918.
The Allied Victory Medal 1914-1919.
The Territorial Force War medal.
The Mercantile Marine War medal 1914-1918.

Combinations of some of these medals had humorous nicknames, for example, the 1914-15 Star, the British War Medal 1914-1918 and the

1914 Star.

1914–15 Star.

British War Medal.

Allied Victory Medal, became affectionately referred to as 'Pip, Squeak and Wilfred' after the characters in a comic strip which appeared in the *Daily Mirror* newspaper at the same time. Pip, Squeak and Wilfred were a dog, penguin and a young rabbit respectively. The combination of the British War Medal 1914-1918 and the Allied Victory Medal became known as 'Mutt and Jeff'

The 1914 Star, which was also known as 'Pip' or the Mons Star, was established in April 1917 for those who had served in France or Belgium between 5 August 1914 and midnight on 22 November 1914. All recipients of this medal also received the British War Medal 1914-1918 and the Allied Victory Medal. In total 378,000 1914 Stars were awarded. Personnel who were part of the British Expeditionary Force (BEF) also became known as the Old Contemptibles after a derisory remark said to have been made by the German Kaiser about Sir John French's 'contemptible little army'.

The 1914-15 Star was established in 1918 for those who had seen service from the beginning of the war, up to and including 31 December 1915. Individuals who were eligible for the 1914 Star were not eligible for this medal. In total 2,366,000 1914-15 Stars were issued. The only difference between the first two awards was the scroll in the middle of the medal. The earlier one simply had '1914' on it and the latter had '1914-1915'.

The British War Medal 1914-18, which was also known as 'Squeak', was established by King George V in 1919 to mark the end of the First World War and to commemorate an individual's service to his king and country. The qualification to receive the medal was extended up to 1920 so as to include post-war mine clearance and service in Russia during 1919-20. There were a total of approximately 6,500,000 British War Medals 1914-1918 issued. The Mercantile Marine War Medal 1914-18 was established by the British Board of Trade and was awarded to members of the Mercantile

Marine, which was the forerunner of the Merchant Navy. It was awarded to those who had served on one or more voyages through a danger zone during the period 4 August 1914 to 11 November 1918. A total of 133,135 of these medals were issued.

Mercantile Marine Medal.

The Victory Medal 1914-19, which was also known as 'Wilfred', was established in 1919 to commemorate the Allied victory over Germany and her allies. There were approximately 5,725,000 British Victory Medals 1914-1919 issued.

The Territorial Force War Medal 1914-1919, which was established on 26 April 1920, was only issued to members of the Territorial Force and Territorial Force Nursing Service. The criteria for being awarded the medal required its recipients to have been a member of the Territorial Force on or before 30 September 1914 and to have served in an operational theatre of war outside the United Kingdom between 5 August 1914 and 11 November 1918. Approximately 34,000 of these medals were issued which makes it somewhat rare when compared with the other campaign medals awarded. An individual who was eligible to receive the 1914 Star or 1914-15 Star could not then receive the Territorial War Medal.

Victory Medal.

All campaign medals had the recipient's service number, rank, name and unit inscribed on the rim.

Besides campaign medals that were awarded to all individuals who reached a certain criteria, there were numerous different medals which could be awarded for acts of bravery across all three military services, thirteen in total. This did not include being mentioned in dispatches. To be 'Mentioned in Despatches' an individual needed to have carried out a noteworthy act of gallantry or service, which by its very achievement meant that the act fell short of deserving an award of a gallantry medal. A 'Despatch' is not a medal, it's an official report usually written by the recipient's senior commander in the field.

Territorial War Medal

Victoria Cross.

The criteria for most gallantry awards depended on rank, for example some were unavailable to other ranks. However the Victoria Cross, the highest British and Commonwealth award for acts of courage or valour in the face of the enemy, is available to all ranks. It sits on the same level as the George Cross which is awarded if the act of valour is not in the face of the enemy. It is also possible for the medal to be awarded to civilians if at the time their act of bravery they were under the orders and control of the military.

The Victoria Cross was established on 29 January 1856 during the Crimean War on the orders of Queen Victoria. The first ever award of the medal was on 26 June 1856. During the First World War a total of 615 Victoria Crosses were awarded for acts of valour. Originally the Royal Warrant for the medal did allow for its being awarded to recipients posthumously. Although this was not officially changed in the warrant until after the First World War, a quarter of all recipients who were awarded the Victoria Cross during the First World War, were killed as they carried out their act of valour, the standard for its award being so high.

CHAPTER 16

Life on the Western Front

Life on the Western Front for a soldier was varied for many different reasons. It was affected in different ways and times by the weather, the fear of death, the trenches, the constant noise of artillery fire, the smell, death, hunger, disease, fatigue and the constant desire to be back home with loved ones. Just to make matters worse, they had a war to fight as well.

The first major use of poison gas by German forces on the Western Front was on 22 April 1915 at the second Battle of Ypres. Five hundred canisters of chlorine gas were released from their front line trenches. By July of that year the Germans had replaced the canisters with deadly artillery shells that contained both phosgene and mustard gas, a lethal cocktail by any stretch of the imagination. What made mustard gas in particular such a callous killer, was that it was both odourless and colourless and by the time defending troops realised what was going on, it was quite often too late.

The British Army did not start using gas until October 1915. There was always an element of risk attached for whichever side used it. If the wind was blowing in the wrong direction when it was released, then the gas could quite easily blow back on to the defending troops.

The introduction of gas as a weapon wasn't a particular winner for either side, but it was still an effective tactic to a degree. Troops having to wear and fight in a gas mask would do so with great difficulty which resulted in a massive reduction in their mobility and overall effectiveness.

There were an estimated one million casualties as a result of the use of gas by both sides on the Western Front.

British Machine Gunners in gas masks. (From a contemporary photograph)

British involvement in the assaults on Gallipoli was not the best advert for how to fight a war. Initially in 1915, 70,000 British troops were sent out to the peninsula, but by 25 April 1915, mainly because of the cavalier and out-dated tactics employed by the allied commanders, 20,000 of them had already been killed. The numbers of British troops in Gallipoli increased steadily until there were half a million men involved in the fighting, such was the determination of the British government to bring matters to a successful conclusion.

On 6 August 1915 a second assault on the Ottoman defences by the British failed and by January the following year all British troops were evacuated from the area.

Winston Churchill, a strong advocate of the Gallipoli campaign as First Lord of the Admiralty, resigned at the end of November 1915, took up a commission and went to France as a battalion commander.

The 2nd Battalion, the Buckinghamshire Regiment or as they were more commonly referred to, the 2nd Bucks, were a reserve battalion and were raised at Aylesbury on 26 September 1914 by Lieutenant

Colonel H.M. Williams. They became part of 184 Infantry Brigade. Towards the end of April 1915 they were detailed to work on the London defences and were allocated to the section of Mountnessing to Billericay, the brigade's headquarters being located at nearby Epping.

The battalion was employed in the digging of trenches, some of which still remain in Norsey Woods. The quality of their work was specially commended by inspecting officers. They were only in the area for about three weeks before they were deployed elsewhere. Whilst stationed at Billericay they were suddenly called upon, with only one hour's notice, to picket all the roads that were heading in the direction of London between Mountnessing and Billericay and Pitsea and the coast near Southend. No reason was given for this sudden request.

Politicians believed that the war would be over by Christmas 1914. This was borne out by the fact that in the first budget of the war, which was presented to the country on 16 November 1914, no new taxes were brought in even though some of the existing ones were raised slightly.

Even though the First World War had been raging since the death of Archduke Ferdinand in July 1914, the last six months of that first year saw some heavy fighting:

16 August 1914. The Germans took Liège in Belgium.
20 August 1914. The Germans took Brussels in Belgium.
23 August 1914. The Battle of Mons.
26 August 1914. The Battle of Le Cateau.
5 -10 September 1914. The Battle of the Marne.
October 1914. The First Battle of Ypres.
25 December 1914. An unoffical truce took place between British and German troops in no man's land on the Western Front. It remains to this day a remarkable feat of humanity in a time of war,not just because of the truce but because of the physical meeting of troops from both sides in no man's land, the swapping of items and the football match that reportedly took place. Once it was over, they then went back to job of trying to kill each other.

Pay for soldiers ranged from one shilling and three pence up to ten shillings and six pence a day, depending on what branch of the military

Going over the top. (From a contemporary postcard)

a man was in and what qualifications he had. Typically a soldier agreed to sign up for three years or as long as the war lasted.

The British Expeditionary Force (BEF) fought heroically throughout 1914, but at the battles of Mons, Le Cateau and first Ypres they incurred massive casualties. The Battle of Loos in Belgium, part of a French-British offensive in Artois during September and October 1915, wasn't a British military success story either.

The year 1916 was crucial with the strategy of attrition quickly becoming the normal way of life on the Western Front. It was a year that saw many long drawn out battles resulting in a very high number of casualties on both sides for very little actual gain in land; this was particularly the case with both the Battle of Verdun and the Battle of the Somme which coincided with the first major battle of Kitchener's New Army volunteers, which included Pals units, friends who had joined up together and in many cases would die together, part-time territorial forces and regular army soldiers, which all made up the BEF.

The prelude to the opening of the Battle of the Somme saw a massive artillery bombardment by the British starting on 24 June which lasted for over a week, during which time 1.7 million shells were fired. It is estimated that thirty per cent of them failed to go off, which was just one of the reasons why the deep German dug-outs and German defensive positions remained intact, ready to repel the British attacks across no man's land which almost always followed such bombardments.

Then on 1 July 1916 there was a massive infantry assault by wave after wave of men. On that first day alone the British incurred 57,470 casualties – *20,000 more than the entire population of Billericay (2011)* – of whom 19,200 were killed, another 2,152 were missing with the rest having been wounded. It remains the worst day in the history of the British Army.

The Battle of the Somme – actually twelve distinct battles in the overall campaign – lasted for 142 days until 18 November 1916. British casualties totalled some 415,000, of whom 127,751 were killed, nearly 900 men for each day of the battle, whilst the German casualties were estimated to have been in the region of 650,000. France incurred

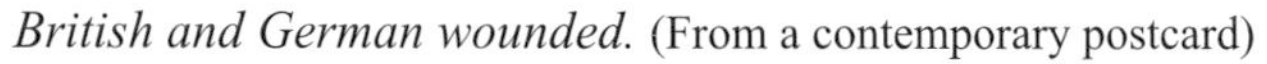

British and German wounded. (From a contemporary postcard)

(From a contemporary postcard)

200,000 casualties. Of those killed 72,085 have no known grave and are commemorated on the Thiepval memorial on the Somme in northern France.

General Haig's diary entry for 2 July 1916, the second day of the Battle of the Somme, read as follows.

> 'A day of downs and ups. The Adjutant General reported today that the total casualties are estimated at over 40,000 to date. This cannot be considered severe in view of the numbers engaged and the length of front attacked.'

Arrogant, out of touch, staggering, unbelievable and inhuman are just a few words which immediately spring to mind. To most people the first day of the Somme would be nothing more than an unmitigated military disaster and a total waste of human life.

In human terms the Battle of Verdun between 21 February and 18 December 1916 was the most costly of the entire war. Germany and France collectively suffered nearly one million casualties. Conservative contemporary estimates suggest that nearly 750,000 men were killed in the fighting. Most of those died as a result of artillery fire rather than rifle or machine-gun bullets.

A landmark moment in history occurred on 15 September 1916 when the British used tanks operationally for the very first time at the Battle of Flers-Courcelette, although with mixed success. It signalled the end of the cavalry's role in warfare. By 1916 horses as in cavalry units had had their time. At the outset of the war, horses were in great demand and were used for most things. Shock cavalry raids, reconnaissance, medical support, pulling artillery pieces. Mechanised transport was still in its infancy at the outbreak of the war. In the four years from the outbreak of war in 1914, through to the end of 1918 Britain would have used a staggering one million horses in its war effort.

In 1917 the Battle of Arras took place in April and the Third Battle of Ypres (Passchendaele) between July and November 1917. British forces were now exhausted and were close to running on empty. A winter of reorganisation and regrouping was needed and an injection of Allied strength which came across the Atlantic.

America entered the war on 6 April 1917 and between April and October 1918 1,600,000 American soldiers arrived on the Western Front. They were young, fit, well fed, fresh and they undoubtedly made a big difference to the eventual outcome of the war.

The use and understanding of aircraft as an offensive weapon only really happened late on during the war in the early part of 1918. On 1 April 1918 the Royal Air Force (RAF) was formed out of the Army's Royal Flying Corps (RFC) and the Royal Naval Air Service (RNAS).

After beating back a last massive German attack throughout the Spring of 1918, on 8 August 1918 the British Army went on the offensive at Amiens followed by the Hundred Days push to victory. The gallant efforts shown in the latter stages of 1918 by those brave young men after four years of bitter fighting seem to have been largely forgotten in an historical sense. Theirs really was a remarkable feat of steely determination and a dogged willingness to overcome and to never give in.

Then after four years of fighting the end of the war came suddenly on 11 November 1918. An armistice was agreed between the warring factions which saw Britain and her allies emerging victorious whilst Germany and the other vanquished nations which had sided with her, had to deal with the stale taste of defeat.

Weather wise November 11 was a lousy day, being both cloudy and overcast on both sides of the English Channel but the state of the weather paled into insignificance when compared with the end of the war and what that meant to everybody. The war was finally over and at long last people could start to rebuild their lives. For some that would be easier to achieve than for others, but the post war era saw a different world emerging, where social change would be more pronounced than it had ever been before. People generally wanted to be part of those new and forward thinking changes.

The end of the war saw celebrations taking place all over Britain. There were impromptu street parties in most towns and villages. Crowds gathered outside 10 Downing Street and Buckingham Palace in London, which went on late in to the night just as they had done on the very first night of the war four years earlier.

Never had two wartime celebrations been so totally different in what they stood for. The excitement of venturing in to the unknown at the outbreak of the war had been greatly overshadowed by the relief and happiness that the fighting was finally at an end. It would be down to history to record and determine the price that had been paid, and although it would be a price that could never be repaid, it would never be forgotten.

CHAPTER 17

Life in the Trenches

Billericay still has its very own trenches in Norsey Woods. Today they are part of a nature trail in a local wooded conservation area. In the First World War they were used for training purposes for the numerous regiments that would subsequently have to go and fight in the trenches of the Western Front, as well as forming part of the North London defence system, which had been put in place in case Germany decided to invade.

Life in the trenches was not an experience for the faint hearted. They were dirty places with very little in the way of home comforts to soften the discomfort of the cold and rain. There were no baths of course and soldiers on either side rarely had the opportunity to change their clothes whilst engaged in the front line trenches. It was a stressful existence at the best of times, with the possibility of death an ever-present companion for all those concerned.

How bad the conditions were at any given time, rather depended on the severity of the weather. Soldiers lived with lice and rats hand in hand with the feelings of fear and of being homesick for their loved ones. It was physically and mentally demanding on minds and bodies. Some became broken men through the rigours of days and days of constant German shelling, wondering if today was going to be their day to die.

On 16 September 1915, the German Army began to dig in on the high ground of the Chemin des Dames ridge on the north bank of the river Aisne. They dug defensive trenches with the intention of securing their position and preventing any further withdrawals. This was the beginning of trench warfare and marked the change from a mobile

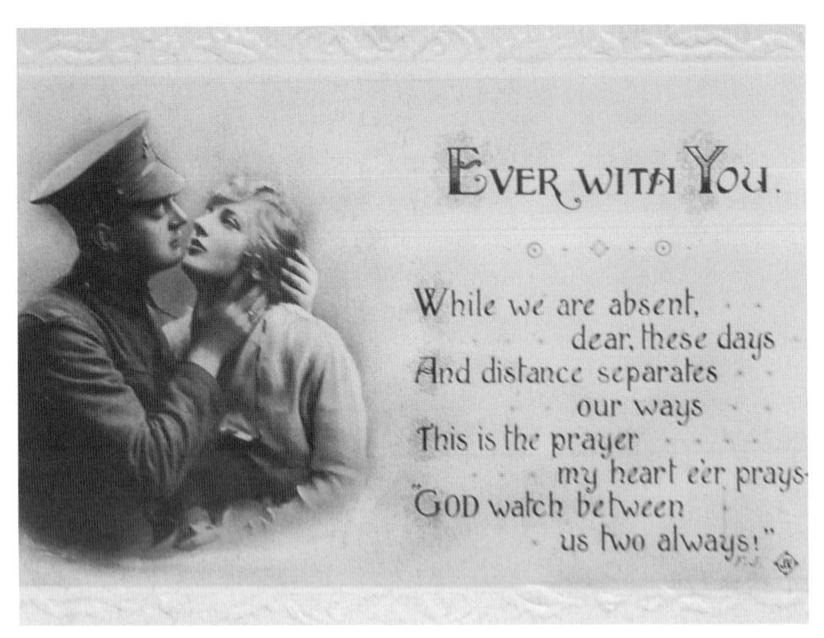

(From a contemporary postcard)

conflict to one of a static deadlock between the opposing forces. Gradually this brand of warfare was replicated across the entire Western Front from the Belgian coast to the Swiss border for the remaining three and a half years of the war.

In some places the front line trenches of the opposing sides were 100-300 yards apart, in other areas it was no more than thirty yards, which meant they were so close they could lob hand grenades into each other's trenches. During the Gallipoli campaign, this tactic was heavily employed by both sides.

There was no official stance on how deep or wide a trench should be; that was something which had simply evolved out of a desire to stay alive and to make the best of a bad job. Front line trenches were usually about 12 feet deep and would take on average 450 men 6 hours to dig a trench 275 yards in length. Because of the close proximity to each other the trenches had to be dug from the bottom up, whether it was night or day

Life in the trenches was never going to be easy. Even in the chaos of battle the soldiers still had to follow a daily routine as well as dodging enemy bullets and shell fire. The trenches had to be maintained otherwise they would quickly deteriorate and end up offering little or no protection from the enemy. A well maintained trench could literarily mean the difference between life and death.

A soldier in the trenches would begin his day about one hour before sun up with the morning call to 'Stand to'. He would man the fire step with his bayonet attached to his rifle in case of a dawn raid from the enemy. Dawn raids were common in the trenches, but as both sides were prepared for their eventuality, the tactic was somewhat futile. After the 'Stand to', the soldiers would be issued with a tot of rum before cleaning their weapons which was then followed by the morning inspection by senior officers. With the inspection over it was time for breakfast, unofficially in quieter sectors breakfast time in the trenches was a time of ceasefire which both sides would respect most of the time. After breakfast the soldiers would then face an inspection by their commanding officer, this was followed by the daily chores including the refilling of sandbags, the repair of the wooden duckboards on the floor of the trench and the draining of trenches if there had been heavy rain overnight. The least popular job of the day was the cleaning and repair of the latrines. It certainly did not pay to annoy the sergeant who decided on which duties each of his men would be allocated.

Having a routine was important for a soldier's morale and their overall wellbeing. Without it there would have been boredom as well as the real risk of mass ill-discipline. During the afternoon, the men took it in turns to man the fire step which was just another term for, 'guard duty'. The lucky ones who were not chosen for this duty were allowed a period of time to themselves to either catch up on some sleep, read and write letters or enjoy some games amongst themselves although movement was restricted in the trenches and the fear of becoming the victim of an enemy sniper was ever present. Snipers on either side would open fire at the slightest sign of any movement in an enemy trench, so making sure they were in cover at all times was something a soldier had to constantly think about. Forgetting could have fatal consequences.

As the darkness of the evening approached the men were put on their second 'Stand to' of the day with bayonets fixed in preparation for any surprise attacks by the enemy. Evening time was when the trenches came to life and were a hive of activity. Some soldiers were

Sleeping soldiers in a captured German trench while one keeps watch. (From a contemporary postcard)

sent to the rear trenches to bring up much needed supplies of food, ammunition and water.

A soldier's period of guard duty on the firing step was for a period of two hours before being replaced by a colleague, this was mainly to ensure that those on guard were fresh and alert at all times to the possibility of a surprise German attack. No matter how tired a soldier was, falling asleep whilst on guard really wasn't an option if they wanted to stay alive. If discovered in such a state by an officer the punishment could see the offender face a court martial, the ultimate penalty for such a transgression, being death by firing squad.

Sometimes small parties of men led by an officer would be detailed to carry out a night patrol into no man's land under cover of darkness.

This could be to repair breaks in the barbed wire or to try and overhear enemy conversations in the hope of picking up a snippet of useful military intelligence. Some patrols were tasked with capturing an enemy soldier so they could be interrogated for information.

The Germans would send out similar patrols which meant there was the real possibility of meeting each other in no man's land. If this happened the options were either to ignore each other and carry on with their respective patrols or engage in hand to hand combat. Opening fire on each other was usually not an option as this would result in machine gun fire raking across no man's land from both sides, the outcome being the possible death of all concerned.

Night time, with the cover of darkness, was when troops were replaced with fresh troops from the rear support trenches. This would be carried out in plenty of time for the daily routine to begin all over again the next morning.

An Army chaplain tending British graves. (From a contemporary postcard)

CHAPTER 18

Internment Camp – Billericay

The topic of prisoner of war (PoW) and internment camps is one that has not been that widely discussed in relation to either world war. Records of the camps from the Second World War are generally more plentiful and would appear to have been better kept than those of the First World War. This may be due in part to the level of secrecy and restrictions which were imposed by the government of the day and included matters on which the press could report. During our research we have not found one newspaper article in relation to there ever having been an internment camp in Billericay.

During the First World War there was an Army camp in Mountnessing Road opposite the junction with Station Road, where different regiments would come to train before going off to fight on the Western Front. However, one historical fact we had never heard about was that there had been an internment/PoW camp in the town which opened on 22 February 1918. The location of this camp was the Billericay Union Workhouse. On 7 May 1918 a visit was paid to the camp's internees by Dr A. de Sturler from the Swiss Embassy in London. Below are the contents of the report he submitted on 10 May 1918 in relation to his visit:

Direction:

Captain J. Powell, who is the Commandant of the Rochford PoW camp, visits the Billericay camp at intervals. Sergeant Wakefield is in charge of the German PoWs; Dr Shackleton, who is the local General Practitioner in Billericay, acts as the camp's physician.

PoWs:

Combatants. There are forty German military personnel held at the camp. Gef. Karl Gorges is the PoW camp leader, as well as being the interpreter and the clerk.

Description:

The PoW camp occupies part of Billericay Union Workhouse. It has independent blocks surrounded by courtyards.

Housing:

The PoWs are housed in three spacious dormitories with eleven men residing in one of them, thirteen occupying another of the dormitories and fourteen men in the other one. Each man has a usual regulation bedstead, a straw mattress, a pillow and four blankets. Each dormitory has gas lighting and open fireplaces for heating. There are large dining and recreation rooms where the PoWs eat their meals.

Sanitary Arrangements:

There were separate blocks for the ablutions and bathroom as well as the drying room. There were also latrines in the courtyard and the PoWs do their own laundry. There was hot water readily available, and the drinking water was good and plentiful. All of the sanitary installations were adequate, clean and in good working order.

Nutrition:

The kitchen had one boiler and all the necessary apparatus in a special block in the courtyard. One of the German PoWs was acting as the cook. All of the PoWs get the increased rations for working PoWs. There was no specific area set aside for use as a canteen in this small camp.

Work and Wages:

The PoWs work in agriculture for local farmers. Their wages are 1d per hour, and they work eight to nine hours each day and do a six-day week. The camp's clerk gets 3/- a week from the British Government, the cook gets 3/- a week from the other PoWs. Men work in groups of seven. Those allocated to do work which is more than three miles away from the camp, travel there by train.

Medical Information:
The PoWs' general health was very good. There had been no reported cases of sickness since the camp opened. If any of the POWs becomes seriously ill, provision has been made for them at nearby Warley hospital as well as at Colchester Hospital. Dr Shackleton, the local Billericay GP visits the camp on a daily basis. On day of my visit the weather was bad, so all of the PoWs were seen indoors and all of them were in good health. None were suffering from insufficient nourishment.
Recreation:
The Camp's Commandant, Captain J. Powell applied some weeks ago to YMCA and Dr Markel's Relief Agency for books and musical instruments for the PoWs, but nothing has been received yet.
Religious Service:
A representative of the YMCA visited recently the camp and held a religious service and showed the PoWs some pictures.
Discipline:
The camp's Commandant Captain J. Powell, informs me that all of the PoWs are well-selected, well-behaved and no trouble at all to the camp authorities.
Resumé:
There were no complaints received from any of the PoWs. There was no barbed wire to be seen anywhere in or around the camp. The accommodation where the PoWs are housed is of an excellent standard. All of the PoWs are engaged in wholesome work outdoors in the open air. The PoWs are treated in a considerate treatment manner by their British captors, and all in all it has to be said that this is a well-appointed camp.

A couple of points are worth highlighting here, under the section in the report on how the PoWs were housed it described how the men were split into three dormitories of fourteen, thirteen and eleven. That is only a total of thirty-eight, yet under the heading of PoWs in the report, it said the camp contained forty German PoWs. Maybe the other two had escaped and the authorities simply hadn't worked it out!

Secondly, in Mary Needham's paper entitled, '*Billericay at the outbreak of the First World War*,' remembering of course that Mary was the daughter of the Billericay Union Workhouse Master and lived there with her mother, father and sister, she makes no mention of the German PoWs having ever stayed there. Her paper describes life in Billericay throughout the entire four years of the war and beyond. She mentions British officers having being billeted at the Workhouse, so why she hasn't mentioned the PoWs isn't known.

Different organisations were involved in the visiting and inspecting of all such camps to check on the wellbeing of those being detained, whether they were military personnel or interned foreign civilians. One such organisation was the Directorate of Prisoners of War, which had been set up in February 1915. Its first Director was Lieutenant General Sir Herbert E. Belfield. One of its members, who was authorised to make unannounced visits to camps throughout Britain, was an American, Mr J.B. Jackson. In February 1915 he visited twenty-two separate locations, including nine ships, some of which were moored in the River Thames near to Southampton, with another two moored at the end of Southend-on-Sea pier. The names of these two ships were the SS *Saxonia* and the SS *Ivernia*. They were used as PoW ships at Southend from December 1914 through till May 1915. Ironically at 10.12am on 1 January 1917 the SS *Ivernia*, having finished her stint as a PoW ship, was torpedoed by a German U-Boat, U-47, just off of the coast of Greece whilst en route to Alexandria and sunk within the hour. One hundred and twenty of those on board the *Ivernia* perished. This included thirty-eight members of her crew as well as eighty-four soldiers.

Her main distinguishing feature was her funnel which at the time was the largest that had ever been fitted to a ship: 60 feet from the deck to the top. A road in Walton, Liverpool is still named after the ship.

The decision to use ships as 'camps' was taken because the government was running out of other suitable accommodation to hold them in because of the ever increasing number of German PoWs that were coming under their control. There were approximately 26,000 internees in these camps, the majority of whom were foreign civilians. The use of ships for this purpose was stopped by June 1916.

A few days after hostilities began in August 1914, alien nationals from countries who were considered to be enemies of Great Britain were ordered to register at their nearest police station. Many Germans, who were gainfully employed before the war began, suddenly found themselves out of a job as the backlash of British national fervour towards them began. One interesting fact was that at the beginning of the war there were in the region of 70,000 German subjects living in Britain, yet only 20,000 of them were ever interned.

In August 1914, and mainly to comply with the terms of the Hague Convention, the Prisoner of War Information Bureau came in to existence. Its first leader was Sir Paul Harvey. The department dealt with all requests from the German government requesting information about the wellbeing of its troops that it believed had become prisoners of the British.

The International Committee of the Red Cross (ICRC), whose headquarters were in Geneva, also sent some of its members to pay unannounced visits to the British camps. These visits were an extremely important aspect of the war no matter which organisation carried them out. It was imperative that Germany knew that her captured soldiers, sailors and airmen who were being held in British camps were been well looked after, to ensure the wellbeing of British PoWs being held by them.

By the end of the war the number of camps had risen to over 500. Although the numbers of civilian detainees had reduced slightly to just below 18,000, the total number of military personnel who were been held as prisoners of war, had risen to just over 120,000.

Despite the large number of camps throughout Britain the Red Cross visited very few: Hollyport, which was for German officers, Queensferry, Dyffryn in Wales and the camp in Dorchester. It also visited PoW ships at both Southend and Portsmouth. Those at Southend held both military as well as civilian detainees.

Under the terms of the Hague Convention it was permissible to use captured enemy combatants to work, but only the 'other ranks', not officers. The work could not be excessive or have anything to do with the war effort and whatever work PoWs carried out had to be paid for at an agreed rate. The work varied and mainly depended on where they were located. It wasn't until the summer of 1917 and then only because of an ever-increasing food and labour shortage, that the British government eventually decided to put German PoWs to work. By the end of the war there were approximately 100,000 PoWs carrying out paid work; 30,000 of these were employed working on farms and gathering in the crops.

Most German PoWs were more than happy with their overall treatment whilst they were detained in British camps but whether that was the conditions within the camps, the food they were provided with or how they were physically treated by their guards is not known. The soldiers who guarded these camps were from the Royal Defence Corps.

CHAPTER 19

Those Who Returned

In 1918, England was made up of only 16,000 towns and villages which by today's standards had relatively small populations. At the start of the First World War, Billericay was no more than a village community with a population of about 2,000. Nearly one hundred years later in 2012 Billericay had become a large sprawling town and its population had risen to around 37,000 people.

Research by historian, Tom Morgan, found that of those 16,000 communities only fifty-two of them did not lose a single young man throughout the entire four years of the First World War.

One such community was that of the ironically named village of Upper Slaughter in the Cotswolds. Thirty-six of its young men went off to fight in the war and every single one of them came back alive. Not surprisingly in the circumstances, it doesn't actually have a First World War memorial, but what it does have is a plaque commemorating the names of those thirty-six young men who all returned safely to the community. The plaque hangs in pride of place in the village hall.

Of the fifty-two communities who didn't have any of their young men killed in the First World War, fourteen of them also didn't lose anybody during the Second World War either. Upper Slaughter wasn't one of them, and neither was Billericay.

One of the reasons that some communities lost large numbers of their young men was because of the system of Pals regiments, which encouraged friends, colleagues and relatives to join up and fight side by side. Although seen as an extremely useful recruitment tool by the Secretary of State for War, Lord Kitchener, the down side was that in some cases the entire adult male population of a village could be wiped out in a matter of minutes, decimating communities in the process, potentially for generations to come. This factor was becoming more and more of a political issue as thoughts turned to what life would be like after the war and how communities would be affected if they had little or no adult male population. The Pals system of recruitment was finally phased out by the government in 1917.

Billericay has the names of sixty-two men commemorated on their First World War memorial, each of them having paid the ultimate price, but there are also at least thirty-six men who returned to their families after the war. Little Burstead has eight men commemorated on its First World War memorial, but at least thirty-two returned safely home. The nearby parish of Buttsbury and Stock had at least fifty-nine of their men return to their respective communities after the war.

Sadly it appears to have been the men who were fortunate enough to have returned home, who are the ones who seem to have been forgotten over the years, not by their own communities of course, but by the wider population. In memory of those fine young men who returned after the war and then stoically got on with their lives helping to rebuild this country, we have recorded their names here. If we have inadvertently left anybody off these lists, then we unreservedly apologise.

The names of the men from Billericay who we know of that returned after the war, are:

J. **ALDRICH**	A. **DOWNEY**	W.G. **PRITT**
P. C. **BACON**	W. T. **ELLIS**	J.J. **RIBBECK**
E. B. **BASSON**	W. **HODGE**	D. **RUFFLE**
S. **BEARD**	C.S. **HOUGHTON**	C. **SCOTT**
F. **BEARD**	A. **JARVIS**	E.G. **SCOTT**
H. E. **BLUNDELL**	A.F. **LEEDS**	F.S. **SMITH**
E. **BULL**	R. **MARTIN**	E.W.S. **SMITH**
T. **CARPENTER**	H. **MIDDLEDITCH**	P.S. **SMITH**
S. **CROOK**	P. **MOORE**	P. R. **SPELLER**
E. **CROOK**	L. **MORRIS**	H. **THIRKETTLE**
A. **CROOK**	W.E. **MOUNTAIN**	L. **WELHAM**
F. **DANCER**	F. **NEGUS**	E.G. **WORMALD**

The men from Little Burstead who returned after the war are recorded on a Roll of Honour which hangs in St Mary the Virgin Church in the village. The name F. PEASE appears on the roll twice. The problem is that one entry shows him as having survived the war and the other shows him as having been killed. We are assuming that the two entries are for the same person and this is simply a mistake.

As we have already seen in the chapter on memorials, there is also a great deal of confusion surrounding the identity of W. Neville.

ARGENT
ARGENT
B. **BLOOMFIELD**
CARPENTER
W. **NEVILLE**
F. **PEASE**
PAYNE
E. **POND**
W. **RICHARDSON**
READ
RIPPER
RIPPER
RIPPER
A. **SLEEP**
A. **THOMPSON**
F.S. **WOOD**
F.W. **WADE**
R. **WADE**
W. **WADE**

Frederick Pease was a Private in the 1st Battalion the Sherwood Forresters (Nottinghamshire and Derbyshire Regiment). His service number was 242251. He was killed on 27 May 1918 and is remembered on the Soissons Memorial, Aisne, France.

At the end of April 1918 five divisions of Commonwealth troops that were part of IX Corps were posted to the French Sixth Army in this sector to rest and refit following the German offensives on the Somme and Lys. Here at the end of May 1918 they found themselves facing an overwhelming German attack which, despite fierce opposition, pushed the Allies back across the river Aisne to the Marne, having suffered some 15,000 fatalities.

The IX Corps was withdrawn from the front in early July, and replaced by the XXII Corps, which took part in the Allied counter-attack that by early August had driven the Germans back and recovered the ground which they had previously lost. The Soissons Memorial records the names of some 4,000 officers and men who were killed during the battles of the Aisne and the Marne during 1918. Frederick Pease is one of them.

The named men from Stock and Buttsbury are those who returned to their families and communities after the war.

A. **ALLEN**
G. **ARCHER**
W. **ATTRIDGE**
F. **BACON**
J. **BAKER**
C. **BOLT**
BROWN
G. **BURGESS**
H. **CARDIN**
B. **CARPENTER**
J. **CARPENTER**
S. **CARPENTER**
F. **COLLARD**
G. **COLLARD**
H. **COLLARD**
L. **COLLARD**
T. **COLLARD**
A. **COTTEE**
F. **EMBERSON**
W. **FINCH**
W. **GOSS**
W. **HALES**
A. **HARE**
G. **HARE**
G. **HARRIS**
HARRIES
A. **HOOK**
B.H. **JOLLYMAN**
A. **KELLER**
KNIGHTSBRIDGE
P. **KING**
F.G. **LILLY**
H. **LUNN**
F. **MARTIN**
W. **NEVILLE**
W. **PARKER**
H. **PLATTEN**
B. **PRECIOUS**
F. **PRECIOUS**
W. **REYNOLDS**
G. **SHEASBY**
H. **SMITH**
C. **SMITH**
W. **SHEASBY**
A. **STAMMERS**
J. **TAYLOR**
A. **THOMAS**
B. **THOMAS**
G. **TYLER**
B. **WATTS**
W.B. **WATTS**
W. **WHITFIELD**
G. **WILLIAMS**
E. **WILLIAMS**
H. **WOODWARD**
S. **WOODWARD**
P. **WRIGHT**
S. **WRIGHT**

Eight families were fortunate enough to have had two members of their family return to them. Another one had three and in the case of the Collard family, five members of their family all returned home after the war, four of them, Frank, George, Leonard and Henry, all brothers. The name G. Hare is recorded twice so we are not sure if that is a mistake or whether it is two people with the same initial.

CHAPTER 20

Military Service Tribunals

There is a prevailing misbelief that 'conscientious objector' was a generic term to describe anybody who tried to avoid military service during the war. This wasn't the case. There were in fact only 16,500 men who were officially classed as conscientious objectors, nearly all of these were because of religious beliefs where the act of having to take another human life, for whatever reason, was an anathema.

Men who were due to be called up were able to appeal to a local Military Service Tribunal for exemption from military service. There were only five grounds on which an appeal could be made. Being a conscientious objector was one of them, the others were if an individual was employed in work deemed to be of national importance, if they had been classified as being medically unfit for military service by a doctor, if by enlisting, their business would be adversely affected or if the man's family would be caused unreasonable domestic hardship.

By the end of June 1916 around 750,000 had enlisted in the army, whilst at the same time a similar number of men had appealed against their conscription to a Military Service Tribunal. This showed by way of direct comparison that support for the war was far from being universal.

Conscription came into effect on 27 January 1916 with the implementation of the Military Service Act. If anybody had any doubts or needed reminding, Britain was on a total war footing with Germany and her allies. This also allowed individuals the right to refuse to carry out military service to such an extent that they didn't even have to perform alternative civilian service or serve as non-combatants in the army if they could convince a Military Service Tribunal that their reasons for not doing so were strong enough. Any government department could also issue certificates of exemption for individuals or bodies of men in their employ. A certificate could be absolute, like a 'get out of jail free' card, it could be issued with certain conditions attached or it could be temporary. It was incumbent on the individual to whom the certificate of exemption was issued, to inform the authorities of any changes in their circumstances that might alter the conditions or the requirement for the exemption to remain in place, which would have then made them liable to be called up. Failure to do so or lying to obtain the exemption could result in either a fine or a term of imprisonment for the individual concerned.

After the war the government made a rather strange decision when it instructed Local Government Boards to destroy all materials which they had in their possession connected to any of the war-time tribunals. No satisfactory reasons were ever provided for this decision. Some of these records still exist today as some were officially retained by the authorities as a benchmark for possible future use, whilst others survive simply because some areas resisted the instruction to destroy them.

Having searched the National Archives database for Military Service Tribunals, even though quite a few records have survived, it would appear that none of those are for anywhere in Essex. How many men from Billericay, if any at all, applied for certificates of exemption during the First World War, we will never know, but with nearly 750,000 such applications having been made and with only 16,000 areas existing then, there is every possibility that at least some did.

Some conscientious objectors were sent to prison for their beliefs rather than agreeing to enlist in the army or even accepting that they should be made to carry out alternative forms of work for the war effort. After the war, some were punished further by not being allowed to vote for up to five years. Others faced the same dangers and showed the same courage as combatants when they acted as stretcher bearers. In fact the most decorated other ranks soldier in the First World War was, a stretcher bearer. William Harold Coltman was a Lance Corporal in the 1/6th North Staffordshire Regiment. His committed Christian beliefs would not allow him to kill another human being, so accordingly he did not fire a single shot or kill a single German soldier, but still he managed to win all of his medals for acts of bravery when treating and recovering wounded colleagues form the battlefield. On more than one occasion these heroic acts were carried out whilst being under enemy fire, such was his bravery.

In a two year period between 1916 and 1918, he was mentioned in dispatches, awarded the Distinguished Conduct Medal twice, the Military Medal twice and the highest award for gallantry, the Victoria Cross. He was also awarded the 1914-15 Star, the British War Medal 1914-19, as well as the Croix de Guerre from the French. In 1937 he received the King George VI Coronation Medal and during the Second World War he became a Captain in the Home Guard earning the Defence Medal 1939-45. He was awarded the Queen Elizabeth II Coronation Medal in 1953 as well as the Special Constabulary Long Service Medal making a total of twelve medals.

Below is the citation for the his Victoria Cross, which was presented to him by King George V at Buckingham Palace on 22 May 1919:

> 'For the most conspicuous bravery, initiative and devotion to duty. During the operations at Mannequin Hill, north-east of Sequehart, on the 3rd and 4th October 1918, Lance Corporal Coltman, a stretcher bearer, hearing that wounded had been left behind during a retirement, on his own initiative, went forward alone in the face of fierce enfilade fire, found the wounded, dressed them, and on three successive occasions carried comrades on his back to safety, thus saving their lives. The very gallant NCO tended the wounded unceasingly for forty-eight hours.'

CHAPTER 21

The Police

In 1914, Essex Police, or rather Essex County Constabulary as it was then called, had 450 Police officers at its disposal. A total of 153 were either recalled to the colours or left to join the Army of whom twenty-four were killed. Colchester Borough also had its own Police force which consisted of only twenty-five officers, two of whom were killed on the Western Front. Southend Borough Police had only begun policing operations on 1 April in 1914 with one chief constable, one chief inspector, seven inspectors, eleven sergeants and eighty constables. Most had transferred from the Essex County Constabulary and had been stationed within the Southend Borough at the time of its formation and simply transferred across. In effect it was business as usual.

Only four months later war broke out and of the forty-two Southend Borough officers who enlisted in the Army, nine of them were destined to pay the ultimate price and never return.

The turnover of police officers throughout Essex had historically always been relatively high from the early days in the 1840s, mainly due to the constant struggle to find a suitable standard of candidate. Many had previously been soldiers and hailed from all corners of the realm. This was a time when being a Police officer didn't pay particularly well, an average of twenty-five shillings a week about eight shillings more than an agricultural labourer.

Quite a few police officers were sacked for disciplinary misdemeanours such as, 'leaving their guard in company with a prostitute. Drinking on duty, being under the influence in one's lodgings, falling asleep on duty and failing to turn up for work'.

Billericay Police Station with Sergeant's house next door. (From a contemporary postcard)

There were main Police stations in such towns as Brentwood, Colchester, Southend, Chelmsford, Braintree, Clacton and Grays, although constables usually covered a particular parish or village which generally was where the officer lived, although the first official Police station in the county of Essex was located in Billericay and was opened in 1841. The building which housed the Police station still stands to this day and is currently a restaurant. Number 94 High Street, Billericay was built in 1830 at a cost of £800, originally for use as the Market House and an Assembly Room that could be hired out for private functions. In 1841 part of the Market House was rented to Essex County Constabulary for £8 a year, as a Police station and when the need required, where criminals could be kept under lock and key.

The original use of the premises as a Police station was only ever intended to be temporary, but in 1903 the property was purchased by the County Justices for £935, after refurbishments were carried out, it continued as the Police station and also became the local Magistrates

Court. In 1939 the Police station and the Magistrates court moved to its current location at the top end of the High Street.

The building to the right hand side of the old Police station is now owned by a local estate agent. It was originally the local Police Sergeant's house, whilst the town's constables had to lodge at a building on the opposite side of the road, which is currently being used as a bank.

Pay and conditions around the outbreak of war, were already a major issue amongst many police officers. When war was declared one of the first casualties was the recently awarded weekly rest day for police. With the introduction of the Defence of the Realm Act in 1914 some very strange rules and regulations that came with it. In September 1914 police officers were tasked with visiting anybody who kept pigeons, and once having released their birds, they were to note which way they flew, with particular interest to be shown if they headed off in the direction of enemy held territory. As the keeping and racing of pigeons was a popular past-time this decision not surprisingly met with some strong objections. In May 1915 it was decided that owners of pigeons could clip the wings of their birds in the presence of a police officer who would then come back and visit them on a regular basis to ensure that the bird's feathers had not grown back enough for them to be able to fly again. In February 1917, hare coursing and whippet racing were banned where attendance at such meetings was likely to adversely affect munitions production.

As inflation soared throughout the war, the metal content of both gold and silver coins became more valuable when melted down than the actual face value of the coins. It was becoming such a problem that for the first time ever, the Bank of England issued one pound notes and ten shilling notes late in 1914.

Police morale became so low that some 6,000 Metropolitan Police officers went on strike on 30 August 1918 for better pay and conditions. With the war entering its fourth bloody year and finally balanced at a critical point, many criticised and condemned their actions as being insensitive to the greater good of the nation. There were others who commiserated with their situation, understanding the very real hardships which men who undertook their particularly stressful occupation, faced. Attempting to pay the greatly inflated everyday prices of 1918 on a 1914 pay packet was nigh on impossible, especially as food prices during the same period had risen by 130 per cent.

The walk out lasted for less than twenty-four hours after Prime Minister Lloyd George, who had been in France when the strike had been called, arranged for a meeting with the executive of the National Union of Police and Prison Officers (NUPPO). The hastily arranged meeting resulted in the strike coming to an immediate end and police officers receiving an increase in their wages of thirteen shillings, which equated to a thirty per cent pay rise. The speed at which this situation was resolved and how much was conceded to the police was a reflection of just how serious a situation the government was in. No police officers from Essex were involved in either the 1918 strike or the subsequent one the following year in 1919.

Afterword and Acknowledgements

We have enjoyed researching and writing this book and hope that in some small way we have managed to provide you with an insight into what life was like between 1914 and 1918, both on the Western Front for a soldier in His Majesty's armed forces, as well as back home in Billericay for their loved ones waiting patiently for their return.

We would like to thank and acknowledge the following people and organisations for their assistance in the compilation of this book, either by allowing us to reproduce photographs or to refer to their written material.

Where we haven't been able to trace owners of individual pictures or documents and obtain such permissions from them, we apologise, but would point out that we have made efforts to do so.

Tim Soles – A letter from the Front www.sole.org.uk/morefles.htm
Richard Hacken – Bingham Young University www.byu.edu
Paul McCormick. www.loyalregiment.com
Becky Wash (Curator) www.essexpolicemuseum.co.uk
Chris Brewster (Curator) Cater Museum Billericay

Bibliography

Billericay – A Pictorial History, Roger Green
The Fate of the Zeppelin L32, C.E. Wright
Billericay at the outbreak of the First World War, Mary Needham.
World War One – An Illustrated History, Lloyd Clark.
Wikipedia www.wikipedia.org
Billericay Times – Images of the 20th Century,Ted Wright.
The National Archives www.nationalarchives.gov.uk
www.newspaperarchive.com
Commonwealth War Graves Commission www.cwgc.org
The First World War Story www.bbchistorymagazine.com
Prisoners of War in British Hands during WWI, Graham Mark.
Attack of the Zeppelins Channel 4 documentary

Index